D1597567

CURIEUSES HISTOIRES DE PLANTES DU CANADA

Le lis du Canada (*Lilium canadense*). La première illustration en Europe d'une fleur canadienne est celle du lis du Canada dans un florilège publié en Allemagne en 1614. Ce lis est de plus la première plante nord-américaine dont le nom latin d'identification inclut le mot *Canada*. Le lis du Canada est illustré par la suite en 1620 comme un *Lilium* dans un opuscule accompagnant un livre de biologie, en 1622 dans le florilège de Daniel Rabel et l'année suivante dans celui de Pierre Vallet. Rabel identifie la plante canadienne comme un *Liliomartagum*, alors que, pour Vallet, il s'agit d'un *Martagum*. Dès le début de la décennie 1620, cette espèce a déjà trois appellations différentes dans la seule région parisienne. La présente illustration provient du réputé magazine botanique *Curtis's Botanical Magazine*, volume 21, 1805, planche 800. Bibliothèque de recherches sur les végétaux, Agriculture et Agroalimentaire Canada, Ottawa.

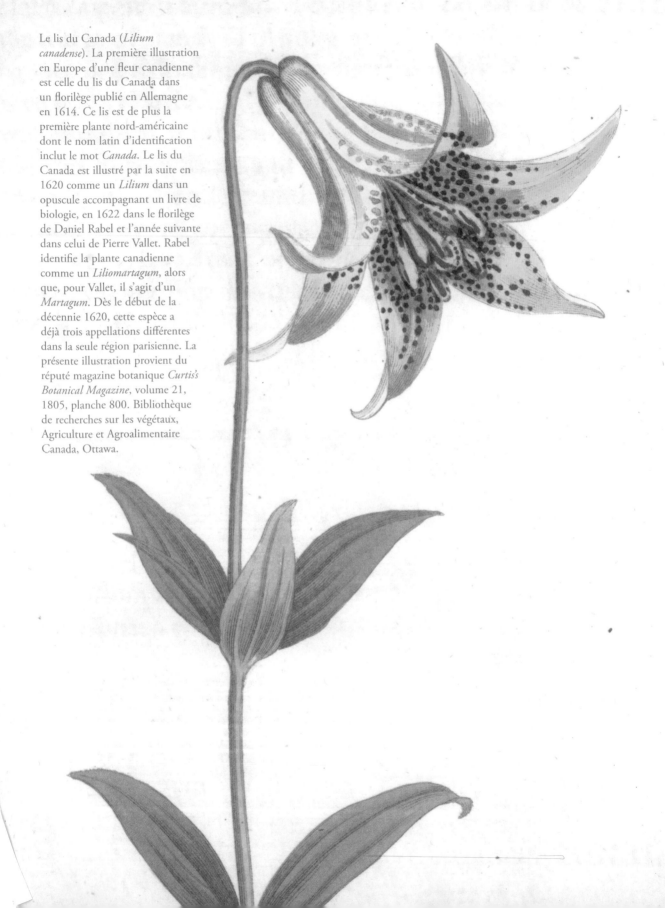

TOME 1

CURIEUSES HISTOIRES DE PLANTES DU CANADA

ALAIN ASSELIN, JACQUES CAYOUETTE
& JACQUES MATHIEU

SEPTENTRION

Pour effectuer une recherche libre par mot-clé à l'intérieur de cet ouvrage,
rendez-vous sur notre site Internet au www.septentrion.qc.ca

Les éditions du Septentrion remercient le Conseil des Arts du Canada et la Société de
développement des entreprises culturelles du Québec (SODEC) pour le soutien accordé
à leur programme d'édition, ainsi que le gouvernement du Québec pour son Programme
de crédit d'impôt pour l'édition de livres. Nous reconnaissons également l'aide financière
du gouvernement du Canada par l'entremise du Fonds du livre du Canada (FLC) pour
nos activités d'édition.

Illustration de couverture : Le soulier de la Vierge ou le cypripède royal. Source :
The Botanical Magazine, volume 6, 1793, planche 216. Bibliothèque de recherches
sur les végétaux, Agriculture et Agroalimentaire Canada, Ottawa.

Chargée de projet : Sophie Imbeault

Révision : Marie-Élaine Gadbois (Oculus révision)

Mise en pages : Pierre-Louis Cauchon

Maquette de la couverture : Olivia Grandperrin

Si vous désirez être tenu au courant des publications
des ÉDITIONS DU SEPTENTRION
vous pouvez nous écrire par courrier,
par courriel à sept@septentrion.qc.ca,
par télécopieur au 418 527-4978
ou consulter notre catalogue sur Internet :
www.septentrion.qc.ca

© Les éditions du Septentrion
1300, av. Maguire
Québec (Québec)
G1T 1Z3

Dépôt légal :
Bibliothèque et Archives
nationales du Québec, 2014
ISBN papier : 978-2-89448-797-6
ISBN PDF : 978-2-89664-894-8

Diffusion au Canada :
Diffusion Dimedia
539, boul. Lebeau
Saint-Laurent (Québec)
H4N 1S2

Ventes en Europe :
Distribution du Nouveau Monde
30, rue Gay-Lussac
75005 Paris

*Les plantes ont mille points de contact
avec l'homme, s'offrant à lui, l'entourant
de leurs multitudes pour servir ses besoins,
charmer ses yeux, peupler ses pensées : elles ont
en un mot une immense valeur humaine.*

Frère Marie-Victorin, né Conrad Kirouac
(1885-1944), *Flore laurentienne* (1935).

À la génération de nos petits-enfants

Qu'elle puisse bénéficier d'une planète bleue bien verdoyante

REMERCIEMENTS

PLUSIEURS PERSONNES ONT CONTRIBUÉ à développer ma curiosité pour les plantes, leurs molécules, leurs agents pathogènes et leur rôle dans l'histoire. J'ai eu le privilège, dans ma jeunesse, de faire partie d'un Cercle des jeunes naturalistes et du Club de sciences naturelles du Collège de Lévis, sous la responsabilité de Robert Plante (1926-2012). J'ai par la suite bénéficié de l'encadrement stimulant d'une organisation unique de loisir scientifique « Les Jeunes Explos », fondée et dirigée de façon magistrale par Léo Brassard (1925-2006). Ce personnage, féru de sciences naturelles, a été sans doute l'un des meilleurs vulgarisateurs de la science au Québec.

Merci aux botanistes Samuel Brisson (1918-1982), Richard Cayouette (1914-1993), Jacques Cayouette et Lionel Cinq-Mars (1919-1973) et aux professeurs Marc J. Trudel (1943-2009) de l'Université Laval et Milton Zaitlin de l'Université Cornell pour leur enseignement et leur intérêt pour les sciences des plantes. Mes parents, Émilien Asselin (1920-1992) et Doris Marquis, mon épouse, Louise Cadoret, et nos enfants, Geneviève et Bernard, ainsi que leurs conjoints, Louis Lavoie et Annie Motard-Bélanger, sont des complices enthousiastes de mes projets souvent accaparants. Merci à Louise Filion qui a su contribuer à sa façon à donner un élan de départ à cet ouvrage en favorisant des échanges avec Jacques Mathieu.

Enfin, je veux exprimer un merci spécial et cordial à mes deux collaborateurs et collègues de recherche qui, par leur vaste expertise et leur enthousiasme généreux, ont su rendre cette aventure plus agréable et très enrichissante.

ALAIN ASSELIN

Les auteurs soulignent la collaboration de Bernard Allaire, historien et chercheur, de Cécile Aupic et du professeur Gérard Aymonin du Muséum national d'histoire naturelle à Paris. Pour les illustrations, nous avons bénéficié de l'expertise de Stephen J. Darbyshire et de Margaret Murray du Programme national sur la santé de l'environnement-biodiversité, Division des ressources biologiques d'Agriculture et Agroalimentaire Canada à Ottawa. Nous remercions aussi Lise Robillard de la Bibliothèque de recherches sur les végétaux du même organisme.

Nous remercions enfin Gilles Herman, Sophie Imbeault et Denis Vaugeois pour leur accueil enthousiaste chez Septentrion.

INTRODUCTION

LES HUMAINS ET LEURS SOCIÉTÉS ont une dépendance vitale aux végétaux. Cet or vert fournit inlassablement l'oxygène à la biosphère en plus de composer la base de la plupart des pyramides alimentaires. Les végétaux peuvent être utilisés de multiples façons et possèdent des dimensions esthétique, emblématique et même rituelle ou mythologique à l'occasion. Ils constituent des ressources renouvelables de plus en plus cruciales pour le maintien et l'évolution durable de l'humanité. Le savoir sur les plantes fait partie du patrimoine à la fois historique, culturel et scientifique des civilisations. L'histoire de leur connaissance et de leur influence est encore peu connue dans ses fins détails. C'est le cas en particulier pour les plantes dans l'histoire des Amériques. Il faut cependant louanger les efforts de décodage du patrimoine botanique canadien par des auteurs comme le frère Marie-Victorin, Jacques Rousseau (1905-1970), Bernard Boivin (1916-1985) et d'autres botanistes ou historiens.

En 1492, les Européens découvrent un nouvel univers végétal qui présente des ressources alimentaires et médicinales, des occasions d'affaires ainsi que des défis de compréhension. Les explorateurs sont aussi stimulés par l'espoir d'utiliser de nouvelles routes de navigation facilitant l'accès à des produits végétaux comme les épices, les drogues, les teintures, les parfums et certaines espèces alimentaires provenant de l'Orient. Dès 1493, la troupe de Christophe Colomb (1451-1506) transporte en Amérique au moins 21 plantes de l'Ancien Monde, soit le blé, l'orge, le chou, la laitue, le poireau, la bette, l'oignon, le radis, le concombre, le pois chiche, la fève, le cédrat, le citron, la lime, l'orange sucrée, l'olivier, la vigne, le melon, le persil, la gourde et la canne à sucre (voir l'appendice 1 pour les noms scientifiques). Colomb connaît particulièrement bien cette dernière espèce, car son épouse est la fille d'un producteur de canne à sucre de Madère. De plus, comme le rapporte Carolyn Fry, Christophe

Colomb avait été chargé d'acheter 36 tonnes de sucre à Madère. Il s'installe d'ailleurs sur cette île pendant un certain temps. Colomb introduit la canne à sucre à Hispaniola, d'où elle se répand rapidement à Cuba, en Jamaïque, au Mexique et au Brésil. Du reste, la culture de la canne à sucre explique en bonne partie l'éventuelle mise en place du système d'esclavage en Amérique.

Une quarantaine d'années après l'arrivée de Colomb, on compte déjà au moins 32 espèces de plantes cultivées en Europe introduites au Mexique par les Espagnols avant ou pendant la décennie 1530 (voir l'appendice 2). En plus de ces efforts considérables pour introduire rapidement leurs végétaux en Amérique, les Espagnols découvrent des curiosités végétales locales. Grâce aux Amérindiens, les conquérants réalisent très tôt les bienfaits et le potentiel de certaines espèces. Ils deviennent de plus en plus familiers avec ces curiosités que sont le maïs, le tabac et sa fumée, le goût du chocolat et de la vanille, la patate, la tomate et toute une gamme d'autres produits végétaux. Certaines plantes sont éventuellement transportées en Europe. Cette histoire se répète lors des premières explorations du Canada par Jacques Cartier et ses successeurs.

Une cinquantaine d'histoires, présentées en deux tomes, relatent une sélection de différents éléments de découvertes et d'usages de plantes du Canada couvrant la période des premières explorations jusqu'à la fin du Régime français en Nouvelle-France. Le premier tome débute avec le séjour des Vikings à Terre-Neuve vers l'an 1000 et se termine avec celui du missionnaire naturaliste Louis Nicolas œuvrant en Nouvelle-France de 1664 à 1675. Le second tome s'intéresse à des découvertes et à des usages de plantes à partir de la décennie 1670 jusqu'à la fin du Régime français, soit en 1760.

La toute première histoire, ayant trait à un site archéologique viking, illustre bien que les premières découvertes officielles du Canada ont été précédées de rencontres souvent ignorées. Les observations et les commentaires rapportés dans les histoires sont basés généralement sur des sources documentaires primaires disponibles dans l'univers numérique. Les histoires d'intérêt botanique sont d'abord celles des personnes responsables des découvertes, des descriptions et des usages des espèces canadiennes. C'est pourquoi les commentaires sont précédés d'une brève note biographique aidant à mieux situer le contexte de l'acquisition des connaissances. Les histoires des plantes et de leurs usages sont toujours d'actualité. Ainsi, certains éléments complémentaires d'information de la science moderne sont inclus à l'occasion. Le texte réfère même, au besoin, à des informations scientifiques contemporaines visant une meilleure compréhension de l'histoire des plantes et de leurs usages.

Quelques notions du contexte historique de l'acquisition des connaissances sur les plantes précèdent les histoires. Cette section décrit l'état des connaissances botaniques européennes en 1534 et son évolution jusqu'en 1760 en plus de traiter brièvement des noms des plantes. Des propos sur la connaissance des plantes par les Amérindiens et la perception des Européens complètent cette section.

Il est stimulant de constater que plusieurs questions concernant les premières observations de plantes canadiennes demeurent sans réponse et requièrent encore des efforts de recherche. L'histoire détaillée des connaissances des plantes canadiennes ne fait que commencer. Elle est palpitante et pleine de rebondissements. Elle est aussi riche en informations scientifiques et culturelles peu connues et souvent oubliées. Depuis quelques décennies, des chercheurs scrutent des documents botaniques anciens avec l'espoir d'y trouver de nouvelles applications scientifiques particulièrement médicinales ou même culinaires. Cette prospection mérite d'être poursuivie par diverses approches complémentaires avec notre patrimoine de connaissances sur les plantes canadiennes.

L'interprétation des sources documentaires mérite quelques commentaires. Les Amérindiens ont été le plus souvent les premiers et les principaux informateurs sur les végétaux et leurs usages. Les documents, rédigés par des Européens, reflètent souvent des connaissances limitées des peuples autochtones familiers avec la flore locale. Ces textes tiennent rarement compte de toutes les nuances culturelles et rituelles amérindiennes relatives aux végétaux. L'interprétation, même moderne, de ces écrits souffre évidemment de ces limites.

Dans le présent travail, le mot *Canada* désigne un territoire variable de l'est de l'Amérique du Nord sous le contrôle de la France entre le premier voyage de Jacques Cartier en 1534 et la fin du Régime français. Le Canada est donc généralement synonyme de la Nouvelle-France ou de l'une de ses régions. Selon les histoires, une région canadienne peut être aussi l'Acadie, les Grands Lacs ou même la vallée du Mississippi. Le territoire correspond souvent à la vallée du Saint-Laurent de la province de Québec, mais il n'y a pas toujours d'adéquation entre le Canada contemporain, le Canada des découvreurs et la Nouvelle-France. En ce sens, les appellations *Canada* sont parfois réductrices et elles ne reflètent pas l'étendue et la diversité géographiques de l'Amérique française. Des dizaines de plantes ont été nommées canadiennes par les botanistes de l'époque, alors que d'autres espèces d'Amérique du Nord, pouvant d'ailleurs se retrouver aussi en Nouvelle-France, étaient dites américaines, virginiennes ou portaient un nom référant au Maryland, à la Floride et même au Brésil. La nomenclature initiale n'est donc pas toujours exacte et rigoureuse.

Remarques sur le texte

Les noms scientifiques des plantes et leurs équivalents français sont ceux de la base de données VASCAN sur les plantes vasculaires du Canada (consulter la référence de Brouillet et collaborateurs). Lorsque les noms français officiels ne sont pas disponibles, les noms français sont ceux des deux dernières éditions de la *Flore laurentienne* de Marie-Victorin. Les noms scientifiques latins sont présentés sans l'ajout des initiales des personnes qui ont décrit ces espèces. Afin d'éviter les répétitions, les références à la *Flore laurentienne* de Marie-Victorin ne sont pas incluses dans les sources documentaires des histoires. Les données sur la répartition géographique des plantes aux États-Unis et leur statut indigène ou introduit proviennent du site du Département d'agriculture des États-Unis (United States Department of

Avertissement sur les utilisations médicinales et alimentaires

Les usages médicinaux et alimentaires rapportés dans le présent ouvrage n'ont qu'une valeur historique. Les plantes médicinales ne doivent jamais remplacer ou complémenter les traitements thérapeutiques modernes sans consultation médicale préalable. Il est bien connu que certaines plantes et leurs extraits interfèrent négativement avec divers traitements pharmaceutiques. La plus grande prudence est toujours de mise. Il en est de même pour les usages alimentaires.

Agriculture (USDA)). Les informations équivalentes pour les espèces canadiennes sont issues de la base de données VASCAN.

Afin d'alléger le texte, des informations complémentaires sont présentées en appendice. C'est le cas en particulier de quelques listes de noms de plantes. À l'exception des titres de livres et de certaines citations, l'orthographe de l'époque est généralement modernisé. C'est aussi le cas pour l'esperluette (&) remplacée par *et*. Dans quelques cas, des termes en vieux français sont présentés dans leur graphie originale. Les années de naissance et de décès de certains auteurs botanistes varient selon les publications. En général, nous avons choisi les données de l'ouvrage de Joëlle Magnin-Gonze, particulièrement pour les trois premières sections de l'introduction.

N.º 800

S. d. Edwards del. Pub by T. Curtis, S.t Geo Crescent Dec 1 1804.   F. Sansom sculp.

Sources

Anonyme, *Plants data base*. United States Department of Agriculture (USDA). Disponible au http://plants.usda.gov/java/.

Brouillet, Luc, et autres, *VASCAN, la base de données des plantes vasculaires du Canada*. 2010 et +. Disponible au http://data.canadensys. net/vascan/.

Dunmire, William W, *Gardens of New Spain. How Mediterranean Plants and Foods Changed America*, Austin, University of Texas Press, 2004.

Fry, Carolyn, *Chasseurs de plantes. À la découverte des plus grands aventuriers botanistes*, Éditions Prisma, 2010.

Magnin-Gonze, Joëlle, *Histoire de la botanique*, Paris, Delachaux et Niestlé, 2009.

Marie-Victorin, Frère, *Flore laurentienne*, [Deuxième édition par Ernest Rouleau], Montréal, Les Presses de l'Université de Montréal, 1964.

Marie-Victorin, Frère, *Flore laurentienne*, [Troisième édition mise à jour et annotée par L. Brouillet, S. G. Hay, I. Goulet, M. Blondeau, J. Cayouette et J. Labrecque], Montréal, Gaëtan Morin éditeur, 2002.

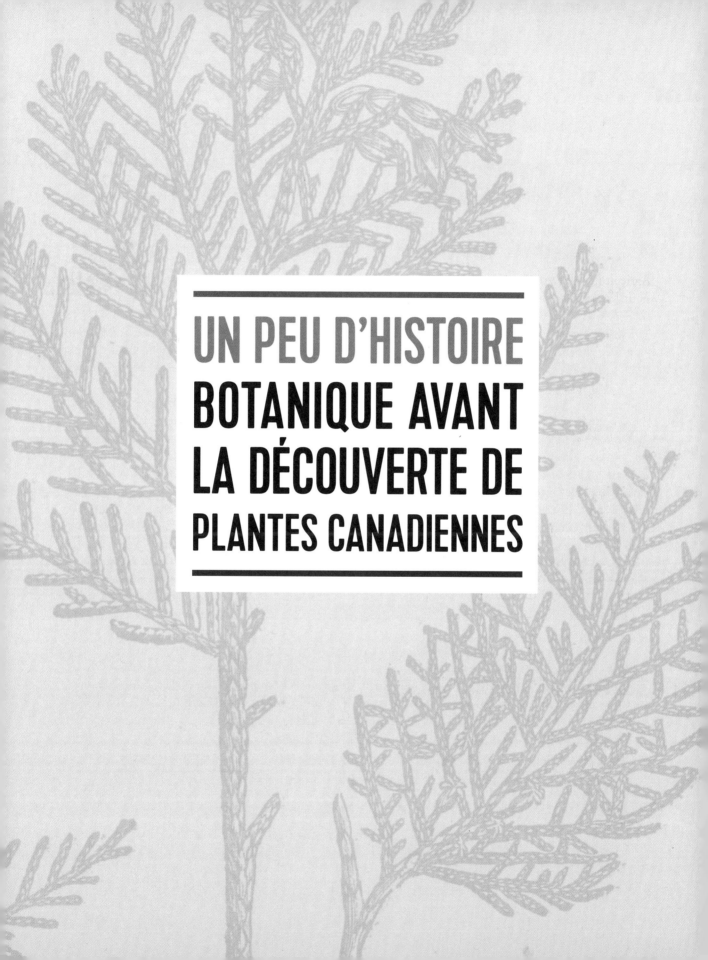

UN PEU D'HISTOIRE
BOTANIQUE AVANT LA DÉCOUVERTE DE PLANTES CANADIENNES

LE SAVOIR BOTANIQUE EUROPÉEN AU MOMENT DE LA DÉCOUVERTE DU CANADA EN 1534

POUR LES EUROPÉENS, les premiers écrits botaniques savants débutent généralement avec la civilisation grecque et se poursuivent avec les Romains. C'est malheureusement oublier les contributions d'autres civilisations comme les Assyriens, les Arabes, les Chaldéens, les Chinois, les Indiens et les Égyptiens. Les jardins suspendus de Babylone ne font-ils pas partie des sept merveilles du monde antique? Au XIXe siècle, on exhume plusieurs sarcophages égyptiens contenant des couronnes de fleurs séchées si bien conservées que l'identification des espèces est possible. Certaines d'entre elles proviennent de régions éloignées de l'Égypte et elles sont jugées dignes d'accompagner éternellement les rois. L'excellente conservation de ces fleurs, durant trois millénaires dans certains cas, s'explique vraisemblablement par l'action de préservation des vapeurs des baumes et des aromates des momies. En 1873, l'égyptologue Georg Ebers (1837-1898) découvre un papyrus qui décrit plus de 700 remèdes, surtout végétaux. Ce document date du deuxième millénaire avant l'ère chrétienne. Une barque funéraire égyptienne datant d'environ 2 500 ans avant l'ère chrétienne a été retrouvée au pied de la pyramide de Khéops. Elle était fabriquée de cèdre importé du Liban.

Vers l'an 300 avant l'ère chrétienne, Théophraste (vers 371-287 avant l'ère chrétienne), un savant grec, recense environ 500 espèces végétales qu'il regroupe en arbres, arbustes, arbustes plus petits et plus ramifiés et herbes. Environ 400 de ces espèces sont cultivées. Théophraste, surnommé le « divin parleur », est un disciple d'Aristote (384-322 avant l'ère chrétienne), le réputé philosophe grec qui s'est intéressé à la nature et à l'âme des organismes vivants incluant les plantes. Pour Théophraste, dont le vrai nom aurait été Tyrtamos, la plante est comme un animal avec les pieds en l'air et la bouche en terre. Les parties importantes de cet organisme sont la racine, la tige, les branches et les feuilles très variables. Théophraste n'attache aucune importance

aux fleurs. Il est cependant très préoccupé par les plantes toxiques. Il décrit d'ailleurs la façon optimale de préparer un extrait mortel de ciguë. Il présente divers traitements contre les poisons. Ainsi, le cédratier (*Citrus medica*) est utilisé comme antidote. On retrouve d'ailleurs cette espèce, dès 1493, parmi les plantes transportées en Amérique par Christophe Colomb. Deux livres de Théophraste, *Historia plantarum* et *De causis plantarum*, sont fréquemment copiés pendant les siècles suivants. Charles Linné (1707-1778) considère Théophraste comme le « père » de la botanique. La botanique de Théophraste et la zoologie d'Aristote sont parmi les œuvres les plus influentes de l'Antiquité. Leur impact perdure même au-delà de la Renaissance.

La récolte des plantes médicinales donne lieu parfois à des pratiques étonnantes. Théophraste en dénonce plusieurs, mais il en soutient d'autres tout aussi surprenantes. Il croit que les fruits des rosiers doivent être récoltés en faisant face au vent dominant. Pour cueillir l'hellébore, il importe de dessiner trois cercles avec une épée autour de la plante en regardant vers l'ouest. Après avoir coupé le deuxième morceau, on doit danser tout autour. Théophraste a toutefois le mérite de défendre un concept révolutionnaire pour l'époque, à savoir que les plantes ont leurs propres fonctions et que leur but ultime n'est pas seulement de servir les humains. Théophraste connaît déjà les fossiles, mais il ne comprend pas leur signification. Ce n'est qu'au XVIIe siècle qu'on réalise peu à peu que les fossiles sont des restes d'espèces qui ont péri.

Pline l'Ancien (23-79) est un naturaliste romain du premier siècle de l'ère chrétienne qui compile à peu près 800 espèces de plantes dans son encyclopédie *Histoire naturelle* qui réfère à 473 auteurs. De ses 37 livres, 15 décrivent des remèdes préparés à partir des plantes. Il s'inspire beaucoup de la littérature grecque, particulièrement celle de Théophraste. Toutefois, contrairement à ce dernier, Pline s'intéresse également aux plantes d'ornement des jardins.

Il décrit des espèces non mentionnées par Théophraste, comme le cerisier comestible découvert près de Pont (Pontus) sur la mer Noire. Cet arbre fruitier suit constamment les invasions romaines en Europe pour arriver en Angleterre une centaine d'années après son introduction à Rome vers l'an 60 avant l'ère chrétienne. Les plantes mentionnées par Pline sont classées en espèces utiles pour les vins, les aliments, les médicaments, les guirlandes, les abeilles et les jardins.

La grande vedette du savoir des plantes dans l'Antiquité est Dioscoride (vers 40-vers 90), un contemporain de Pline l'Ancien, qui produit un livre de botanique médicale dont l'influence dure pendant plus de 1 500 ans. Il écrit *De materia medica* vers l'an 77. Il s'agit d'un guide simplifié de médecine surtout par les plantes. Dioscoride a été médecin dans l'armée romaine en Asie et il décrit aussi 35 remèdes d'origine animale en plus de recommander d'utiliser les dépôts de saleté autour des bains. Il traite aussi du plomb, de l'antimoine et des sels de cuivre. L'auteur décrit certains problèmes associés aux plantes médicinales. Pour lui, les usages des plantes sont plus importants que les descriptions botaniques. Les racines sont la source du plus grand nombre des médicaments. Le guide pratique de Dioscoride décrit environ 600 plantes surtout médicinales. Cela dépasse de beaucoup les quelque 130 remèdes végétaux d'Hippocrate. De nombreux médecins, apothicaires, chirurgiens et guérisseurs de toutes sortes tenteront par la suite de faire la concordance entre les plantes de Dioscoride et celles qu'ils rencontrent dans leurs régions. Ce souci de concordance devient si important que certains praticiens de la médecine refusent même d'utiliser les plantes non décrites par Dioscoride. Son livre est souvent considéré comme le document historique le plus influent de la botanique médicinale. Il a grandement influencé la médecine arabe et européenne.

Au Moyen Âge, le travail ardu de copie des manuscrits des Anciens est très important dans les monastères. Cela contribue à sauver les manuscrits de Dioscoride et d'autres auteurs. Il y a cependant des erreurs cumulatives de transcription des textes. Par ailleurs, les monastères ont aussi souvent un jardin culinaire, médicinal, et même ornemental. La connaissance de ces jardins permet de mieux connaître les végétaux utiles de l'époque. Walafrid Strabon (vers 809-849), un moine bénédictin, a composé un poème sur le jardin de son monastère. On apprend que les racines d'iris (*Iris germanica*) améliorent l'odeur des fibres de lin lors des lavages. Les mêmes racines dissoutes dans le vin sont aussi les meilleures pour soulager les maux de vessie. Au Moyen Âge, on distingue en latin le jardin médicinal (*herbalarius*), le jardin de diverses sortes (*hortus*) et le petit jardin ou jardinet (*hortulus*).

À l'époque de la Renaissance en Europe, le texte de Dioscoride est encore la référence savante des milieux botanique et médical. Ces deux mondes sont encore intimement liés. Cette tendance lourde se prolonge dans le temps. En 1544, le Siennois Pietro Andrea Mattioli (1501-1577) publie un commentaire exhaustif sur la botanique de Dioscoride. Il considère Dioscoride comme le maître à suivre. Il s'efforce donc de faire concorder les descriptions du maître avec celles d'autres auteurs. D'autres botanistes de l'époque tentent aussi d'établir des concordances avec leurs propres observations. Une princesse byzantine, Juliana Anikia, décédée vers l'an 527, possède la version illustrée la plus complète du traité de Dioscoride. Cette version, qui date d'avant l'an 512, est le manuscrit le plus célèbre conservé en Autriche et fait partie de la liste Mémoire du monde de l'UNESCO. Les illustrations des plantes sont cependant peu fidèles.

Galien (131-201), un médecin grec, devient le médecin de l'empereur romain Marc Aurèle (121-180). Il est le premier à organiser son texte sur les remèdes selon l'ordre alphabétique. Il décrit environ 450 remèdes à base de plantes. Il est considéré comme le médecin grec qui a eu le plus d'influence après le célèbre Hippocrate. Il met à l'avant-scène la théorie des quatre humeurs et de leurs déséquilibres menant aux maladies. Cette théorie repose sur la présence de quatre liquides dans le corps humain : le sang, le flegme (lymphe ou pituite), la bile (bile jaune) et l'atrabile (bile noire). Chaque liquide est associé à un des quatre éléments constituant toute matière. Le sang, formé dans le foie, correspond à l'air et il est chaud et humide, alors que le flegme, associé à l'eau et formé dans le cerveau et les fosses nasales, est humide et froid. La bile jaune, émanant aussi du foie et correspondant au feu, est sèche et

Pietro Andrea Mattioli, Melchiorre Guilandino
et Gabriele Fallopio se lancent des invectives au sujet de Dioscoride

Mattioli propose des identifications des plantes médicinales de Dioscoride. Malgré son approche livresque, Mattioli devient le botaniste le plus lu de son époque. De 1544 à 1565, on imprime environ 32 000 copies des premières éditions de son ouvrage sur Dioscoride. Dès 1558, deux artistes travaillent pour lui à Prague sans oublier cinq graveurs à Vienne. En 1565, son livre de botanique médicinale contient près de 1 500 pages avec des illustrations de grand format. Il est devenu une célébrité.

Cependant, quelques botanistes critiquent son approche livresque. Melchiorre Guilandino (vers 1520-1589) est un botaniste avec beaucoup d'expérience de terrain. Guilandino ne se gêne pas pour souligner les erreurs d'identification de Mattioli. Guilandino s'installe éventuellement à Padoue, dans la maison de Gabriele Fallopio (1523-1562), responsable de la chaire d'anatomie et de matières médicinales. Cet anatomiste célèbre a laissé son nom aux trompes de Fallope, à plusieurs autres organes humains et au genre botanique *Fallopia*. Parmi plusieurs espèces de *Fallopia*, la renouée japonaise (*Fallopia japonica*) est devenue une plante envahissante reconnue parmi les 100 plus importantes à l'échelle mondiale. Les historiens de la médecine attribuent aussi à Fallopio la première description du condom en lin imprégné de sel et d'extraits végétaux. Selon Fallopio, cet instrument a été totalement efficace avec 1 100 soldats comme moyen de prévention contre la syphilis.

Mattioli n'apprécie pas les propos de Guilandino et de son ami Fallopio. Il traite même Guilandino de «sordide hermaphrodite». Il a cependant utilisé des termes plus botaniques, comme «gros oignon», envers d'autres botanistes critiquant ses propos. Au XVIᵉ siècle, le monde de la botanique est en ébullition.

Sources : Palmer, Richard, «Medical botany in northern Italy in the Renaissance», *Journal of the Royal Society of Medecine*, 1985, 78 : 149-157. Thiery, M., «Gabriele Fallopio (1523-1562) and the Fallopian tube», *Gynecological Surgery*, 2009, 6 : 93-95. Youssef, H., «The history of the condom», *Journal of the Royal Society of Medecine*, 1993, 86 : 226-228.

chaude. L'atrabile, associée à la terre et provenant de la rate, est froide et sèche. Pour Galien, toute maladie est une déviation de l'équilibre normal des humeurs avec leurs propriétés chaudes ou froides et humides ou sèches. Comme les plantes médicinales ont aussi des propriétés semblables, elles peuvent corriger ces déséquilibres. Si les humeurs de l'organisme souffrent d'un manque de chaleur et d'humidité, il suffit simplement d'utiliser une plante avec des propriétés chaudes et humides. Les caractéristiques inverses des plantes envers les humeurs vitales en font donc des remèdes efficaces. Il s'agit simplement de connaître les caractéristiques de base des plantes. Elles sont chaudes ou froides, sèches ou humides. Cette théorie dite humorale aura une très longue vie. Elle survit jusqu'aux débuts de la médecine moderne.

Cette approche humorale est même utilisée pour traiter des végétaux. L'auteur et historien Paul-Louis Martin rapporte une technique plutôt originale pour diminuer l'amertume des fruits du sorbier, aussi connu comme le cormier. Cette recette du début du XXᵉ siècle est nettement une inspiration de la médecine humaine humorale. La procédure est la suivante. Il suffit de déterrer une racine, de l'inciser entre l'écorce et le bois et d'insérer un petit caillou qui empêchera la cicatrice de se refermer. On enterre le tout et la magie humorale s'opère. Toute l'amertume s'évacue et les fruits du sorbier en sont adoucis. Cette anecdote du siècle précédent indique bien la persistance de la théorie humorale, qui recommande souvent de faire évacuer les mauvaises humeurs qui causent tant de problèmes chez les humains et les plantes.

Le savoir botanique des Anciens et la pharmacopée moderne

Dès 1955, le Centre américain de chimiothérapie du cancer commence à cataloguer des sources de substances potentiellement actives contre les tumeurs malignes. Plus de 3 000 plantes apparaissent sur cette liste à partir de la littérature dite technique ou folklorique. Des chercheurs suggèrent alors une approche plus historique inspirée de l'étude des textes originaux de l'époque des Anciens et même du Moyen Âge.

On constate ainsi que Dioscoride semble avoir reconnu l'action médicinale des plantes contenant des concentrations élevées d'alcaloïdes, sans évidemment en connaître la nature biochimique. La botanique médicinale ancienne n'est peut-être pas uniquement empreinte de superstitions. Par essais et erreurs, les botanistes d'antan ont pu observer et rapporter des effets médicinaux réels.

Le criblage pharmacologique de molécules de plantes pour leur potentiel thérapeutique donne des résultats encourageants à l'occasion. En 1971, on met en évidence la propriété antitumorale d'extraits d'écorces de l'if du Pacifique (*Taxus brevifolia*), une espèce américaine. Le taxol et ses dérivés s'ajouteront par la suite à l'arsenal chimiothérapique pour traiter certains cancers. La toxicité des ifs est connue depuis les temps anciens. Les Grecs évitaient de dormir à proximité de cette espèce. Les Gaulois s'en servent comme poison pour les flèches dirigées contre leurs ennemis. En 1346, lors de la bataille de Crécy, les archers anglais peuvent rivaliser avec l'armée française à cause de leurs arcs performants en bois d'if.

Sources : Riddle, John M., «Ancient and Medieval Chemotherapy for Cancer», *Isis*, 1985, 76 (3) : 319-330. Sévenet, Thierry (avec la collaboration de Claudette Tortora), *Plantes, molécules et médicaments*, Paris, Nathan et CNRS Éditions, 1994.

La mise au point de l'imprimerie par Gutenberg en 1454 influence grandement la diffusion et l'évolution du savoir botanique. Auparavant, les manuscrits varient à cause des altérations introduites par les copistes et ils sont peu disponibles au grand public. Désormais, on peut produire des livres uniformes pour un plus grand lectorat. On peut imprimer les livres de botanique médicinale des Anciens et les traduire. On voit de plus apparaître de nouveaux livres de botanique. Ces traités sont parmi les premiers livres imprimés en Europe après la Bible, produite par Gutenberg en 1455. Dès 1485 paraît *Gart der Gesundheit*, un livre écrit en allemand. C'est une nouveauté, car les traités botaniques des Anciens sont en grec ou en latin. Ce livre à succès est traduit en français en 1500 sous le titre de *Jardin de santé*. Les premiers livres de botanique à usage médical imprimés au xvᵉ siècle contiennent encore beaucoup d'informations mythiques rapportées par les Anciens. Ils sont aussi illustrés de façon peu fidèle. Des livres dénonçant les erreurs botaniques des Anciens deviennent de plus en plus nombreux. En 1492, Nicolo Leoniceno (1428-1524) est le premier à relever les nombreuses erreurs de Pline l'Ancien. Quant aux images, il faut attendre jusqu'en 1530 pour qu'un livre présentant des illustrations plus fidèles à la réalité soit publié.

En 1530, Otto Brunfels (1488-1534), un médecin de la ville de Berne, publie un premier volume de son livre *Herbarum vivae eicones*, considéré comme un classique des nouveaux traités de botanique. Le contenu de cet ouvrage est enrichi par les illustrations remarquables de l'artiste Hans Weiditz (1495-vers 1537) de Strasbourg. Weiditz reproduit les plantes telles qu'observées en nature. Il ne corrige pas les feuilles flétries ou d'autres imperfections. Auparavant, les plantes avaient généralement été représentées avec une morphologie idéalisée et parfaite. Ce n'est plus le cas dans le traité de Brunfels, qui présente 258 espèces, incluant 84 plantes connues de Dioscoride et des Anciens, 78 familières à Théophraste et 49 décrites au Moyen Âge. Les

Une compréhension des usages des plantes inspirée de la Bible

Jacob Theodor Müller (1522-1590), aussi connu sous le pseudonyme de Tabernaemontanus, publie quelques ouvrages botaniques populaires décrivant près de 3 000 espèces et incluant 2 200 dessins de plantes. Ses travaux sont cependant une répétition d'ouvrages antérieurs. Dans un livre posthume de 1664, Müller explique que «les herbes et les plantes de la terre n'existent que pour être utiles à l'homme, à l'origine pour lui servir de nourriture comme de divertissement, mais après la chute maudite, pour le vêtir et le soigner».

Il y a une certaine logique. Les fibres végétales et les plantes médicinales n'étaient pas utiles dans l'environnement du paradis terrestre. Par contre, la valeur esthétique et ornementale des végétaux est intrinsèque. De plus, les plantes nourricières sont requises même au paradis terrestre.

Sources : Anonyme, *Le Jardin d'Eichstätt. L'Herbier de Basilius Besler. Une sélection des plus belles planches*, Cologne, Taschen, 2001. Magnin-Gonze, Joëlle, *Histoire de la botanique*, Paris, Delachaux et Niestlé, 2009, p. 58-59.

---

47 espèces nouvellement décrites semblent avoir été choisies pour leur apparence en tant qu'objet d'illustration. Brunfels utilise les termes *mâle* et *femelle* pour distinguer des plantes selon leur couleur. Certaines espèces femelles sont blanches, alors que les mâles affichent une couleur jaune. Dans d'autres cas, les mâles arborent une couleur foncée, alors que les femelles présentent des teintes pâles.

En 1534, Euricius Cordus (1486-1535) publie *Botanologicon* pour dénoncer les nombreuses altérations et les fausses identifications des plantes médicinales. Cette situation est causée par l'absence d'une méthode unique et reconnue pour nommer, caractériser et classer les végétaux. Il faudra encore un peu plus de deux siècles pour uniformiser la façon de nommer les plantes. La littérature de la botanique médicale de 1534 évoque souvent les falsifications et les identifications erronées des végétaux par les médecins, les chirurgiens et, surtout, les apothicaires et les divers marchands. La dénonciation de 1534 par Cordus n'est pas la dernière. Leonhart Fuchs (1501-1566) consacre 24 ans de sa vie à préparer une encyclopédie des plantes, qui ne fut cependant pas publiée à son époque. Dans cet ouvrage, il dénonce la falsification des racines hallucinogènes de la mandragore (*Mandragora officinalis*). Pour Fuchs, «il est tout à fait évident qu'elles [les racines] sont sculptées à la main à partir de racines de Canna». En 1597, l'Anglais John Gerard (1545-1612) continue de dénoncer le même stratagème.

Certaines histoires de plantes canadiennes sont aussi associées à des dénonciations de falsification ou de mauvaise utilisation de remèdes végétaux.

En 1534, les textes bibliques ont encore une grande influence dans le domaine botanique. Les plantes citées dans la Bible ont une valeur symbolique particulière. Certaines sont même associées à des rites religieux de premier plan. C'est le cas du blé qui donne naissance au pain et de la vigne générant le vin. Il y a environ 300 références au pain de blé dans la Bible sans compter les quelque 200 mentions du vin et les 50 références aux raisins. Comme céréale cultivée, le blé est cité à 46 reprises. L'orge suit avec 36 mentions, mais cette espèce est plutôt présentée comme une nourriture pour les pauvres. D'autres plantes attirent l'attention, comme le majestueux cèdre du Liban avec lequel le roi Salomon (vers 970-931 avant l'ère chrétienne) avait bâti un temple et une maison grandioses. Le cèdre mentionné dans la Bible est souvent transposé, tant par les savants que par les explorateurs, à toutes sortes de conifères locaux et exotiques qui partagent idéalement une ou des caractéristiques de l'espèce biblique.

Il y a plus de 525 références bibliques au bois et à divers arbres. Les conifères sont bien représentés par le cèdre, le cyprès, le pin, le sapin et le bois de thyine (voir l'appendice 3). Il ne faut pas oublier que Dieu ordonna à Noé de fabriquer une arche de bois résineux pour survivre au déluge. Le bois de cèdre est présent dans le *Lévitique*, écrit entre le xᵉ et le

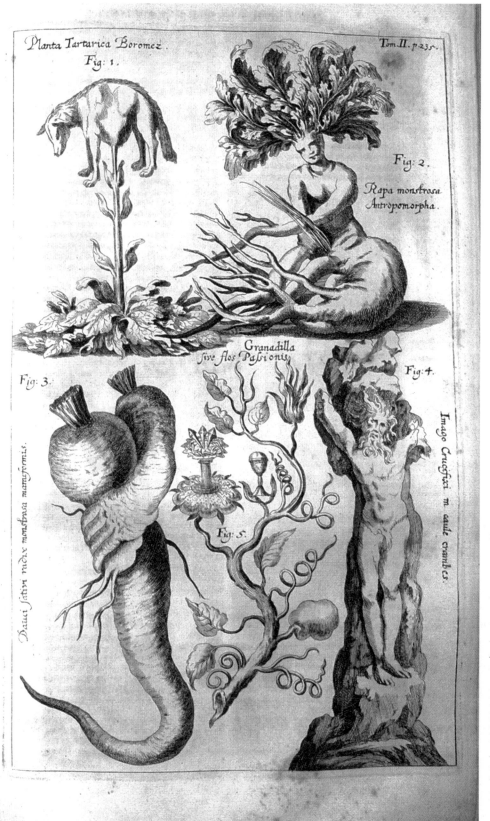

Cinq plantes étranges, anthropomorphiques ou porteuses d'un symbole religieux. Le savant encyclopédiste Johann Zahn (1631-1707) s'intéresse aux plantes étonnantes. Parmi celles-ci, on observe la plante de Tartarie dont la tige est reliée à un agneau par son nombril. Pour certains, c'est un zoophyte, une plante animale. Une racine de rave ou de navet (*rapa*) prend la forme d'une personne, alors qu'une racine de carotte monstrueuse a la conformation d'une main humaine. Un bois exotique sculpté naturellement ressemble à un crucifix avec le Christ. Enfin, une plante remarquable provient de l'Amérique. Il s'agit de la granadille, ou fleur de la passion, dont la fleur montre clairement les clous et la couronne d'épines utilisés lors de la crucifixion de Jésus. Cette plante (*Passiflora* sp.), découverte par les Espagnols au XVIe siècle, devient un symbole et une preuve de la manifestation de la présence divine en Amérique.

Source : Zahn, Johann, *Specula physico-mathematico-historica notabilium ac mirabilium sciendorum…* Nuremberg, tome II, Planche insérée entre les pages 234 et 235, National Oceanic and Atmospheric Administration (NOAA) (USA), Treasures of the NOAA Library Collection, 1696, Image 737.

La Bible et la patate

La Bible ne mentionne évidemment pas les plantes des Amériques, comme la patate. Cette absence a influencé à la fois la perception et l'acceptation de cette espèce chez plusieurs personnes. La patate n'aura pas de difficultés d'acceptation qu'en Nouvelle-France. Cette plante alimentaire avait déjà rencontré des résistances d'implantion en Europe. Après son introduction en Espagne, les prêtres « s'opposèrent énergiquement à sa culture, en la maudissant, avec empressement, comme une racine diabolique. Ils craignaient, en effet, que la pomme de terre ne vint remplacer le seigle, sur lequel l'Église percevait une dîme ».

En 1716, des maraîchers d'Angleterre considèrent toujours les radis comme une production alimentaire beaucoup plus valable que celle de la grossière patate. En effet, plusieurs membres du clergé défendent à leurs ouailles de planter des tubercules de pomme de terre. La raison est fort simple : cette espèce n'est pas mentionnée dans la Bible. L'une des premières éditions de l'*Encyclopaedia Britannica* décrit d'ailleurs la patate comme un féculent démoralisant (*demoralising esculent*). La patate vient de l'Amérique où elle est la nourriture d'un peuple barbare et conquis. Dans certains milieux, on prétend qu'elle peut causer la lèpre et provoquer un état immoral.

Sources : De Gubernatis, Angelo, *La mythologie des plantes ou Les légendes du règne végétal*, Tome premier, Botanique générale, Milan, Archè, 1976. Pollan, Michael, *Botany of desire. A plant's-eye view of the world*, New York, Random House, 2002. Reader, John, *Potato. A history of the propitious esculent*, New Haven, Connecticut, Yale University Press, 2009.

VIe siècle avant l'ère chrétienne. On croit cependant que cette histoire remonte possiblement au temps de Moïse, soit au XIIIe siècle. On y retrouve aussi des arbres fruitiers comme le figuier, l'amandier, l'olivier, le pistachier et l'abricotier. Ce dernier représente probablement le fameux pommier du paradis terrestre perdu. Il y a des bois spéciaux, comme le bois d'aloès et le bois d'ébène, sans compter les espèces fournissant diverses résines et des encens. Les textes bibliques mentionnent des espèces alimentaires, potagères, médicinales, fragrantes et textiles en plus des plantes rituelles et symboliques, comme l'arbre de vie.

À la naissance de Jésus, deux des trois cadeaux des Rois mages sont l'encens et la myrrhe, des résines végétales très recherchées et fort dispendieuses. À cette époque, l'encens est plus dispendieux que l'or et il se vend annuellement des millions de kilogrammes de myrrhe. En fait, la route de l'encens et de la myrrhe est une vieille route commerciale très lucrative entre le sud de l'Arabie et divers pays, incluant ceux de la Méditerranée. Dès le IIe millénaire avant l'ère chrétienne, les Égyptiens organisent une expédition au pays de Pount pour ramener 31 arbres à encens et les planter sur les rives du Nil. Carolyn Fry a expliqué la controverse quant à la localisation africaine ou arabique du fameux pays de Pount. La route de l'encens et de la myrrhe permet aussi le commerce des épices, de la soie, de l'ébène et d'autres bois précieux. Certains ont même suggéré que le Jardin d'Éden de la Bible et du Coran correspond possiblement à une région du sud de l'Arabie devenue riche et prospère en cultures végétales grâce au commerce de la route de l'encens et de la myrrhe. Certaines études ont répertorié plus de 125 végétaux dans les textes bibliques et judaïques. Les suggestions d'identification de 80 plantes mentionnées dans la Bible sont présentées à l'appendice 3. Des informations de base sur les plantes citées dans la Bible sont présentées dans la publication de Harold et Alma Moldenke. Jacques Cayouette a discuté de la problématique d'identification du lis des champs.

En résumé, le savoir botanique en 1534 est encore très préliminaire. Il est souvent entaché d'erreurs d'identification et de falsifications concernant surtout les végétaux d'intérêt commercial. Il dépend encore beaucoup des écrits des Anciens, qui servent de référence incontournable. Dans les milieux savants européens, le traité de Dioscoride est le livre le plus influent. De façon embryonnaire, on commence cependant à produire des illustrations fidèles et on étudie de plus en plus des espèces non décrites par les Anciens. Peu à peu, le doute s'installe quant à la véracité et à l'universalité des connaissances des plantes des Anciens. Les premières explorations des Amériques et d'autres pays révèlent l'existence de plantes différentes de celles décrites par les Anciens. Le savoir savant de l'époque doit donc affronter les difficultés de concordance entre les connaissances des Anciens et les plantes nouvellement découvertes. Le défi est de taille. Il était beaucoup plus facile et réconfortant de simplement se référer aux Anciens et aux textes bibliques. Il faut cependant nommer, décrire et étudier de nouvelles « curiosités » végétales, comme celles qui proviennent du Nouveau Monde. C'est le début d'une ère nouvelle.

Sources

Bancroft, Helen, « Herbs, Herbals, Herbalists », *The Scientific Monthly*, 1932, 35 (3), p. 239-253.

Bilimoff, Michèle, *Histoire des plantes qui ont changé le monde*, Paris, Albin Michel, 2011.

Cayouette, Jacques, *Peut-on identifier le lis des champs ?*, Thèse pour l'obtention de la licence en théologie, Université Laval, 1966.

Fry, Carolyn, *Chasseurs de plantes. À la découverte des plus grands aventuriers botanistes*, Éditions Prisma, 2010.

Johnson, Hugh, *Arbres. Un voyage fascinant au cœur des forêts, bois et jardins*, Montréal, Les Éditions de l'Homme, 2011.

Kauffeisen, L., « Les premiers herbiers », *Revue d'histoire de la pharmacie*, 69 (18ᵉ année), 1930, p. 109-121.

Lack, H. Walter, *Un Jardin d'Eden. Chefs-d'œuvre de l'illustration botanique*, Cologne, Taschen, 2001.

Langenheim, Jean H., « Historical and Cultural Importance of Amber and Resins », chapitre 6, *Plant Resins. Chemistry, Evolution, Ecology, Ethnobotany*, Portland, Oregon, Timber Press, 2003.

Martin, Paul-Louis, *Les Fruits du Québec. Histoire et traditions des douceurs de la table*, Québec, Les éditions du Septentrion, 2002.

McPartland, John M. et Karl W. Hillig, « Early Iconography of *Cannabis sativa* and *Cannabis indica* », *Journal of Industrial Hemp*, 13 (2), 2008, p. 189-203.

Moldenke, Harold N. et Alma Moldenke, *Plants of the Bible*, New York, The Ronald Press Company, 1952.

Musselman, Lytton John, *Figs, Dates, Laurel and Myrrh. Plants of the Bible and the Quran*, Portland, Oregon, Timber Press, 2007.

Pavord, Anna, *The naming of names. The search for order in the world of plants*, New York, Bloomsbury Publishing, 2005.

Payne, Raef et Wilfrid Blunt, *Hortulus*, Pittsburg, Walafrid Strabo, The Hunt Botanical Library, 1966.

Thinard, Florence, *L'herbier des explorateurs*, Toulouse, Éditions Plume de carotte, 2012.

Van Hoof, Henri, « Notes pour une histoire de la traduction pharmaceutique », *Meta* 46 (1), 2001, p. 154-175.

LE SAVOIR BOTANIQUE EUROPÉEN DE 1535 À 1760

ENTRE 1535 ET 1760, la botanique acquiert ses premières lettres de noblesse sur le plan scientifique. Elle s'éloigne progressivement de l'influence de la botanique essentiellement médicinale et utilitaire qui prévaut depuis l'Antiquité. En 1696, le botaniste anglais John Ray (1627-1705) utilise pour la première fois le mot *botany* (botanique) dans son sens moderne. La nouvelle botanique devient lentement, mais inexorablement une étude des plantes pour elles-mêmes. C'est la lente évolution vers la botanique scientifique basée sur l'observation et l'expérimentation. Les connaissances minimales de l'Antiquité ne suffisent plus à expliquer la diversité et la spécificité des plantes apportées des nouveaux pays. Certains concepts erronés s'estompent progressivement. Par exemple, Paracelse (vers 1493-1541), un médecin et alchimiste suisse, a raffiné la théorie des signatures selon laquelle la forme et la couleur des organes végétaux révèlent leurs propriétés médicinales. La botanique moderne ignore de plus en plus ces liaisons imaginaires. Elle s'éloigne aussi de la botanique astrologique qui explique des phénomènes végétaux par l'influence des astres.

L'évolution vers la botanique moderne s'explique par le progrès des connaissances dans divers domaines. En voici quelques exemples.

Une conception des plantes au XVIe siècle

Hieronymus Cardanus (1501-1576) est médecin à Milan. En 1550, il publie une synthèse des connaissances de son époque en 21 livres intitulée *De subtilitate libri XXI*. Dès 1559, cet ouvrage est mis à l'index et Cardanus subit les foudres de l'Inquisition en 1570-1571. Une version française devient disponible en 1642. Le huitième livre traite des plantes, des arbres et des herbes.

On apprend qu'une espèce regroupe les plantes qui «sont presque pareilles en forme, en vertus, en odeur et en goût». Toutes les parties des plantes «répondent aux parties des animaux». La racine est la bouche et non le ventre comme l'estimait Théophraste. Le ventre est la partie basse du tronc. Les feuilles correspondent aux poils, l'écorce au cuir et à la peau, les nerfs aux nerfs, les fleurs aux œufs et les semences aux semences. Enfin, «le fruit représente le sang monstrueux».

Tout suc végétal de couleur autre que le vert est «un argument de qualité vénéneuse aux plantes». Ces sucs sont produits par les racines tout comme les vers contenus dans les plantes.

Dans les régions humides et froides, «les plantes sont imbéciles et pleines de suc». La feuille est la partie la plus humide et la plus froide, alors que la semence est de nature sèche et chaude. Le saule est une plante qui rend «les hommes efféminés et stériles». Les écorces des vieux arbres «sont par vieillesse tant reluisantes, que la nuit elles donnent clarté, comme le brasier allumé».

L'auteur mentionne quelques plantes d'Amérique, comme le bois de gaïac. Les plantes venant des pays lointains sont transportées de diverses façons. Ainsi, des rejetons sont parfois «enfouis dedans le miel». C'est aussi la façon de conserver les noix.

Sources: Cardano, Gerolamo, *Les livres de Hierosme Cardanus médecin Milannois, intitulez de la Subtilité, et subtiles inventions, ensemble les causes occultes et les raisons d'icelles*, Rouen, Chez la veuve du Bosc, 1642. Disponible sur le site de la Bibliothèque interuniversitaire de médecine, Paris. Larder, David F., «The Editions of Cardanus' *De rerum varietate*», *Isis*, 1968, 59 (1): 74-77.

Les jardins botaniques et la botanique universitaire

Depuis les temps anciens, il y a des jardins de plantes utiles et des jardins d'agrément. Les rois, les princes, les nobles et les religieux ont souvent aménagé de tels jardins. Par exemple, entre 1315 et 1385, Henry Daniel, un frère dominicain, cultive 252 plantes dans son jardin de Londres. À partir de la décennie 1540, un nouveau type de jardin apparaît. Ce sont les jardins botaniques consacrés à l'étude des plantes établis d'abord en Italie, à Padoue, à Pise et à Florence entre 1545 et 1550, puis à Ferrare, à Sassari et à Bologne. Le jardin de Padoue est reconnu comme le plus ancien jardin subsistant sur son site et il est inscrit au Patrimoine mondial de l'UNESCO. Selon Yves-Marie Allain, le premier jardin italien exclusivement dédié à la botanique serait celui créé à Venise en 1525. Ces jardins sont le plus souvent associés à des universités. Ils surgissent d'ailleurs en Europe comme à Cassel (1567), Leipzig (1580), Leyde et Breslau (1587), Heidelberg et Montpellier (1593) et dans d'autres villes comme Königsberg. Ces sites permettent d'étudier des spécimens vivants et de mieux comparer les plantes locales et étrangères. Ces nouveaux lieux de recherche compétitionnent de plus en plus pour le recrutement des meilleurs botanistes. En 1548, le jardin de Pise compte déjà 620 plantes différentes. Dès 1533, Francesco Buonafede (1474-1558) avait été nommé le premier professeur de plantes médicinales à Padoue à la suite d'une pétition des étudiants universitaires. Les universités européennes, apparues au XIIIe siècle, deviennent peu à peu des lieux privilégiés pour le développement de la botanique et des jardins d'étude. Certains jardins botaniques publient à l'occasion un catalogue de leurs collections. Ainsi, les premières listes semblent être celles des jardins de Padoue et de Leyde dès 1591.

On met également sur pied des jardins savants en dehors du cadre universitaire. C'est le cas à Anvers en 1548 et à Paris en 1576. Le premier est sous la responsabilité de Pierre Coudemberg (van Coudenbergh) (vers 1520-vers 1594), un apothicaire d'Anvers, alors que le second est initié par Nicolas Houel (vers 1524-1587), un apothicaire parisien. Le jardin d'Anvers contient environ 600 plantes différentes incluant plusieurs espèces exotiques. Certains jardins de villes portuaires sont aussi aménagés pour recevoir les plantes étrangères transportées par les navires. Ces jardins servent de « jardins reposoirs ». Divers monarques cherchent de plus en plus à recruter les meilleurs botanistes. Par exemple, l'empereur Maximilien II du Saint Empire (1527-1576) invite en 1573 le botaniste Charles de l'Écluse (1526-1609) à développer un jardin impérial à Vienne. Ce monarque est l'un des rares à tolérer le protestantisme. De l'Écluse, né d'une famille catholique, adhère au protestantisme lors de ses études en droit à Louvain. Il latinise même son nom en Carolus Clusius. Il abandonne le droit, devient médecin et un botaniste parmi les plus reconnus de son époque. Son travail à la cour de Vienne ne peut se poursuivre après le décès de Maximilien II. Son successeur, Rodolphe II (1552-1612), un fervent catholique, se débarrasse de tous les employés protestants. En 1593, Clusius joint les rangs de la nouvelle (1575) Université de Leyde où il devient responsable du jardin botanique scientifique (*Hortus academicus*), fondé officiellement en 1590. Il doit surveiller le jardin et s'y rendre tous les après-midi en été pour répondre aux questions des étudiants et des visiteurs de marque. Il s'occupe aussi d'un jardin de curiosités où il cultive la pomme de terre que l'on soupçonne toujours d'être toxique.

Les herbiers de plantes séchées

Le mot *herbier* est aussi utilisé pour désigner des ouvrages de botanique médicinale, les *herbaria*, qui sont souvent des copies d'anciennes publications. Le XVIe siècle est considéré comme le siècle des *herbaria*. Le mot anglais *herbal* désigne ces traités de plantes médicinales. Dans le présent ouvrage, le terme *herbier* est principalement appliqué aux collections de plantes séchées. Ces collections peuvent aussi porter les noms de *hortus siccus* (jardin séché ou sec) ou de *hortus hyemalis* (jardin d'hiver).

L'utilisation savante de spécimens d'herbier semble débuter vers le milieu du XVIe siècle à peu près en même temps que la naissance des jardins botaniques. Cette coïncidence n'est peut-être pas le fruit du hasard. Ces ensembles de plantes comprimées, séchées et fixées sur des feuilles de papier permettent des échanges de spécimens et facilitent les études comparatives. Les plantes sont collées ou cousues sur le papier. Ces feuilles sont conservées séparément ou réunies en volumes.

Avant l'avènement des herbiers, on avait aussi découvert des procédures simples pour produire des empreintes de végétaux sur diverses surfaces, généralement le papier. Cette technique sera éventuellement désignée comme l'autophytotypie.

Des empreintes végétales, Léonard de Vinci et Benjamin Franklin

Les empreintes végétales sont les images produites par contact entre une plante, ou ses parties, et une surface absorbante, généralement du papier. L'image est générée à partir d'un végétal vivant ou séché. Dans le premier cas, on exerce une pression pour faire pénétrer les sucs de l'échantillon dans le papier. Les spécimens végétaux séchés sont préalablement enduits d'une substance colorante. Plusieurs variantes de cette technique, qui semble prendre son essor en Europe aux xve et xvie siècles, ont été utilisées.

Léonard de Vinci (1452-1519) a produit entre 1490 et 1519 l'empreinte d'une feuille de sauge sur du papier, maintenant colligé dans son *Codex atlanticus* (folio 72, verso 2). Il décrit d'ailleurs brièvement une technique différente de celle révélant la feuille de sauge à l'aide du noir de fumée et de l'huile. De plus, la sixième partie de son traité sur la peinture inclut une étude de la structure des plantes. En 1550, Hieronymus Cardanus présente quelques informations « pour peindre au vif les herbes ». Cette procédure semble déjà bien connue à l'époque. L'herbe verte est imprimée par pression sur une carte. On utilise ensuite des colorants. Certaines personnes « peignent l'herbe par le suc de l'herbe, les fleurs par le suc des fleurs » en y ajoutant une « gomme ». Le vert-de-gris mélangé à du charbon broyé sert aussi pour peindre en vert. Dans d'autres publications, on recommande l'usage de l'encre d'imprimerie appliquée sur des plantes intactes ou séchées. Une empreinte végétale se retrouve dans un document du xiiie siècle. Cependant, elle a peut-être été ajoutée ultérieurement. Au xviiie siècle, Jean-Nicolas de La Hire (1685-1727) réalise à Paris une très belle collection d'empreintes végétales qui se retrouve éventuellement à Vienne. En 1764, l'Allemand Johann Hieronymus Kniphof (1704-1763) publie à titre posthume environ 14 exemplaires de *Botanica in Originali seu Herbarium Vivum*. Ce livre rare contient 1 200 planches d'empreintes végétales de grande qualité. Kniphof a développé une technique permettant de réaliser de très belles empreintes d'organes arrondies, comme les racines ou les fruits.

Benjamin Franklin (1706-1790), imprimeur de métier, inventeur et l'un des pères fondateurs des États-Unis, utilise habilement l'impression de végétaux sur la monnaie de papier pour déjouer la contrefaçon. Dès la fin de la décennie 1730, il utilise des moules de plâtre sur lesquels sont déposées des feuilles ou des fleurs. Franklin a possiblement été inspiré par les empreintes végétales réalisées à Philadelphie par Francis Daniel Pastorius (1651-vers 1719) et Joseph Breintnall (décédé en 1746), un ami et un proche collaborateur. Parmi les empreintes produites par Breintnall en novembre 1738, on retrouve celle de la feuille de rhubarbe. Il s'agit de l'une des premières évidences de la présence de cette espèce en Amérique du Nord.

Sources : Bloore, Stephen, « Joseph Breintnall. First Secretary of the Library Company », *The Pennsylvania Magazine of History and Biography*, 1935, 59 (1) : 42-56. Cardano, Gerolamo, *Les livres de Hierosme Cardanus médecin Milannois, intitulez de la Subtilité, et subtiles inventions, ensemble les causes occultes et les raisons d'icelles*, [13e livre], Rouen, Chez la veuve du Bosc, 1642, p. 346. Traduction française du livre de 1550. Disponible sur le site de la Bibliothèque interuniversitaire de médecine, Paris. DiNoto, Andrea et David Winter, *The Pressed Plant. The art of botanical specimens, nature prints, and sun pictures*, New York, Stewart, Tabori & Chang, 1999, p. 90-118. Lack, H. Walter, *Un Jardin d'Eden. Chefs-d'œuvre de l'illustration botanique*, Cologne, Taschen, 2001, p. 140.

Une empreinte botanique au XVᵉ siècle. Une feuille, enduite d'une substance colorante, est mise en contact avec du papier. L'empreinte révèle le pétiole, les nervures et le contour du limbe denté. L'ouvrage botanique contenant cette empreinte daterait de la fin du XVᵉ siècle et aurait été réalisé dans le nord de l'Italie, peut-être à Venise. Le texte indique qu'il s'agirait d'une espèce de sauge. Ce n'est cependant pas une empreinte de feuille de sauge officinale (*Salvia officinalis*), très utilisée à l'époque.

Source : Anonyme, *Herbal containing 192 drawings of plants*, The University of Pennsylvania Libraries, Lawrence J. Schoenberg Collection, fin du XVᵉ siècle, Document ljs 419, Folio 99 verso.

Quelques herbiers constitués entre le milieu et la fin du xvIe siècle subsistent. Le plus volumineux est celui d'Ulisse Aldrovandi (1522-1605) qui contient environ 5 000 plantes réparties en plusieurs volumes. Les spécimens ne sont pas classés selon un ordre botanique. Aldrovandi aurait commencé cet herbier durant la décennie 1550 à Bologne. À la même époque, le Lyonnais Jean Girault possède un herbier de 313 espèces. Cet herbier, qui date de 1558, est conservé au Muséum d'histoire naturelle de Paris. Il contient deux espèces provenant des Amériques : le cèdre occidental (*Thuja occidentalis*) identifié *Cedrus* et un spécimen de tabac (*Nicotiana* sp.).

En 1563, Andrea Cesalpino (1519-1603) complète un herbier de 768 plantes réparties sur 260 feuilles de papier. Il est le disciple de Luca Ghini (1500-1556), qui aurait développé la méthode de préparation d'un herbier. Ghini aurait eu un herbier d'environ 600 « herbes séchées » qui est malheureusement disparu. Dans une missive de 1551, il est spécifié que Ghini a expédié des spécimens de son herbier à Pietro Andrea Mattioli, un collègue botaniste. L'herbier de Cesalpino, complété en 1563, est conservé au Musée d'histoire naturelle de Florence. Quelques concepts de ce botaniste italien sont très modernes. Il ordonne son herbier selon des critères botaniques. Il abandonne l'ordre alphabétique, chronologique ou géographique. Des caractéristiques des fleurs, des fruits et des graines guident l'organisation de son herbier. Il est cependant encore très influencé par les savants de l'Antiquité. Il croit que l'âme des plantes est probablement dans les tissus du collet à la jonction de l'air et du sol. Il croit d'ailleurs y observer des tissus mous végétaux comme ceux du cerveau. Pour Cesalpino, les semences sont générées à partir de la moelle des tiges. Théophraste avait déjà spécifié que des tiges de vigne sans moelle intacte ne peuvent pas produire de graines dans les raisins.

Un herbier de 1566, constitué vraisemblablement par Pierre Cadé, est l'herbier le plus vieux des Pays-Bas. Il contient quelques plantes des Amériques, dont le piment doux, ou poivron (*Capsicum frutescens*). Un autre herbier de la même époque (1560-1575), riche de près de mille spécimens, est celui de Leonhart (Léonard) Rauwolf (décédé en 1596), un étudiant en médecine de Guillaume Rondelet (1507-1566) à la fameuse Université de Montpellier. Un grand nombre de botanistes de premier plan ont étudié avec Rondelet. Jacques Mathieu rapporte la liste suivante pour la période entre 1540 et 1565 : Jean Bauhin (1541-1613), Jacques Daléchamps (1513-1588), Leonhart Fuchs (1501-1566), Gaspard Wolf, Félix Platter (1536-1614) et son fils Thomas (1574-1628), Mathias de Lobel (1538-1616), Rembert Dodoens (1517-1585), Charles de l'Écluse (1526-1609), John Gerard (1545-1612), Conrad Gessner (1516-1565) sans oublier le célèbre écrivain français François Rabelais (décédé en 1553).

Les herbiers ne sont pas seulement utiles, ils sont aussi consultés pour leur beauté. Michel de Montaigne (1533-1592), essayiste français, lors d'un passage à Bâle en Suisse, exprime son admiration pour l'herbier de Félix Platter par les mots suivants : « au lieu que les autres font peindre les herbes selon leurs

Rabelais, l'humour et une plante exceptionnelle

En 1546, Rabelais publie à Paris le *Tiers livre des faits et dits Héroïques du noble Pantagruel*, qui est bientôt jugé obscène et censuré par la Sorbonne. Malgré cette condamnation, cet ouvrage humoristique est facilement diffusé. Au dernier chapitre, Rabelais présente une herbe aux propriétés magiques, le Pantagruélion. Elle a des propriétés textiles supérieures au chanvre, le cannabis, sans oublier sa capacité d'obstruer la bouche des voleurs. Cette herbe résiste au feu sans s'altérer tout en évitant la propagation des flammes. Les dieux sont tout simplement effrayés par cette plante extraordinaire qui provient évidemment de… la France !

Source : Rabelais, François, *Tiers livre des faits et dits Héroïques du noble Pantagruel*, Paris, 1546. Version numérisée disponible au http://www.bvh.univ-tours.fr/.

Trois cent cinquante millions de spécimens d'herbiers, ça sert à…

Un recensement récent des études de nature biogéographique ou environnementale, publiées dans des revues scientifiques au cours des 50 dernières années, met en évidence l'utilisation des herbiers dans 382 publications. Cette recherche est basée sur la consultation de 733 herbiers institutionnels responsables de la conservation de quelque 265 millions de spécimens représentant environ 75 % de la collection mondiale estimée à environ 350 millions. Globalement, seulement 1,4 % des 350 millions de spécimens ont servi à ces études. Depuis une trentaine d'années, il y a cependant une baisse notable de l'intérêt pour l'herborisation servant à alimenter la diversité du contenu des herbiers.

Le père Louis-Marie (Lalonde) (1896-1978), auteur de la *Flore-Manuel de la Province de Québec*, a trouvé une utilisation particulière aux herbiers constitués de plantes locales fréquemment rencontrées. Dans la préface de son ouvrage publié à 20 000 exemplaires en 1931, ce professeur de l'Institut agricole d'Oka annonce que son laboratoire pourra « fournir, à toutes nos Maisons d'éducation qui auront adopté la *Flore-Manuel*, un herbier-modèle proportionné à l'importance des Maisons qui en feront la demande ». Pourquoi alors ne pas offrir un herbier, ce bon outil pédagogique et promotionnel, pour favoriser l'achat d'une flore ?

En 2008, on utilise l'ADN extrait de vieux spécimens d'herbiers pour déterminer si les patates (*Solanum tuberosum*) transportées et cultivées initialement en Europe provenaient des montagnes des Andes ou des basses terres du Chili. Selon ces analyses moléculaires, les patates des Andes ont prédominé en Europe au XVIIᵉ siècle et celles du Chili y sont présentes dès 1811. La première mention de la consommation de la patate en Europe date de 1567 aux îles Canaries. Dans cette possession espagnole, la patate sert même pour le paiement de la dîme à partir de 1681. Dès 1574, des patates de ces îles sont expédiées à Rouen. La première description botanique de cette espèce est celle de Gaspard Bauhin (1560-1624) en 1596.

Sources : Ames, Mercedes et David M. Spooner, « DNA from herbarium specimens settles a controversy about origins of the European potato », *American Journal of Botany*, 2008, 95 (2) : 252-257. Lavoie, Claude, « Biological collections in an ever changing world : Herbaria as tools for biogeographical and environmental studies », *Perspectives in Plant Ecology, Evolution and Systematics*, 2013, 15 : 68-76. Louis-Marie, Père, *Flore-Manuel de la Province de Québec*, Contribution n° 23, Institut agricole d'Oka, 1931, note 1, p. 5.

couleurs, lui a trouvé l'art de les coller toutes naturelles si proprement sur le papier, que les moindres feuilles et fibres y apparaissent comme elles sont ». On estime qu'une vingtaine d'herbiers du XVIᵉ siècle sont encore conservés. Quelques herbiers font partie à l'époque de cabinets de curiosités qui attirent un public plutôt aristocratique. En 1608, Paul Contant (vers 1572-1632), un apothicaire de Poitiers, possède un cabinet de curiosités qui contient quelque 3 000 plantes séchées et 4 500 objets rares. Il a aussi aménagé un jardin avec des plantes exotiques.

La confection d'herbiers se généralise entre le milieu du XVIᵉ siècle et celui du siècle suivant. Constituer un herbier n'est pas une entreprise si difficile à l'époque. Voici comment le grand botaniste Joseph Pitton de Tournefort (1656-1708) décrit, en 1694, la méthode pour y parvenir. « La meilleure manière de faire un herbier est de couper les plantes lorsqu'elles ne sont pas mouillées, les étendre proprement dans des vieux livres, ou dans du papier gris, de sorte qu'il y ait plusieurs feuilles de papier entre deux, les presser médiocrement, les changer deux ou trois fois de papier, suivant qu'elles sont plus ou moins humides… On colle ordinairement les plantes sur du papier… Il est certain que la colle entretient toujours des mites qui rongent les plantes et qui gâtent tout. La meilleure colle que j'ai trouvée, c'est la colle faite avec les rognures de peau de gants, dans laquelle on mêle du mercure doux, et du sublimé corrosif à discrétion ; le mercure doux ou le sublimé corrosif sont des puissants ennemis de la vermine… On peut passer un vernis fort léger sur les plantes collées… Pour sécher les plantes à la campagne, on peut se servir d'un fer aplati, tel qu'est le fer dont les blanchisseuses polissent leur linge. Il faut le chauffer médiocrement, et le passer sur deux ou trois feuilles de papier gris, entre lesquelles on a mis la plante qu'on veut sécher ».

À l'époque, préparer un herbier pouvait comporter la manipulation de doses possiblement toxiques de mercure. Le sublimé corrosif est le bichlorure de mercure. Il y a eu beaucoup d'intoxications au mercure qui ont été confondues avec les symptômes de la syphilis. Une histoire des herbiers a été rédigée par Jean Baptiste Saint-Lager (1825-1912) en 1885.

Davantage de publications au service de la science

L'un des éditeurs européens les plus actifs en botanique au XVIe siècle est Christophe Plantin d'Anvers, qui est particulièrement prolifique entre 1555 et 1589. Français de souche, il édite une vingtaine d'ouvrages de botanique dont ceux de trois réputés auteurs flamands : Mathias de l'Obel (1538-1616), Charles de l'Écluse (1526-1609) et Rembert Dodoens (1517-1585). Il publie aussi les ouvrages de l'Espagnol Nicolas Monardes (1493-1588) et des Portugais Christophorus a Costa (Acosta) (1515-1594) et Garcia ab Orto (de Orta) (vers 1501-1568). Dès 1583, Jan Vredeman de Vries (1527-vers 1604) produit un ouvrage sur l'art du

jardin hollandais qui inclut des labyrinthes autour d'une fontaine ou d'une statue. Contrairement au jardin français, le jardin hollandais n'inclut pas les bâtiments dans son architecture.

La plus grande disponibilité des livres imprimés contribue à mieux partager et à confronter les concepts et les observations botaniques. On tente de mieux classer les végétaux et on publie de plus en plus facilement ses résultats. En 1583, Cesalpino publie *De plantis libri xvi* pour expliquer sa méthode de classification appliquée à 1 500 espèces divisées en 32 groupes biologiques. Les espèces sont classées selon les similarités des fruits et des graines. On s'efforce donc de trouver un cadre de classification biologique plutôt qu'utilitaire.

Pour Cesalpino, le but ultime des plantes est de produire des graines. Il faut donc classer les plantes en respectant cette finalité. Il interprète que les graines proviennent du tissu mou de la moelle des tiges et des rameaux. Ce concept de la genèse des graines survit pendant près de deux siècles. Il faut attendre 1682 pour avoir la première description par Nehemiah Grew (1641-1712) de la fonction réelle des étamines dans les fleurs. Cette même année, John Ray établit la distinction toujours utile et valable entre les plantes monocotylédones et dicotylédones. John Ray et ses contemporains cherchent un système universel de classification des milliers de plantes. Plusieurs de ces botanistes sont des acteurs importants dans les histoires de plantes canadiennes. Ils réussissent éventuellement à mieux définir les notions d'espèces, de genres et de familles.

Un botaniste épileptique cherche un remède dans les livres anciens

Fabio Colonna (1567-1640), natif de Naples, souffre d'épilepsie. Il cherche le remède à sa maladie dans la littérature ancienne. Comme son prédécesseur Luigi Anguillara (1512-1570), il constate les nombreuses confusions botaniques des Anciens et il tente alors d'améliorer l'identification des espèces. Le grand Charles Linné dira de Colonna qu'il a été le meilleur de tous les botanistes (*omnium botanicorum primus*). Il est d'ailleurs le premier à utiliser le mot grec *petalon* (pétale) dans son sens moderne. Il est très compétent en botanique pour son époque et il est même capable de corriger les noms aztèques de certaines plantes. Malheureusement, Colonna ne trouve pas la panacée à son épilepsie.

Sources : Magnin-Gonze, Joëlle, *Histoire de la botanique*, Paris, Delachaux et Niestlé, 2009. Vary, Simon et Rafael Chabran, « Medical Natural History in the Renaissance : the strange case of Francesco Hernandez », *The Huntington Library Quarterly*, 1994, 57 (2) : 125-151.

Des illustrations payantes à long terme

Le 20 novembre 1985, la firme Sotheby's vend aux enchères 468 aquarelles de Pierre Joseph Redouté (1759-1840) pour la somme de cinq millions de dollars. Cet illustrateur de plantes parisien est fort réputé. Le parcours de cette collection est aussi intéressant. D'abord achetée par Joséphine, la première épouse de l'empereur Napoléon, la collection est léguée au prince Eugène de Beauharnais, un fils issu du premier mariage de Joséphine. Les aquarelles passent ensuite aux mains des princes de Leuchtenberg avant d'aboutir aux États-Unis durant la décennie 1930. Comme personne n'est prêt à payer le gros prix pour toute la collection, celle-ci est divisée en lots, dont on semble ignorer les parcours précis.

Source : Lack, H. Walter, *Un Jardin d'Eden. Chefs-d'œuvre de l'illustration botanique*, Cologne, Taschen, 2001, p. 244.

Certains botanistes s'intéressent aussi, à cette époque, à la réalisation d'un répertoire mondial des plantes qui inclut les espèces des pays nouvellement découverts.

Des illustrations plus fidèles des plantes

Les illustrations réalisées à partir de plaques de bois sont remplacées par celles produites à partir de plaques de cuivre qui permettent de meilleurs détails de reproduction. Elles deviennent de plus en plus fidèles à la réalité. On s'efforce aussi d'utiliser des plantes vivantes comme modèles. On délaisse les copies des vieilles illustrations. La nature vivante reprend ses droits et les livres mieux illustrés deviennent plus nombreux. Wilfrid Blunt a publié des synthèses sur l'histoire de l'art de l'illustration botanique.

La chimie devient un complément de la botanique

La botanique médicinale des Anciens se spécialise peu à peu en trois disciplines distinctes : la médecine, la botanique et la pharmacie. Ces trois sciences ont de plus en plus recours à la chimie, une autre science en progrès. Il fallut un certain temps pour séparer la chimie de l'alchimie, ces deux activités souvent proches l'une de l'autre. Certains rapportent que le terme *alchemia*, ou *chemia*, serait apparu vers le IIIᵉ ou le IVᵉ siècle pour désigner un savoir dit sacré ou occulte. Quant aux analyses des plantes et de leurs extraits, on ne se contente plus de la vue, de l'odorat et du goût. On triture, on chauffe et on fait réagir les

extraits végétaux avec diverses substances. Le médecin belge Jean-Baptiste Van Helmont (1579-1644) est le premier à utiliser le mot *chimique* dans son sens moderne. Petit à petit, les apothicaires deviennent des pharmaciens. Le mot *apothicaire* est déjà employé au Xᵉ siècle pour désigner les religieux préposés aux remèdes élaborés surtout à base de végétaux.

La microscopie révèle un nouveau monde

Durant la décennie 1670, le Hollandais Antoine Van Leeuwenhoek (1632-1723) améliore l'utilisation du microscope disponible de façon rudimentaire au début du siècle. La botanique ne sera plus la même. En 1682, Nehemiah Grew (1641-1712) publie *The Anatomy of Plants* qui devient un classique des sciences des plantes. Les végétaux n'ont pas qu'une âme végétative et des humeurs, elles possèdent des structures microscopiques qui les distinguent des autres organismes vivants. On se dirige vers la notion de cellule, cette structure de base nécessaire au support des diverses formes de vie. En 1665, Robert Hooke (1635-1703), un naturaliste, ingénieur et physicien anglais, est le premier à observer des cellules végétales en examinant du liège avec un microscope qu'il a lui-même fabriqué.

La découverte des deux sexes chez les plantes

Même si les Babyloniens pratiquent la fécondation artificielle des palmiers dattiers depuis environ 650 avant l'ère chrétienne, les Anciens ne réalisent pas

Des cellules observées au microscope en 1665. Robert Hooke, un savant anglais de grande réputation, utilise le microscope pour étudier des spécimens biologiques. Il présente un dessin de l'étonnante structure d'une algue marine (*On the curious texture of Sea-Weeds*). On doit à Robert Hooke l'utilisation moderne du terme biologique *cellule* (*cell*). Hooke voit dans ces structures une analogie avec les cellules logeant les moines au monastère. Hooke étudie les détails de la structure du bois fossilisé et ordinaire. Sa capacité d'observation et d'interprétation est remarquable.

Source : Hooke, Robert, *Micrographia : or some physiological descriptions of minute bodies made by magnifying glasses with observations and inquiries thereupon*, Londres, National Oceanic and Atmospheric Administration (NOAA) (USA), Treasures of the NOAA Library Collection, 1665, Image 72.

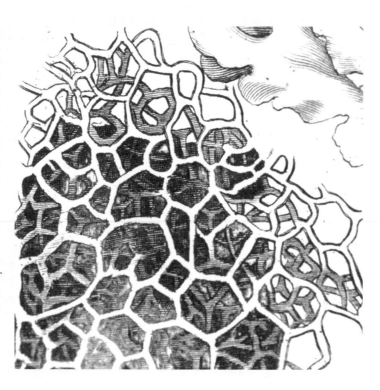

l'implication précise du sexe dans la reproduction des végétaux. Dans la Bible, le prophète Jérémie est présenté comme un « piqueur de dattes » contribuant ainsi à la fécondation des palmiers dattiers. Aristote et Galien ont noté la présence sexuée des végétaux sans en saisir toutes les ramifications. En 1671, Marcello Malpighi (1628-1694) de Bologne écrit dans *Anatomia Plantarum* que la reproduction sexuée des végétaux est possible. Nehemiah Grew soutient la même théorie en 1676 et particulièrement en 1682 dans *The Anatomy of Plants*. Ce concept révolutionnaire est aussi accepté par le réputé botaniste John Ray dans son *Historia Plantarum* de 1686. Joachim Jung (1587-1657) utilise les mots *stamina* (étamine) et *stylus* (style) sans prendre conscience du sexe des plantes. Il définit adéquatement une plante comme un « corps vivant qui se nourrit, croît et se reproduit ». Selon Julius Von Sachs, Jung a la distinction d'être le premier à s'opposer à la division traditionnelle et artificielle au point de vue botanique entre les herbes et les arbres.

En 1694, Rudolf Jacob Camerer dit Camerarius (1665-1721) de l'Université de Tübingen présente les premières évidences expérimentales quant à la nécessaire présence du pollen pour la fertilisation. Ce pollen est seulement produit par les fleurs mâles, alors que les fleurs femelles portent la semence à féconder. Camerarius note que le maïs est bisexué, car il porte des fleurs mâles et femelles sur un même plant. Pour lui, la sexualité n'est pas une figure de style. Ce botaniste conçoit aussi la possibilité d'hybridation sexuée entre des espèces différentes. Il distingue clairement les trois classes de plantes correspondant aux espèces hermaphrodites, monoïques et dioïques. En 1717, Thomas Fairchild (1667-1729) accomplit un croisement entre deux espèces différentes, l'œillet commun, ou œillet des fleuristes (*Dianthus caryophyllus*), et l'œillet du poète, ou œillet barbu (*Dianthus barbatus*).

De nouvelles formes de commerce des plantes

Des grands jardins commerciaux et des pépinières sont mis sur pied. En 1686, le premier catalogue de la pépinière commerciale de George Ricketts est rendu disponible en Angleterre. Un peu avant 1760, on dénombre environ 100 pépiniéristes, 100 jardiniers de fleurs et 200 jardiniers commerçants dans tout le pays. Ces statistiques excluent les quelque 550 jardins de la noblesse et de la bourgeoisie. Cette tendance n'est évidemment pas unique à l'Angleterre. Elle était déjà présente en France au début du XVIIe siècle. Il suffit de mentionner l'influence de réputés jardiniers français, comme les frères Morin à Paris.

Le commerce des végétaux connaît même une bulle spéculative des tulipes au début du XVIIe siècle. Les bulbes de tulipes se vendent à des prix astronomiques, particulièrement en Hollande. Dès 1623, un seul bulbe de la tulipe la plus recherchée, la *Semper Augustus*, se vend 1 000 florins, ce qui correspond à environ sept fois le revenu annuel moyen de l'époque. Cette variété montre des pétales avec des marbrures rouges et blanches. En 1625, le prix a déjà doublé. En 1633, il dépasse les 5 500 florins pour atteindre plus de 10 000 florins durant la dernière phase de la « tulipomanie » en 1637. Les spéculateurs recherchent surtout ces tulipes panachées à la coloration unique. Malheureusement, ce motif est dû à une infection virale et n'est pas lié à la constitution génétique d'une variété spécifique. L'explication virale n'est découverte qu'au XXe siècle. L'instabilité de l'infection et ses effets secondaires délétères ont contribué au déclin de ce commerce qui dépendait du poids du bulbe et de sa réputation. Le krach eut lieu au début du printemps 1637. Cette bulle spéculative se dégonfle en ruinant plusieurs spéculateurs. E. A. Thompson a interprété la montée fulgurante des prix des tulipes d'une façon différente de celle associée à une bulle spéculative. Certains essaient alors toutes sortes de trucs pour produire les fleurs de tulipe si recherchées. On arrose les bulbes avec du vin rouge ou on les expose à de la fiente de pigeon. On tente aussi de coller deux demi-bulbes de couleurs différentes pour générer un nouveau motif de coloration. La cour de France au temps de Louis XIII est aussi amoureuse des tulipes. Les dames de la cour portent ces fleurs coupées pour orner leurs décolletés profonds.

L'apparition des sociétés et des publications savantes

Les Allemands fondent en janvier 1652 l'*Academia Naturae Curiosorum*, qui deviendra l'Académie allemande des sciences Leopoldina. Cette Académie fait paraître dès 1670 *Ephemeridan*, l'un des premiers journaux scientifiques. Les Anglais établissent une Académie royale des sciences à Londres en 1660. Les Français font de même en 1666 à Paris. Cette dernière est initialement composée de sept mathématiciens, d'un physicien, de six médecins, de quatre astronomes, de deux anatomistes, d'un mécanicien et d'un botaniste, Nicolas Marchant (décédé en 1678). Le domaine de la littérature a déjà son Académie française depuis 1635. Le cardinal Jules Mazarin (1602-1661) avait fondé en 1648 l'Académie royale de peinture et de sculpture. En 1665, l'influent ministre Jean-Baptiste Colbert (1619-1683) appuie la création du *Journal des sçavans*, une publication favorisant la dissémination du savoir.

Cette période (1535-1760) culmine en 1753 par la contribution du botaniste qui influence le plus l'histoire de la botanique. Cette année-là, Charles Linné publie la première édition de *Species plantarum* qui utilise la nomenclature binaire, dite aussi binomiale, et un système de classification basé sur une « méthode sexuelle des plantes ». Certains contemporains de Linné s'offusquent de ses propos et de son style un peu osé. Par exemple, il écrit

Les fous tulipiers et les notaires de tulipes

À l'époque de la « tulipomanie », on utilise une nouvelle expression en français, « fou tulipier », pour décrire les collectionneurs passionnés de ces fleurs. Entre 1634 et 1637, de nouveaux fonctionnaires doivent entrer en fonction à la Bourse de Harleem pour mieux gérer le commerce important et volatil de ces bulbes. Il s'agit des « notaires de tulipes ».

Source : Frain, Irène, *La guirlande de Julie*, Paris, Éditions Robert Laffont, 1991, p. 79.

Un bienfait lié à l'étude des plantes

L'abbé Louis-Ovide Brunet (1826-1876), professeur de botanique à la jeune Université Laval, cite les propos du botaniste et célèbre minéralogiste français René Just Haüy (1743-1822) au sujet de l'étude des plantes. « Un cours de botanique est de l'hygiène toute pure ; l'on n'a pas besoin de prendre les plantes en décoction : il suffit d'aller les cueillir pour les trouver salutaires ». L'abbé Haüy avait constitué un herbier d'environ 2 000 espèces dont il s'efforçait de préserver les couleurs naturelles. Il traitait même les fleurs avec de l'alcool pour tenter de conserver leur couleur. Dans d'autres cas, il collait les fleurs décolorées sur du papier découpé de même couleur que celle observée dans la nature. L'écrivain et philosophe Jean-Jacques Rousseau (1712-1778), aussi passionné de botanique, a décrit les façons de faire de l'abbé Haüy par rapport à la préparation des spécimens d'herbier.

Source : Brunet, Ovide, *Éléments de botanique et de physiologie végétale…*, Québec, Ateliers typographiques de P. G. Delisle, 1870, p. 10.

que les pétales des fleurs sont comme « des couches nuptiales, glorieusement disposées par le Créateur, drapées de manière si noble et parfumées de tant de douces senteurs que le marié pourra y célébrer ses noces avec la mariée en grande solennité ».

La « méthode sexuelle » de Linné avait déjà été adoptée par divers botanistes et naturalistes. C'est le cas de Thomas-François Dalibard (1709-1799), qui publie en 1749 un *Catalogue des Plantes qui naissent dans les environs de Paris, rapportées sous les Dénominations Modernes & Anciennes, & arrangées selon la Méthode séxuelle de M. Linnaeus*. Linné tient surtout compte du nombre d'étamines et de leur disposition. Il défend aussi le concept de la préséance historique lors du choix du nom d'une espèce. La plus ancienne publication reconnue d'un nom de plante doit avoir la priorité.

L'influence de Linné est telle que l'on distingue généralement les périodes prélinnéennes et linnéennes dans l'histoire de la biologie. Il aura fallu quelques millénaires pour mettre au point une façon simple et universelle de nommer les plantes. Les deux termes qui identifient toutes les espèces sont analogues au prénom (nom de l'espèce) et au nom (nom du genre) identifiant les humains. Ce système à deux noms est dit binomial (reconnu par le dictionnaire Robert) ou binominal (reconnu par le dictionnaire Larousse), le premier adjectif étant le plus souvent utilisé.

Sources

Allain, Yves-Marie, « Jardins botaniques, jardins d'essais et d'acclimatations » dans Allain, Yves-Marie, et autres, *Passions botaniques. Naturalistes voyageurs au temps des grandes découvertes*, Rennes, Éditions Ouest-France, 2008.

Blunt, Wilfrid, *The Art of Botanical Illustration*, [Third Edition], London, Collin, 1955.

Christenhusz, Marteen J.M., « The *hortus siccus* (1566) of Pétrus Cadé : a description of the oldest known collection of dried plants made in the Low Countries », *Archives of Natural History*, 2004, 31 (1) : 30-43.

Collin, Johanne et Denis Béliveau, *Histoire de la pharmacie au Québec*, Montréal, Musée de la pharmacie du Québec, 1994.

Dash, Mike, *La tulipomania. L'histoire d'une fleur qui valait plus cher qu'un Rembrandt*, France, Éditions Jean-Claude Lattès, 2000.

Kauffeisen, L., « Les premiers herbiers », *Revue d'histoire de la pharmacie*, 1930, 69 (18ᵉ année) : 109-121.

Lack, H. Walter, *Un Jardin d'Eden. Chefs-d'œuvre de l'illustration botanique*, Cologne, Taschen, 2001.

Leapman, Michael, *The Ingenious Mr. Fairchild. The Forgotten Father of the Flower Garden*, Londres, Headline Book Publishing, 2000.

Magnin-Gonze, Joëlle, *Histoire de la botanique*, Paris, Delachaux et Niestlé, 2009.

Mathieu, Jacques, *Le premier livre de plantes du Canada. Les enfants des bois du Canada au jardin du roi à Paris en 1635*, Sainte-Foy, Les Presses de l'Université Laval, 1998.

Pavord, Anna, *The Tulip. The story of a flower that has made men mad*, New York, Bloomsbury Publishing, 1999.

Pavord, Anna, *The naming of names. The search for order in the world of plants*, New York, Bloomsbury Publishing, 2005.

Sachs, Julius Von, *History of Botany*, 1890. Traduction autorisée par Henry Edward Fowler Garnsey. Révisée par Isaac Bayley Balfour, Clarendon Press. Disponible en format imprimé sous la forme Nabu Public Domain Reprints.

Saint-Lager, Jean Baptiste, *Histoire des herbiers*, Paris, J.B. Baillière et Fils, Éditeurs, 1885.

Séguin, Normand, *Atlas historique du Québec. L'institution médicale*, Québec, Les Presses de l'Université Laval, 1998.

Thompson, E. A., « The tulipomania : fact or artefact ? », *Public choice*, 2006, 130 : 99-114.

Tournefort, Joseph Pitton de, *Elemens de botanique ou methode pour connoître les plantes*, 1694. Disponible au http://edb.kulib.kyoto-u.ac.jp/.

LES NOMS DES PLANTES

L'UTILISATION DE DEUX NOMS LATINS pour nommer une plante ne date pas de 1753. Bien avant Charles Linné, plusieurs auteurs emploient uniquement deux termes latins pour désigner un certain nombre d'espèces. Dès le XVIe siècle, Leonhart Fuchs (1501-1566) nomme la digitale *Digitalis purpurea*, un nom qui prévaut encore d'ailleurs. Fuchs connaît bien cette plante médicinale utilisée depuis des siècles pour la stimulation cardiaque. De fait, la médecine moderne utilise toujours la digitaline comme stimulant cardiaque. La digitaline pourpre contient diverses substances alcaloïdes très actives physiologiquement. La médecine antique avait su déceler leur puissante action.

Avant l'instauration de la norme binaire en 1753, la langue scientifique latine de l'époque décrit le plus souvent les noms des plantes avec plusieurs termes. Ainsi, une espèce présente un port dressé (*erectum*) ou rampant (*repens*) avec des feuilles étroites (*angustifolia*) ou larges (*latifolia*) et des poils présents (*hirsuta*) ou absents (*glabra*). Cette espèce est possiblement médicinale (*officinalis*) et même étrangère (*peregrina*). Le nom correspond donc à une longue énumération de certaines caractéristiques. Malheureusement, ces noms allongés varient souvent selon les auteurs. La recherche des concordances entre ces différents noms complexes requiert alors beaucoup d'énergie intellectuelle.

De plus, il y a les noms populaires des espèces, qui existent dans diverses langues. Ces noms, dits aussi communs, vulgaires ou vernaculaires, sont variables dans plusieurs cas. Par exemple, le populage des marais (*Caltha palustris*) a une soixantaine de noms populaires seulement en France, sans compter 80 termes distincts en Angleterre et quelque 140 autres en Allemagne, en Autriche et en Suisse. On comprend donc le besoin d'utiliser un nom scientifique simple servant de référence universelle.

Certains noms de plantes existent depuis l'Antiquité. C'est le cas de l'achillée, de la pivoine, du narcisse, de l'asperge, de l'hellébore, de l'anémone, de l'iris et de bien d'autres espèces connues. D'autres

mots sont un peu plus modernes. Ainsi, Leonhart Fuchs crée au XVIe siècle le mot latin *Nicotiana*, encore utilisé aujourd'hui, pour nommer le tabac de l'Amérique. Ce mot a été choisi pour honorer Jean Nicot (1530-1600), ambassadeur français à Lisbonne (1558-1560) qui a expédié des échantillons et des graines de tabac à la cour de France. Fuchs fut lui-même honoré en 1703 par la création du mot *Fuchsia* pour nommer un genre floral. Le mot *fuchsia*, qui désigne aussi une couleur, fait référence à la belle coloration rose foncée des *Fuchsia*.

Les noms des plantes canadiennes ont aussi des origines diversifiées. Le plus souvent, les noms populaires sont des transpositions, à l'occasion altérées, du vocabulaire français décrivant des plantes similaires en Europe. Marie-Victorin donne les exemples suivants : quenouille, queue de renard, tremble, plaine, verne, sang-dragon, bourdaine et rouche. C'est aussi le cas du capillaire du Canada (*Adiantum pedatum*), qui ressemble, selon les premières descriptions, à l'espèce européenne. Dans certains récits, il paraît avantageux de transposer des noms de plantes bien connues. Par exemple, certains végétaux des textes bibliques ont des propriétés enviables et leurs noms sont bien connus. C'est le cas du cèdre (cèdre du Liban) utilisé par le grand roi Salomon pour bâtir son fameux temple et sa demeure. Il ne faut donc pas se surprendre que le mot *cèdre* soit souvent appliqué à divers conifères d'Amérique du Nord par les premiers explorateurs. Des auteurs ne se gênent pas non plus pour associer l'expression biblique « baume de Galaad » à la résine du peuplier baumier ou du sapin baumier (voir l'appendice 3 pour des informations supplémentaires sur les plantes des textes bibliques). D'autres noms de végétaux dans les textes bibliques se retrouvent rapidement associés à des plantes nord-américaines. C'est le cas de l'arbre de vie, du cyprès, du pin, du sapin, du *calamus*, du figuier, du lin, de la vigne, du laurier, du mûrier, du myrte, du chêne, du peuplier, du rosier, du chardon, du noyer, du saule, sans oublier le blé et l'orge.

N.º 216

Le soulier de la Vierge. Le cypripède royal (*Cypripedium reginae*) a des appellations référant à la Vierge Marie. En français, ce genre de plante, de la famille des orchidées, possède une fleur ressemblant à un soulier et est nommé sabot de la Vierge ou pantoufle de Notre-Dame, comme le rapporte Louis Nicolas lors de son séjour en Nouvelle-France entre 1664 et 1675. Cette espèce est illustrée dès 1635 dans la première flore nord-américaine de Jacques Cornuti sous le nom de *Calceolus Marianus Canadensis*, c'est-à-dire « petit soulier de Marie du Canada ».

Source : *The Botanical Magazine*, volume 6, 1793, planche 216. Bibliothèque de recherches sur les végétaux, Agriculture et Agroalimentaire Canada, Ottawa.

Pub. by W. Curtis S.t Geo. Crescent Jan. 1. 1793

Sansom Sculp.

Des mots dérivés des plantes et de leurs usages

Le mot latin *silva*, qui désigne la forêt, est à l'origine de plusieurs termes comme *sylvain*, une divinité des forêts, *sylvestre*, le prénom *Sylvie* et *sylviculture*. Le mot *sauvage* est un des rares termes dérivés de *silva* par voie populaire. *Sauvage* provient du latin *salvaticus*, une altération de *silvaticus*, qui signifie « de la forêt, à l'état naturel ».

Le terme gaulois *druide* signifie « la connaissance de l'arbre », c'est-à-dire le chêne. Le mot *balai* dérive du mot *genêt*. En effet, on utilise au Moyen Âge des balais faits de rameaux de genêt. Le mot *populace* a la même racine que le mot latin *populus*, peuplier. Le poète latin Horace soutient que l'on plantait des peupliers pour créer de l'ombre là où le peuple se réunit.

Le mot *aspirine* [acide acétylsalicylique] dérive de *sans spirée* pour indiquer que la substance analgésique a été produite sans la spirée (*Spiraea* sp.), qui contient naturellement une molécule analogue, le salicylate.

Source : St-Pierre, Gaétan, *Histoires de mots solites et insolites*, Québec, Les éditions du Septentrion, 2011.

Quelques noms adoptés en français ont une origine amérindienne. Souvent, il s'agit de plantes comestibles, comme les atocas, le pimbina, le topinambour ou le maïs. Le mot *atoca* (ou *ataca*) est l'un des rares termes botaniques francisés d'origine huronne. Le pimbina dérive de l'algonquien *nipimina* (de *nipi*, « eau », et *mina*, « petit fruit ou baie »). Dans les langues algonquiennes, *minan*, *mina* et *men* désignent les petits fruits ou les baies. Topinambour est initialement le nom d'une tribu amérindienne du Brésil, les Topinambous. Samuel de Champlain est le premier à mentionner cette plante aux racines comestibles. Le mot *maïs* dérive du taïno *ma-idz* que les Espagnols ont désigné *maiz*. Le nom de la plante tinctoriale savoyane ou tissa-voyane dérive du micmac *tisawanne*. David Quinn et Jacques Rousseau ont discuté de la signification de quelques premiers mots amérindiens répertoriés par les Européens, dont certains ont trait aux végétaux.

Des mots tels *épinette*, *érablière*, *sapinage* et *bleuetière* sont généralement considérés comme des canadianismes ou des québécismes. Le terme *épinette* semble rattaché à *pinet*, un mot d'ancien français signifiant « petit pin ». Le mot *épinette* pourrait être aussi une altération de *pigné*. En Nouvelle-France, le mot *épinette* désigne généralement les espèces du genre *Picea*, différentes des petits pins du genre *Pinus*. Le mot *épinette* désigne aussi un instrument de musique dans les vieux dictionnaires français. Marie-Victorin salue le « génie poétique du peuple,

génie descriptif et simpliste, naïf et direct » qui nous a donné des noms tels que *bourreau des arbres*, *quatre-temps*, *bleuets*, *gueules noires*, *catherinettes*, *hart rouge*, *bois de plomb*, *herbe à la puce*, *petits cochons*, *épinette*, *bois d'orignal*, *bois barré*, *bois d'enfer*, *bois inconnu*, *thé des bois*, etc. Enfin, Marie-Victorin rapporte quelques noms vulgaires provenant d'une assimilation phonétique de mots anglais, comme *snicroûte* (*Snakeroot*) et *cébreur* (*Sweetbrier*).

L'origine de certains mots demeure floue. Le mot *pruche*, dérivé de *pérusse*, a d'abord été interprété comme dérivant de l'expression *sapin de Prusse*. Cette explication est maintenant contestée, le mot *pruche* étant déjà utilisé en vieux français au XVIᵉ siècle. Certaines histoires de plantes canadiennes permettent de découvrir divers noms dont l'origine est encore inexpliquée et de se familiariser avec des noms qui ont sombré dans l'oubli. Plusieurs de ces mots oubliés mériteraient leur inclusion dans le patrimoine de la nomenclature des plantes canadiennes.

La publication de Linné en 1753 ne met pas fin à plusieurs confusions d'identification et de dénomination des espèces. Par exemple, il nomme l'épicéa (épinette) commun d'Europe *Pinus abies*, c'est-à-dire le pin sapin, alors que le sapin pectiné est *Pinus picea*, un pin épicéa. Le grand Linné désigne le sapin baumier d'Amérique du Nord comme un pin (*Pinus balsamea*). À l'époque, presque tous les conifères sont nommés *Pinus*. Marie-Victorin souligne « la bourde que commit Linné en fabriquant le binôme absurde et intraduisible de *Pinus Strobus*». Selon lui, Linné aurait dû simplement choisir le nom *pin blanc*. Nos ancêtres l'avaient ainsi nommé en admirant la qualité et la blancheur de son bois.

Des expressions inspirées par les usages de plantes

Comme le rapporte Michèle Bilimoff, le pastel des teinturiers (*Isatis tinctoria*), aussi connu sous le nom de guède, a servi depuis l'Antiquité à fabriquer une teinture bleue que les premiers habitants d'Angleterre utilisaient peut-être, selon une hypothèse, pour se colorer le corps lors des batailles. C'est ce que rapporte Jules César (vers 101-44 avant l'ère chrétienne) dans ses *Commentaires sur la guerre des Gaules* (livre V, paragraphe 14). D'autres auteurs avancent plutôt que les Anglais utilisaient une teinture minérale. Selon certaines interprétations, ce déguisement coloré serait à l'origine de l'expression « avoir une peur bleue ». Le pastel des teinturiers a fait la fortune des villes de Toulouse et d'Amiens en France. Comme le signale Martin Paquet, les feuilles cueillies d'*Isatis* sont réduites en purée et façonnées en boules, nommées les cocagnes, ce qui a d'ailleurs valu à une région française l'appellation « pays de Cocagne ». Le marché du pastel est menacé aux XVIᵉ et XVIIᵉ siècles par l'arrivée de plus en plus massive de l'indigo, extraite de l'indigotier, un arbuste asiatique. Le roi français Henri IV met alors de l'avant des mesures protectionnistes sévères, annonçant rien de moins que la peine de mort à ceux qui utilisent l'indigo exotique. Ces législations ne réussissent pas à endiguer la popularité et le marché noir de l'indigo.

Libero Zuppirelli et Marie-Noëlle Bussac indiquent que l'Allemagne importe 1 400 tonnes d'indigo naturel en 1897. À peine sept plus tard, ce pays exporte 8 700 tonnes d'indigo produit par synthèse chimique. De nos jours, l'indigo synthétique est encore beaucoup utilisé. Ce colorant se décolore peu à peu sans changer de ton, comme avec les « *blue jeans* » (bleu de Gênes) et les « *blue denim* » (bleu de Nîmes). L'indigo a permis aux chimistes de synthétiser d'autres colorants dits de cuve qui se fixent directement au cœur des fibres. Un peu plus de 10 plantes dites à indigo (*indigofera*) ont été utilisées à des fins tinctoriales en Europe, en Inde et en Amérique. Généralement, les plantes orientales ou américaines sont plus riches en matière colorante que les espèces européennes.

Pour Michèle Bilimoff, l'expression « payer en espèces » est possiblement dérivée de « payer en épices ». En effet, le commerce des épices a beaucoup influencé le cours de l'histoire. En plus d'améliorer le goût des aliments et leur conservation, les épices sont souvent utilisées comme des médicaments de grande valeur. Les Égyptiens se servaient aussi d'épices pour le culte, l'embaumement et certaines pratiques magiques. Des épices sont de plus mentionnées dans la Bible. On croyait même que le gingembre, l'aloès et la cannelle provenaient du paradis terrestre.

Bien avant l'ère chrétienne, la route des épices suivait souvent celle de l'encens et de la myrrhe. On transportait jusqu'à 200 kg d'encens par chameau sur une distance de 2 000 à 3 000 kilomètres pouvant inclure 65 étapes entre l'Arabie du Sud et la côte méditerranéenne. En 2005, l'UNESCO a reconnu la « route de l'encens » comme faisant partie du patrimoine mondial. À partir du XIᵉ siècle, les flottes génoise et vénitienne contrôlent de plus en plus le transport maritime des épices avec les Arabes, les Indiens et les Persans. Ce monopole a fait la gloire et surtout la fortune de Venise. Cependant, le prix du poivre, de la cannelle et du gingembre augmente beaucoup. On cherche alors d'autres sources ou routes d'approvisionnement, comme celles des Amériques.

Sources

Bilimoff, Michèle, *Histoire des plantes qui ont changé le monde*, Paris, Albin Michel, 2011.

Côté, Louise, et autres, *L'Indien généreux: ce que le monde doit aux Amériques*, Montréal, Les Éditions du Boréal, 1992.

Lack, H. Walter, *Un Jardin d'Eden. Chefs-d'œuvre de l'illustration botanique*, Cologne, Taschen, 2001.

Paquet, Martin, « L'Or bleu du Pays de Cocagne », *Quatre-Temps. La revue des amis du Jardin botanique de Montréal*, 2003, 27 (4): 28-30.

Pavord, Anna, *The naming of names. The search for order in the world of plants*, New York, Bloomsbury Publishing, 2005.

Pellerin, Suzanne, *Étude du vocabulaire de la faune et de la flore nord-américaine dans les écrits de Lahontan*, Thèse présentée à l'École des Gradués, Université Laval, 1978.

Quinn, David B. et Jacques Rousseau, « Les toponymes amérindiens du Canada chez les anciens voyageurs anglais, 1591-1602 », *Cahiers de géographie du Québec*, 1966, 10 (20): 253-277.

St-Pierre, Gaétan, *Histoires de mots solites et insolites*, Québec, Les éditions du Septentrion, 2011.

Zuppirelli, Libero et Marie-Noëlle Bussac (avec les photographies de Christiane Grimm), *Traité des couleurs*, Lausanne, Presses polytechniques et universitaires romandes, 2003.

LA CONNAISSANCE DES PLANTES PAR LES AMÉRINDIENS ET LA PERCEPTION DES EUROPÉENS

LES AMÉRINDIENS SONT LES PREMIERS à étudier et à utiliser les écosystèmes de l'Amérique du Nord. Comme les autres civilisations, ils apprivoisent une gamme de végétaux utiles. Pendant plusieurs millénaires, ces peuples autochtones apprennent par nécessité à tirer profit de plantes alimentaires, culinaires, médicinales et tinctoriales. Certaines espèces leur permettent de construire des abris, alors que d'autres sont des matériaux combustibles. Des plantes, comme le tabac, servent de substances rituelles de grande valeur. Des jeux, des symboles et divers rites dépendent de l'utilisation de plantes spécifiques. Depuis la nuit des temps, les végétaux ont une dimension mythologique. Les légendes liées au règne végétal sont nombreuses et certaines ont été intégrées à divers rites religieux, incluant certaines pratiques amérindiennes. Selon Angelo De Gubernatis, «les superstitions botaniques sont aussi vieilles que l'esprit humain».

Par essais et erreurs, les Amérindiens savent éviter certains végétaux toxiques. À l'occasion, ils les utilisent même comme poisons. Ils manipulent les végétaux et leurs propriétés dans leur cadre conceptuel unique. L'ethnobotanique amérindienne est devenue une discipline scientifique qui repose essentiellement sur la tradition orale et les informations colligées par des observateurs étrangers. Malgré ces limitations importantes, cette science continue de démontrer le savoir-faire des Amérindiens. Par exemple, Daniel Moerman a recensé plus de 3 000 plantes médicinales et 1 500 espèces alimentaires chez plus de 200 groupes amérindiens d'Amérique du Nord. Selon cet auteur, environ 11 % des 24 435 espèces de plantes à fleurs nord-américaines auraient servi de plantes médicinales aux diverses nations amérindiennes.

À l'arrivée des Européens en Amérique du Nord, les nations amérindiennes savent très bien exploiter la diversité végétale. Certaines d'entre elles possèdent même de longues traditions agricoles et horticoles. Elles dépendent toutes de la cueillette de végétaux. Les Amérindiens sont aussi capables d'intégrer rapidement l'usage d'espèces transportées par les Européens dans leurs territoires. Dès 1619, Samuel de Champlain rapporte que des jardins du territoire amérindien de l'Outaouais accueillent des pois d'Europe en plus des espèces locales comme les courges et les haricots. Les pêchers européens sont déjà cultivés par les Amérindiens en Louisiane lorsqu'Antoine-Simon Le Page du Pratz (vers 1695-1775) fait une description de cette région. Le pêcher avait été transplanté en Amérique par les Espagnols.

Le monde végétal et ses ressources font évidemment partie des premières observations des Européens découvrant les Amériques. Ces végétaux sont perçus de façon fort variable. Pour certains esprits conservateurs, ces plantes sont déconcertantes parce qu'elles sont tout simplement nouvelles et non mentionnées par les Anciens ou dans la Bible. Pour d'autres personnes, ces espèces exotiques représentent de belles occasions commerciales. Enfin, pour plusieurs, leur influence demeure plutôt secondaire, car il leur paraît prioritaire d'acclimater les espèces de l'Ancien Monde dans ces nouveaux pays. Pour un grand nombre d'observateurs européens, les connaissances amérindiennes des plantes demeurent futiles et sans mérite. Les premiers colons et les coureurs des bois sont cependant beaucoup plus ouverts au savoir botanique amérindien. Il en va de leur survie. Malheureusement, ils laissent peu d'écrits à ce sujet.

Tant en Europe qu'en Amérique, la médecine officielle intègre peu les connaissances amérindiennes des végétaux qui constituent l'essentiel des médicaments sur les deux continents. Quelques médicaments réussissent cependant à s'imposer. Certains ont même des effets thérapeutiques réels et fort bénéfiques. C'est le cas de l'ipécacuanha et du quinquina, d'origine sud-américaine, qui eurent un apport considérable dans la médecine officielle. Selon Rénald Lessard, «l'apport amérindien quoique difficile à évaluer, semble modeste et circonstanciel pour la médecine officielle, mais plus significatif pour la médecine populaire ». Il note que « la médecine populaire actuelle a beaucoup de traits communs avec la médecine officielle des XVIIᵉ et XVIIIᵉ siècles telle qu'elle se pratiquait en Nouvelle-France ».

Divers observateurs, comme Gabriel Sagard et Joseph-François Lafitau, ont cependant reconnu une capacité des Amérindiens à pratiquer une médecine efficace basée surtout sur l'emploi des plantes. Louis-Antoine de Bougainville (1729-1811) décrit des réussites médicales des Amérindiens sans évidemment conclure à leur supériorité sur la médecine européenne. « Les Sauvages ont une médecine naturelle et des médecins. Ils vivent aussi longtemps que nous. Ils ont moins de maladies. Ils les guérissent quasi toutes hors la petite vérole… Ils ne connaissent point les remèdes chimiques, ils ne sont que grands botanistes et connaissent parfaitement les simples ».

En 1628, Guy de La Brosse exprime un courant de pensée assez commun dans la communauté médicale en ce qui concerne les plantes provenant d'ailleurs.

Les Amérindiens, une population décimée et une diversité de langues

Au moment de l'arrivée de Christophe Colomb en 1492, certains estiment qu'il y a de 70 à 90 millions d'habitants dans les deux Amériques. Ce sont évidemment des valeurs approximatives qui varient beaucoup selon les auteurs. En Amérique du Nord, il y aurait eu trois ou quatre millions de personnes, dont quelques centaines de milliers sur le territoire de l'actuel Canada. Ces Amérindiens du nord sont répartis dans plusieurs centaines de tribus parlant quelque 190 langues associées à 42 familles linguistiques différentes. On compte trois grandes familles linguistiques dans le nord-est de l'Amérique : la famille inuit, la famille iroquoienne et la famille algonquienne ou algique.

Les Inuits vivent en milieu arctique et parlent l'inuktitut. Les Iroquoiens occupent un territoire autour des lacs Érié, Ontario et Huron. Il y a six confédérations iroquoiennes : les Hurons [Wendats], les Iroquois, les Pétuns [Nation du tabac], les Ériés [Nation du Chat], les Neutres et les Susquehannocks [Andastes]. Au moment des premiers contacts avec les Européens, la population wendate atteint possiblement 20 000 personnes, tout comme celle des Iroquois. Il y aurait eu environ 12 000 Neutres répartis dans une quarantaine de bourgades, alors que les Pétuns semblent moins nombreux. Au total, la famille iroquoienne aurait regroupé au moins 100 000 personnes.

La très grande famille algonquienne est beaucoup plus nombreuse et plus dispersée sur le continent. On la retrouve de la Caroline du Nord jusqu'au Labrador, et même jusqu'aux Rocheuses. Les Abénaquis et les Micmacs habitent alors le Maine et les Maritimes, alors que les Montagnais [Innus] se répartissent de la côte nord du Golfe du Saint-Laurent jusqu'à la rivière Saint-Maurice. Les Attikamègues [Attikamèques] occupent le Haut-Saint-Maurice et les Algonquins se trouvent dans le bassin de l'Outaouais jusqu'en Abitibi. La baie James est le domaine des Cris, alors que les Outaouais se concentrent entre les lacs Huron et Michigan, dans la baie Georgienne et à l'île Manitoulin sur la rivière Outaouais. Les Ojibwés se rencontrent au nord du lac Supérieur.

Des auteurs ont proposé que la population amérindienne des deux Amériques aurait chuté de 95 % durant les 130 années suivant le premier contact avec les Européens. Il n'y a aucun doute que la chute de population fut importante à la suite de l'exposition à de nouveaux agents pathogènes épidémiques, comme les virus de la rougeole, de la varicelle, de la grippe, des oreillons, de la rubéole, et surtout de la variole meurtrière. Il y a cependant d'autres évaluations numériquement moins importantes quant aux pertes de population.

Sources : Delâge, Denys, *Le Pays renversé. Amérindiens et Européens en Amérique du Nord-Est, 1600-1664*, Boréal, 1991. Trigger, Bruce G., *Les Indiens, la fourrure et les Blancs. Français et Amérindiens en Amérique du Nord*, Boréal, 1992.

Des végétaux offerts en cadeau aux explorateurs par les Amérindiens. En 1564, les Timuacas de Floride rencontrent l'explorateur français René de Goulaine de Laudonnière (vers 1529-1574). Au pied de la stèle érigée deux ans auparavant par Jean Ribault (vers 1520-1565), on découvre les offrandes présentées au visiteur. La diversité des végétaux est à l'honneur. L'auteur du récit de cette rencontre signale qu'il y a des fruits, des racines et des herbes médicinales en plus des guirlandes de fleurs précieuses. Les gourdes [calebasses] sont remplies d'huiles odorantes. Le ballot de beaux épis de maïs de diverses couleurs est en évidence.

Source : De Bry, Théodore, *Seconda pars America*, 1591. Banque d'images, Septentrion.

« Nos plantes, tant nourricières que médicinales, sont à préférer aux étrangères ». Ces propos de La Brosse sont plutôt surprenants, car ce personnage conteste souvent et vivement les connaissances des Anciens. Il est détesté par les membres de la très conservatrice Faculté de médecine de Paris. Quelques années plus tard, Guy de La Brosse devient le premier intendant du nouveau Jardin royal de Paris. Son biais avoué est, semble-t-il, de favoriser l'utilisation médicinale des espèces européennes. Malgré cette attitude, avec le temps, les plantes « étrangères » prennent de plus en plus d'importance sur les plans botanique et économique. Les jardins sont progressivement envahis par les espèces étrangères.

On retrouve la même attitude en Angleterre. Thomas Johnson (vers 1600-1644), un apothicaire de Londres très intéressé à la botanique, édite en 1633 une nouvelle version du traité botanique de John Gerard (1545-1612). À la dernière page du volume, Johnson déclare « I verily believe that the divine Providence had a care in bestowing plants in each part of the earth, fitting and convenient to the fore-known necessities of the future inhabitants ; and if we truly knew the virtues of these, we needed no Indian nor American drugs ». L'apothicaire est très explicite. La Providence fournit les plantes médicinales nécessaires dans tous les pays. En connaissant d'abord les plantes locales, il devient inutile d'importer des drogues étrangères, comme celles provenant des Amériques.

L'attitude négative envers les plantes étrangères de Guy de La Brosse et de Thomas Johnson au début du XVIIᵉ siècle persiste au siècle suivant. En comparant l'étude des flores médicinales locales et étrangères, Bernard Le Bovier de Fontenelle (1657-1757) écrit dans son éloge de 1708 du grand botaniste français Joseph Pitton de Tournefort « qu'il est plus commode d'employer ce qu'on a sous sa main, et que souvent ce qui vient de loin n'en vaut pas mieux ». L'acceptation des qualités des plantes des Amériques n'est donc ni simple, ni rapide et ni sans résistance.

Les Européens arrivent en Amérique avec leurs connaissances, leurs intérêts et leurs préjugés. Ils n'ont pas toujours interprété correctement les connaissances amérindiennes des végétaux. Quelques explorateurs ont cependant bien apprécié la valeur, la spécificité et les propriétés de la nouvelle flore. Malgré plusieurs réactions négatives envers les plantes du Nouveau Monde, ce fut le début de nombreux échanges d'espèces entre les deux continents. Que serait l'Ancien Monde sans le maïs, la patate, la tomate, l'avocat, le chocolat, la vanille, l'ananas, les piments, le tabac, le tournesol, les courges, les citrouilles et les cacahuètes ? Que seraient les Amériques sans le blé, l'orge, la luzerne, les pommiers, les cultivars européens de vigne sauvage et bien d'autres espèces ? Il est étonnant de constater que deux espèces originaires de l'Amérique du Nord et cultivées par les Amérindiens sont devenues beaucoup plus populaires au point de vue agricole en Europe qu'en Amérique. Ce fut le cas du topinambour (*Helianthus tuberosus*), signalé en Amérique du Nord par Champlain en 1603, et du tournesol (*Helianthus annuus*).

La flore de la colline de Québec est plus diversifiée qu'à l'origine

La colline de Québec est définie ici par le territoire d'environ 43 kilomètres carrés situé entre l'embouchure des rivières Saint-Charles et du cap Rouge incluant la dépression jusque vers Limoilou. Ce secteur, s'étendant sur 14 kilomètres le long du fleuve et sur 5 kilomètres dans sa partie la plus large, inclut la basse-ville de Québec. La flore vasculaire ancienne de cette colline a été estimée à 645 taxons (espèces, sous-espèces, variétés ou hybrides), dont 155 sont disparus. Cependant, 377 taxons dits introduits se sont ajoutés. La flore actuelle de 867 taxons s'est donc enrichie selon le critère du nombre de taxons. Du seul point de vue numérique, la colonisation et l'urbanisation du territoire ont eu un apport positif. Il faut cependant tenir compte des pertes d'espèces et de l'homogénéité grandissante des habitats.

Près d'une plante sur deux de la colline de Québec est une immigrante provenant généralement de l'Eurasie. Claude Lavoie et ses collaborateurs estiment qu'environ 26 à 28 % des plantes vasculaires du Québec sont des taxons naturalisés. Ils ont recensé 899 taxons sur les 3 263 que contient la flore vasculaire québécoise. Ce ne sont évidemment que des valeurs approximatives qui varient selon l'évolution des connaissances.

Sources : Baillargeon, Guy, *Zonation et modification de la composition de la flore vasculaire dans une région urbaine : la colline de Québec*, Thèse de maîtrise, École des Gradués, Université Laval, 1981. Lavoie, Claude, et autres, « Les plantes vasculaires exotiques naturalisées : une nouvelle liste pour le Québec », *Le Naturaliste canadien*, 2012, 136 (3) : 6-32.

Les Amérindiennes et les végétaux nourriciers. Le maïs, les cucurbitacées (courges et citrouilles) et le haricot sont parmi les plus importantes plantes cultivées par les nations amérindiennes du nord de l'Amérique. Sur la carte de 1612 de Samuel de Champlain, une Almouchiquoise tient dans sa main gauche un épi de maïs plutôt stylisé et des courges dans l'autre main. Sur la page frontispice des *Voyages* de Champlain de 1619, on aperçoit une représentation similaire.

Source : Litalien, Raymonde et Denis Vaugeois, *Champlain. La naissance de l'Amérique française*, Les éditions du Septentrion (Québec) et Nouveau Monde éditions (Paris), 2004, p. 208. Banque d'images, Septentrion.

Des mauvaises herbes des Amériques en France

Selon un recensement de J. Maillet, 278 espèces de la flore des Amériques se retrouvent en France. Elles sont dites naturalisées ou subspontanées. Seulement 78 espèces sont considérées comme des mauvaises herbes des cultures. Les milieux écologiques colonisés par ces espèces américaines sont généralement des milieux perturbés. Très peu d'espèces ont réussi à envahir les milieux naturels stables.

Parmi les 78 mauvaises herbes, quelques espèces ont réalisé une expansion géographique foudroyante. Ainsi, l'amarante à racine rouge (*Amaranthus retroflexus*) et la vergerette du Canada (*Erigeron canadensis*) ont colonisé la plupart des pays d'Europe et ces espèces constituent des mauvaises herbes de grande importance. Quelques autres mauvaises herbes américaines en France sont bien connues au Canada, comme l'asclépiade commune (*Asclepias syriaca*), l'onagre vivace (*Oenothera perennis*), le phytolaque d'Amérique (*Phytolacca americana*) et la vigne vierge à cinq folioles (*Parthenocissus quinquefolia*). L'amarante à racine rouge est aussi considérée comme une plante introduite au Canada, tout comme l'asclépiade commune et l'onagre vivace à Terre-Neuve.

Source : Maillet, J., « Caractéristiques bionomiques des mauvaises herbes d'origine américaine en France », *Monographia Del Jardin Botanico de Cordoda*, 1999, 5 : 99-120.

Le contexte de colonisation a fait en sorte que plusieurs plantes européennes ont su conquérir de grands territoires d'Amérique du Nord. Elles ont même changé le paysage végétal de plusieurs milieux. Qui n'a pas observé et combattu le pissenlit envahisseur en Amérique du Nord ? Au début de la décennie 1980, Guy Baillargeon recense 867 espèces de plantes sur la colline de la ville de Québec. Plus de 40 % d'entre elles (367) ne sont pas indigènes. Ce sont pour la plupart des plantes introduites d'Europe ou d'Eurasie qui semblent particulièrement profiter de nouveaux milieux ouverts.

Par contre, les plantes d'Amérique du Nord ont eu beaucoup moins d'impact envahisseur en Europe. Seulement quelques espèces américaines ont conquis largement ces nouveaux territoires. C'est le cas de trois plantes canadiennes décrites dans le présent ouvrage, l'asclépiade commune (*Asclepias syriaca*), le robinier faux-acacia (*Robinia pseudoacacia*) et la vergerette du Canada (*Erigeron canadensis*).

Les chercheurs ont souvent évoqué un échange fort inégal entre les civilisations de l'écrit et de l'oral, entre l'Europe et l'Amérique. Sans doute plusieurs perceptions de l'époque viennent-elles appuyer cette évaluation. Il faut cependant convenir que chacun des groupes a aussi bénéficié d'apports l'un de l'autre, incluant certaines ressources végétales.

Sources

Allen, David A. et Gabrielle Hatfield, *Medicinal Plants in Folk Tradition. An Ethnobotany of Britain & Ireland*, Portland, Oregon, Timber Press, 2004.

De Gubernatis, Angelo, *La mythologie des plantes ou Les légendes du règne végétal*, deux tomes, Milan, Archè, 1976.

De La Brosse, Guy, *De la Nature, vertu et utilité des plantes, divisé en cinq livres*, Paris, 1628. Disponible à la bibliothèque interuniversitaire de médecine (Paris) au http://web2.bium.univ-paris5.fr/.

Fontenelle, Bernard Le Bovier de, « Éloge de M. de Tournefort », *Choix d'éloges français les plus estimés par M. de Fontenelle III*, 1812, Paris, D'Hautel Libraire, p. 52-78. Disponible au http://gallica.bnf.fr/.

Havard, V., « Food Plants of the North American Indians », *Bulletin of the Torrey Botanical Club*, 1895, 22 (3) : 98-123.

Lacoursière, Jacques, *Histoire populaire du Québec. Des origines à 1791*, Sillery, Les éditions du Septentrion, 1995.

Lessard, Rénald, *Au temps de la petite vérole. La médecine au Canada aux XVIIᵉ et XVIIIᵉ siècles*, Québec, Les éditions du Septentrion, 2012.

Minnis, Paul E., éditeur, *People and Plants in Ancient Eastern North America*, Washington, Smithsonian Books, 2003.

Moerman, Daniel E., « Native Americans' choice of species for medicinal use is dependent on plant family : confirmation with meta-significance analysis », *Journal of Ethnopharmacology*, 2003, 87 : 51-59.

Moerman, Daniel E., *Native American Medicinal Plants. An Ethnobotanical Dictionary*, Portland, Oregon, Timber Press, 2009.

Moerman, Daniel E., *Native American Food Plants. An Ethnobotanical Dictionary*, Portland, Oregon, Timber Press, 2010.

Rehder, Alfred, « On the history of the introduction of woody plants into North America », *Arnoldia*, 1946, 6 (4-5) : 13-23.

Séguin, Normand, *Atlas historique du Québec. L'institution médicale*, Québec, Les Presses de l'Université Laval, 1998.

DÉCOUVERTES ET USAGES DE PLANTES DU CANADA

VERS L'AN 1000, ANSE AUX MEADOWS. LES VIKINGS, LE VINLAND ET LE NOYER CENDRÉ

Les migrations des Vikings et de nouvelles terres

BIEN AVANT LA DÉCOUVERTE officielle du Canada par Jacques Cartier en 1534, l'Amérique du Nord est explorée par divers navigateurs. Parmi ceux-ci, les Vikings, dont des traces archéologiques prouvent la présence, vers l'an 1000, à l'anse aux Meadows à Terre-Neuve, près du détroit de Belle-Isle. Le mot *viking* décrit pendant un certain temps les habitants autour de Viken, une région du fjord Oslo. Par extension, ce terme désigne ensuite les habitants de la Scandinavie entre la fin du VIIIe siècle et le début du XIe siècle. Ces Vikings sont d'habiles navigateurs qui migrent vers l'est, le nord et l'ouest à partir de la Scandinavie. Un groupe de ceux-ci s'installe en Islande où, dès l'an 930, ils occupent les meilleurs territoires. Thorvald et son fils, Éric le Rouge, font partie de ces Vikings migrateurs partis de la côte norvégienne vers l'Islande. Éric, né vers 950, est éventuellement forcé de quitter sa nouvelle île d'adoption. Il se dirige vers le Groenland où il s'installe avec d'autres compatriotes. Des fouilles archéologiques indiquent que le groupe viking colonisateur du Groenland regroupait environ 4 000 personnes. Un diocèse catholique fondé en 1126 dure au moins jusqu'en 1406, date de nomination du dernier évêque. Par la suite, ce groupe groenlandais de Vikings disparaît mystérieusement.

Des écrits médiévaux, surtout islandais, décrivent ce qui semble être la découverte vers l'an 1000 de l'Amérique du Nord par ces Vikings. Ces récits de voyages indiquent que Leif Eiriksson (vers 970-vers 1020), un des trois fils d'Éric le Rouge, visite de nouvelles terres nommées Helluland (terre aux roches plates), Markland (terre de forêts ou de bois) et Vinland (terre du vin). Éric le Rouge suivait en fait les traces de l'Islandais Bjarni Herjolfsson qui, en l'an 985 ou 986, avait découvert, en déviant de son parcours nautique, de nouvelles terres, dont une partie couverte d'arbres, à l'ouest du Groenland. Plusieurs auteurs estiment que Herjolfsson a atteint les côtes du Labrador.

La localisation du Vinland

Depuis la connaissance de ces sagas de découvertes scandinaves, on tente de situer les trois régions décrites par Eiriksson par rapport à la côte atlantique américaine ou canadienne. Il faut d'abord préciser que les historiens ne s'entendent pas tous sur la signification précise du mot *Vinland*. Pour plusieurs, c'est bel et bien la terre du vin, alors que pour d'autres, ce terme désigne plutôt une prairie ou un pâturage.

Les historiens conviennent cependant que ces nouvelles régions décrites par les Vikings vers l'an 1000 se situent dans le nord-est de l'Amérique. Par contre, les interprétations varient passablement quant à leur localisation précise. C'est particulièrement le cas pour le Vinland, qui correspond pour les visiteurs vikings à une région d'intérêt pour sa faune et sa flore. Selon diverses hypothèses, le Vinland se situe à Terre-Neuve, dans d'autres régions canadiennes ou américaines de la côte atlantique, sans oublier la baie d'Hudson et même la région de la ville de Québec.

Dès 1757, George (Georgius) A. Westman de Stockholm présente un mémoire sur les voyages des anciens Scandinaves en Amérique. Cette dissertation est réalisée sous la direction de Pehr Kalm, un professeur d'économie et botaniste qui a exploré l'Amérique du Nord, incluant la Nouvelle-France, entre 1748 et 1751. Durant son séjour, Kalm rencontre Benjamin Franklin (1706-1790) avec qui il discute des voyages des anciens Scandinaves en Amérique. Westman émet des hypothèses à l'effet que le fameux Vinland peut être situé aussi bien en Nouvelle-Angleterre que sur les rives du fleuve Saint-Laurent. Pour Westman, le Vinland est un domaine fertile avec des arbres et des herbes irriguées. Contrairement à plusieurs auteurs par la suite, Westman ne mentionne pas la présence de vignes ou de raisins au Vinland. Cela reflète bien cette incertitude fondamentale quant à la

Le Vinland à Montmagny ou près de la ville de Québec

Le géographe Hans Peder Steensby (1875-1920) situe le territoire du Vinland dans la région de Montmagny, au Québec. Ce chercheur argumente, dans deux publications du début du xxᵉ siècle, que la région estuarienne de Montmagny correspond le mieux au territoire du Vinland, et même du Hop, où aurait séjourné Thorfinn Karlsefni, quelques années après Leif Eiriksson. Personne ne semble avoir retenu le choix de Steensby. Cependant comme le rapporte Sigríður Sunna Ebenesersdóttir, le chercheur islandais Páll Bergþórsson favorise dans son essai *The Wineland Millennium*, paru en 2000, la région de la ville de Québec comme étant le Vinland.

Sources: Ebenesersdóttir, Sigríður Sunna, *The origin of Icelandic mtDNA lineages from haplogroup C*, Mémoire de maîtrise en anthropologie, Faculté des sciences sociales, Université d'Islande, 2010. Cette étude traite de la possibilité d'une origine amérindienne d'un trait génétique dans une partie de la population islandaise. Rousseau, Jacques, «La botanique canadienne à l'époque de Jacques Cartier», *Annales de l'ACFAS* (Association canadienne-française pour l'avancement des sciences), 1937, 3: 15-236.

signification précise du terme *Vinland*, qui ne semble pas encore résolue.

George Westman tente cependant d'identifier l'arbre du Vinland nommé mosur (*mosurr*). Cet arbre serait une espèce d'un bois particulier. Selon Westman, il s'agit peut-être du noyer noir (*Juglans nigra*), du cerisier de Virginie (*Prunus virginiana*) ou d'une variété d'érable rouge (*Acer rubrum*). Pour d'autres historiens, *mosur* réfère possiblement au bouleau (*Betula* sp.) qui produit de la sève. En 1910, le botaniste américain Merritt Lyndon Fernald (1873-1950) de l'Université Harvard affirme qu'il s'agit du bouleau à papier (*Betula papyrifera*). Fernald propose de plus des identifications pour d'autres végétaux rencontrés par les Vikings. En 1995, la réserve écologique Fernald est créée en Gaspésie pour honorer les contributions de ce botaniste à la connaissance de la flore canadienne et québécoise, particulièrement celle des Chic-Chocs (monts Notre-Dame). Le grand intérêt de Fernald pour les plantes rencontrées par les Vikings est manifeste.

Un site archéologique viking au Canada

En 1960, la découverte d'un site archéologique des Vikings à Terre-Neuve par Helge et Anne Stine Ingstad ravive beaucoup l'intérêt pour ces navigateurs scandinaves et leurs explorations en Amérique du Nord. Helge Ingstad (1899-2001) est d'origine norvégienne. Après des études en droit à l'Université

d'Oslo, il établit un cabinet d'avocats qui devient rapidement très prospère. Dès 1926, il délaisse sa profession et devient trappeur de fourrures au Canada. En 1930, il retourne en Norvège où il écrit *The land of feast and famine*, un livre à succès. Anne Stine Moe (1918-1997), une lectrice impressionnée, lui fait savoir qu'elle aimerait partager sa vie avec lui. Le mariage a lieu en 1941. Helge est membre de la Résistance norvégienne durant la Seconde Guerre mondiale. Anne étudie l'archéologie à l'Université d'Oslo et travaille pendant quelques années sur des sites archéologiques des Vikings en Norvège.

Helge s'implique en politique et s'intéresse de plus en plus aux vieux récits relatifs aux terres d'Amérique décrites par les Vikings. À partir du printemps 1960, il explore la côte atlantique à la recherche d'indices de la présence des Vikings. Il commence par la côte atlantique américaine et se rend jusqu'à Terre-Neuve, où il atteint à l'extrémité nord l'anse aux Meadows, l'appellation anglicisée de l'anse aux Méduses. Le pêcheur George Decker l'informe de la présence de monticules de terre associés par les villageois à un site amérindien. C'est le début d'un tout nouveau chapitre de l'histoire du Canada. Entre 1961 et 1969, Helge et son épouse coordonnent sept fouilles archéologiques impliquant des scientifiques canadiens, américains, norvégiens, suédois et islandais. Ils mettent au jour des habitations de type viking. Ce site a pu accueillir jusqu'à une centaine de personnes. Une forge, des feux de cuisson et des clôtures y sont aussi découverts.

La saga de la carte du Vinland

Malgré les données archéologiques du site terre-neuvien, des interrogations persistent quant à la localisation du Vinland et des autres régions décrites dans les sagas. Cette problématique a été aussi en partie alimentée par la saga de la «carte du Vinland» acquise par l'Université Yale grâce au soutien financier du mécène américain Paul Mellon (1907-1999). Cette carte supposément médiévale montre l'Islande, le Groenland et la partie est de l'Amérique du Nord. Elle semblait dater du XIVe ou du XVe siècle, bien avant la découverte de l'Amérique par Christophe Colomb. Dès l'annonce en 1965 de la découverte de cette carte, le monde académique se divise en deux camps quant à son authenticité. Une analyse chimique récente de l'encre indique que cette carte est vraisemblablement une création du XXe siècle. Tel que discuté par P. D. A. Harvey, l'historienne Kirsten Seaver suggère en 2004 dans son livre *Maps, Myths and Men: The Story of the Vinland Map* que l'auteur de cette fausse carte d'excellente qualité est le jésuite Josef Fischer (1858-1944) qui voulait peut-être prouver aux Nazis que les Vikings leur étaient supérieurs par la découverte de l'Amérique. Malgré certaines évidences chimiques difficiles à réfuter, il y a encore de fervents partisans de l'authenticité médiévale de cette carte. Le débat n'est pas clos.

Sources : Harvey, P. D. A., «The Vinland Map, R. A. Skelton and Josef Fischer», *Imago Mundi*, 2006, 58 (1) : 95-99. Henchman, Michael, «On the Absence of Evidence That the Vinland Map Is Medieval», *Analytical Chemistry*, 2004, 76 (9) : 2674. Olin, Jacqueline S., «Evidence That the Vinland Map Is Medieval», *Analytical Chemistry*, 2003, 75 (23) : 6745-6747.

La datation au carbone 14 de plusieurs artéfacts indique que le site date de l'an 990 plus ou moins 30 ans. Ce résultat coïncide avec les sources historiques indiquant que le Vinland et les autres régions ont été explorés vers l'an 1000. Le site de l'anse aux Meadows est devenu un site historique national de Parcs Canada et un site du patrimoine mondial de l'UNESCO. Helge Ingstad, le découvreur du site archéologique de l'anse aux Meadows, croit que ce lieu terre-neuvien est le Vinland. Birgitta Wallace, une ancienne responsable des fouilles archéologiques de l'anse aux Meadows, suggère que le Vinland se situe plutôt au Nouveau-Brunswick, parce que cette région contient du noyer cendré (*Juglans cinerea*), de la vigne des rivages (*Vitis riparia*) et abonde en saumons tel que mentionné dans les sagas.

La signification de la présence du noyer cendré

Parmi les artéfacts découverts sur le site de l'anse aux Meadows, on retrouve un morceau de bois et trois noix de noyer cendré datant de l'an 1000 environ. Birgitta Wallace indique que les Vikings ont dû obtenir ces échantillons en voyageant ailleurs qu'à Terre-Neuve puisque cette espèce n'y a jamais été présente. Elle suggère que les Vikings ont pu récolter le bois de noyer et les noix au Nouveau-Brunswick, probablement dans la région de Miramichi où croît cette espèce. Au Canada, le noyer cendré se trouve dans le sud de l'Ontario, du Québec et du Nouveau-Brunswick. Au Québec, sa limite nord-est est dans le comté de Charlevoix. Sa présence a aussi été rapportée à quelques kilomètres au nord de La Tuque et au lac Tapani, au nord de Mont-Laurier. Aux États-Unis, il s'étend du Maine au nord à la Caroline du Sud, la Georgie, l'Alabama et l'Arkansas au sud. On considère le noyer cendré comme une espèce introduite au Manitoba et à l'Île-du-Prince-Édouard.

L'aire de répartition géographique du noyer cendré indique que les spécimens du site des Vikings peuvent provenir de diverses régions canadiennes ou américaines. Cependant, ces spécimens ne peuvent pas provenir de Terre-Neuve. Les Vikings n'ont peut-être pas eu à se déplacer. Comme les noix ne flottent pas et que les animaux ou les oiseaux ne les déplacent que sur de courtes distances, il est possible que des Amérindiens aient transporté le bois et les noix sur

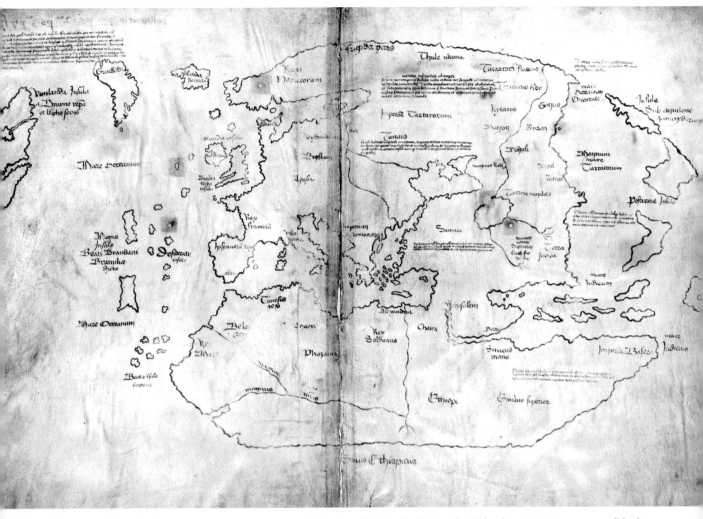

La carte du Vinland. Cette carte, apparemment produite avant l'arrivée de Christophe Colomb en Amérique, montre l'île du Vinland (*Vinlandica insula*) en haut à gauche, au sud-ouest du Groenland, avec deux cours d'eau qui y pénètrent profondément. Il s'agirait d'une représentation de l'Amérique antérieure à sa découverte officielle et intégrant l'état des connaissances dues aux explorations des Vikings. L'authenticité de cette carte est cependant douteuse et demeure un sujet de controverse.

Source : *La carte du Vinland*. Wikimedia Commons.

de longues distances. Il y a de nombreuses évidences d'échanges d'objets entre divers groupes amérindiens à l'époque, et ce, parfois sur de longues distances.

Quelques espèces terre-neuviennes ont été retrouvées sur le site archéologique. Selon Wallace, il y a des morceaux de bois de sapin baumier (*Abies balsamea*), de pin (*Pinus* sp.), de mélèze laricin (*Larix laricina*), de bouleau (*Betula* sp.) et d'aulne (*Alnus* sp.). Toutes ces espèces ligneuses sont d'ailleurs présentes en abondance à Terre-Neuve.

Les Vikings ont peut-être reconnu quelques plantes du Groenland. Il n'y a cependant aucune évidence à ce sujet. Quelques espèces du nord-est américain croissent en effet aussi au Groenland, la région de départ des explorateurs scandinaves. La livèche d'Écosse (*Ligusticum scoticum*), aussi nommée persil de mer, la linnée boréale (*Linnaea borealis*), l'airelle rouge (*Vaccinium vitis-idaea*) et la canneberge commune (*Vaccinium oxycoccos*) constituent quelques exemples d'espèces en commun.

L'activité antimicrobienne d'extraits du noyer cendré

Des extraits de l'écorce et du bois de 14 espèces d'arbres de la partie est de l'Amérique du Nord ont été analysés pour leur capacité à inhiber la croissance de bactéries, comme le staphylocoque doré, et de champignons microscopiques, comme la levure responsable de la fermentation alcoolique (*Saccharomyces cerevisiae*). L'extrait de l'écorce du noyer cendré possède l'activité antifongique la plus efficace envers le plus grand nombre de champignons. Cet extrait est aussi inhibiteur de la croissance de trois espèces bactériennes pouvant infecter les humains.

Ce n'est pas surprenant, car les plantes consacrent une grande partie de leurs ressources métaboliques à synthétiser et à accumuler des substances antimicrobiennes. Les végétaux ne produisent pas d'anticorps comme les humains et ils doivent dépendre d'un vaste arsenal de structures et de molécules de défense envers les envahisseurs qu'ils ne peuvent fuir. Certains estiment qu'environ 20 % de tous les gènes des plantes pourraient être consacrés à des stratégies de protection contre la panoplie des ennemis (virus, bactéries, champignons, insectes, animaux herbivores pour n'en énumérer que quelques-uns). Pour assurer sa survie au cours de l'évolution, le monde des plantes est devenu un vaste jardin de molécules dont plusieurs ont un rôle de réponse au stress infligé par les conditions changeantes du milieu environnant et les assauts répétés des organismes envahisseurs ou voraces.

L'écorce des arbres et des arbustes est à l'interface avec le milieu environnant. Il est donc utile d'y accumuler des substances antimicrobiennes. Dans le cas du noyer cendré, la (ou les) substance antimicrobienne extraite de l'écorce de noyer cendré n'a pas été identifiée biochimiquement. Les auteurs remarquent que les Amérindiens semblent avoir intégré certains aspects de l'écologie chimique des végétaux dans leurs usages des plantes médicinales.

Source : Omar, S., et autres, «Antimicrobial activity of extracts of eastern North American hardwood trees and relation to traditional medicine», *Journal of Ethnopharmacology*, 2000, 73 : 161-170.

Les Vikings auraient peut-être même transporté des espèces européennes. Selon Wallace, des artéfacts de bois de pin sylvestre (*Pinus sylvestris*) se retrouvent sur le site archéologique. Ce pin est l'espèce la plus répandue en Europe. Une analyse sommaire des grains de pollen n'a pas permis de déceler d'autres espèces européennes sur le site. Quelques botanistes ont suggéré que des plantes européennes auraient pu être introduites volontairement ou non lors des voyages des Vikings ou à d'autres occasions. Ce ne sont que des hypothèses.

Les Vikings et le transport d'espèces canadiennes

Selon une interprétation des textes des sagas islandaises, Leif Eiriksson et son équipage auraient rapporté des « raisins ». Certains associent ces raisins à une vigne sauvage (*Vitis* sp.), comme la vigne des rivages (*Vitis riparia*), alors que d'autres suggèrent qu'il s'agit plutôt de l'airelle rouge (*Vaccinium vitis-idaea*), une espèce aussi présente au Groenland, ou d'une espèce de groseillier ou gadellier (*Ribes* sp.). S'il s'agit des fruits de la vigne des rivages, ces raisins ne pouvaient pas provenir directement de Terre-Neuve ou de la Nouvelle-Écosse, cette vigne y étant absente comme c'est aussi le cas pour le noyer cendré. Au Canada, la vigne des rivages est indigène au Nouveau-Brunswick, au Québec, en Ontario et au Manitoba. Elle est considérée introduite en Nouvelle-Écosse et en Saskatchewan. L'identité des plantes mentionnées par les Vikings demeure toutefois incertaine. Le problème fondamental, encore non résolu, est celui de l'interprétation incertaine de plusieurs termes relatifs aux végétaux rapportés dans les sagas décrivant les explorations nord-américaines

Hypothèse : l'estragon, une espèce d'armoise, aurait franchi la Béringie

La Béringie est cette région nordique adjacente au détroit de Béring qui reliait les continents asiatique (Sibérie) et nord-américain (Alaska). Selon l'explication généralement retenue, ce territoire aurait permis à des nomades asiatiques de pénétrer en Amérique, il y a plusieurs milliers d'années. Ces nomades auraient donné naissance aux diverses nations amérindiennes.

Charlotte Erichsen-Brown a proposé que l'estragon, une espèce d'armoise (*Artemisia dracunculus*), aurait franchi la Béringie à partir des steppes asiatiques avec les nomades transportant cette plante médicinale. On la trouve aujourd'hui à quelques endroits au sud de l'Alaska, au Yukon, dans les plaines du nord jusqu'au lac Supérieur et le long de la côte du Pacifique en plus du Colorado. Cette botaniste soutient que son hypothèse est renforcée par le degré très élevé de variabilité morphologique de cette espèce. Cette caractéristique suggère même que cette plante a peut-être été cultivée par les Amérindiens. Cette hypothèse n'est pas encore appuyée par la présence de pollen de cette espèce sur des sites archéologiques précédant de beaucoup l'arrivée des Européens au XVIᵉ siècle. Enfin, la banque de données VASCAN signale que l'estragon trouvé en Ontario est une espèce introduite, alors que l'estragon est indigène à partir du Manitoba jusqu'à la côte ouest canadienne.

D'autres auteurs considèrent aussi la Béringie comme une voie d'accès possible pour le transport de végétaux. C'est le cas de l'hypothèse du transport de la gourde (*Lagenaria siceraria*), originaire de l'Afrique et domestiquée en Amérique depuis des millénaires. Cependant, des évidences génétiques supportent que la gourde, utilisée surtout comme contenant, flotteur pour la pêche et instrument de musique, provient d'Asie et non d'Afrique. La gourde africaine s'est donc retrouvée en Amérique en passant par l'Asie et certains chercheurs considèrent que cette espèce fut la première plante domestiquée par les Amérindiens.

Sources : Erichsen-Brown, Charlotte, *Medicinal and other uses of North American Plants*, New York, Dover Publications, 1989, p. vii. Erickson, David L., et autres, « An Asian origin for a 10,000-year-old domesticated plant in the Americas », *Proceedings of the National Academy of Sciences*, 2005, 102 (51) : 18315-18320.

des Vikings. La signification du terme *Vinland*, qui varie selon les auteurs, est un exemple probant de ces difficultés d'interprétation.

Un exemple de transport précolombien d'une espèce d'Amérique

Vers l'an 1000 ou 1100, des évidences de plus en plus convaincantes démontrent que la patate douce (*Ipomoea batatas*), originaire des régions tropicales d'Amérique, a été transportée d'Amérique du Sud vers la Polynésie, vraisemblablement par des navigateurs polynésiens. En utilisant, entre autres échantillons, de l'ADN extrait de spécimens d'herbier du XVIIᵉ au XXᵉ siècle, Caroline Rouillier et ses collaborateurs ont révélé que les analyses de génétique moléculaire appuient fortement l'hypothèse du transport en Polynésie d'une lignée spécifique de la patate douce, provenant probablement de la région du Pérou ou de l'Équateur. Ces données génétiques confirment d'autres évidences archéo-botaniques et même linguistiques. Les Polynésiens nomment la patate douce *kuumala*, alors que les Amérindiens du nord-ouest de l'Amérique du Sud utilisent les termes *kumara*, *cumar* ou *cumal*. L'hypothèse du transport humain de la patate douce est considérée beaucoup plus plausible que le transport des graines de cette espèce sur de longues distances. Christophe Colomb observa la patate douce dans les Caraïbes lors de ses premiers voyages. Il utilisa alors le terme *niam*, correspondant à igname en français et *yam* en anglais. Aujourd'hui, ces termes décrivent des espèces différentes (*Dioscorea spp.*) de la patate douce.

La racine de la patate douce (*Ipomoea batatas*) et la pêche à la morue à Terre-Neuve. Des racines de « Butata », correspondant vraisemblablement aux racines de patate douce, sont illustrées sur la carte *L'Amérique, divisée selon l'étendue de ses principales parties* dressée par Nicolas de Fer en 1698. L'illustration de cette espèce, non indigène à Terre-Neuve et dans les régions avoisinantes, indique que certains navires de pêche s'approvisionnent peut-être de cette racine alimentaire, originaire des régions tropicales d'Amérique.

Source : Litalien, Raymonde et Denis Vaugeois, *Champlain. La naissance de l'Amérique française*, Les éditions du Septentrion (Québec) et Nouveau Monde éditions (Paris), 2004, p. 107. Banque d'images, Septentrion.

Sources

Brown, Jean-Louis, « Extension de l'aire de distribution de *Juglans cinerea L.* au Québec », *Le Naturaliste canadien*, 1975, 102 : 371-372.

Brown, Nancy Marie, *The Far Traveler. Voyages of a Viking Woman*, Orlando, Floride, Harcourt Inc., 2007.

Fernald, M. L., « Notes on the plants of Wineland the Good », *Rhodora*, 1910, 12 (134) : 17-38.

Langmoen, Iver A., « The Norse Discovery of America », *Neurosurgery*, 2005, 57 (6) : 1076-1087.

Majcen, Zoran, *Le noyer cendré au lac Tapani. Note de recherche forestière n° 64*. Québec, Direction de la recherche forestière, 1995, p. 1 à 5. Disponible au www.mmf.gouv.qc.ca.

Olson, Julius E. et Edward G. Bourne (ed.), *The Northmen, Columbus and Cabot, 985-1503. The Voyages of the Northmen ; The Voyages of Columbus and of John Cabot*, New York, Charles Scribner's Sons, 1906, p. 14-44. The Saga of Eric the Red. American Journeys Collection, document n° AJ-056. Disponible au www.americanjourneys.org.

Olson, Julius E. et Edward G. Bourne (ed.), *The Northmen, Columbus and Cabot, 985-1503. The Voyages of the Northmen ; The Voyages of Columbus and of John Cabot*, New York, Charles Scribner's Sons, 1906, p. 45-65. The Vinland History of the Flat Island Book, American Journeys Collection, document n° AJ-057. Disponible au www.americanjourneys.org.

Olson, Julius E. et Edward G. Bourne (ed.), *The Northmen, Columbus and Cabot, 985-1503. The Voyages of the Northmen ; The Voyages of Columbus and of John Cabot*, New York, Charles Scribner's Sons, 1906, p. 67-68. From Adam of Bremen's Descriptio Insularum Aquilonis. American Journeys Collection, document n° AJ-058. Disponible au www.americanjourneys.org.

Olson, Julius E. et Edward G. Bourne (ed.), *The Northmen, Columbus and Cabot, 985-1503. The Voyages of the Northmen ; The Voyages of Columbus and of John Cabot*, New York, Charles Scribner's Sons, 1906, p. 69. From the Icelandic Annals. American Journeys Collection, document n° AJ-059. Disponible au www.americanjourneys.org.

Rouillier, Caroline, et autres, « Historical collections reveal patterns of diffusion of sweet potato in Oceania obscured by modern plant movements and recombination », *Proceedings of the National Academy of Sciences*, 2013, 110 (6) : 2205-2210.

Stefansson, Magnus, « Vinland or Vinland ? », *Scandinavian Journal of History*, 1998, 23 : 139-152.

Tremblay, Roland, « Présence du noyer cendré dans l'estuaire du Saint-Laurent durant la préhistoire », *Recherches amérindiennes au Québec*, 1997, 27 (3-4) : 99-106.

Wallace, Birgitta, « The Norse in Newfoundland : L'Anse aux Meadows and Vinland », *Newfoundland Studies*, 2003, 19 : 1-43.

Westman, Georgius A., *Itinera Priscorum Scandianorum in Americam*, Finland, Aboae, 1757. Dissertation sous la présidence de Pehr Kalm. Disponible à Bibliothèque et Archives Canada au http://www.collectionscanada.gc.ca/.

1534-1535, GASPÉ ET LA VALLÉE DU SAINT-LAURENT. LES AMÉRINDIENS DU NORD CULTIVENT UNE PLANTE SIMILAIRE AU MIL DU BRÉSIL

JACQUES CARTIER (1491-1557), né et décédé à Saint-Malo, est généralement considéré comme le découvreur officiel du Canada. Il effectue une première exploration en Amérique du Nord en 1534. Il espère atteindre la Chine (le Cathay) et d'autres pays d'Orient pour mieux profiter du commerce des épices, de la soie et d'autres marchandises de grande valeur. Comme les Espagnols, le roi de France espère aussi trouver des métaux précieux dans les régions du Nouveau Monde. Cartier est vraisemblablement au courant que Giovanni da Verrazzano (1485-1528) a abordé en 1524 la côte atlantique de l'Amérique du Nord entre la Caroline du Nord et la pointe du Cap-Breton pour le compte du roi François Ier (1494-1547, règne de 1515 à 1547) et de certains investisseurs privés. On croit alors que Verrazzano a rapporté un échantillon d'or en plus de «drogues et autres liqueurs aromatiques afin d'en discuter avec de nombreux marchands». Cartier réfère dans son deuxième voyage à une drogue qu'il estime supérieure aux meilleures drogues de l'époque.

Des historiens soutiennent que Cartier a visité, peut-être sur des navires corsaires, les Amériques et l'Afrique avant son premier voyage au Canada. Jean Le Veneur, l'abbé du Mont Saint-Michel, a présenté Cartier au roi François Ier en 1532 en spécifiant que ce capitaine a déjà voyagé au Brésil et à Terre-Neuve. De plus en 1528, l'épouse de Jacques Cartier est marraine d'une Amérindienne nommée «Catherine du Brésil». Les récits des voyages de Cartier font aussi mention à quelques reprises du mot *Brésil*. Selon certains historiens, Cartier connaît le portugais et il peut même servir d'interprète.

Le premier voyage : de la terre de Caïn au jardin d'Éden

De son premier voyage en sol canadien, il ne reste qu'une traduction d'un récit anonyme publié à Venise en 1556. Le 20 avril 1534, Cartier quitte Saint-Malo avec deux navires et 61 hommes. Il arrive le 10 mai au cap de «Bonne-Viste» (*Bonavista*) à Terre-Neuve. Il se dirige vers le nord et entre dans le golfe du Saint-Laurent par le détroit de Belle-Isle. Le 12 juin, il écrit : «à Blanc Sablon il n'y a que de la mousse et de petits bois avortés… j'estime mieux qu'autrement que c'est la terre que Dieu donna à Caïn». C'est la première description d'un paysage végétal canadien, celui de la côte nord-est du golfe du Saint-Laurent. Cette terre de Caïn supporte des arbres rabougris de sapin baumier (*Abies balsamea*) et d'épinette noire et blanche (*Picea mariana* et *Picea glauca*).

Treize jours plus tard, le 25 juin, c'est pratiquement le paradis terrestre à l'île de Brion. «Cette dite île est la meilleure terre que nous ayons vu car un arpent de cette terre vaut mieux que toute la Terre Neuve. Nous la trouvâmes pleine de beaux arbres, prairies, champs de blé sauvage et de pois en fleurs aussi épais et aussi beaux que je vis en Bretagne qu'eux semblaient y avoir été semés par laboureurs. Il y a force groseilliers, fraisiers et roses de Provins, persil et autres bonnes herbes de grande odeur». Quel contraste entre la Haute-Côte-Nord et l'île de Brion près des Îles-de-la-Madeleine !

Les termes de Cartier décrivant les végétaux sont le plus souvent génériques. Jacques Rousseau a proposé en 1937 des identifications pour les plantes mentionnées par Cartier. Pierre Morisset a aussi commenté le monde végétal mentionné par Cartier et proposé des identifications dans l'ouvrage de Bideaux de 1986. Il y a peu de différences d'identification entre ces deux auteurs. Selon Pierre Morisset, le blé sauvage est probablement l'ammophile à ligule courte (*Ammophila breviligulata*). Marie-Victorin et Rousseau préfèrent l'élyme des sables (*Elymus arenarius*). Cette dernière espèce désigne maintenant une espèce européenne parfois introduite en Amérique du Nord. L'espèce américaine est l'élyme des sables d'Amérique (*Leymus mollis* subsp. *mollis*). Dans sa *Flore laurentienne*, Marie-Victorin déclare qu'«il est clair que l'*E. arenarius* est le "blé" dont parlent les relations de nos découvreurs». Les pois en fleurs correspondent à la gesse maritime (*Lathyrus maritimus* maintenant nommé *Lathyrus japonicus*) selon les identifications de Rousseau et de Morisset. Les groseilliers peuvent correspondre à diverses espèces du genre *Ribes* qui regroupe les groseilliers et les gadelliers. Le fraisier sauvage est l'une ou les deux espèces indigènes, le fraisier américain (*Fragaria americana* ou *Fragaria vesca* subsp. *americana*) et le fraisier de Virginie (*Fragaria virginiana*). Le persil sauvage est la livèche d'Écosse (*Ligusticum scoticum*) qui porte encore le nom populaire de persil de mer. Selon Marie-Victorin, tel que rapporté par Rousseau en 1937, une bonne herbe «de grande odeur» est la spiranthe de Romanzoff (*Spiranthes romanzoffiana*), une espèce de la famille des orchidacées. Cette espèce est très intéressante d'un point de vue phytogéographique pour Marie-Victorin. En 1938, il publie un article dans lequel il examine la possibilité que la belle orchidée humée par Cartier soit une relique d'une ancienne flore commune entre un continent européen et américain alors réunis. En effet, cette orchidée se trouve dans certaines régions irlandaises et écossaises. Marie-Victorin ajoute qu'il a exploré l'île de Brion avec la relation du premier voyage de Cartier en mains. En lisant le passage sur les «bonnes herbes de grande odeur», il décèle comme Cartier, trois siècles plus tôt, l'odeur de cette orchidée particulière.

Des rencontres

Après cette mention d'une première orchidée canadienne, Cartier poursuit son exploration et il rencontre le 22 juillet dans la baie de Gaspé des Iroquoiens venus à la pêche aux maquereaux. Il note que cette pêche abondante est faite à l'aide de filets de «fil de chanvre» croissant dans leur pays. Il semble très impressionné par ces filets et ce chanvre local. Dans le deuxième voyage, on apprend que ces Iroquoiens vivent au village de Stadaconé (Québec) dans la vallée du Saint-Laurent. Après la mention du chanvre, Cartier ajoute que ces Amérindiens font du pain avec une plante de leur pays qui est «du gros mil comme pois, pareil à celui qui croit au Brésil». Le capitaine ajoute que les Iroquoiens ont beaucoup

de pain qu'ils nomment *kapaige*. Curieusement, un mot bien différent, *cacacomy*, apparaît dans le lexique des termes amérindiens en annexe au même récit. Le lexique du deuxième voyage indique que leur blé (maïs) a pour nom *ozisy* (ou *osizy*) et que le pain de maïs est nommé *carraconny*. Tous les botanistes concluent que ce gros mil est le maïs. Il s'agit du premier témoignage écrit de la culture du maïs en Amérique du Nord. Cartier n'a certainement pas réalisé tout l'impact agroalimentaire et industriel que cette espèce aura éventuellement à l'échelle planétaire.

Ce contact avec les Iroquoiens est mémorable à d'autres points de vue. D'une part, le 24 juillet, Cartier plante sa fameuse croix conquérante à Gaspé qui porte l'inscription «Vive le roi de France». Cette cérémonie provoque de vives réactions chez les Iroquoiens. D'autre part, Cartier force deux fils du chef Donnacona à retourner en France avec lui. Domagaya et Taignoagny lui servent d'informateurs privilégiés sur le nouveau pays et ses promesses de grandes richesses. Ces Amérindiens feront office de curiosités qui provoquent l'intérêt du roi et de sa cour. Le premier voyage de Cartier se termine le 5 septembre avec son retour à Saint-Malo.

Le deuxième voyage : une exploration détaillée

En 1535, Cartier revient avec les deux Iroquoiens pour mieux explorer le territoire et ses ressources prometteuses. Ce voyage dure du 19 mai 1535 au 16 juillet 1536. Le départ s'effectue de Saint-Malo avec trois navires et 110 hommes. Cartier atteint l'embouchure du Saguenay le 1er septembre. Cinq jours plus tard, il explore l'île aux Coudres. Le lendemain, il est à l'île d'Orléans où il rencontre à nouveau les Iroquoiens de Stadaconé. Le 8 septembre, il discute avec Donnacona, le «seigneur de Canada». Le 19 septembre, il se dirige vers un autre village iroquoien nommé Hochelaga (Montréal). Les habitants de Stadaconé manifestent beaucoup de réticence envers cette expédition. Le 3 octobre, le navigateur est accueilli au village fortifié. Il est de retour, le 11 octobre, à son site de séjour sur la rivière Saint-Charles, à proximité de Stadaconé, qui accueille environ 500 à 800 Iroquoiens. On estime qu'il y a alors environ 10 000 Iroquoiens répartis principalement dans les territoires actuels des États de New York et du Vermont et dans le sud des provinces de Québec et de l'Ontario. L'équipage de Cartier affronte difficilement l'hiver canadien, qui sévit de la mi-novembre à la mi-avril. Le 3 mai, Cartier enlève Donnacona en plus de ses deux fils et d'autres Iroquoiens. Trois jours plus tard, le capitaine entame son voyage de retour vers Saint-Malo qui se termine le 16 juillet.

Des références au mil du Brésil

La relation du deuxième voyage de 1535-1536 contient aussi des références au Brésil. Une première concerne les Amérindiens. Cartier signale que certains comportements des Iroquoiens se comparent à ceux des Brésiliens. Ainsi, il écrit « ce dit peuple vit en communauté de biens assez de la sorte des Brésiliens ». Les autres références au Brésil ont trait aux mentions du « mil » et du « gros mil ». Ces informations sur le maïs présentent un intérêt particulier. Après une première observation en Gaspésie en 1534, Cartier est le premier Européen à noter cette espèce et son utilisation dans la vallée du Saint-Laurent. Comme l'année précédente, Cartier signale que cette plante ressemble à celle trouvée au Brésil. Pourtant, le maïs avait été observé initialement dans les Antilles, au Mexique et dans les régions avoisinantes par Christophe Colomb et ses équipages espagnols. Les propos de Cartier sur le maïs sont donc plus influencés par les explorations françaises du Brésil que par les premières découvertes espagnoles.

Le contexte des mentions du maïs

Le 7 septembre 1535, à l'île d'Orléans, les Iroquoiens organisent une grande fête pour souligner le retour de Domagaya et Taignoagny. Pour leur festin, les Amérindiens offrent en cadeau aux Français des anguilles et d'autres poissons « avec deux ou trois charges de mil, qui est le pain de quoi ils vivent en la dite terre ; et plusieurs gros melons ». Le 19 octobre 1535, Cartier quitte Stadaconé pour aller explorer la région du fleuve près du village de Hochelaga. Il est accueilli par « plus de mille personnes ». On lui offre des poissons en cadeau « et de leur pain fait de gros

mil ». Le 20 octobre 1535, au Mont-Royal, Cartier visite Hochelaga, ce site iroquoien entouré de palissades. Pour atteindre cette bourgade, il doit passer à travers des champs pleins « de blé de leur terre, qui est comme mil de Brésil, aussi gros ou plus que pois, de quoi vivent ainsi, comme nous faisons de froment ».

À l'intérieur des fortifications, Cartier observe « environ 50 maisons longues » qui possèdent des « greniers » pour entreposer « leur blé de quoi font leur pain, qu'ils appellent *carraconny*. Et le font en la sorte ci-après. Ils ont des piles de bois comme à piler chanvre, et battent avec pilons de bois le dit blé en poudre, puis le massent en pâte, et en font tourteaux qu'ils mettent sur une pierre large qui est chaude, puis le couvrent de cailloux chauds. Et ainsi cuisent leur pain en lieu de four. Ils font pareillement force potages du dit blé et de fèves, desquels ils ont assez, et aussi grosses concombres et autres fruits ». Dans un chapitre sur « la façon de vivre du peuple de la dite terre », Cartier ajoute que leur blé est nommé *osizy*. Il spécifie à nouveau qu'il « est gros comme pois, et de ce même en croit assez au Brésil. Pareillement ils ont grande quantité de gros melons, concombres, et courges, pois, et fèves, et de toutes couleurs, non de la sorte des nôtres ».

Les propos de Cartier sur le maïs

Pour Cartier, le gros mil des Amérindiens du nord est comme celui qui croît au Brésil. Son grain est aussi gros, sinon plus, que les grains des pois cultivés (*Pisum sativum*). Cette comparaison est assez fidèle à la réalité. Cartier compare souvent cette plante au froment, le blé cultivé en Europe (*Triticum aestivum*). L'explorateur décrit la fabrication du pain de gros mil. Ce pain est plus une galette si on le compare au pain de blé. La description du broyage des grains en farine avec un mortier et un pilon en bois est fidèle à d'autres descriptions ultérieures et aux évidences archéologiques. D'autres auteurs observent que des fruits sont ajoutés aux galettes. La cuisson avec ou entre des pierres chaudes est aussi souvent rapportée. Des pierres chaudes sont même utilisées pour chauffer les liquides dans divers contenants.

En somme, les notations de Cartier sur le maïs paraissent solidement fondées sur une observation directe. Il est possible que Cartier ait déjà observé le maïs que les Portugais et les Espagnols identifient alors comme une sorte de mil ou millet. Après Cartier, des auteurs donneront plus de détails sur les modes de préparation des galettes de maïs, incluant le broyage des grains à l'aide de pierres ou d'un mortier et d'un pilon en bois.

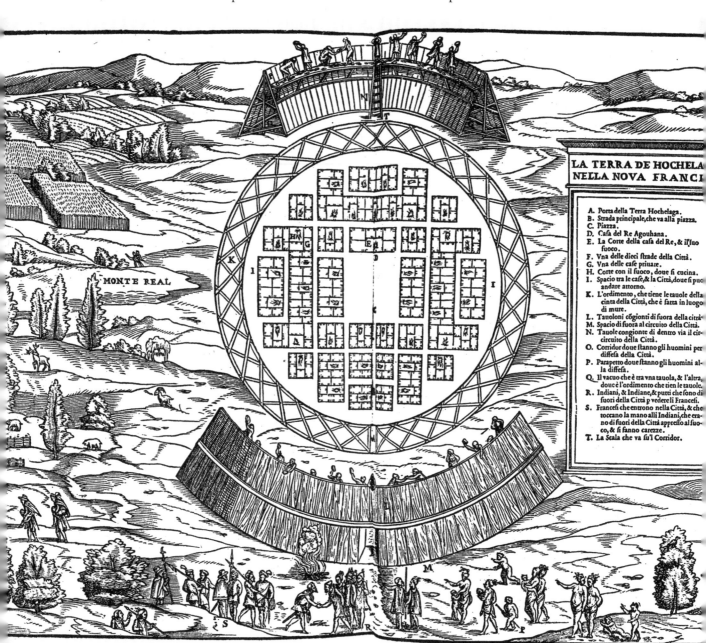

Des champs de maïs près du village iroquoien de Hochelaga. En 1556 à Venise, Giovanni Battista Ramusio (1485-1557) publie *Delle navigationi et viaggi. La terra de hochelaga nella nova francia* est illustrée grâce aux informations obtenues lors du deuxième voyage de Cartier au Canada. On distingue, en haut à gauche, trois champs de maïs bien alignés. Comme pour la forteresse iroquoienne, l'illustration des champs de maïs témoigne d'une inspiration artistique européenne. Elle démontre bien cependant l'importance de cette espèce cultivée à proximité du village.

Source : Litalien, Raymonde, et autres, *La Mesure d'un continent. Atlas historique de l'Amérique du Nord, 1492-1814*, Québec, Les éditions du Septentrion, 2007, p. 49. Banque d'images, Septentrion.

Deux modes amérindiens de broyage des grains. Une Amérindienne écrase les grains, vraisemblablement de maïs, avec une pierre qui fait office de pilon. Les grains sont disposés sur ce qui semble être une pierre ou une pièce de bois arrondie à surface concave. Une autre structure à surface carrée et plane représente une pierre ou un morceau de bois. Une autre Amérindienne utilise un gros morceau de bois creux comme mortier et un pilon en bois de quelques pieds de hauteur.

Source: Du Creux, François, *Historiae Canadensis seu Novae Franciae libri decem*, 1664, p. 22. Bibliothèque nationale de France.

Le maïs sur la page frontispice d'un ouvrage botanique à succès. Sous l'inscription « 1597 », on reconnaît deux tulipes à corolle rouge cultivées seulement depuis quelques décennies au XVIe siècle dans des jardins d'Europe. À droite, un savant botaniste tient un gros épi de maïs jaune dans sa main. Les plus belles fleurs de l'époque forment une guirlande décorative. Le maïs a acquis une place de choix parmi les végétaux exotiques. Ce n'est certainement pas à cause de la beauté de ses fleurs.

Source : Gerard, John, *The Herball or Generall Historie of Plantes*, London, 1597. Banque d'images, Septentrion.

I. FRVMENTI INDICI MAYS-
DICTI SPICA.

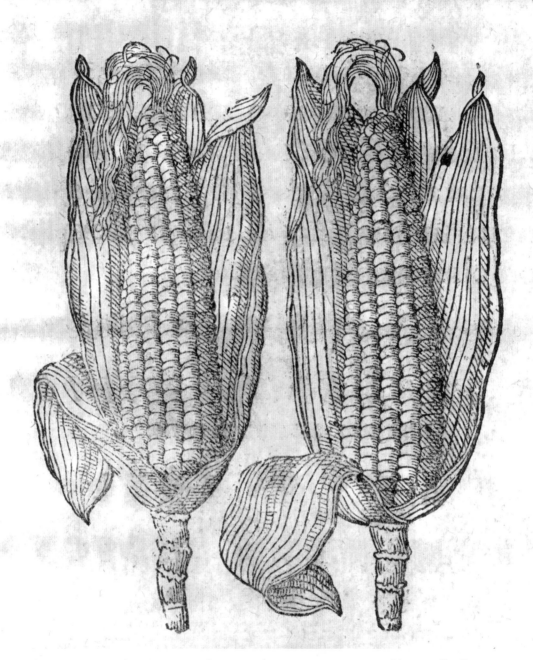

Des épis de maïs au XVIIᵉ siècle. Les premières illustrations de maïs en Europe sont possiblement celles d'épis représentés sur des fresques italiennes réalisées au début du XVIᵉ siècle. Le maïs est introduit en Europe au tournant du XVIᵉ siècle. On connaît mal cependant les modes et les voies d'introduction de cette espèce dans les diverses régions européennes et asiatiques. Les épis de maïs sont illustrés dans les traités botaniques souvent de façon distincte du plant complet de maïs. Cette façon d'illustrer le maïs persiste jusqu'au XVIIᵉ siècle. La présente illustration est tirée d'un ouvrage de Gaspard Bauhin, célèbre botaniste compilateur.

Source : Bauhin, Gaspard, *Theatri botanici sive Historiae plantarum…*, Bâle, Liber Primus, 1658, p. 491. Bibliothèque de recherches sur les végétaux, Agriculture et Agroalimentaire Canada, Ottawa.

DE FRVMENTO INDICO
TERTIO MAYS DICTO.
CAPVT XXXI.
I. FRVMENTVM INDICVM
MAYS DICTVM.

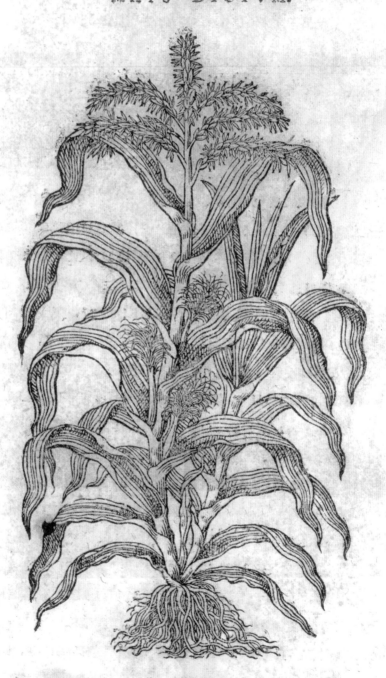

Un plant de maïs complet au XVIIe siècle. Le premier livre européen présentant une illustration de la plante complète est celui de l'Allemand Leonhart Fuchs en 1542. Dans son traité *De historia stirpium*, il nomme cette plante *Turcicum Frumentum*, le froment ou blé de Turquie. Il indique aussi que cette espèce est présente dans tous les jardins. Des botanistes utiliseront d'autres appellations, comme *Frumentum Indicum*, le froment ou blé d'Inde. Toutefois, l'appellation *maïs* est de loin préférable parce qu'elle reflète fidèlement son origine amérindienne.

Source : Bauhin, Gaspard, *Theatri botanici sive Historiae plantarum...*, Bâle, Liber Primus, 1658, p. 490. Bibliothèque de recherches sur les végétaux, Agriculture et Agroalimentaire Canada, Ottawa.

La signification du mot brésil à l'époque de Cartier

Brésil et ses variantes ont d'abord décrit un arbre à bois rouge de l'Orient, apprécié pour ses propriétés tinctoriales. À partir de la découverte des Amériques, ce terme est transféré par homologie à d'autres arbres à bois rouge. Finalement, le mot en vient à désigner le pays sud-américain où croît une espèce indigène de bois rouge recherchée.

Selon plusieurs auteurs, comme Alexandre von Humboldt, le mot *brésil* est utilisé pendant plusieurs siècles pour nommer une sorte de bois rouge de l'Orient (*Caesalpinia sappan*). Le nom du genre *Caesalpinia* honore la contribution du botaniste italien Andrea Cesalpino. Le commerce de ce bois précieux est rapporté dès l'an 851 chez les Arabes qui le vendent sous le nom de *Bakam* et en 1085 chez les Français. Entre le XIIe et le XVIe siècle, ce bois est connu des Catalans, des Hollandais, des Anglais et des Portugais. En Occident, la couleur rouge du cœur de ce bois permet de le comparer à un charbon ardent et à la braise, d'où le nom de *lignum brasile* et ses nombreuses variantes. Le Vénitien Marco Polo (1254-1324), qui voyage en Orient jusqu'en Chine de 1271 à 1295, fait référence à quelques reprises au bois de brésil. Il soutient que le meilleur bois provient de l'île de Ceylan. Il en observe à Sumatra. Il rapporte des graines de bois de brésil pour les faire pousser à Venise. La germination est malheureusement sans succès. À cette époque, le commerce de ce bois précieux est assez complexe, car le produit vient de pays lointains et il passe par plusieurs marchands intermédiaires. De plus, il est transporté sous forme de billes de bois lourdes. La noblesse recherche ce bois oriental surtout pour teindre les draps et pour colorer des miniatures qui ornent les manuscrits. Cette essence était alors aussi appréciée en ébénisterie.

À partir de 1492, les explorateurs des Amériques rapportent de nouveaux bois rouges qu'ils nomment aussi *bois de brésil*. Ces arbres correspondent aux espèces *Haematoxylum campechianum* du Mexique et *Haematoxylum brasiletto* du Nicaragua et du Venezuela. Colomb rapporte d'ailleurs du bois rouge lors de son troisième voyage. En 1500, un nouveau pays d'Amérique du Sud est découvert par Pedro Cabral. En 1502, le mot *Brésil* est utilisé sur une carte géographique du pays découvert par Cabral. En 1505, l'expression *terre du Brésil* apparaît pour la première fois. Cette même année, le Portugal reçoit déjà trois cargaisons du bois précieux. Ce bois rouge, nommé *pau-brasil* par les Portugais, provient de l'espèce *Caesalpinia echinata* qui fournit une belle teinture rouge ou pourpre.

Les espèces de bois rouge sont fort recherchées

Depuis l'Antiquité, les couleurs rouge et pourpre sont associées à la richesse et à la noblesse. Être né dans la pourpre signifie «être issu de la lignée royale». Divers colorants végétaux, minéraux et animaux permettent de teindre les vêtements et les draperies de la noblesse royale, impériale et ecclésiastique. Certains colorants proviennent de l'Orient et la découverte des bois rouges de l'Amérique ouvre

---

Une autre signification de *Brasil* au Moyen Âge

Durant l'Antiquité, certains auteurs réfèrent aux «îles Fortunées», ces îles mystérieuses situées dans une mer tout aussi énigmatique et lointaine. Au Moyen Âge, ces îles énigmatiques se situent peu à peu dans l'Atlantique et prennent d'autres noms, comme l'île des Pommes, l'île des Fruits, l'île d'Avallon, *Tir Breasail*, *Hy Brasil* et *Brasil*. On décèle évidemment une référence à une île lointaine du paradis terrestre. D'ailleurs, lorsqu'on illustre cette île imaginaire, on y trouve à l'occasion l'arbre de vie poussant au centre de l'île mythique et qui porte des fruits.

Source: Braudel, Fernand (dir.), *Le monde de Jacques Cartier. L'aventure au XVIe siècle*, Libre Expression (Montréal) et Berger-Levrault (Paris), 1984, p. 110.

de nouvelles possibilités commerciales. Lorsque Jean Cabot (décédé vers 1498) explore une terre américaine en 1497 et 1498, une dépêche rapporte qu'il aurait constaté que la terre est bonne et tempérée et « qu'il y croît du bois de brésil et de la soie ». Malgré les incertitudes quant aux destinations précises de Cabot, l'histoire de ce périple réfère au bois de brésil. Quoi de plus prometteur pour les explorateurs comme Cabot que de trouver une nouvelle source de soie que l'on peut de surcroît teindre en majestueux pourpre.

L'intérêt commercial des colorants des bois rouges disparaît au milieu du XIXe siècle avec la synthèse chimique des dérivés d'aniline. L'intérêt pour le bois de *Caesalpinia echinata* a cependant pris un tournant imprévu au XVIIIe siècle. L'archetier français François-Xavier Tourte (vers 1747-1835) met au point la forme moderne de l'archet du violon. À cette époque, 168 acres de terrain à Paris sont requis pour remiser les pièces de bois précieux du Brésil. En effet, le meilleur bois, encore à ce jour, pour assurer la qualité des archets des instruments à cordes est le bois de *Caesalpinia*, une espèce indigène du Brésil. Cet arbre a été inscrit récemment sur la liste des espèces brésiliennes menacées. Il existe encore de nos jours un important commerce illégal de ce bois précieux.

Quelques connaissances en France relatives au nouveau bois de brésil

En 1536, Jean Ruel (vers 1479-1537) publie à Paris une synthèse encyclopédique de botanique médicale *De Natura Stirpium* qui mentionne quelques rares plantes américaines comme le bois de gaïac (*Gaiacum*). Immédiatement après la section sur le gaïac, Ruel décrit le *Bersilicum* comme une source de teinture pourpre « *rutilante* ». Il note qu'il est plus approprié de nommer cet arbre *bresilum* plutôt que *bersilicum*. On ne sait pas si Ruel connaît les nouvelles espèces américaines.

La plante brésilienne la plus connue et la plus importante de l'époque est le bois de brésil (*Caesalpinia echinata*). Le commerce de ce bois devient très important en France, particulièrement en Normandie et en Bretagne. Dès 1504, Binot Paulmier de Gonneville séjourne au Brésil et il revient en France avec ce bois précieux et le fils d'un chef amérindien.

Cela semble annoncer le comportement de Jacques Cartier qui, 30 ans plus tard, ramène en France deux fils d'un chef amérindien. De Gonneville signale que le commerce du bois de teinture, du coton, des guenons et des perroquets est déjà bien installé en ce début de siècle chez les Dieppois, les Malouins et les Bretons.

À cette époque, Rouen est une grande ville portuaire de France. Depuis quelques décennies, elle tente de concurrencer d'autres villes, comme Bruges, au point de vue commercial. Rouen développe activement le secteur des textiles et devient avide de cette belle teinture du brésil. Dès 1522, Jean Ango (1480-1551) de Dieppe organise des voyages réguliers pour profiter des richesses naturelles du Brésil. Il a de nombreux pilotes corsaires à son service qui totalisent plus de 300 prises de navires. En 1525, les départs d'Honfleur vers le Brésil sont si nombreux qu'on met sur pied une compagnie pour mieux organiser le commerce du bois. Entre 1526 et 1531, au moins 20 navires normands ou bretons vont au Brésil pour faire le commerce des marchandises naturelles. On tente même d'y implanter des colonies pour faciliter les échanges commerciaux. Malgré les échecs répétés de colonisation, le commerce persiste. Les frères Verrazzano sont parmi ceux qui rapportent aussi en France des quantités appréciables de bois de brésil.

Cet engouement commercial culmine en 1550 par une fête brésilienne à Rouen pour le roi Henri II et Catherine de Médicis (1519-1589). Cette ville est devenue le centre névralgique du commerce du bois de brésil. Pour cette célébration royale, une cinquantaine de Brésiliens présentent une pièce de théâtre démontrant comment on travaille avec les billes de bois. On teint même en rouge des arbustes locaux pour cette fête. Olive Patricia Dickason fait une comparaison intéressante entre le commerce français des fourrures en Amérique du Nord et celui du bois de teinture au Brésil. Dans les deux cas, on troque pour obtenir un objet naturel qui constitue un produit de luxe en Europe. La stratégie d'interaction avec les Amérindiens est la même. Ils apportent leurs produits aux sites d'échange des marchandises. Dans les deux cas, on utilise régulièrement des intermédiaires qui servent d'interprètes après avoir vécu avec les Amérindiens.

En plus du bois rouge, les navigateurs français rapportent régulièrement du coton et d'autres bois précieux et, à l'occasion, des huiles médicinales. Comme les Portugais, ils ont remarqué la présence du millet qui sert de nourriture aux Brésiliens. Ce millet du Brésil correspond au gros mil mentionné par Cartier, c'est-à-dire le maïs. À cette époque, les mots *mil* et *millet* sont souvent interchangés.

Les publications de l'époque sur le maïs

Christophe Colomb mentionne le maïs dès 1492 et il rapporte du mahiz (*maiz*) de ses expéditions. Le mot français dérive du terme espagnol qui provient du taïno *ma-idz*. Lors de son troisième voyage, il écrit, en 1498, qu'on retrouve ce grain à Castille en Espagne. En 1511, le fameux chroniqueur des voyages de Colomb, Peter Martyr, décrit cette plante alimentaire et indique que son nom est *maiz*. La première illustration de cette espèce publiée en Europe est probablement celle de Gonzalo Fernandez de Oviedo y Valdes (1478-1557), qui a exploré l'Amérique centrale et l'Amérique du Sud à partir de 1513. Il est chroniqueur et contrôleur de mines d'or pour la royauté espagnole dans la région actuelle du Costa Rica et du Nicaragua. Oviedo présente en 1535 un chapitre sur le mahiz et une illustration d'un épi de maïs dans son livre *Historia natural y general*. Il prétend que le maïs est une espèce décrite anciennement par Pline. Oviedo ajoute qu'il a observé, en 1530 à Avila en Espagne, un plant de mahiz de 10 longueurs de mains de hauteur, c'est-à-dire environ 2 mètres. Oviedo est l'un des premiers à décrire de nouvelles plantes américaines, comme la pomme de terre et l'ananas.

Au chapitre du mil, Jean Ruel, dans son livre *De Natura Stirpium* de 1536, inclut le *Milium Saracenicum*, le mil des Sarrasins. Selon lui, ce mil étranger a été introduit dans les jardins français vers l'an 1520, une quinzaine d'années avant la publication de son traité botanique. Comme d'autres botanistes de l'époque, Ruel rapporte que cette plante vient de l'Orient par l'intermédiaire des Musulmans, les Sarrasins. On a proposé récemment que ce mil des Sarrasins serait le maïs. Cette corrélation demeure cependant incertaine. Ruel décrit ce mil comme possédant un grain de couleur foncée de la dimension des pois. Ruel est un observateur crédible en botanique médicale. Il est médecin depuis 1508 et doyen de la Faculté de médecine de Paris de 1508 à 1510. En 1516, il traduit de façon magistrale du grec au latin la fameuse œuvre de référence *Materia medica* de Dioscoride. En 1537, la seconde édition du traité de botanique de Ruel est imprimée à Bâle. Dans les traités postérieurs à celui de Ruel, on ne décèle pas la terminologie de Cartier qui réfère au mil du Brésil. La référence botanique au Brésil la plus fréquente est celle du bois du brésil.

Le premier traité de botanique médicale à mentionner le maïs est celui de Hieronymus Bock (Jérôme Bock), surnommé Tragus (1498-1554), en 1539. Cet Allemand nomme la plante *Welschen Korn*, c'est-à-dire le grain étranger. Il ajoute que cette espèce est nouvelle en Allemagne et qu'elle provient probablement des Indes. Il suggère de la nommer *Frumentum Asiaticum*, c'est-à-dire le blé d'Asie. Il recommande d'utiliser le jus des feuilles comme remède pour des problèmes cutanés.

Le premier livre européen présentant une illustration de la plante complète est celui de l'Allemand Leonhart Fuchs en 1542. Dans son traité *De historia stirpium*, il nomme cette plante *Turcicum Frumentum*, le blé de Turquie. Il indique aussi que cette espèce est présente dans tous les jardins. Il justifie le nom *Turcicum Frumentum* parce qu'il pense que cette plante a été apportée en Allemagne par les Turcs qui l'utilisent quand les autres grains sont rares. À l'époque, le mot *turcicum* associé à une plante peut aussi signifier que cette espèce provient de l'étranger, car les Turcs ont introduit diverses plantes étrangères lors de leurs conquêtes européennes.

En 1552, Rembert Dodoens (1517-1585) ajoute une explication sur *Milium Indicum*. Cette plante est aussi nommée turque ou sarrasine parce qu'on pense qu'elle provient de la Grèce ou de pays d'Asie qui sont sous la domination des Turcs. Au moment de la publication en 1545 du deuxième voyage de Cartier, le maïs n'a que deux noms latins dans les traités de botanique médicale : *Frumentum Asiaticum* (Bock, 1539) et *Frumentum Turcicum* (Fuchs, 1542). Pendant très longtemps, cette plante d'origine américaine portera des noms comme le blé d'Espagne, le blé de Turquie et le blé d'Inde, qui laissent croire à une origine eurasiatique plutôt qu'américaine.

Du maïs, c'est bon. Du maïs galeux, c'est plus savoureux

Bien avant l'arrivée des Européens, les Aztèques observent des épis de maïs déformés avec des gales de couleur différente. Ils nomment cette altération *cuitlacochin* ou *cuitlacuchtli*, qui signifie «excrément de couleur foncée». En fait, ces épis sont envahis massivement par le champignon pathogène *Ustilago maydis*, l'agent responsable de la maladie du charbon du maïs. Les Aztèques vouent un très grand respect à cette plante des dieux. C'est pourquoi les jeunes épis infectés sont recherchés comme nourriture spéciale et sont considérés comme un régal, alors que les vieux épis infectés sont consommés en cas de besoin.

De nos jours, cette tradition aztèque se poursuit au Mexique où l'on produit annuellement des centaines de tonnes de *huitlacoche* (*cuitlacoche*). Hors du Mexique, le maïs galeux est même devenu un aliment recherché par certains gourmets. On s'intéresse également à sa valeur nutritionnelle. Ce maïs infecté peut contenir à l'occasion d'autres champignons pathogènes dont certains produisent de la pénicilline. Les personnes intolérantes à cet antibiotique doivent donc être prudentes.

Sources : Juarez-Montiel, Margarita, et autres, «*Huitlacoche* (corn smut), caused by the phytopathogenic fungus *Ustilago maydis* as a functional food», *Revista Iberoamericana de Micologia*, 2011, 28 (2) : 69-73. McMeekin, Dorothy, «Different perceptions of the corn smut fungus», *Mycologist*, 1999, 13 (4) : 180-183. Zepeda, Lydia, «The Huitlacoche project : a tale of smut and gold», *Renewable Agriculture and Food Systems*, 2006, 21 (4) : 224-226.

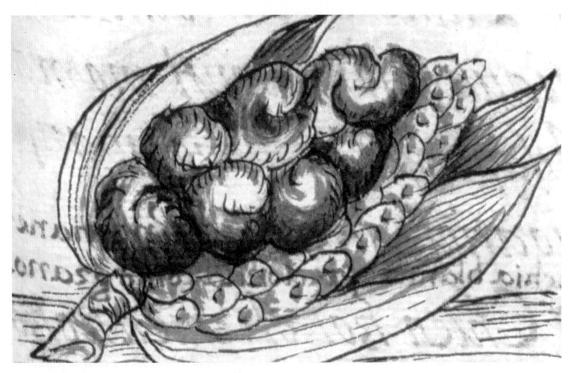

Un épi de maïs galeux. Les Aztèques nomment cette déformation *cuitlacochin* ou *cuitlacuchtli*. Les épis sont infectés par le champignon *Ustilago maydis*, l'agent pathogène responsable de la maladie nommée charbon du maïs. Comme les Aztèques vouent un grand respect à cette plante des dieux, les jeunes épis galeux servent de nourriture spéciale. Les vieux épis contaminés sont consommés en cas de besoin.

Source : De Sahagun, Bernardino (frère), *Histoire générale des choses de la Nouvelle-Espagne. Livre XI. Les choses naturelles*, XVIᵉ siècle, Folio 251. Bibliothèque numérique mondiale. Ce livre est aussi connu sous le nom de *Codex de Florence*.

Le maïs et son importance chez les Aztèques. La culture du maïs et les rites qui lui sont associés influencent la vie des Aztèques et d'autres peuples amérindiens. Au Mexique, le sixième mois du calendrier solaire est nommé *Etzalcualiztli*, qui signifie « repas de maïs et de haricots ». On représente ce mois par un homme portant des vêtements utilisés au quotidien et tenant un plant de maïs et un récipient d'eau. Les cercles de couleur verte entourant les yeux et la bouche permettent de reconnaître qu'il s'agit du dieu de la pluie ou d'un prêtre qui l'incarne.

Source : *Codex Tovar*. *Etzalcualiztli*, XVIᵉ siècle. Attribué à Jean de Tovar (vers 1546-vers 1626). Bibliothèque numérique mondiale.

D'autres sources potentielles d'information pour Cartier

Réalisées entre 1515 et 1518, les fresques de la prestigieuse villa Farnesina à Rome représentent du maïs. Les premières explorations espagnoles de Colomb et de ses collaborateurs sont bien connues de la papauté. Certains auteurs soutiennent que Verrazzano aurait vu du maïs en 1524 en Amérique du Nord. L'interprétation de la mention d'un « légume » différent en couleur et en grosseur est cependant incertaine. Le voyage de Cartier de 1534 est en continuité avec celui de Verrazzano. On a aussi suggéré que celui-ci serait le premier à introduire du maïs en France en 1524. Ce n'est cependant qu'une hypothèse.

Jacques Cartier a connu Jean Alfonse (1484-1544), ce marin d'expérience aussi connu sous les noms de Jean Fonteneau ou Jean de Saintonge, qui a vraisemblablement à son crédit des voyages vers le Brésil. Les deux marins ont peut-être partagé quelques observations botaniques. Cartier et ses collègues navigateurs doivent être au courant des épopées des explorateurs des Amériques. Michel Bideaux a noté que le compte-rendu du voyage de Magellan, disponible à Paris dès 1525, mentionne le maïs comme une variété brésilienne du mil. Cartier et ses collègues ont peut-être adopté la même nomenclature. Jacques Cartier a peut-être aussi entendu parler du maïs d'Afrique. En 1540, la culture de cette plante est présente aux îles du Cap-Vert et le long de la côte de l'Afrique de l'Ouest. Le maïs sert même de nourriture principale dans cette région africaine.

Le capitaine Cartier et le maïs canadien

Malgré la primauté de son information en ce qui concerne le maïs au Canada, Cartier n'a pas nécessairement introduit le maïs en France en 1534. Par ailleurs, il en avait peut-être rapporté du Brésil auparavant. Sa terminologie référant au mil du Brésil ne se retrouve pas dans les écrits botaniques de l'époque. Sa comparaison de la grosseur du grain de mil par rapport au pois se retrouve cependant en 1536 dans la synthèse encyclopédique de Jean Ruel. Il n'y a pas d'évidence que les récits de Cartier

réfèrent à des écrits contemporains sur le Brésil et ses plantes. L'hypothèse la plus plausible est que Cartier a acquis une connaissance de cette plante par sa familiarité avec le Brésil.

Les informations de Cartier sur le maïs sont plus exactes que celles trouvées dans la plupart des traités botaniques de l'époque qui indiquaient que cette plante était originaire de l'Orient. Cartier a raison d'associer le maïs à une espèce du Brésil et d'indiquer une similarité avec la plante d'Amérique du Nord. Dans ce cas, la botanique de Cartier n'est ni naïve ni exagérée.

Le type de maïs observé par l'équipage de Cartier

On estime qu'il existe quelques centaines de cultivars de maïs avant l'arrivée des Européens. Dans la vallée du Saint-Laurent, le type de maïs observé par Cartier est du type *Northern Flint* produisant de 200 à 400 grains sur huit rangées. Les grains jaunes ou blancs sont les plus communs. On trouve des informations complémentaires sur ce sujet dans l'ouvrage de Roland Tremblay sur les Iroquoiens du Saint-Laurent.

D'autres observations botaniques dans les récits de Jacques Cartier

Le capitaine effectue un troisième séjour au Canada en 1541 et 1542. Il mentionne une cinquantaine de noms de plantes dans les relations de ses trois voyages, incluant les lexiques des mots amérindiens dans les deux premiers récits.

Le lexique du récit de 1534 contient sept noms botaniques : *Anougaza* (amandes), *Asconda* (figues), *Cacacomy* (pain), *Caheya* (noix), *Honesta* (pommes), *Sahé* (fèves) et *Haueda* (arbre vert). Il est probable que ce dernier mot corresponde à l'*Ameda* du deuxième récit. Dans les deux cas, il s'agit d'un conifère. Notons que le texte présente un mot différent pour les figues (*Honnesta*), ce mot désignant les pommes dans le lexique. Les fèves sont possiblement les haricots amérindiens (*Phaseolus vulgaris*).

Le lexique du récit de 1535-1536 contient 17 termes botaniques : *Ozisy* (leur blé, c'est-à-dire le maïs), *Carraconny* (pain), *Honnesta* (prunes),

Le maïs et le souvenir génétique de son introduction en Europe

Le maïs, domestiqué il y a environ 9 000 ans en Amérique centrale, était devenu une espèce cultivée tant en Amérique du Nord qu'en Amérique du Sud au moment des premières expéditions de Christophe Colomb. Selon les latitudes, les cultivars sont suffisamment différents pour permettre de les identifier génétiquement. Colomb a ramené en Espagne du maïs des Caraïbes. L'analyse de la variabilité génétique de divers maïs européens démontre toutefois que l'introduction par Colomb de ce type de maïs ne suffit pas à expliquer la diversité des populations actuelles en Europe.

Plusieurs types de maïs européen proviennent plutôt du type *Northern Flint* cultivé en Amérique du Nord à l'époque de Colomb. C'est le cas de plusieurs maïs que l'on retrouve aujourd'hui en Europe du Nord et de l'Est. Les maïs du sud de l'Espagne ont bel et bien la signature génétique de ceux des Caraïbes. De plus, on retrouve en Europe méridionale, en Italie et dans les Pyrénées des populations hybrides entre ces deux types de maïs, le *Northern Flint* et celui des Caraïbes.

Source: Rebourg, C., et autres, «Maize introduction into Europe: the history reviewed in the light of molecular data», *Theoretical and Applied Genetics*, 2003, 106: 895-903.

Absconda (figues), *Ozaha* (raisins), *Quaheya* (noix), *Aesquesgoua* (senelles de buisson), *Undegonaha* (petites noix), *Honocohonda* (olives), *Conda* (bois), *Honga* (feuilles), *Cascouda* (graines de concombre et de melon), *Sahé* (leurs fèves), *Quyecta* («herbe de quoi ils usent dans leurs cornets durant l'hiver»), *Hanneda* (herbe commune), *Adotathny* (cannelle) et *Canonotha* (girofle). Les senelles (cenelles) de buisson sont probablement les fruits des aubépines (*Crataegus* sp.). Les graines de concombre et de melon sont celles des citrouilles et des courges. L'herbe fumée dans les pipes (cornets) est probablement le tabac des paysans (*Nicotiana rustica*) avec possiblement d'autres espèces en mélange. Le mot *Hanneda* décrit ici une herbe commune et non un arbre vert, un conifère, comme dans le lexique précédent (*Haueda*). Curieusement, Jacques Noël, le neveu de Cartier, écrit dans une lettre de 1587 que le mot *Canodetta* désigne la cannelle et le girofle. Entre la relation écrite en 1545 et la lettre de 1587, le mot *Canonotha* désignant le girofle devient *Canodetta*, qui désigne aussi la cannelle. Ces différences compliquent évidemment les interprétations.

Jacques Cartier est imprécis, à l'occasion, en ce qui concerne les végétaux. Par exemple, lors de son deuxième voyage, il indique que les aubépines près de la ville de Québec ont des fruits «aussi gros que prunes de Damas». Il n'y a aucune aubépine avec de tels gros fruits. Cartier a peut-être confondu les fruits de certains pruniers sauvages (*Prunus* sp.) avec ceux des aubépines (*Crataegus* sp.). Par contre, il reconnaît à juste titre que plusieurs végétaux consommés par les Amérindiens, comme les «gros melons, concombres et courges, pois et fèves» sont des espèces «non de la sorte des nôtres». Il décrit alors les citrouilles, les courges et les haricots d'Amérique. Quelques mentions de plantes par Cartier permettent des identifications spécifiques. Par exemple, en 1535, les vignes sauvages de l'île de Bacchus correspondent à la vigne des rivages (*Vitis riparia*). Cette même année, à l'île aux Coudres, les coudriers qui produisent des «noisilles aussi grosses et de meilleure saveur que les nôtres, mais un peu plus dures» sont les noisetiers à long bec (*Corylus cornuta*). Cartier n'apprécie pas seulement les noisetiers. Il signale sous les arbres près de Québec la présence de chanvre «aussi beau chanvre que celui de France, qui vient sans semence ni labour».

Cartier n'a pas beaucoup apprécié son expérience avec le tabac. «Nous avons éprouvé la dite fumée, après laquelle avoir mis dedans notre bouche, semble y avoir mis de la poudre de poivre tant est chaude». Il compare la fumée de tabac au goût du poivre très piquant. Il est vraisemblable que ce tabac piquant soit le tabac des paysans, le *Nicotiana rustica*, réputé pour son âcreté. Cette espèce est différente du tabac

Le premier texte sur la flore de la ville de Québec et le cannabis

En 1535, Jacques Cartier observe à Stadaconé une « aussi bonne terre… pleine de fort beaux arbres de la nature et sorte de France. Comme chênes, ormes, frênes, noyers, ifs, cèdres, vignes, aubépines, qui portent le fruit aussi gros que prunes de Damas, et autres arbres : sous lesquels croît aussi beau chanvre que celui de France, qui vient sans semence, ni labour ».

Quel est ce beau chanvre sauvage qui semble comparable à celui cultivé en France ? À cette époque, le chanvre cultivé en Europe est l'espèce qui deviendra plus tard connue comme le cannabis (*Cannabis sativa*). Le chanvre cultivé est alors beaucoup utilisé pour la fabrication des toiles de voile et des cordages de marine. La plupart des interprètes de ces textes, comme Jacques Rousseau, croient que Cartier fait alors référence à une plante textile utilisée par les Amérindiens.

Le chanvre cultivé a une très longue tradition dans l'Ancien Monde et sa culture a été encouragée assez tôt en Nouvelle-France. En 1666, l'intendant Jean Talon (1626-1694) sème du chanvre et distribue des semences. Il a une stratégie bien arrêtée pour les colons. Il faut « les réduire à avoir besoin de fil ». Il ne donne du fil qu'à ceux qui s'engagent à le rembourser en chanvre. Dès 1671, il estime la bataille du chanvre gagnée. En 1729, l'intendant Gilles Hocquart (1694-1783) écrit qu'il a engrangé 103 000 livres de chanvre dans ses magasins et que la récolte de l'année sera de 80 000 livres.

Le chanvre n'est pas qu'une plante textile. Il est aussi médicinal et hallucinogène. Originaire de l'Asie centrale, il est utilisé par les Chinois il y a 3 500 ans. Les Égyptiens s'en servent aussi à la même époque pour ses propriétés médicinales. Le Grec Hérodote en dénonce les effets secondaires nocifs qui enivrent comme le vin. Dioscoride rapporte la production de « fantômes et illusions plaisantes et agréables ». Certains guerriers musulmans dopés au haschich, les haschichins (origine du mot *assassin*) sèment la terreur au Moyen-Orient.

Sources : Bilimoff, Michèle, *Histoire des plantes qui ont changé le monde*, Albin Michel, Paris, 2011. Létourneau, Firmin, *Histoire de l'agriculture* (Canada français), Montréal, L'imprimerie populaire, 1950.

commun (*Nicotiana tabacum*). Ces deux espèces ne sont pas indigènes en Amérique du Nord. Elles proviennent des régions tropicales des Amériques. Aux États-Unis, ces deux tabacs sont considérés comme des espèces introduites. Au Canada, elles sont aussi introduites en Ontario. Il est possible que la fumée inhalée par Cartier ait été produite à partir d'un mélange de tabac séché et d'autres plantes. Plusieurs nations amérindiennes ont en effet l'habitude d'un tel mélange. Des tribus de l'Ouest chassant le bison utilisent même les excréments séchés de cet animal avec le tabac. Le mélange de tabac avec d'autres végétaux est nommé *kinnikinnik* (*kinnickinnick* et d'autres variantes) par d'autres nations de la famille algonquine. Ce terme peut aussi désigner, pour certaines nations, diverses espèces de ce mélange, comme le raisin d'ours (*Arctostaphylos uva-ursi*). Les tiges de cornouiller (*Cornus* sp.) ou d'autres arbustes

et diverses herbes peuvent remplacer ou accompagner les feuilles de tabac séché. Certaines nations utilisent même les capsules séchées contenant les graines de tabac. La fumée produite par ces fruits a la réputation d'être particulièrement intense au goût.

La description par Cartier de l'usage amérindien du tabac dans une pipe constitue l'un des premiers écrits sur ce sujet. Gonzalo Fernandez de Oviedo y Valdes vient de publier en 1535 *La historia general de las Indias* dans laquelle il décrit l'inhalation par la bouche à l'aide d'un tube nommé *taboca*. Ce mot est aussi écrit *tabaco* et il désigne éventuellement la plante plutôt que l'instrument servant à inhaler la fumée. La plante, généralement le tabac commun, le *Nicotiana tabacum*, en Amérique méridionale, est initialement désignée par ses noms amérindiens *perebecenuc* et *petum(n)*. Ce n'est qu'au milieu du XVIᵉ siècle qu'apparaissent divers noms français,

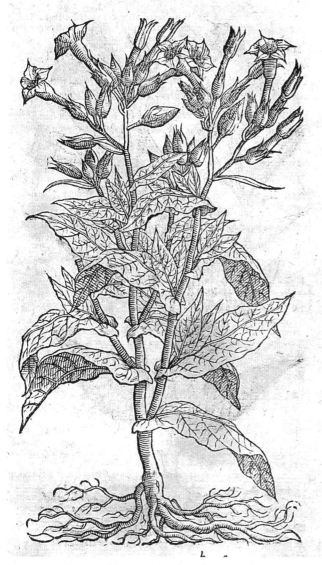

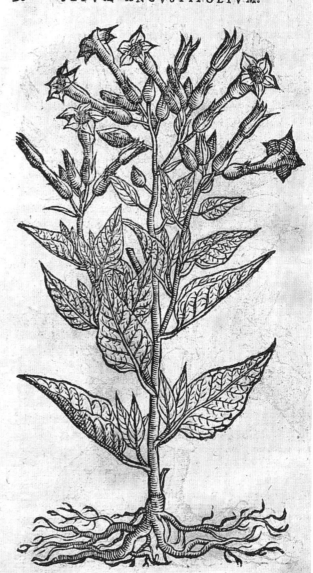

Le pétun à feuille large. Après la découverte du tabac à la fin du xve siècle, divers usages de cette plante prennent de l'ampleur. En plus du tabagisme, les usages médicinaux deviennent populaires. Nicolas Monardes, médecin espagnol, vante les bienfaits de cette panacée d'Amérique. Monardes présente d'abord le *Petum latifolium* en fleur, c'est-à-dire le pétun à feuille large correspondant probablement au tabac commun (*Nicotiana tabacum*). Les feuilles sont représentées sans pétiole et la base du limbe entoure les tiges. Plusieurs cultivars de tabac commun présentent cependant des feuilles avec des pétioles. Le mot *petum* réfère à son origine amérindienne [brésilienne].

Source : Monardes, Nicolas, *Simplicium medicamentorum ex Novo Orbe delatorum, quorum in medicina usus est, Historia*, Antwerp, 1579, p. 25. Bibliothèque numérique du Jardin botanique royal de Madrid.

Le pétun à feuille étroite. Nicolas Monardes présente aussi le *Petum angustifolium*, le tabac à feuille étroite, avec des feuilles nettement pétiolées. Cette espèce est en fleur et ses racines sont illustrées. Le pétun à feuille étroite est possiblement le tabac des paysans (*Nicotiana rustica*), aussi connu comme le tabac des Aztèques ou une autre espèce de tabac.

Source : Monardes, Nicolas, *Simplicium medicamentorum ex Novo Orbe delatorum, quorum in medicina usus est, Historia*, Antwerp, 1579, p. 26. Bibliothèque numérique du Jardin botanique royal de Madrid.

Le *picietl* des Aztèques

Parmi les espèces de tabac (*Nicotiana*) indigènes à l'Amérique, deux d'entre elles ont retenu l'attention des historiens. Le tabac commun (*Nicotiana tabacum*), originaire d'Amérique du Sud, est utilisé par les Aztèques, les Mayas et les Incas bien avant l'arrivée des Européens. C'est l'espèce encore exploitée commercialement de nos jours. Le tabac des paysans (*Nicotiana rustica*), aussi nommé à l'occasion le tabac des Aztèques, contient plus de nicotine. Les Amérindiens utilisent les tabacs à des fins rituelles et médicinales. Les médecins européens considèrent même le tabac, souvent sans en différencier les espèces, comme une panacée.

Les Aztèques distinguent le *picietl* (*N. rustica*) et le *yietl* (*N. tabacum*). Le *picietl* additionné de chaux devient le *tenexyetl*, qui semble décupler les effets narcotiques. Le missionnaire franciscain espagnol Bernardino de Sahagun (vers 1499-1590) a décrit l'usage médicinal des deux espèces de tabac mélangées à du sel pour traiter les plaies après l'enlèvement de tumeurs au cou. Sahagun a compilé un traité sur les traditions aztèques, identifié par la suite comme le *Codex de Florence*, comprenant 2 466 pages en 12 volumes et incluant 2 468 illustrations. Arrivé au Mexique en 1529, il initie sa recherche ethnographique et son *Codex* est généralement daté de la décennie 1570 ou 1580.

L'une des recettes médicinales du tabac les plus inusitées provient d'un ouvrage paru en 1659. Un plant de tabac (feuilles, racines et graines) est broyé et fermenté dans du crottin de cheval, du sel et de l'alcool pendant 30 jours. Le tout est distillé et bu. La guérison semble assurée! Malgré ces traitements plutôt saugrenus, des chercheurs contemporains recommandent d'examiner plus attentivement les substances médicinales potentielles du tabac.

Sources: Charlton, Anne, «Medicinal uses of tobacco in history», *Journal of the Royal Society of Medicine*, 2004, 97: 292-296. Raby, Dominique, «Le voltigeur turquoise et le prêtre froid. Plantes divinisées et pratiques rituelles nahuas dans le *Traité des superstitions* d'Alarcon (1629)», *Recherches amérindiennes au Québec*, 1997, 27 (3-4): 69-83. Stewart, Grace G., «A history of the medicinal use of tobacco», *Medical History*, 1967, 11(3): 228-268.

comme la nicotiane, l'herbe à la reine, le pétun (mot francisé) et le tabac (terme aussi francisé). Willis Herbert Bowen relate les premières décennies de l'histoire du tabac. Ces mots français n'existent pas à l'époque de Cartier qui semble aussi ignorer les noms amérindiens récemment rapportés. Cartier indique que cette «herbe» est cueillie en été pour une consommation hivernale réservée aux hommes. Ces observations sont probablement incomplètes. Il n'y a pas d'évidence que Cartier ait introduit le tabac des paysans (*Nicotiana rustica*) en France. Le moine André Thevet rapporte en France le tabac commun (*Nicotiana tabacum*) après un court séjour au Brésil en 1555.

L'intérêt de Cartier pour les végétaux alimentaires est mitigé. À une occasion, son équipage n'apprécie pas les végétaux apprêtés par les Amérindiens. On les refuse parce qu'ils n'ont pas un goût familier et

sont préparés sans sel. Cartier aime cependant les noisettes du coudrier. Elles sont toutefois plus dures que celles de France. Il y a aussi les promesses de la vigne sauvage. Cartier semble impressionné par cette vigne qu'il mentionne souvent. Ses compagnons ont même récolté beaucoup de raisins. Cartier voit probablement aussi du potentiel pour les végétaux utiles à son métier de navigateur. Les grands troncs d'arbres pour les mâts et le chanvre pour les cordages présentent beaucoup d'intérêt pour l'explorateur. Il y a aussi un arbre miraculeux! C'est le sujet de la prochaine histoire.

Sources

Alves, Edenise Segala, et autres, «Pernambuco wood (*Caesalpinia echinata*) used in the manufacture of bows for string instruments», *IAWA (International Association of Wood Anatomists) Journal*, 2008, 29 (3): 323-335.

La préparation d'un extrait de tabac. À partir du XVIe siècle, les médecins et botanistes européens présentent les deux espèces de tabac sans illustrer les modes de préparation des extraits. Au XVIe siècle, le missionnaire espagnol Bernardino de Sahagun montre comment les Aztèques broient les feuilles de tabac dans un grand récipient (mortier) à l'aide d'un long pilon. Ces extraits servent à des usages médicinaux ou même rituels.

Source : De Sahagun, Bernardino (frère), *Histoire générale des choses de la Nouvelle-Espagne. Livre XI. Les choses naturelles*, XVIe siècle, Bibliothèque numérique mondiale. Ce livre est aussi connu sous le nom de *Codex de Florence*.

Bideaux, Michel, *Jacques Cartier. Relations.* [Édition critique], Montréal, Bibliothèque du Nouveau Monde, Les Presses de l'Université de Montréal, 1986.

Bowen, Willis Herbert, « The Earliest Treatise on Tobacco : Jacques Gohory's "Instruction sur l'herbe Petum" », *Isis*, 1938, 28 (2) : 349-363.

Bueno, Antonio Gonzalez, « El Descubrimiento de la Naturaleza del Nuevo Mundo : Las Plantas Americanas en la Europa del siglo XVI. Circumscribere », *International Journal for the History of Science*, 2007, 2 : 10-25.

Cartier, Jacques, *Brief récit et succincte narration…*, Paris, 1545 (1953). Une reproduction photographique du texte du deuxième voyage de Cartier dans *Jacques Cartier et la « grosse maladie »*, XIXe Congrès International de Physiologie, Montréal. Ce texte est celui conservé au British Museum à Londres.

Cook, Ramsay, *The voyages of Jacques Cartier*, Toronto, University of Toronto Press, 1993.

Côté, Louise, et autres, *L'Indien généreux : ce que le monde doit aux Amériques*, Montréal, Les Éditions du Boréal, 1992.

Dickason, Olive Patricia, « Europeans and Amerindians : Some comparative Aspects of Early Contact », *Historical Papers*, 1979, 14 (1) : 182-202.

Dickason, Olive Patricia, « Dyewood to Furs : The Brazilian Origins of French-Amerindian Trade », dans *Conference of Latin Americanist Geographers. Yearbook, 1984*, K. M. Vale, editor, 1984. Disponible au http://sites.maxwell.syr.edu/clag/yearbook1984/contents.htm.

Dickenson, Victoria, « Cartier, Champlain, and the Fruits of the New World : Botanical Exchange in the 16th and 17th Centuries », *Scientia Canadensis*, 2008, 31 (1-2) : 27-47.

Edwards, Howell G. M., et autres, « Fourier-transform Raman characterization of brazilwood trees and substitutes », *Analyst*, 2003, 128 : 82-87.

Finan, John J., « Maize in the Great Herbals », *Annals of the Missouri Botanical Garden*, 1948, 35 (2) : 149-191.

Gaffarel, Paul, « Jean Ango », *Extrait du Bulletin de la Société normande de Géographie*, Rouen, 1889.

Janick, J. et G. Caneva, « The first images of maize in Europe », *Maydica*, 2005, 50 : 71-80.

Lahaise, Robert et Marie Couturier, « Jacques Cartier. Voyages en Nouvelle-France », Montréal, Éditions Hurtubise HMH, 1977, Les cahiers du Québec, n° 32.

Litalien, Raymonde, *Les Explorateurs de l'Amérique du Nord. 1492-1795*, Sillery, Les éditions du Septentrion, 1993.

Litalien, Raymonde, et autres, *La mesure d'un continent. Atlas historique de l'Amérique du Nord (1492-1814)*, Québec, Les éditions du Septentrion, 2008.

Marie-Victorin, Frère, « Phytogeographical problems of eastern Canada », *The American Midland Naturalist*, 1938, 19 (3) : 489-558.

McCann, James, « Maize and Grace : History, Corn, and Africa's New Landscapes. 1500-1999 », *Comparative Studies in Society and History*, 2001, 43 (2) : 246-272.

Michelant, M. H., *Voyage de Jacques Cartier au Canada en 1534*, [Nouvelle édition, publiée d'après celle de 1598 et d'après Ramusio], Paris, Librairie Tross, 1865. Disponible au http://gallica.bnf.fr/.

Mouette, Stéphane, « Les balbutiements de la colonisation française au Brésil (1524-1531) », *Cahiers du Brésil Contemporain*, 1997, 32 : 7-18.

Noël, Jacques, « Deux lettres de Jacques Noël, De Sr. Malo, sur la découverte des Saults en Canada », 1587, publiées par la Literary and Historical Society of Quebec dans *Historical Documents, Series I*, vol. 3(4) (1843). Disponible au http://www.morrin.org/.

Rocha, Yuri T., et autres, « The representation of *Caesalpinia echinata* (Brazilwood) in Sixteenth-and-Seventeenth-Century Maps », *Anals da Academia Brasileira de Ciências*, 2007, 79 (4) : 751-765.

Rousseau, Jacques, « La botanique canadienne à l'époque de Jacques Cartier », *Annales de l'Association canadienne-française pour l'avancement des sciences (ACFAS)*, 1937, 3 : 151-236.

Tremblay, Roland, *Les Iroquoiens du Saint-Laurent, peuple du maïs*, Pointe-à-Callière, Musée d'archéologie et d'histoire de Montréal, Montréal, Les Éditions de l'Homme, 2006.

Vidal, Laurent, « La présence française dans le Brésil colonial au XVIe siècle », *Cahiers des Amériques Latines*, 2000, 34 : 17-38.

Von Heyd, Wilhem, *Histoire du commerce du Levant au Moyen-Âge*, [Édition française refondue et considérablement augmentée par l'auteur], Leipzig, 1886.

Von Muralt, Malou et Alain Chautems, « Le *pau-brasil*, bois de Pernambouc : ni *Caesalpinia crista* L., ni *C. brasiliensis* L. Une mise au point nomenclaturale », *Saussurea*, 2003, 33 : 119-138.

Wintroub, Michael, « L'ordre du rituel et l'ordre des choses : l'entrée royale d'Henri II à Rouen (1550) », *Annales, Histoire, Sciences Sociales*, 2001, 56 (2) : 479-505.

HIVER 1535-1536, STADACONÉ.
QUELLE FABULEUSE MÉDECINE : UN ARBRE GUÉRISSEUR DU SCORBUT ET DE LA SYPHILIS

LORS DE SON DEUXIÈME VOYAGE, Jacques Cartier hiverne à proximité de la rivière Saint-Charles, près de Stadaconé. Au mois de février 1536, ses « compagnons » commencent à souffrir beaucoup du scorbut. Pour Cartier, cette « grosse maladie » est inconnue et il note que des voisins Iroquoiens présentent des symptômes similaires. Les Européens commencent à avoir les jambes enflées, les dents gâtées et les gencives pourries.

Comme par hasard, Cartier constate que Domagaya, très malade 10 ou 12 jours auparavant, est maintenant en parfaite santé. Il lui demande comment s'est effectuée cette guérison. Le jeune Amérindien lui révèle l'utilisation d'une préparation médicinale. Deux Iroquoiennes vont alors quérir avec Cartier des rameaux de l'arbre guérisseur identifié par son seul nom amérindien. Les deux femmes démontrent comment « piler » les feuilles et l'écorce. Il faut ensuite faire bouillir l'extrait broyé, le boire et appliquer le marc sur les jambes enflées. En langue iroquoienne, l'arbre guérisseur est nommé *annedda*. Ce mot apparaît sous diverses formes (*ameda*, *aneda*, *hanneda*, et d'autres variantes). Pour des fins de comparaison avec les publications majeures à ce sujet, nous utilisons la graphie *annedda*.

Jacques Cartier ordonne la préparation immédiate de l'élixir. L'équipage hésite d'abord à ingurgiter la décoction peu appétissante. Cependant, quelques braves osent la boire à deux ou trois reprises et ils bénéficient rapidement d'un « vrai et évident miracle ». Le capitaine note qu'il y a même des compagnons guéris « nettement » aussi de la « grosse vérole » contractée cinq ou six ans auparavant. Il y a alors un tel empressement à consommer ce remède qu'on a besoin d'un très gros arbre. Il s'agit probablement d'une figure de style pour indiquer le nombre élevé de rameaux requis pour préparer la décoction suffisante pour traiter près d'une centaine de personnes.

Cartier conclut ce récit incroyable en spécifiant que cet arbre a mieux fait en six jours que « tous les médecins de Louvain et Montpellier… avec toutes les drogues d'Alexandrie… en un an ». L'efficacité médicinale de l'écorce et des feuilles bouillies d'un arbre est de loin supérieure au vaste arsenal thérapeutique des meilleures facultés de médecine d'Europe. La merveilleuse décoction fait son œuvre, même si on l'ingurgite seulement aux deux jours. Guérir du scorbut en six jours relève de l'exploit. Il est encore plus remarquable de se débarrasser des ravages persistants de la syphilis, cette fâcheuse grosse vérole, acquise cinq ou six ans auparavant. On comprend mieux les allusions de Cartier aux fameuses drogues d'Alexandrie et aux savantes écoles de médecine. Cartier est tout simplement ébloui. Il veut bien paraître et se faire valoir aux yeux du roi.

Le navigateur réalise peut-être aussi le potentiel lucratif de cette découverte. Tous les éléments d'un commerce facile et rentable sont en place. La ressource est abondante, accessible près des voies navigables et les experts amérindiens partagent les informations médicales inédites. Pourquoi ne pas profiter de cette belle occasion d'affaires ?

Comme remarque finale, Cartier indique que tous ceux qui ont utilisé ce remède ont « recouvré » la santé grâce à Dieu. Son texte indique seulement que ses compagnons ont bu la décoction sans la mention de l'utilisation du marc. Cartier avait auparavant ordonné des prières à la Vierge Marie et fait la promesse d'un pèlerinage à Rocamadour. Domagaya, l'informateur, devient donc un instrument de la miséricorde divine.

Cartier et sa conception de la « grosse maladie »

Jacques Cartier semble croire que cette maladie, affectant d'abord des Iroquoiens, est contagieuse. Informé du décès de plus de 50 d'entre eux, le capitaine prend des mesures vigoureuses et concrètes pour isoler sa troupe et empêcher les contacts entre les deux groupes. De plus, il autorise la première autopsie en sol nord-américain. Sampson Ripault, un chirurgien barbier, procède à la dissection du corps de Philippe Rougemont, natif d'Amboise et âgé d'environ 22 ans. Cette première autopsie en Amérique du Nord est unanimement reconnue par la médecine moderne comme une description fidèle des manifestations organiques du scorbut provoqué par le manque de vitamine C contenue dans certains aliments végétaux. Il faudra attendre plus de deux siècles avant que l'Écossais James Lind (1716-1794) ne fasse la démonstration expérimentale de la guérison de l'avitaminose scorbutique avec des oranges et des citrons.

Cartier est dans l'erreur en croyant que les décès des Amérindiens sont provoqués par la même « grosse maladie » qu'il croit transmissible. En effet, les Iroquoiens ont la capacité de se guérir facilement de la « grosse maladie » qui, de surcroît, n'est

pas infectieuse. Quelle est donc cette maladie qui s'avère mortelle pour les Amérindiens ? Certains chercheurs avancent l'hypothèse d'une épidémie d'influenza ou d'un rhinovirus. Gary Warrick favorise plutôt l'idée d'une pneumonie bactérienne. Il est fort possible que les navigateurs européens aient eux-mêmes transmis aux Iroquoiens l'agent pathogène de cette maladie mortelle.

La connaissance du scorbut et des végétaux antiscorbutiques au temps de Cartier

On peut difficilement accuser Cartier d'être ignare au sujet des remèdes du scorbut, car les connaissances de l'époque sont fort limitées. Bothius (Johann Echth) publie *De scorbuto* en 1541, cinq ans après le retour de Cartier de son deuxième

Les bienfaits de la sauge européenne et une espèce mésoaméricaine

Au Moyen Âge, les feuilles de la sauge officinale (*Salvia officinalis*) sont considérées comme une panacée. La fameuse école de médecine de Salerne porte d'ailleurs sur son fronton l'inscription « Comment peut-il mourir, celui qui a de la sauge dans son jardin ? ». La réputation de cette école, située sur la côte amalfitaine au sud-est de Naples, atteint son apogée entre le xe et le xiiie siècle. L'arrivée en 1065 de Constantin l'Africain (vers 1015-1087) permet de mieux faire connaître le savoir médical de l'Inde et de la Perse. Cette école réussit à intégrer le savoir des médecins grecs, romains, arabes et juifs. Étonnamment, même des femmes sont admises comme étudiantes. Au xiiie siècle, l'école de Montpellier prend peu à peu la place prépondérante occupée jusque-là par l'école de Salerne.

Les Amériques ont aussi leurs espèces indigènes de sauge. Parmi celles-ci, le chia (*Salvia hispanica*) a une très longue tradition mésoaméricaine d'usage alimentaire, médicinal, rituel et technologique. L'huile extraite des graines de chia sert à mieux protéger la surface des contenants de terre cuite ou de bois. Dès 1531, le chia fait partie du *Codex de Huexotzinco*, ce document qui illustre, à l'aide de pictogrammes, les impôts prélevés par les Espagnols sur les habitants de ce territoire au sud-est de Mexico. Ces habitants contestent ces tributs excessifs, car ils ont supporté le conquistador Hernan Cortés (1485-1547) dans sa conquête du Mexique en 1521. Les Espagnols ont exigé, en quelques saisies, plus de 54 000 unités de chia, en plus de prendre beaucoup de maïs et de piments et bien d'autres produits. Pour certains auteurs, le chia pouvait être aussi important que le maïs à cette époque pour assurer l'alimentation dans certaines régions mésoaméricaines. Cortés a supporté les revendications de ses anciens alliés qui ont récupéré les deux tiers de leurs récoltes. Le chia redevient peu à peu une espèce recherchée pour ses qualités nutritionnelles.

Sources : Cahill, Joseph P., « Ethnobotany of Chia, *Salvia hispanica* L. (Lamiaceae) », *Economic Botany*, 2003, 57 (4) : 604-618. Magnin-Gonze, Joëlle, *Histoire de la botanique*, Paris, Delachaux et Niestlé, 2009, p. 38. Pelt, Jean-Marie, *Ces plantes que l'on mange*, Éditions du Chêne, Hachette-Livre, 2006, p. 162.

voyage. Dans ce livre, il n'y a aucune référence à des végétaux antiscorbutiques. Il faut attendre en 1561 pour qu'une référence à une plante antiscorbutique, l'absinthe, apparaisse dans le livre du Suédois Olaus Magnus intitulé *Histoire des pays septentrionaux*. En 1567, Wierus (Johann Wier) (vers 1515-1588) mentionne des plantes antiscorbutiques dans son livre *De scorbuto tractatus*.

En 1609, Marc Lescarbot publie une première analyse du scorbut en Amérique du Nord dans son livre *Histoire de la Nouvelle-France, contenant les voyages des Sieurs de Monts et de Poutrincourt*. Il élabore aussi sur l'*annedda*. Cette graphie sera adoptée par Jacques Rousseau et la plupart des historiens. Selon Lescarbot, les médecins français consultés trouvent cette maladie «fort nouvelle» et ils ne possèdent pas un gros arsenal thérapeutique. Lescarbot croit que la maladie est due à une mauvaise nutrition, à l'air vicié, à l'inactivité physique et à un état mental déprimé. Les remèdes doivent donc inclure une alimentation appropriée, l'activité physique et «prendre plaisir à ce que l'on fait» incluant la compagnie «de sa femme légitime». Lescarbot réfère à d'autres remèdes connus comme «mâcher de la sauge» ou le «fréquent gargarisme de jus de citron».

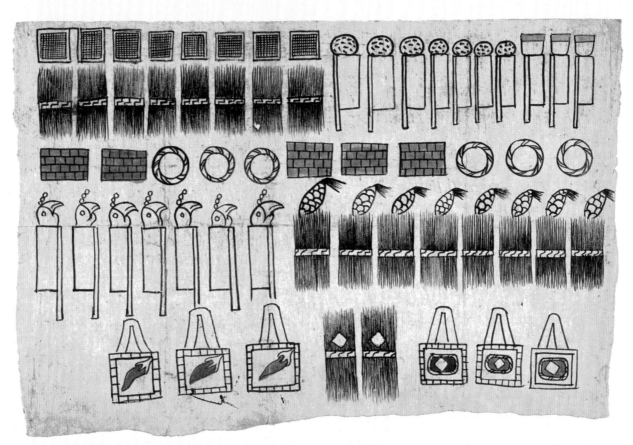

Des végétaux prélevés en impôts. Après la découverte de l'Amérique, les autorités européennes prélèvent, à l'occasion, des impôts de toutes sortes sur les peuples amérindiens et même sur leurs propres colons. Des produits végétaux font souvent partie des tributs exigés. Le *Codex de Huexotzinco* montre bien, à l'aide de pictogrammes, les impôts prélevés par les Espagnols à un groupe aztèque. Lors d'une seule saisie, on récupère 32 000 épis de maïs, 24 000 piments et 24 800 unités de graines de chia sans oublier 140 dindes sauvages, des briques, de la chaux (cercles concentriques), du sel (cercles avec des points à l'intérieur), des tissus (carrés de lignes perpendiculaires) et des contenants (structure en forme de bol). Le losange représente une unité de poids ou de volume de graines de chia.

Source: *Codex de Huexotzinco*, 1531, American Treasures of the Library of Congress.

Quant à l'arbre *annedda*, Lescarbot spécifie que « les Sauvages de ces terres (Acadie) ne le connaissent point », mais que Samuel de Champlain « a charge de le reconnaître et en faire provision » à Québec. Malheureusement, la mission de Champlain s'avère infructueuse. En effet, ce dernier croit que l'*annedda* est une herbe et non un arbre. Champlain défend les vertus de la bonne attitude envers cette maladie. Ainsi, à l'hiver 1606-1607, il crée l'Ordre de Bon Temps en Acadie pour contrer les effets néfastes de l'hivernage. Cet Ordre vise à conserver et à promouvoir la santé par les divertissements, les activités physiques et sociales sans oublier les bons repas.

Dans la *Description des mœurs souriquoises comparées à celles d'autres peuples*, Lescarbot nomme l'*annedda* « l'arbre de vie, pour son excellence ». Certains ont interprété cette citation comme un indice de l'identification botanique du cèdre. Rien ne le prouve. Le poète Lescarbot fait vraisemblablement référence à la grande efficacité thérapeutique de l'arbre sans toutefois y attacher une identification botanique spécifique. Lescarbot indique que les Armouchiquois ont le sassafras (sassafras officinal aussi nommé sassafras blanc ou laurier des Iroquois, *Sassafras albidum*) comme remède et que l'esquine (peut-être la salsepareille) médicinale se retrouve en Floride. Comme l'*annedda*, ces deux végétaux sont antiscorbutiques. Malheureusement, les Souriquois n'ont pas ces trois « sortes de bois ».

En conclusion, les connaissances du scorbut à l'époque de Cartier sont très limitées. De plus, la connaissance de l'*annedda* au début du siècle suivant est très confuse. Samuel de Champlain est convaincu que c'est une herbe, alors que les descriptions de Cartier réfèrent à un gros arbre. Champlain a peut-être été induit en erreur par le lexique de Cartier. Champlain perd d'ailleurs la majorité de ses hommes lors du premier hiver à Québec.

La connaissance de la syphilis et de ses traitements

Jacques Cartier et certains membres de son équipage ont probablement des connaissances médicales de base. En plus du chirurgien Ripault, la liste de l'équipage montre la signature de François Guitault,

un apothicaire. Il est possible que ce dernier ait été un participant du voyage de 1535-1536.

La syphilis aurait été contractée initialement par les explorateurs accompagnant Christophe Colomb dès 1492. À leur retour, ils auraient disséminé l'inoculum bactérien en Europe. Il est aussi possible que des Amérindiens ramenés en Europe aient contribué à cette dissémination. Entre 1494 et 1497, une épidémie de syphilis se développe en Italie lors de l'expédition du roi français Charles VIII (règne 1483-1498), qui tente de reconquérir sans succès le royaume de Naples. Cette maladie qui semble nouvelle est nommée « mal de Naples » par les Français et « mal français » par les Napolitains. Il y aura plusieurs noms régionaux attribués à cette maladie. On la désigne « mal serpentin » dans la péninsule ibérique et les Espagnols la nomment « *las buas* ». En français, le nom commun « grosse vérole » est souvent utilisé pour cette maladie contagieuse qui se développe à la suite de contacts sexuels. Il faut noter que les avis scientifiques divergent quant à l'origine précise de la syphilis.

En 1497, la maladie sévit à Paris. Le Parlement décrète que les malades doivent quitter la capitale, sous peine d'être condamnés à la « hart », c'est-à-dire à la pendaison. Toutes sortes de traitements complexes sont utilisés avec des résultats de guérison fort variables. Des médecins, comme Giovanni da Vigo (1450-1525), recommandent le mercure, un métal lourd antibactérien très toxique. Dès 1514, ce médecin avoue que sa poudre de mercure lui a procuré « grands honneurs et grands profits ».

Au début des années 1500, les vertus médicinales du « *guaiacum* », un arbre aromatique à bois dense du Nouveau Monde, sont connues en Espagne, au Portugal et en Allemagne. Plusieurs textes y font référence. Selon certains, Christophe Colomb aurait été le premier à signaler cet arbre fort utile d'abord rapporté en Espagne. En 1516, son utilisation y est très répandue. En France, cet arbre est connu sous les noms de *gaïac* (gaiac, gayac), *bois de gaïac* ou *bois saint*. Le bois est dit saint parce qu'on le suspend dans les églises pour favoriser son action thérapeutique. Un texte du 19 décembre 1516 décrit le traitement avec le bois de gaïac. Cet opuscule de Nicolaus Pol (vers 1467-1532) est publié ultérieurement à Venise en 1535. L'auteur indique

L'un des plus ardents défenseurs du gaïac meurt de la syphilis

L'Allemand Ulrich van Hutten est poète, satiriste et un ardent défenseur de la religion protestante. Il utilise ses talents d'écrivain et de polémiste pour décrire avec conviction et enthousiasme sa propre guérison de la syphilis et les mérites du gaïac. L'auteur spécifie que neuf années de traitement au mercure ont été sans valeur, alors que le traitement au gaïac a été efficace au cours de l'année précédant la publication de son livre. Malheureusement pour le poète, la syphilis est déterminée comme la cause probable de son décès en 1523.

Source : Estes, J. Worth, « The European Reception of the First Drugs from the New World », *Pharmacy in History*, 1995, 37 (1) : 3-23.

que les Espagnols ont observé que les habitants des Caraïbes se soignaient avec cet arbre.

Les Allemands s'y intéressent rapidement. En 1518, Léonard Schmaus, un médecin bavarois, préconise l'emploi du gaïac. En 1519, Ulrich van Hutten (1488-1523) publie *De guaiaci medicina et morbo gallico*. Le livre de van Hutten est un succès. Dès l'année suivante, Jean Chéradame (décédé en 1543), médecin à Paris, publie une traduction française du traité allemand. Dès 1536, ce livre très populaire est traduit en anglais. Le bois saint a alors une grande réputation dans toute l'Europe. Le *lignum sanctum* est fort recherché et il arrive qu'on lui substitue frauduleusement d'autres bois dans le but d'un profit facile et rapide. Des bois européens aussi divers que le pin, le sapin, le cyprès, le buis, le genévrier, le noisetier et d'autres espèces deviennent des substituts lucratifs. Il est intéressant de noter que plusieurs de ces espèces sont des conifères à feuilles persistantes.

En 1527, le Rouennais Jacques de Béthencourt explique avec minutie le traitement par le gaïac et le mercure dans son livre *Nouveau Carême de Pénitence*. Il se prononce en faveur de l'usage du métal. En plus d'ingurgiter la décoction, on recommande de manger du pain contenant des petits morceaux de ce bois guérisseur. En 1530, *De orbo novo* de Peter Martyr d'Anghiera (1457-1526) est publié. Cet auteur indique que le bois médicinal est plutôt l'ébène, selon un fameux médecin. La même année, Girolamo Fracastoro (vers 1476-1553) mentionne le mot *syphilis* comme synonyme de l'expression

latine de l'époque *morbus gallicus*, signifiant « le mal des Français ».

Oviedo rapporte en 1535 que certains associent le gaïac à l'ébène. La confusion persiste. L'année suivante, Jean Ruel traite du gaïac dans son œuvre encyclopédique de botanique médicale *De Natura Stirpium*. En 1537, Alphonse Ferri publie à Rome un ouvrage sur le bois saint. Le gaïac, considéré comme une panacée, est particulièrement efficace contre la syphilis. Ferri avoue cependant que des cas graves requièrent le mercure comme traitement. En 1540, Antoine Lecocq vante aussi les mérites du gaïac et du mercure dans un ouvrage publié à Paris.

En 1565, Nicolas Monardes (1493-1588), un médecin espagnol et marchand de drogues et d'esclaves, publie une première version de son traité sur les plantes médicinales des Indes occidentales. Ce livre, *Dos libros*, est édité et mis à jour à quelques reprises entre 1569 et 1574. Il devient si populaire que John Frampton le traduit en anglais dès 1577. Nicolas Monardes est l'un des plus grands défenseurs de l'efficacité thérapeutique du gaïac. Il s'est d'ailleurs grandement enrichi en vendant beaucoup de cette drogue d'Amérique. D'autres auteurs doutent cependant de son efficacité. Monardes est considéré comme le médecin qui a le plus contribué à son époque à la connaissance des plantes médicinales de l'Amérique. Même s'il n'a pas séjourné en Amérique, il a décrit l'usage d'une cinquantaine de plantes médicinales provenant en grande majorité du Mexique, de l'Amérique centrale et de l'Amérique du Sud.

Un bois saint de réputation antisyphilitique

Au temps de Jacques Cartier, les principaux noms qui désignent cet arbre guérisseur sont latins, comme *guaiacum*, *lignum sanctum*, *lignum indicum* et *lignum vitae*. Dans certains cas, ces noms ont des substituts. Par exemple, on retrouve le nom *arbor vitae* au lieu de *lignum vitae*. Ces imprécisions terminologiques provoquent des erreurs dans l'identification de cet arbre. Est-ce que le terme *arbre de vie* utilisé par Jean Alfonse réfère au *lignum vitae* ? Nous ne connaissons pas la réponse, mais cette possibilité demeure.

Le nom générique du gaïac est *Guaiacum*. Deux espèces sont utilisées pour les décoctions : *Guaiacum officinale* et *Guaiacum sanctum*. Le *guaiacum* n'est pas présent dans les traités botaniques de Otto Brunfels (1530), Conrad Gessner (1541) et Leonhart Fuchs (1542). Par contre, il est mentionné dans les traités de Jean Ruel (1536), Pietro Andrea Mattioli (1536), Bock surnommé Hieronymus Tragus (1552) et Andres de Laguna (vers 1510-1599) (1555). Il y a donc un décalage entre les premières descriptions des traités de botanique médicinale et l'utilisation de ce remède. Cette espèce n'a pas été décrite par les Anciens. Plusieurs croient encore que les Anciens ont traité de l'essentiel des végétaux possédant des propriétés curatives. La Bible a de plus une influence majeure sur l'utilisation de certaines plantes médicinales. Malheureusement, le gaïac n'est pas mentionné dans les récits bibliques. Il fait cependant partie des 28 remèdes végétaux répertoriés dans les œuvres littéraires de François Rabelais (décédé en 1553).

Le succès commercial du gaïac et de ses substituts

Au début du XVIe siècle, les Fugger, des financiers et commerçants allemands, contrôlent une très grande partie du commerce européen du gaïac. En fait, ils ont obtenu du roi d'Espagne le monopole du commerce du gaïac grâce à un important prêt d'argent. Cette famille est sans contredit l'une des plus riches d'Europe. Elle a même érigé à Augsbourg un hôpital spécifiquement dédié au traitement par ce bois. Comme d'autres, les Fugger font fortune avec les ressources des nouveaux pays découverts. Jacques Cartier réalise peut-être aussi le potentiel commercial des grands arbres de l'Amérique contre la syphilis. Il rapporte vraisemblablement des spécimens en France. Cartier ne connaît pas le mot *syphilis*, mais il est au courant des ravages de cette affliction.

Le succès commercial du gaïac se prolonge jusqu'au début du XVIIe siècle. On estime que 930 tonnes de ce bois ont transité par Séville entre 1568 et 1629. Cette quantité correspond à environ deux millions et demi de doses médicinales. Séville est pendant longtemps le port majeur d'entrée des nouvelles plantes thérapeutiques rapportées par les Espagnols. Plusieurs compagnies et commerçants installés dans cette ville assurent la distribution européenne et asiatique de ces nouveaux produits. Ces statistiques commerciales impressionnantes ne tiennent pas compte cependant du commerce illégal ou frauduleux très répandu.

Le gaïac et la construction navale à Québec

Le bois de gaïac n'est pas seulement utilisé en médecine. C'est aussi un matériau très dense et très résistant qui est avantageux pour certaines structures de navires. En 1744, l'intendant Gilles Hocquart informe le ministre de la Marine qu'il reste suffisamment de billes de gaïac pour les projets de construction de navires à Québec. Il en a reçu 32 billes de l'île Royale et on a même tenté de trouver un bois dur local pour remplacer ce gaïac importé. Malheureusement, les rouets fabriqués avec le bois dur local se sont fendus. Les rouets sont ces poulies autour desquelles s'enroulent les cordages. L'intendant Hocquart suggère qu'on pourrait peut-être résoudre ce problème en utilisant des rouets en fer fabriqués aux forges du Saint-Maurice.

Source : Hocquart, *Lettre de Hocquart au ministre*, 1744 (7 octobre), Archives nationales d'outre-mer (ANOM, France), COL C11A 81/folio274-285verso. Disponible au http://bd.archivescanadafrance.org/.

La guérison de la grosse vérole

La guérison si rapide de la syphilis et de ses manifestations semble improbable. Par contre, Pehr Kalm (1716-1779) indique, en 1749, que les Amérindiens semblent pouvoir guérir « radicalement et complètement » la syphilis « en cinq à six semaines ». Cartier exagère peut-être l'effet guérisseur pour attirer l'attention du roi sur le potentiel incroyable de nouvelles ressources végétales. Quant au scorbut, sa guérison rapide est beaucoup plus probable. Cependant, les données quantitatives à ce sujet sont peu disponibles. C'est pourquoi, nous présentons à l'appendice 4 un calcul de la dose de vitamine C requise pour la guérison de l'équipage de Cartier. Les résultats de ce calcul confirment la probabilité de la guérison de cette avitaminose.

Le capitaine et la grosse maladie

Cartier semble peu affecté par cette maladie. On peut lire : « notre capitaine que Dieu a toujours préservé ». Plusieurs historiens supposent qu'il demeure indemne. Dans son ouvrage sur Jacques Cartier, Lionel Groulx (1878-1967) inclut toutefois des indices qui laissent croire que Jacques Cartier a souffert du scorbut. Selon le procès-verbal de l'examen d'un squelette présumé être celui de Cartier, on observe le maxillaire supérieur dénué de dents et les alvéoles comblées avec le temps. Ce squelette, retrouvé dans la cathédrale de Saint-Malo, est enseveli dans de la chaux et des restes de charbon de bois. À cette époque, ces substances sont utilisées pour les personnes décédées de la peste ou d'autres maladies contagieuses, ce qui serait le cas de Cartier. Il a été inhumé le 1er septembre 1557. Michel Bideaux fait aussi référence à une analyse d'un squelette qui est peut-être celui de Cartier. Cependant, ces analyses squelettiques ne permettent pas de conclure que Cartier ait souffert du scorbut. Cartier n'avait probablement pas pu cacher son état de santé à Domagaya.

La révélation du remède par les Amérindiens

Le récit de Cartier indique que les Iroquoiens sont de bons collaborateurs. Ils révèlent sans problème l'utilisation de l'arbre guérisseur et le capitaine est accompagné de deux Iroquoiennes pour la récolte des rameaux. L'information amérindienne est donc facilement obtenue. Il faut aussi considérer la perception des Iroquoiens envers la maladie des Européens. Ils ont sûrement observé le comportement nerveux et reclus des hommes de Cartier. Ils ont vraisemblablement saisi un certain désarroi des Européens qui se trahit par leur isolement prolongé et leur obsession à cacher leur état maladif.

Les Iroquoiens acceptent que Cartier accompagne deux femmes allant quérir les rameaux guérisseurs. Cette faveur a peut-être provoqué un petit sourire iroquoien. La cueillette des plantes médicinales n'est surtout pas une tâche masculine chez les Iroquoiens. Cartier n'a peut-être pas réalisé toute la signification de cette cueillette de rameaux d'arbres avec les Iroquoiennes.

L'identité botanique de l'annedda

Cartier ne semble pas préoccupé d'identifier botaniquement l'arbre miraculeux à potentiel économique. Il l'a pourtant bien vu et il a même cueilli une dizaine de rameaux en compagnie de deux Iroquoiennes. Il ne spécifie que son nom iroquoien. A-t-il intérêt à ne pas trop préciser l'identité de cet arbre ou ignore-t-il tout simplement son identité précise ? De plus, certains renseignements sont contradictoires. Ainsi, le lexique accompagnant le récit de 1535-1536 indique que le mot *Hanneda* identifie une herbe commune, alors que le mot *Ameda* du texte réfère à un gros arbre. Le lexique du récit du voyage de 1534 précise que le mot *Haueda* (*Haneda*) désigne un arbre vert. De plus, la graphie *Hanneda* est utilisée dans le récit du troisième voyage de Cartier (1541-1542).

Les deux seuls textes référant spécifiquement à l'*annedda* sont présentés à la page suivante.

Le premier texte indique que des rameaux ont été récoltés à la fin de l'hiver et que les feuilles et les écorces servent à la préparation de la décoction. La présence de feuilles (aiguilles ou écailles) en hiver permet d'éliminer les arbres à feuilles caduques et le mélèze à aiguilles décidues. Le choix se limite donc à des conifères à feuilles persistantes.

Le second texte est beaucoup plus révélateur. L'action se passe à l'embouchure de la rivière Cap

Deuxième relation (chapitre XVII)

« Comment par la grâce de Dieu nous eûmes connaissance de la sorte d'un arbre par lequel nous avons été guéris et [avons] recouvré tous les malades [la] santé après en avoir usé ; et la façon d'en user ».

« Un jour notre capitaine voyant la maladie si émue et ses gens si fort épris de celle-ci étant sorti hors du parc et s'y promenant sur la glace aperçut venir une bande de gens de Stadaconé à laquelle était Domagaya lequel le capitaine avait vu auparavant dix ou douze jours fort malade de la propre maladie qu'avaient ses gens. Car il avait l'une des jambes par le genou aussi grosse qu'un enfant de deux ans et tous les nerfs de celle-ci retirés les dents perdues et gâtées et les gencives pourries et infectes. Le capitaine voyant le dit Domagaya sain et décidé fut joyeux espérant par lui savoir comment il s'était guéri afin de donner aide et secours à ses gens. Et lorsqu'ils furent arrivés près le fort le capitaine lui demanda comment il s'était guéri de sa maladie. Lequel Domagaya répondit qu'avec le jus et le marc des feuilles d'un arbre il s'était guéri et que c'était le singulier remède pour maladie. Alors le dit capitaine lui demanda s'il y en avait point là autour et qu'il lui en montra pour (guérir) son serviteur qui avait pris la maladie au dit Canada durant qu'il demeurait avec Donnacona ne lui (voulant) déclarer le nombre des compagnons qui étaient malades. Alors le dit Domagaya envoya deux femmes avec le capitaine pour en quérir lesquels en apportèrent neuf ou dix rameaux et nous montrèrent comment il fallait piler l'écorce et les feuilles du dit bois et mettre tout à bouillir en eau puis en boire de deux jours l'un et mettre le marc sur les jambes enflées et malades et que de toutes maladies le dit arbre guérissait. Ils appellent le dit arbre en leur langage *annedda*.

Tôt après le capitaine fit faire du breuvage pour faire boire aux malades desquels n'y avait nul d'eux qui voulut essayer le dit breuvage sinon un ou deux qui se mirent en aventure d'essayer celui-ci. Tôt après qu'ils en eurent bu ils eurent l'avantage qui se trouva être un vrai et évident miracle, car de toutes maladies de quoi ils étaient entachés après en avoir bu deux ou trois fois recouvrèrent santé et guérison tellement que tel y avait des dits compagnons qui avaient la grosse vérole puis cinq ou six ans auparavant la dite maladie a été par cette médecine curée nettement. Après avoir vu et connu y a eu telle presse sur la dite médecine que on se voulait tuer à qui premier en aurait de sorte qu'un arbre aussi gros et aussi grand que je vis jamais arbre a été employé en moins de huit jours lequel a fait telle opération que si tous les médecins de Louvain et Montpellier y eussent été avec toutes les drogues d'Alexandrie ils n'en eussent pas tant fait en un an que le dit arbre en a fait en six jours*. Car il nous a tellement profité que tous ceux qui en ont voulu user ont recouvré santé et guérison la grâce de Dieu ».

* D'autres versions du manuscrit indiquent huit jours.

Troisième relation

« De part et d'autre du dit fleuve se trouvent de très bonnes et belles terres, couvertes d'arbres qui comptent parmi les plus beaux et les plus majestueux du monde ; il y en a plusieurs espèces qui dépassent les autres de plus de dix brasses, ainsi qu'une essence qu'ils appellent *Hanneda* dans ce pays, qui fait plus de trois brasses de circonférence et qui possède une qualité supérieure à celle de tous les autres arbres du monde et sur laquelle je reviendrai plus loin. Il y a en outre une grande quantité de chênes, les plus beaux que j'aie vus de ma vie et qui étaient chargés à craquer de glands. On trouve aussi des érables, des cèdres, des bouleaux et autres arbres, tous plus beaux que ceux qui poussent en France, et tout près de ce bois, vers le sud, le sol est entièrement recouvert de vignes… »

Source : Bideaux, Michel, *Jacques Cartier. Relations*, [Édition critique], Bibliothèque du Nouveau Monde, Montréal, Les Presses de l'Université de Montréal, 1986, p. 172-174 et 196-197. Nous avons modernisé en partie le vieux français.

Du cèdre blanc et du cèdre rouge à Paris en 1537

Dans l'inventaire après décès des biens de Jehan Joly, épicier apothicaire à Paris, on peut lire « 10 onces cèdre blanc et une livre cèdre rouge prise ensemble 25 sols ». On peut évidemment douter fortement que ces médicaments fassent spécifiquement et uniquement référence au cèdre blanc (*Thuja occidentalis*) et au cèdre rouge (*Juniperus virginiana*) d'Amérique. Ces termes d'apothicairerie décrivent plus vraisemblablement des préparations provenant d'autres conifères. Comme le mot *cèdre* fait partie des textes bibliques, il n'est pas surprenant que les épiciers apothicaires offrent divers produits de ce nom. À l'époque, le cèdre le plus célèbre est le cèdre du Liban, qui ressemble quelque peu au mélèze par ses touffes d'aiguilles, au sapin avec ses cônes tournés vers le ciel et aux plus grands pins pour sa hauteur prodigieuse.

Source : *Inventaire après décès de Jehan Joly épicier apothicaire à Paris*, 15 janvier 1537, Archives nationales de France, ANF LXXVIII-1. Document répertorié par Bernard Allaire, historien et chercheur, et transmis à Jacques Mathieu.

Rouge. Divers arbres sont décrits sur les falaises. Il y a d'abord des arbres très hauts qui sont à peu près 10 brasses (environ 60 pieds ou 20 mètres) plus hauts que les autres essences. Il y a ensuite cet arbre *Hanneda* qui fait plus de 3 brasses de circonférence, c'est-à-dire plus de 18 pieds (environ 6 mètres) de circonférence et donc près de 6 pieds (environ 2 mètres) de diamètre. L'arbre guérisseur est présenté comme distinct des plus hauts arbres. L'arbre le plus grand est assurément le pin blanc (*Pinus strobus*), qui domine encore les mêmes falaises. Le pin blanc ne peut donc être l'*annedda*, malgré la suggestion de certains auteurs. En plus des plus hauts arbres et de l'*Hanneda* « qui a la plus excellente vertu de tous les arbres du monde », on observe des chênes très chargés de glands, des érables, des cèdres, des bouleaux et d'autres arbres comme en France. On peut donc présumer que ces arbres sont différents de l'*annedda*. Parmi ceux-ci, un autre conifère, le cèdre, semble donc aussi éliminé comme étant l'*annedda*.

Cependant, le mot *cèdre* de ce récit peut être interprété de deux façons. Il peut correspondre au cèdre occidental (*Thuja occidentalis*) ou à un autre conifère. Quelles sont les évidences pour ces deux interprétations ? En 1937, Jacques Rousseau conclut que le cèdre mentionné par Cartier est sans doute le cèdre occidental. On pourrait aussi mentionner d'autres auteurs qui partagent la même interprétation. De plus, en 1558, un herbier constitué en France par Jean Girault contient un échantillon de *Cedrus* correspondant au thuya occidental. Pour cet échantillon, qui date de l'époque de la fin de vie de Cartier, le mot *cèdre* (*cedrus*) désigne clairement le cèdre occidental de l'Amérique du Nord. Dès 1576, Charles de l'Écluse fournit une illustration du thuya occidental, alors nommé *arbor vitae*. Selon cette première interprétation, le cèdre (thuya) ne peut être alors l'*annedda* puisque le cèdre est énuméré de façon distincte après la mention de l'arbre guérisseur. Pourtant, Jacques Rousseau affirmera en 1954 que le cèdre est identique à l'*annedda*.

Il faut cependant tenir compte d'une seconde interprétation, à savoir que le mot *cèdre* ne correspond pas nécessairement au thuya. À l'époque de Cartier, le mot *cèdre* peut aussi désigner un conifère avec une ressemblance au fameux cèdre du Liban ou à un autre conifère d'Europe. Ainsi, le thuya doit être aussi, à la limite, considéré comme un candidat possible de l'*annedda*. Enfin, il est possible que les Iroquoiens utilisaient plus d'une espèce de conifère dans leur décoction. Si tel était le cas, la recherche de l'identité d'une espèce unique n'est pas la bonne approche.

Si on élimine le pin blanc et le cèdre, seuls cinq conifères de bonne circonférence pouvaient se trouver alors sur les falaises de Cap-Rouge : la pruche, le sapin baumier, le pin rouge, l'épinette blanche et l'épinette rouge. Les conifères arbustifs de petite taille, comme le genévrier et l'if, sont éliminés tout comme le pin gris et l'épinette noire de plus petite dimension et de répartition plus nordique. De ces cinq conifères, la pruche possède vraisemblablement la plus grosse circonférence. En utilisant les données de 1867 du botaniste Ovide Brunet, les quatre premières espèces se comparent de la façon suivante. La pruche de 100 pieds de hauteur a un diamètre à la base de 6 pieds. Le sapin de la même hauteur a 5 pieds de diamètre à la base. Le pin rouge à 150 pieds a un diamètre de 4 pieds. Quant à l'épinette blanche, elle est nettement plus petite à 80 pieds avec un diamètre de seulement 2 pieds. Le pin blanc est effectivement le plus haut à 160 pieds avec un diamètre de 6 pieds qui se compare à celui la pruche. Curieusement, les 60 pieds de différence entre le pin blanc à 160 pieds

et la pruche et le sapin à 100 pieds correspondent exactement aux 10 brasses de hauteur du plus grand conifère spécifié dans le récit du troisième voyage de Cartier. Si l'on tient compte spécifiquement de l'importance du diamètre de l'*annedda*, les espèces les plus probables sont, dans l'ordre de préférence, la pruche, le sapin, le pin rouge et l'épinette blanche. Il faut ajouter à cette liste l'épinette rouge (*Picea rubens*) pour laquelle il n'y avait pas de mesures rapportées par Brunet puisque la première description de cette espèce date de 1899. Une forêt de grosses épinettes rouges s'observe encore de nos jours dans la région de Charlevoix. Enfin, selon une seconde

Un peu d'histoire sur la recherche de l'identité de l'*annedda*

Historiquement, une douzaine de plantes ont été considérées comme étant l'*annedda* : le sassafras officinal (*Sassafras albidum*), l'if du Canada (*Taxus canadensis*), le genévrier commun (*Juniperus communis*), la pruche du Canada (*Tsuga canadensis*), le sapin baumier (*Abies balsamea*), l'épinette rouge (*Picea rubens*), l'épinette blanche (*Picea glauca*), l'épinette noire (*Picea mariana*), le pin rouge (*Pinus resinosa*), le pin blanc (*Pinus strobus*), le thuya occidental (*Thuja occidentalis*) et l'aubépine (*Crataegus* sp.).

Toutes ces espèces, sauf le sassafras et l'aubépine, sont des conifères. Limiter le choix à un conifère est valable puisque la description de la préparation du remède est une décoction préparée en bouillant des feuilles et des écorces récoltées en hiver. La majorité des chercheurs concluent donc à l'utilisation d'un conifère à feuilles persistantes. Quelques auteurs se sont limités à une identification générale correspondant à un gros conifère, mais la plupart ont tenté de déterminer l'identité précise de l'*annedda*. Ce fut particulièrement le cas pour l'ethnobotaniste de renom Jacques Rousseau.

Depuis 1954, l'association de l'*annedda* au cèdre blanc (thuya occidental) est favorisée dans divers textes, incluant des manuels d'histoire. Jacques Rousseau concluait alors que « l'annedda, l'arbre de vie, le *Thuja occidentalis*, le cèdre blanc, sont une seule et même plante ». Cette identification semble de moins en moins faire l'unanimité. Certains ont même noté que le cèdre contient de la thuyone qui aurait été hautement toxique à l'équipage de Cartier. Les données quantitatives sur la toxicité de la thuyone, applicables aux conditions de l'équipage de Cartier, sont cependant encore manquantes.

La recherche de l'identité de l'*annedda* est basée sur la prémisse que cet arbre correspond vraisemblablement à une seule espèce de conifère. C'est ce que suggère l'allusion à « une essence » dans le texte de la troisième relation de Cartier. Il faut cependant réaliser que la notion d'essence ou d'espèce des Européens ne correspondait pas nécessairement à celle des Iroquoiens. Il se peut donc que ces derniers aient utilisé un mélange de rameaux provenant de plus d'une espèce.

Sources : Carpenter, Kenneth J., *The history of scurvy and vitamin C*, Cambridge, Cambridge University Press, 1986. Houston, Stuart C., « Scurvy and Canadian exploration », *Canadian Bulletin of Medical History*, 1990, 7 (2) : 161-167. Meehan, Thomas, « Historical notes on the *Arbor Vitae* », *Proceedings of the Academy of Natural Sciences of Philadelphia*, 1882, 34 (2) : 110-111. Rousseau, Jacques, *Le mystère de l'annedda. « Jacques Cartier et la grosse maladie »*, p. 105-116 dans *XIXᵉ Congrès international de physiologie, Montréal. 1953*, Montréal, 1953. Rousseau, Jacques, « L'annedda et l'arbre de vie », *Revue d'histoire de l'Amérique française*, 1954, 8 (2) : 171-212.

interprétation du mot *cèdre*, il ne faut pas oublier d'inclure le thuya comme autre candidat. Cette espèce peut avoir un diamètre à la base comparable à celui du sapin si l'on se fie aux données de Brunet.

Plusieurs tentatives d'identification de l'*annedda* ont inclus diverses informations autres que les deux seuls textes référant littéralement et spécifiquement à l'*annedda*. Par exemple, on mentionne souvent que des auteurs contemporains de Cartier font référence à des arbres de vie. C'est le cas de l'explorateur Jean Alfonse. Plusieurs ont interprété que les références à un arbre de vie indiquent qu'il s'agit de l'arbre guérisseur de Cartier. Ces auteurs ont peut-être raison, mais cela demeure une inférence difficile à prouver. Par prudence, nous préférons limiter notre interprétation de l'identité de l'*annedda* aux deux seules références directes à ce conifère de très gros diamètre.

En corrélant l'arbre guérisseur de Cartier à l'arbre de vie de Jean Alfonse, Jacques Rousseau publie en 1954 la recherche la plus exhaustive jusqu'à alors sur la nature de l'*annedda*. Il conclut qu'il s'agit du cèdre. Il ne commente pas cependant la section du troisième récit de Cartier qui mentionne le cèdre après la description de la circonférence de l'arbre *annedda*. La corrélation suggérée par Rousseau entre l'arbre de vie et l'arbre guérisseur de Cartier est indirecte, même si elle semble attrayante. Si le cèdre mentionné dans le troisième récit correspond au cèdre (thuya) occidental comme il l'affirmait d'ailleurs lui-même en 1937, les conclusions de Rousseau ne tiennent plus.

Les études sur la recherche de l'identité de l'*annedda* se poursuivent. Chacun privilégie ses indices et ses critères d'identification et certains auteurs ont recours à des arguments linguistiques ou à des traditions orales. Quelques auteurs concluent que le pin blanc correspond à l'*annedda*. Cela est plutôt difficile à réconcilier avec le texte qui indique que l'arbre guérisseur est distinct des plus hauts arbres, assurément les pins blancs.

En 2009, Jacques Mathieu propose, à l'aide d'une nouvelle analyse de textes de Pierre Belon, le sapin comme étant l'*annedda*. Selon le critère du diamètre de l'arbre *annedda*, le sapin est effectivement un candidat valable. En 1744, l'historien François-Xavier de Charlevoix (1682-1761) avait aussi proposé

L'*annedda* et la biochimie moderne

Des données biochimiques récentes sur le scorbut et la vitamine C contribuent à de nouvelles interprétations de l'histoire. Ainsi, il est intéressant de noter que le scorbut n'est pas uniquement une maladie causée par une diète déficiente en vitamine C. Il existe un polymorphisme génétique qui influence la sensibilité de cette vitamine à se dégrader par oxydation *in vivo*. Le scorbut est donc partiellement déterminé par la génétique. L'instabilité *in vivo* de la vitamine C est due à sa sensibilité oxydative, particulièrement en présence de métaux favorisant l'oxydation comme le fer et le cuivre. L'haptoglobine (Hp) est une protéine du plasma sanguin qui se retrouve sous trois phénotypes différents chez les humains : Hp1-1, Hp2-1 et Hp2-2. La stabilité de la vitamine C est la plus faible chez les individus du type Hp2-2. Le phénotype Hp2-2 est présent dans environ 35 % de la population blanche européenne et américaine et dans au moins 50 % de certaines populations asiatiques.

Cartier rapporte la mort de 25 hommes sur environ 110 pour un pourcentage de plus de 20 % de mortalité qui correspondrait, selon certains chercheurs, au sous-groupe Hp2-2. Les mêmes auteurs ont d'ailleurs revu plusieurs événements historiques influencés par le scorbut à la lumière de ces nouvelles données, y compris celui de l'équipage de Cartier. Il est donc possible qu'une grande majorité, sinon la totalité des 25 victimes du scorbut de l'hiver 1536, partageaient cette sensibilité génétique.

Source : Delanghe, J. R. Langlois, M. R. De Buyzere, M. L. et Torck, M. A., « Vitamin C deficiency and scurvy are not only a dietary problem but are codetermined by the haptoglobin polymorphism », *Clinical Chemistry*, 2007, 53 (8) : 1397-1400.

le sapin. Le sapin demeure un bon candidat tout comme la pruche, le pin rouge, l'épinette blanche, l'épinette rouge et, à la limite, le cèdre si ce terme désignait alors un conifère autre que le thuya.

Si nous devions limiter notre choix à une seule espèce, notre préférence irait à la pruche. Cet arbre atteint un diamètre vraiment remarquable à cause de sa longévité exceptionnelle. Il possède de plus une écorce très riche en tannins astringents qui ont pu jouer un rôle bénéfique dans la guérison du scorbut. En outre, la pruche fait partie, comme le pin blanc, des espèces spéciales au point de vue médicinal déterminées comme des « panacées » par les Iroquois. Ces Amérindiens, apparentés aux Iroquoiens qui ont guéri si efficacement la troupe de Cartier, avaient et ont encore une considération particulière pour la pruche à l'écorce précieuse.

Quelques utilisations amérindiennes plus modernes des conifères pouvant être l'*annedda*

À part le récit de l'*annedda*, il n'y a pas de sources primaires d'informations sur les utilisations médicinales des conifères par les Iroquoiens à l'époque de Cartier. On doit donc se contenter de sources secondaires plus récentes sur les traditions de leurs descendants, les Iroquois. La source ethnobotanique la plus exhaustive à ce sujet est celle de James Herrick. Même si cette étude ne représente pas nécessairement les utilisations pendant l'hiver 1536, elle peut peut-être révéler des usages encore maintenus et apparentés à ceux de l'époque de Cartier.

Selon Herrick, les connaissances botaniques iroquoises ne sont pas codifiées et les noms et les usages des plantes peuvent varier selon les familles d'utilisateurs. Les plantes ont de plus une valeur symbolique et rituelle souvent mésestimée. Elles ne sont pas toutes égales quant à leur efficacité. Certaines sont considérées comme des panacées. C'est le cas du pin blanc et de la pruche, qui appartiennent au groupe des plantes les plus puissantes. Ces deux conifères font aussi partie des espèces qui peuvent guérir des maladies graves qui portent des noms européens.

La pruche est la seconde espèce en importance chez les conifères thérapeutiques des Iroquois. Elle est efficace contre la toux, le rhume et le rhumatisme. Elle combat la fatigue et des maladies vénériennes. Curieusement, la troupe de Cartier semblait combattre une grande fatigue d'hiver et des maladies vénériennes. Par comparaison, le pin blanc est l'espèce avec le plus de mentions d'effets bénéfiques pour les Iroquois. Il est utile pour contrer la

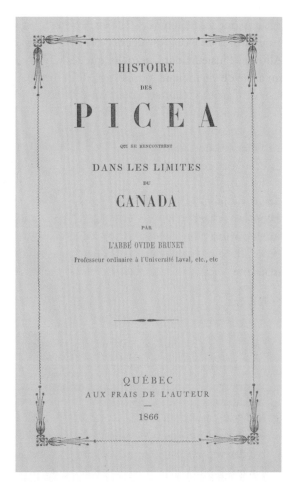

Une étude canadienne sur les conifères. L'histoire a oublié pendant longtemps l'*annedda* et ses propriétés. L'un des premiers botanistes à considérer en détail certains aspects de l'étude comparée des conifères est Jean-François Gaultier (1708-1756), le second médecin du roi à Québec. Un siècle plus tard, l'abbé Ovide Brunet, professeur de botanique depuis 1858 à l'Université Laval, consacre beaucoup de temps de recherche aux conifères canadiens. Il publie même à ses frais un ouvrage sur la comparaison de l'épinette noire et de la blanche.

Source : Brunet, Ovide, *Histoire des Picea qui se retrouvent dans les limites du Canada*, Québec, 1866, page de titre. Collection Jacques Cayouette.

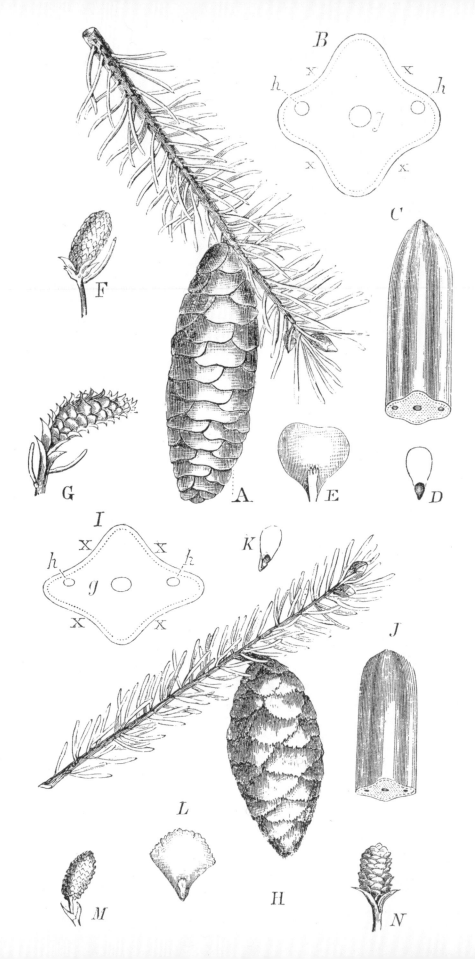

Comparaisons entre l'épinette blanche et la noire. Dans son ouvrage de 1866 sur les épinettes du Canada, Ovide Brunet présente une planche illustrant les principales différences morphologiques et anatomiques entre deux espèces importantes dans le paysage boréal canadien. Les différences entre les cônes, les feuilles, les écailles, les graines et les fleurs des deux sexes sont précisées. L'épinette blanche est peut-être aussi l'*annedda* des Iroquoiens.

Source : Brunet, Ovide, *Histoire des Picea qui se retrouvent dans les limites du Canada*, Québec, 1866, page terminale. Collection Jacques Cayouette.

faiblesse des enfants et pour favoriser la respiration des personnes obèses. On le recommande contre la toux, le rhume et le rhumatisme. Il peut aussi nettoyer l'estomac et l'écorce des jeunes pousses est comestible. On l'emploie pour certaines maladies vénériennes et le pin blanc prévient les maladies de toutes sortes. On l'utilise aussi pour chasser les fantômes. Cette espèce est très efficace pour toutes sortes de plaies difficiles à guérir, incluant les symptômes d'herbe à puce.

Le sapin est utile contre la toux, le rhume, le refroidissement et diverses plaies même ulcéreuses. Les épinettes sont efficaces contre le rhume. Elles servent à provoquer des vomissements au printemps. La gomme d'épinette aide à guérir des plaies. Le thuya (cèdre) est utile pour toutes sortes de blessures, des problèmes articulaires des hanches et le rhumatisme. Un thé de cèdre est recommandé lorsque les femmes s'isolent pendant les menstruations. Les femmes peuvent aussi l'utiliser après l'accouchement.

Ces conifères contiennent-ils suffisamment de vitamine C pour assurer la guérison du scorbut en six jours ?

Nous avons d'abord assumé que la quantité requise de vitamine C nécessaire à la guérison d'une personne en six jours correspond à 900 mg. Les calculs (voir l'appendice 4) montrent que 1,25 kg de feuilles de conifère est requis pour un volume choisi de 2,5 litres. Nous assumons une inactivation de 40 % lorsque ces feuilles sont bouillies pendant 20 minutes dans un contenant de cuivre. De plus, nous avons choisi une efficacité d'extraction de 90 % tout en négligeant les effets et la contribution des écorces. La guérison de 85 hommes requiert donc 106,25 kg de feuilles dans 212,5 litres d'eau. Pour la guérison d'un homme, le nombre de rameaux moyennement feuillus nécessaire pour le contenu requis en vitamine C varie entre 5 et 12 rameaux, selon les espèces de conifères correspondant le plus probablement à l'*annedda* à savoir la pruche, le sapin, le pin rouge, l'épinette blanche, l'épinette rouge et, à la limite, le cèdre. Ces calculs permettent donc de conclure à la probabilité de la guérison du scorbut par cette médecine fabuleuse. Les calculs ne tiennent pas compte cependant de l'effet des écorces dans la décoction.

Sources

Brown, Stephen R., *Scurvy. How a Surgeon, a Mariner, and a Gentleman Solved the Greatest Medical Mystery of the Age of Sail*, Thomas Dunne Books, 2003.

Brunet, Ovide, *Catalogue des végétaux ligneux du Canada pour servir à l'intelligence des collections de bois économiques envoyés à l'Exposition Universelle de Paris, 1867*, Québec, C. Darveau, Imprimeur-Éditeur, 1867.

Cadotte, Marcel, « À propos de la description par Jacques Cartier d'une "Grosse maladie" survenue au cours de son deuxième voyage au Canada », *Colloque Jacques Cartier, histoire-textes-images, organisé par la Société historique de Montréal, 16, 17, 18 mai 1985*, Montréal, 1985. Un article similaire du même auteur est aussi publié en 1984 dans l'*Union médicale du Canada*, 113 : 651-655.

Carpenter, Kenneth J., *The history of scurvy and vitamin C*, Cambridge, Cambridge University Press, 1986.

Chaumeton, François-Pierre, *Flore médicale. Volume IV. Gayac*, 1817, p. 34-38. Disponible à la Bibliothèque numérique Medic@ au www2.biusante.parisdescartes.fr.

Filion, Louise, et autres, « Les environnements naturels de la région de Québec durant l'Holocène », *Archéologiques*, 2009, 22 : 12-28.

Groulx, Lionel, *La découverte du Canada. Jacques Cartier*, Collection Fleur de Lys, Études historiques canadiennes, 1966.

Herrick, James W., *Iroquois Medical Botany*, avec la collaboration de Dean R. Snow, Syracuse, New York, Syracuse University Press, 1995.

Hughes, R. Elwyn, « The rise and fall of the "antiscorbutics" : some notes on the traditional cures for "land scurvy" », *Medical History*, 1990, 34 : 52-64.

Huguet-Termes, Teresa, « New World Materia Medica in Spanish Renaissance Medicine : from scholarly reception to practical impact », *Medical History*, 2001, 45 (july) : 359-376.

Jiminez, F. Augustin, « The first autopsy in the New World », *Bulletin of the New York Academy of Medecine*, 1978, 54 (6) : 618-619.

Lahaise, Robert, « Rabelais et la médecine populaire au Québec », *Ethnologie québécoise I*, Montréal, Hurtubise HMH, Collection « Les cahiers du Québec », 1972, p. 45-69.

Lescarbot, Marc, *Voyages en Acadie (1604-1607) suivis de La description des mœurs souriquoises comparées à celles d'autres peuples*, [Édition critique par Marie-Christine Pioffet], Québec, Les Presses de l'Université Laval, 2007.

Mathieu, Jacques, *L'Annedda. L'arbre de vie*, Québec, Les éditions du Septentrion, 2009.

Munger, Robert S., « Guaiacum, the Holy Wood from the New World », *Journal of the History of Medecine and Allied Sciences*, 1949, 4 (2) : 196-229.

Perron, Martin et Jean Bousquet, « Nouveau regard sur la relation botanique entre l'épinette noire et l'épinette rouge », *Le Naturaliste canadien*, 2002, 126 (1) : 45-52.

Plante, Berthier, « L'annedda, l'arbre de paix », *Histoires forestières du Québec*, 2012, 4 : 24-51.

Rousseau, Jacques, « L'Annedda et l'arbre de vie », *Revue d'histoire de l'Amérique française*, 1954, 8 (2) : 171-212.

Snow, Dean R. et Kim M. Lanphear, « European contact and Indian depopulation in the Northeast : the timing of the first epidemics », *Ethnohistory*, 1988, 35 (1) : 15-33.

Warrick, Gary, « European infectious disease and depopulation of the Wendat-Tionontate (Huron-Petun) », *World Archaeology*, 2003, 35 (2) : 258-275.

1541-1543, FORT D'EN HAUT AU CAP ROUGE. UNE TENTATIVE DE COLONISATION LAISSE DES TRACES DE PLANTES EUROPÉENNES

JACQUES CARTIER effectue un troisième voyage au Canada en 1541-1542. Par rapport aux deux premières explorations, bien des choses ont changé. Il n'est plus le commandant en chef de cette expédition, qui a pour mission d'installer une colonie fortifiée au cap Rouge, près de Stadaconé, en plus de rechercher une nouvelle route navigable vers l'Ouest. On doit aussi estimer les ressources naturelles du pays, particulièrement les ressources minérales prometteuses. Le nouveau responsable, nommé par le roi, est Jean-François de La Rocque, sieur de Roberval (avant 1495-1560), un ami d'enfance de François Ier. Roberval est un militaire de carrière qui a bien suivi les traces de son père. Il a même servi sous le règne de Charles VIII, avant d'obtenir la confiance de François Ier. Roberval et Cartier doivent normalement partir en 1541 pour installer et défendre la nouvelle colonie. Des difficultés liées au recrutement de prisonniers devant participer aux travaux de la nouvelle colonie et un climat de guerre possible entre la France et l'Espagne font que Roberval doit remettre son départ à l'année suivante.

Cartier part donc seul en mission en 1541. Comme d'habitude, il quitte Saint-Malo et, à cette occasion, il commande une flotte de cinq navires. Trois membres de sa famille, un neveu et deux beaux-frères, dirigent trois de ces navires. Il arrive le 23 août devant Stadaconé où il rencontre Agona, le nouveau chef iroquoien. Cartier est vraisemblablement embarrassé, car il devrait normalement informer le chef que les Stadaconiens amenés en France en 1536 sont tous décédés. Il explique plutôt que seul le chef Donnacona est mort et que les autres sont mariés et vivent comme des princes en France. Agona lui remet alors un cadeau que Cartier lui redonne tout en offrant des cadeaux aux femmes, mais pas au chef. Les Iroquoiens réalisent probablement qu'ils souffrent de plus en plus de maladies subséquentes aux contacts avec les Européens. Comme cela avait été le cas lors du deuxième voyage, les Stadaconiens

n'apprécient guère l'insistance des Européens à vouloir explorer au-delà de leur territoire.

Cartier et ses équipages s'installent immédiatement au cap Rouge, qu'il nomme Charlesbourg-Royal en l'honneur du troisième fils de François Ier. La mission est d'installer deux fortifications, l'une en bas et l'autre en haut du promontoire à l'embouchure de la rivière, afin de protéger une colonie de quelques centaines de personnes et d'assurer un contrôle de la région. Le roi souhaite concurrencer les Espagnols et les Portugais installés dans des colonies plus au sud en Amérique.

Dès son arrivée au cap Rouge, Cartier fait commencer les travaux de l'érection des forts d'en bas et d'en haut. En septembre, une trentaine de charpentiers sont tués par des Iroquoiens. Dès 1539, on avait choisi le site du cap Rouge pour installer la future colonie pour ne pas être les voisins immédiats des Stadaconiens dont on se méfiait et qui désiraient contrôler leur territoire régional. Entre-temps, Cartier croit avoir trouvé des diamants et même des feuilles d'or. Il est probablement très excité à l'idée qu'il sera reconnu comme le découvreur de ces richesses tant convoitées. Comme il a peu de nouvelles de Roberval, il décide de rentrer en France à l'été 1542 avec ses précieuses trouvailles minérales. Sur le chemin du retour, il rencontre cependant la flotte des trois navires de Roberval à Terre-Neuve. Roberval lui ordonne alors de retourner avec lui au cap Rouge. Cartier lui désobéit et quitte vers la France. Malheureusement, l'analyse poussée des échantillons de Cartier ne révèle que du quartz et de la pyrite de fer sans grande valeur. Une quinzaine d'années plus tard, André Thevet écrira que cet événement a donné naissance au dicton «faux comme un diamant du Canada».

Dès son arrivée, Roberval séjourne à Charlesbourg-Royal, qu'il renomme France-Roy pour se démarquer de l'appellation de Cartier. Il s'installe au fort d'en haut. Selon Roberval, on y retrouve des chambres, une cuisine, des chambres d'office, des celliers haut et bas, un four, des moulins et un poêle sans oublier le puits à l'extérieur. Roberval a recruté un chef cuisinier, Guillaume Lepa(i)ge dit Chaudron, qui avait été chef des cuisines de la duchesse de Nevers. Ce cuisinier a été recruté parmi les prisonniers. Il avait commis un homicide. Roberval a pris soin d'acheter du cidre normand de Lisieux et des vins de bonne réputation, comme ceux de Champagne, de Bourgogne, de Bordeaux, d'Espagne ou du Portugal. Il a vraisemblablement évité les vins de la région parisienne, de Normandie ou de Picardie qui souffrent d'une mauvaise réputation. Roberval continue la supervision des travaux et des explorations initiés par Cartier. L'année suivante, il reçoit cependant l'ordre du roi de rentrer en France avec les colons, les militaires, les prisonniers et le reste des troupes. La priorité du roi est devenue la guerre avec l'Espagne, car l'Angleterre a décidé de s'allier aux Espagnols. La grande expérience militaire de Roberval est alors requise en France et non au cap Rouge. Roberval, installé au fort d'en haut à l'été 1542, rentre en France en septembre 1543. Roberval est tué à Paris en 1560 probablement à cause de son adhésion au protestantisme. Comme le souligne Bernard Allaire, l'abandon de la colonie en 1543 par Roberval est circonstanciel. L'entrée en guerre de l'Angleterre avec l'Espagne contre la France força le roi à ordonner le rapatriement de la colonie. Trois ans avant le décès de Roberval, Cartier était décédé. Il était endetté et sa réputation avait souffert beaucoup après son troisième voyage au Canada.

On découvre des vestiges du fort d'en haut

En 2005, on découvre le site occupé par Cartier et Roberval sur le promontoire de la falaise à Cap Rouge. Depuis, les fouilles archéologiques ont retracé plus de 6 000 objets reliés à ce site de colonisation. L'analyse archéobotanique a permis d'identifier des plantes locales et des espèces apportées par les colonisateurs. Parmi les artéfacts, on retrouve ce qui semble être un pot de pharmacie et divers objets servant à l'analyse des métaux. Les structures de bois retrouvées ont subi l'action du feu. Des os d'esturgeon, de porc et d'autres animaux font partie des vestiges.

La planification du troisième voyage de Cartier tient compte des ressources végétales

Au retour du deuxième voyage de Cartier en 1536, le roi François Ier rencontre le chef iroquoien Donnacona qui décrit les richesses incroyables du nouveau pays. Il y a des ressources végétales et minérales très prometteuses et de grande valeur commerciale. Le roi semble tellement impressionné qu'il estime opportun d'installer une colonie plutôt que de se contenter d'explorer occasionnellement le territoire.

En septembre 1538, François Ier consulte un document décrivant tous les besoins pour le troisième voyage de Cartier. Pour bien planifier ce périple, le mémoire mentionne les besoins pour environ 400 hommes. Parmi ceux-ci, on souhaite la présence de «six vignerons et six laboureurs, trois barbiers avec

Un pansement fait avec du chanvre au XVIᵉ siècle

Marie d'Aragon (1503-1568), marquise de Vasto, a souffert de la syphilis et d'une infection herpétique. Ses restes, retrouvés dans une basilique de Naples, laissent voir un pansement sur un ulcère au bras gauche. L'analyse de ce pansement a révélé la présence d'une enveloppe de lin contenant des feuilles de lierre commun (*Hedera helix*) déposée sur des fibres de chanvre imbibées de soufre en contact avec le tissu ulcéré par l'infection syphilitique. À cette époque, on utilise donc sur la plaie la combinaison de médicaments minéral et végétal. Le chanvre sert de matériau d'imbibition. On sait aussi que la patiente a reçu de fortes doses de mercure.

Source: Ciranni, Rosealba, «When Galeni Met Paracelsus: A Paleodermatological Case of Luetic Gumma Care», *Archives of Dermatology*, 2009, 145 (1): 101.

chacun un serviteur», un «quelque médecin ayant un serviteur», et «deux apothicaires (avec) chacun un serviteur, pour reconnaître et voir les commodités des herbes». De plus, il est souhaité d'inclure «deux maîtres cordiers et deux serviteurs pour ce qu'il y a chanvre pour faire cordage». En fait, dès 1534, Cartier connaît la présence de chanvre local et il semble très intéressé par cette fibre utilisée par les Amérindiens pour leurs filets de pêche.

On prévoit de plus «six hommes d'Église ayant les choses requises pour le service divin». Les religieux sont recrutés pour se concilier l'appui du pape. On recommande autant de vignerons que de religieux. On peut supposer que les vignerons ont pour tâche d'implanter la vigne européenne et d'exploiter possiblement les vignes sauvages abondantes que Cartier a observées particulièrement à l'île d'Orléans. La mention de deux apothicaires et de leurs serviteurs laisse croire qu'on espère expérimenter les propriétés médicinales des plantes. Les apothicaires de l'époque emploient des remèdes majoritairement à base de végétaux. Ils utilisent aussi quelques extraits et préparations d'origine animale ou minérale.

On suppose qu'au moins un apothicaire a fait partie du groupe de Cartier (1541-1542) ou de Roberval (1542-1543). Les marchands apothicaires européens connaissent vraisemblablement les nouveaux remèdes à base de plantes des Amériques. Par exemple, ils sont déjà familiers avec le commerce du bois de gaïac servant à traiter la syphilis. La liste partielle de l'équipage du voyage de 1535 incluait François Guitault considéré comme un apothicaire. Il signe le rôle d'équipage de l'expédition en ajoutant «apoticaire» après son nom. Il est donc possible qu'au moins un apothicaire accompagne Cartier dès 1535 et même lors du premier voyage.

Quelques végétaux retrouvés sur le site archéologique

Il y a d'abord les espèces indigènes, comme le chêne rouge (*Quercus rubra*), le hêtre à grandes feuilles (*Fagus grandifolia*) et divers arbustes fruitiers. Notons que la description des arbres de Cap-Rouge, dans le récit du troisième voyage de Cartier, mentionne la présence du chêne. Le maïs cultivé par les Iroquoiens est aussi présent sur le site archéologique.

On retrouve de plus diverses plantes européennes alimentaires comme le blé, l'orge, les pois et les lentilles. Des restes de noyaux d'olives (olivier d'Europe, *Olea europaea*) indiquent que celles-ci ont été transportées sur le site du fort. Espérait-on transplanter l'olivier en Amérique du Nord? Les graines de crucifères (aujourd'hui nommées *brassicacées*) appartenant au genre *Brassica* ou *Sinapis* sont possiblement des graines de plantes potagères comme le chou potager, le navet ou d'autres espèces nommées moutardes pour le nom du genre. Les récits des voyages de Cartier soulignent la présence du chou et du navet. Historiquement, ces deux espèces sont très présentes dans les jardins potagers de la Nouvelle-France.

On retrouve aussi la nielle des blés (Agrostemme githago, *Agrostemma githago*), une mauvaise herbe eurasiatique présente dans les champs de blé. La graine de cette plante contient une substance toxique pouvant se retrouver dans le pain de blé infesté de cette plante. La nielle des blés a probablement été importée involontairement, faisant partie des semences de blé contaminées par les graines de cette espèce. Le blé apporté dans la nouvelle colonie provenait vraisemblablement de la région bretonne. Cartier aurait acheté du blé breton dans les ports avoisinant Saint-Malo. Il est intéressant de noter que les textes bibliques font référence à la nielle comme une «maligne humeur» pouvant gâter le blé

Une belle plante nuisible. La nielle des blés (Agrostemme githago, *Agrostemma githago*) est particulièrement redoutée dans la culture du blé. Ses graines contaminent facilement celles du blé et causent des problèmes de toxicité chez les animaux et les humains. Des substances toxiques, comme les saponines et une protéine inactivant les ribosomes responsables de la synthèse des protéines, ont été répertoriées dans les graines. Cette plante, bien connue dès l'Antiquité, a servi de nourriture durant des périodes de disette en Grèce. Quelques variétés horticoles font étalage de leurs belles fleurs roses.

Source: Clark, George H. et James Fletcher, *Farm Weeds of Canada*, Dominion of Canada, Department of Agriculture, Planches par Norman Criddle, 1906, Planche 14. Bibliothèque de recherches sur les végétaux, Agriculture et Agroalimentaire Canada, Ottawa.

(Bible, Rois, III, VIII, 37). On a aussi répertorié, sur le site du cap Rouge, des pépins de raisins (*Vitis* sp.). Il peut s'agir de la vigne cultivée (*Vitis vinifera*) ou de la vigne des rivages (*Vitis riparia*).

Une autre plante, apportée volontairement ou non, est une euphorbe (*Euphorbia* sp.) dont le latex est toxique pour la peau chez certaines personnes. Cette euphorbe avait probablement un usage médicinal. Les apothicaires, les chirurgiens et les médecins ont possiblement apporté des plantes médicinales européennes couramment utilisées, comme les espèces purgatives, vomitives ou calmantes.

Des plantes européennes dans d'autres sites archéologiques canadiens

La pêche à la morue a attiré pendant longtemps les Européens sur les bancs de Terre-Neuve. Pour

Des intoxications alimentaires et la nielle des blés

Les graines de nielle des blés contiennent des saponines qui peuvent être toxiques à dose élevée aux humains et aux animaux. Lorsqu'elles sont ingérées dans du pain de blé contaminé par des semences de la nielle, ces substances affectent, entre autres manifestations, l'intégrité des globules rouges du sang. Les personnes affligées ont alors des pertes d'énergie majeures et même des pertes de poids tout en subissant des entérites. Ces effets dépendent évidemment de la concentration des substances ingérées. À une concentration élevée, ces semences transforment même le pain de blé blanchâtre en un pain plus grisâtre. Le pain de blé contaminé avec la nielle des blés représente encore un problème dans certaines régions de l'Inde. Il est pratiquement impossible de séparer efficacement les semences de blé de celles de la nielle.

Des auteurs ont étudié l'effet d'autres contaminants dans le pain de céréales pouvant causer des désordres chez les humains. Les effets toxiques de l'ergot des céréales ont reçu beaucoup d'attention. L'ergot des céréales est une maladie fongique causée par le *Claviceps purpurea*, qui affecte les humains et les animaux consommant les grains infectés ou des aliments dérivés de ces grains. Le champignon forme une structure ressemblant à l'ergot de coq. Le seigle est particulièrement sensible à cette infection, qui provoque aussi des mauvaises récoltes. Les grains contaminés contiennent une mycotoxine pouvant provoquer l'ergotisme, qui se caractérise par des convulsions et même l'apparition de tissus gangréneux. Les convulsions peuvent être accompagnées de délires et d'hallucinations. On a recensé divers épisodes d'ergotisme dans l'histoire et différents auteurs ont tenté de relier cet empoisonnement à certains bouleversements sociaux. Au Moyen Âge, on parlait de la maladie du feu sacré. En 1090, une épidémie de feu sacré sévit en France. On crée alors un nouvel ordre religieux, l'ordre des Antonins, qui se consacre aux malades du feu sacré, désormais nommé le «feu de saint Antoine». Linda Caporael a suggéré que l'épisode de sorcellerie de Salem au Massachusetts, en 1692, était la résultante de l'ergotisme. Cela est possible, mais Thomas G. Benedek a émis des doutes quant au rôle précis de l'ergot des céréales.

Robert-Lionel Séguin a étudié la sorcellerie en Nouvelle-France. Il n'y a pas de corrélation évidente entre les années de mauvaises récoltes de blé et les épisodes de sorcellerie. Cependant, quelques comportements de sorcellerie sembleraient associés à des meuniers responsables de moulins à grains.

Sources : Mary K. Matossian, *Poisons of the Past : Molds, Epidemics, and History*, New Haven, Yale University Press, 1989. Reviewed by Thomas G. Benedek. *Journal of the History of Medicine*, 1990, 45 : 650-651. Caporael, Linda R., «Ergotism : The Satan Loosed in Salem ? », *Science*, 1976, 192 (4234) : 21-26. Mabey, Richard, *In defense of Nature's most unloved plants*, New York, Harper Collins Publishers, 2010. Séguin, Robert-Lionel, *La sorcellerie au Canada français du XVIIe au XIXe siècle*, Montréal, Librairie Ducharme Limitée, 1961.

mieux exploiter cette ressource, les Anglais tentent même d'installer des colonies dans la région côtière. Le site archéologique de la colonie de Ferryland à Terre-Neuve, établie à partir de 1621, a été analysé pour son contenu archéobotanique. La plante européenne la plus fréquente est la moutarde noire (*Brassica nigra*). On identifie aussi les restes de figues (figuier, *Ficus carica*), de stellaire moyenne (*Stellaria media*), de la petite oseille (*Rumex acetosella*) et de diverses autres plantes européennes. Des espèces de la famille des brassicacées sont nombreuses sur les deux sites. De telles analyses archéobotaniques permettent de mieux mesurer l'européanisation de la flore canadienne au moyen des plantes introduites volontairement ou accidentellement.

Sources

Allaire, Bernard, *La rumeur dorée. Roberval et l'Amérique*, Montréal, Les Éditions La Presse, 2013.

Amigues, Suzanne, «Quelques légumes de disette chez Aristophane et Plutarque», *Journal des savants*, 1988, 3 (3-4): 157-171.

Bideaux, Michel, *Jacques Cartier. Relations*, [Édition critique], Bibliothèque du Nouveau Monde, Montréal, Les Presses de l'Université de Montréal, 1986.

Bouchard-Perron, Julie-Anne A. et Allison Bain, «Du mythe vers la réalité: l'archéobotanique sur le site du fort d'en Haut Cartier-Roberval», *Archéologiques*, 2009, 22: 71-89.

Cadotte, Marcel, «À propos de la description par Jacques Cartier d'une "Grosse maladie" survenue au cours de son deuxième voyage au Canada», dans *Colloque Jacques Cartier, histoire-textes-images, organisé par la Société historique de Montréal, 16, 17, 18 mai 1985*, Montréal, 1985. Un article similaire du même auteur est aussi publié en 1984 dans *L'Union médicale du Canada*, 113: 651-655.

Cook, Ramsay, *The voyages of Jacques Cartier*, Toronto, University of Toronto Press, 1993.

Fiset, Richard et Gilles Samson, «Charlesbourg-Royal et France-Roy (1541-1543): le site de la première tentative de colonisation française en Amérique», *Archéologiques*, 2009, 22: 30-53.

Lacoursière, Jacques, *Histoire populaire du Québec. Des origines à 1791*, Sillery, Les éditions du Septentrion, 1995.

Litalien, Raymonde, et autres, *La mesure d'un continent. Atlas historique de l'Amérique du Nord (1492-1814)*, Québec, Les éditions du Septentrion, 2008.

Prévost, Marie-Annick et Allison Bain, «L'implantation d'une colonie terre-neuvienne au XVIIe siècle: l'apport des analyses archéobotanique et archéoentomologique (2000-2006)», Bain A., Chabot J., Moussette M. (eds.), *La mesure du passé: contributions à la recherche en archéométrie (2000-2006)*, British Archaeological Reports, International Series number 1700, Oxford, Archaeopress, 2006, p. 205-216.

1553, PARIS. DEUX ARBRES DE VIE D'AMÉRIQUE, DONT L'UN EST L'OBJET D'UNE SUPERCHERIE MÉDICALE

PIERRE BELON DU MANS (vers 1517-vers 1563) est un médecin naturaliste français et un érudit intéressé à l'histoire naturelle. Il est né à la Soultière, un hameau du bourg de Cérans-Fouilletourte dans la Sarthe. On connaît peu de choses de sa jeunesse et de sa formation scolaire. Pierre Belon séjourne en 1540-1541 à l'Université de Wittenberg, en Saxe allemande, pour étudier avec Valerius Cordus (1515-1544), un réputé botaniste. En 1542, il regagne Paris et il est au service du cardinal de Tournon (1489-1562), qui est lui-même « employé aux affaires du roi ». Le cardinal a un logis tout près du château de Fontainebleau. Belon s'inscrit éventuellement à la Faculté de médecine. Il n'obtient son diplôme qu'en 1560. Belon a d'autres éminents protecteurs, comme l'évêque de Clermont, le cardinal de Lorraine et René du Bellay (1500-1546), évêque du Mans et frère du réputé poète. Il est aussi l'ami du poète Pierre de Ronsard (1524-1585). Grâce au soutien de ces hommes d'influence, il loge quelque temps dans l'abbaye de Saint-Germain-des-Prés. Belon visite le tout nouveau Jardin botanique de Padoue lors d'un voyage en Italie. De 1546 à 1549, il accompagne la délégation royale française en visite dans l'empire ottoman au Levant. En fait, le roi François Ier cherche une alliance avec Soliman le Magnifique (1494-1566) contre l'empereur Charles Quint (1500-1558). Les Turcs ont alors progressé jusqu'en Hongrie.

Au retour de ce périple, Belon publie deux livres sur les poissons (1551 et 1553) en plus d'ouvrages sur les conifères (1553), son séjour au Levant (1553) et les oiseaux (1555). En 1553, il publie aussi un traité sur l'embaumement. En 1556, Belon reçoit une pension du roi Henri II et Charles IX le loge au château de Madrid (ou Maldric) au bois de Boulogne. François Ier avait fait ériger cet édifice sur le modèle du palais royal espagnol. Belon est assassiné vers 1563 sur la route près de Paris dans des circonstances plutôt mystérieuses. Serait-ce relié à

Belon, les drogues des Turcs et le monopole commercial de Venise

Lors de son périple en Turquie, Belon aborde plusieurs sujets d'actualité médicale. Il note qu'il n'y a aucun apothicaire, uniquement « des boutiques de drogueurs ». La plupart des vendeurs de drogues sont des « hommes juifs ». Les Turcs sont « plus savants » que les Européens en ce qui concerne les matières médicinales. Le « meilleur droguiste de Venise, quelque bien fourni qu'il soit, n'aura pas tant de petites drogueries en sa boutique qu'un drogueur de Turquie ». Selon Tricot, « un des buts principaux de la mission diplomatique à laquelle Belon était rattaché était de briser le monopole d'une des branches les plus florissantes du commerce levantin : la vente des drogues et d'épices par la sérinissime République de Venise ».

Belon énumère les drogues de Constantinople : calamus, acacia, behen, amomum, napellus, absinthe pontique, hysope, thym, le vrai nitre, cardomomum, la vraie térébinthe sans oublier le « saffran sauvage ». Belon remarque que les Turcs vivent « d'aulx et d'oignons ». *Aulx* est le pluriel d'*ail*. On retrouve la graphie *aux* sur le cartouche de la carte de 1612 de la Nouvelle-France de Samuel de Champlain. Certaines de ces drogues sont des plantes mentionnées dans la Bible (voir l'appendice 3).

Source : Tricot, Jean-Pierre, « Le voyage en 1547 à Stamboul du médecin naturaliste Pierre Belon du Mans », *Histoire des sciences médicales*, 2004, 38 (2) : 191-198.

ses convictions antihuguenotes? Il est généralement considéré comme l'un des grands naturalistes du XVIᵉ siècle. Le botaniste Charles Plumier (1646-1704) lui a dédié le genre *Bellonia*.

On reconnaît que Belon fut le premier à décrire certaines plantes du Proche-Orient et qu'il réussit à faire germer à Touvoie les premières graines de platane recueillies en Orient. Comme le souligne Louis Crié, après le cèdre du Liban, le platane était «l'arbre le plus vanté de l'Antiquité». Belon serait aussi le premier à noter que le cèdre du Liban est alors cultivé en France. Belon écrit qu'il y a des cèdres «tels que ceux du Liban (qui) ont été vus vifs dans plusieurs de nos jardins». Généralement, on attribue à Bernard de Jussieu l'introduction de cet arbre en 1734 au Jardin du roi à Paris. On semble oublier les propos de Belon. Louis Crié ajoute que Belon a fait des efforts pour «apprivoiser» en France, selon la terminologie de Belon, le gaïac, l'acacia et quelques autres plantes exotiques. Cet acacia, que Belon nomme *Acacia arabica*, n'est pas le robinier nord-américain. Il correspond à une espèce de mimosa. De plus, Belon serait le premier à signaler la culture de l'épinard en France.

Dès la fin du XIXᵉ siècle, on érige dans le bourg de Cérans-Fouilletourte une statue commémorant l'œuvre de Belon. Malheureusement, cette statue fut fondue durant la Seconde Guerre mondiale. Une copie de cette statue fut cependant érigée à nouveau en 1992.

Belon et deux arbres d'Amérique du Nord

Le traité de Belon sur les conifères (1553) est une synthèse à jour des connaissances de ce groupe d'arbres. On y apprend que seuls les cônes de l'*Abies* et du majestueux cèdre du Liban se dressent vers le ciel. Les cônes des autres conifères, comme le *Sapinus*, pendent vers le bas. Les Français appellent le *Pinaster* alevo ou elvo, l'*Abies* vergne ou sapin et le *Picea*, pigné (pignet). Le terme *Pinaster* décrit alors des pins, *Abies* le sapin et *Picea* des épinettes. Le terme *pigné* aurait-il pu donner naissance, par altération, au mot *épinette*?

Deux arbres de vie: l'un du Canada et l'autre du Nouveau Monde

Belon réfère dans son traité sur les conifères à deux arbres de vie qui proviennent de l'Amérique. Dans le jardin royal de Fontainebleau, il y a d'abord une

Belon et la première tulipe en Europe

Quelques auteurs rapportent que la première floraison d'une tulipe en Europe aurait eu lieu dans le jardin de Pierre Belon au milieu de la décennie 1550. Cependant, le naturaliste zurichois Conrad Gessner aurait été le premier en 1561 à décrire et à illustrer une tulipe croissant dans un jardin européen. Gessner avait pu observer en avril 1559 une tulipe rouge et très odorante à Augsbourg, en Bavière. À cette époque, cette ville allemande est très importante économiquement. Se peut-il que Pierre Belon ait été un intermédiaire pour l'obtention des tulipes observées à Augsbourg? Cette question demeure sans réponse. Tous les experts s'entendent cependant sur le fait que Belon a été assurément l'un des premiers observateurs européens de cette espèce alors cultivée depuis longtemps en Turquie.

Les avis divergent quant à la chronologie précise de l'apparition des tulipes en Europe. Au XVIIᵉ siècle, le jardinier français Charles de La Chesnée Monstereul déclare que «nous avons la première obligation des Tulipes aux Portugais et ensuite aux Flamands». Il est possible que les Portugais soient effectivement parmi les premiers à avoir transporté cette «belle fleur» exotique.

Sources: La Chesnée Monstereul, Charles de, *Le floriste françois*, Rouen, 1658. Disponible à la bibliothèque numérique du Jardin botanique royal de Madrid au http://bibdigital.rjb.csic.es/spa/. Lythberg, Billie, editor, *The tulip anthology*, Chronicle books, San Francisco, 2010. Pavord, Anna, *The tulip. The story of a flower that has made men mad*, New York et London, Bloomsbury Publishing, 1999.

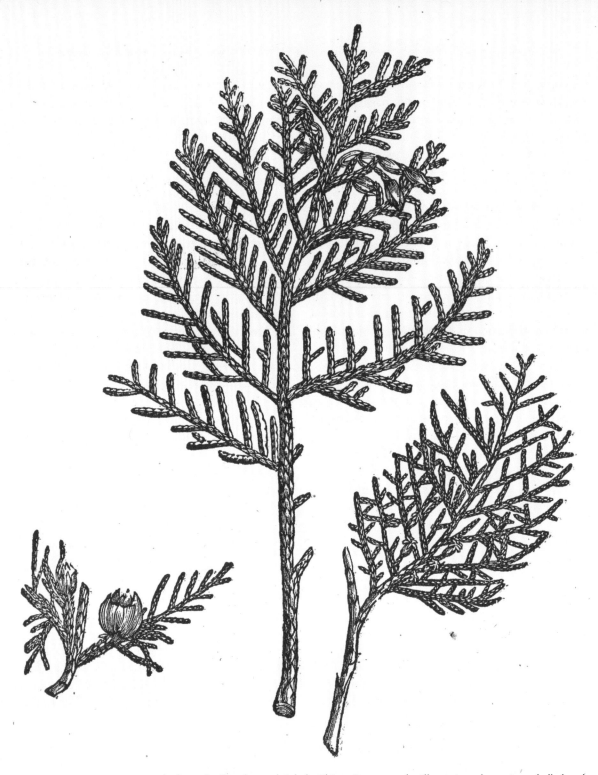

Une première comparaison entre le thuya du Canada et celui de la Chine. On trouve des illustrations de rameaux de l'arbre de vie du Canada aux XVIᵉ et XVIIᵉ siècles. Duhamel du Monceau ajoute une information inédite. Il présente un rameau du thuya du Canada et de Chine. Le thuya de Chine est devenu *Platycadus orientalis*, alors que celui du Canada a pour nom *Thuja occidentalis*. Le thuya de Chine provient vraisemblablement des graines expédiées par le missionnaire Pierre Noël Le Chéron d'Incarville (1706-1757). Ce botaniste, qui enseigne en Nouvelle-France avant sa mission en Chine, est aussi responsable de l'introduction de plusieurs plantes de Chine en Europe.

Source : Duhamel du Monceau, Henri-Louis, *Traité des arbres et arbustes qui se cultivent en France en pleine terre*, tome II, Paris, 1755, planche 90.

espèce de sabine «*Sabina*» surnommée «arbre de vie» provenant du Canada et un pin maritime rapporté du Nouveau Monde qui est un second arbre de vie, «*altera arbor vitae*».

L'arbre de vie canadien

Cet arbre de vie est généralement identifié comme le cèdre blanc, ou thuya occidental (*Thuja occidentalis*), une espèce originaire de l'Amérique du Nord. Pour le botaniste, cet arbre de vie du Canada se trouve principalement au jardin du château de Fontainebleau en France. Cet arbre croît aussi dans les jardins de Notre-Dame-de-Paris sans oublier les rameaux que René du Bellay, l'évêque du Mans, possède chez lui. L'arbre de Fontainebleau est âgé de neuf ans et il dépasse la taille d'un homme avec son bras étendu vers le haut. Cet arbre n'a cependant pas encore donné de graines. Jacques Mathieu indique que Belon a visité Fontainebleau pour rencontrer le roi en 1542, peu après le retour du troisième voyage de Cartier, et vraisemblablement en 1546 avant son départ vers le pays ottoman. En soustrayant neuf ans à l'année de sa seconde visite, on obtient 1537, qui devient une année possible de la plantation de cet arbre de vie. Cette plantation aurait donc pu avoir lieu durant l'année suivant le retour du deuxième voyage (1535-1536) de Jacques Cartier. Cependant, on ne sait pas si Belon mentionne l'âge de l'arbre de vie en référence spécifique à l'année de publication de son livre. Dans ce cas, l'arbre de vie aurait été planté en 1544, deux ans après le retour du troisième voyage de Cartier.

En 1558, Pierre Belon publie un ouvrage sur l'acclimatation des arbres. Il mentionne à nouveau l'arbre de vie du roi au jardin de Fontainebleau apporté du «Canadas». Pour Belon, l'air de France permet «d'affranchir et d'apprivoiser les arbres sauvages» de l'étranger, même si ceux-ci sont couverts de neige dans leur pays d'origine. Dans ce livre, Belon énonce le projet de doter la France d'un jardin botanique «pour la délectation et pour l'augmentation des doctes» comme ceux qu'il avait lui-même visités à Venise, à Padoue, à Lucques, à Florence et à Pise. Ce projet ne se réalisera cependant que quelques décennies plus tard. De fait, Belon avait créé vers 1540 à Touvoie,

près du Mans, le premier embryon d'un arboretum en France. Louis Crié a mis en perspective les efforts de Belon en vue de créer de futurs jardins botaniques de France.

Le second arbre de vie, un pin maritime du Nouveau Monde

L'identité du pin maritime exotique du Nouveau Monde est facile à déterminer. Belon observe que ce pin a des feuilles minces regroupées en faisceaux de cinq ou six. Son bois est blanc, spongieux et lisse. Il ajoute que ce pin a été apporté au roi François Ier après un voyage au Nouveau Monde. Le seul pin nord-américain à bois blanc possédant les caractéristiques précédentes est le pin blanc (*Pinus strobus*) à cinq aiguilles. Il est fort possible que ce pin ait été rapporté du Canada en même temps que le premier arbre de vie.

Belon a des commentaires surprenants sur ce pin maritime de l'Amérique. Utilisant le texte traduit en français dans le livre de Jacques Mathieu, on apprend de Belon qu'on «a rapporté parmi ses marchandises de nombreuses caisses pleines de ce bois qu'il appelait "bois de vie" (*lignum vitae*); quoique cependant ce fût du bois de Pin maritime et qu'il appartînt au Roi François, qui est au-dessus de nous tous, cet individu n'a pas rougi de commettre une supercherie avec ce nom. Il n'y a alors rien d'étonnant qu'il ait pu tromper les médecins… c'était un bois qui non seulement n'a jamais pu être d'aucune utilité, mais qui a été grandement nuisible».

Belon termine ses remarques sur cette grande supercherie de la façon suivante: «Comme beaucoup en avaient éprouvé les dommages à leur grand détriment, on décida de l'avis général d'en abandonner l'usage comme on le fit récemment pour la *Chinna*. C'est une mesure que, pour ma part, je serais d'avis d'appliquer pour la Salsapareille du Portugal». La recommandation médicale de Belon est claire et ferme. Il faut éviter ce pin du Nouveau Monde et d'autres plantes médicinales comme la *Chinna* et la salsepareille du Portugal. Ce n'est pas l'unique exemple d'un rejet vigoureux de l'utilisation de médicaments d'origine étrangère. Pourtant, les recherches actuelles ont montré que le pin blanc n'est généralement pas toxique.

Où était l'arbre de vie canadien dans les jardins de Fontainebleau?

Selon certains auteurs, il semble que l'arbre de vie était installé dans le secteur nommé « jardin des Pins » en 1557. Ce jardin avait la caractéristique de contenir une longue allée de rangées de pins maritimes en bordure d'un grand étang. Ces pins maritimes avaient été semés, et non plantés comme on le rapporte souvent, en 1535 par Jean de Mauléon et deux autres laboureurs gascons qui avaient eux-mêmes apporté les graines de Gascogne. À cette époque, les forêts de pin maritime entre Bordeaux et Bayonne étaient exploitées commercialement pour l'extraction de la résine. Durant la décennie 1530, on pouvait de plus observer à Fontainebleau au moins 2 000 saules plantés, des pins des Grisons, des groseilliers, des rosiers, des mûriers blancs, des vignes, des arbres de Provence et même des orangers parmi divers arbres fruitiers fort appréciés par le roi François Ier. Il y avait aussi un « plane » au travers des allées de pins maritimes. On ne sait pas si le « plane » réfère à une espèce d'érable d'Amérique ou d'Europe ou à une autre espèce.

Source : Guillaume, Jean et Catherine Grodecki, « Le jardin des Pins à Fontainebleau », *Bulletin de la Société de l'histoire de l'art français*, 1978 : 43-51.

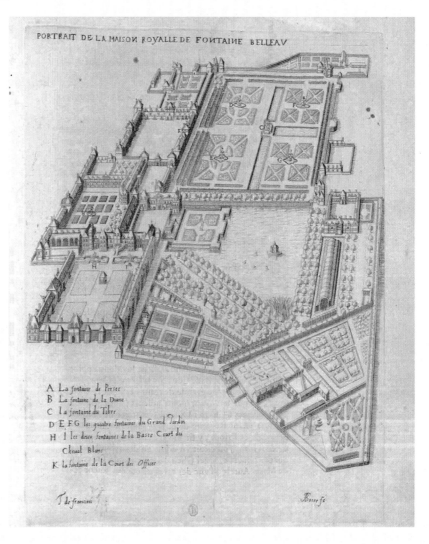

Plan des jardins de Fontainebleau. L'arbre de vie du Canada aurait été situé dans le secteur du jardin des Pins. L'allée des pins maritimes est en position oblique par rapport au bassin d'eau situé à droite, près du centre. On observe un petit bâtiment de forme circulaire dans le bassin d'eau.

Source : Dan, Pierre, *Le Trésor des Merveilles de la Maison Royale de Fontainebleau...*, Paris, 1642, p. 29. Bibliothèque nationale de France.

Quelle est cette supercherie associée au *lignum vitae* de l'Amérique?

À l'époque, le *lignum vitae* médicinal désigne d'abord et avant tout le bois de vie provenant de l'arbre portant le nom de gaïac en français (*Guaiacum* sp.). Il est surtout utilisé pour soigner la syphilis. L'utilisation frauduleuse de substituts de bois de gaïac est un commerce florissant. Les disputes concernant l'authenticité du bois de gaïac importé sont fréquentes. Un tel litige implique même la papauté. L'apothicaire hollandais Conrad Arnold livre une quantité importante de bois de gaïac à Rome. Certains contestent l'authenticité du produit. Le pape Clément VII (1478-1534) ordonne à des médecins et à des apothicaires d'étudier le cas. Malheureusement pour la papauté, les avis sont partagés.

Quant au pin de l'Amérique, des marchands, des médecins et des apothicaires ont probablement réalisé le potentiel commercial d'un bois qui porterait le même nom que le bois servant de remède bien connu contre la syphilis. Que signifie Belon lorsqu'il affirme que ce soi-disant bois de vie a été grandement nuisible? Il n'y a aucune évidence que des décoctions de bois de pin blanc soient toxiques. Par contre, selon Ernest Small et d'autres, «le bois, la sciure et la résine peuvent causer des dermatites, de l'asthme allergique et des rhinites chez certaines personnes». On ne sait pas si Belon décrit de tels effets nuisibles. Se peut-il que Belon décrive plutôt les effets nocifs d'un autre bois (arbre) de vie, comme le thuya occidental qui contient de la thuyone potentiellement toxique à concentrations élevées? On ne peut évidemment pas répondre de façon concluante aux questions précédentes. Le ton de Belon au sujet de cette dénonciation est surprenant. Y aurait-il des intérêts commerciaux sous-jacents à protéger? Cette question demeure aussi sans réponse.

L'abandon de la *Chinna*

Cette *Chinna* peut correspondre à diverses espèces de salsepareille (*Smilax* sp.). La racine des salsepareilles exotiques était devenue populaire à cause de sa réputation thérapeutique, de sa nouveauté et de sa provenance étrangère. Il y a cependant toujours à cette époque des personnes qui résistent fortement

aux nouveautés médicinales asiatiques ou américaines. Pour certains praticiens de la médecine, il faut privilégier les remèdes végétaux européens éprouvés de longue date. Il faut surtout éviter la mode passagère des plantes étrangères qui n'ont pas subi le test du temps et qui, par surcroît, n'ont pas été décrites par les Anciens. La référence à la Chine ne signifie pas nécessairement que ce médicament provient de la Chine. Il peut provenir de l'Amérique et remplacer le produit chinois.

L'usage de la salsepareille du Portugal

Il est étonnant que Belon réfère à la salsepareille du Portugal, alors que l'Espagne est le plus grand pays importateur. Pour Belon, cette espèce est possiblement une autre espèce de salsepareille (*Smilax medica* ou *officinalis* ou une autre espèce). En fait, depuis environ 1545, l'Espagne importe la *zarzaparilla* de ses colonies du Nouveau Monde parce qu'il s'agit d'une racine recommandée, entre autres maladies, pour le traitement de la syphilis. Encore la syphilis! Les commentaires négatifs de Belon sur la salsepareille ne semblent pas avoir produit un impact majeur sur le commerce de cette plante. Ainsi, entre 1568 et 1618, on répertorie 670 tonnes de salsepareille qui ont transité par le port de Séville en Espagne. Selon Huguet-Termes, ce tonnage correspond à environ 7 500 000 doses médicinales. La médecine européenne ne semble pas avoir tenu compte de l'opinion de Pierre Belon.

Nicolas Monardes rapporte en 1565 l'efficacité de trois plantes du Nouveau Monde (*Guaiacum, Chinna* et *Salsaparilla*) pour combattre la nouvelle maladie vénérienne issue de l'Amérique. Une approche thérapeutique de l'époque est basée sur la prémisse que les plantes américaines constituent les médecines appropriées pour combattre une maladie originaire de la même région. Selon cette conception, le Créateur fournit les plantes guérisseuses sur les territoires d'origine des maladies.

La très grande influence subséquente du pin blanc

Le pin blanc n'est jamais devenu une espèce médicinale antivénérienne d'intérêt commercial. Cet arbre

La salsepareille en Amérique du Nord

Depuis le début du XVIᵉ siècle, la salsepareille d'Amérique est associée aux colonies espagnoles. En 1597, l'Anglais John Gerard (1545-1612) révèle que John White (vers 1540-vers 1593) en a trouvé de grandes quantités en Virginie. Cet observateur ne se souvient cependant pas des fleurs et des fruits de cette espèce médicinale de grande valeur. Cela ne semble pas dramatique, car ce sont les racines qui sont vendues comme médicament. En 1610, l'engouement pour cette racine ne se dément pas en Angleterre. Sa valeur marchande est de 200 livres sterling par tonne de racines. Il est fort probable que toutes ces racines ne proviennent pas d'une seule et même espèce. L'appât du gain incite les fraudeurs à utiliser diverses racines. La longue racine de l'aralie à tige nue (*Aralia nudicaulis*) a été souvent recommandée comme un substitut à la salsepareille. Cette aralie nord-américaine porte d'ailleurs le nom de salsepareille.

Source : Morgan, Edmund S., «John White and the Sarsaparilla», *The William and Mary Quarterly (Third Series)*, 1957, 14 (3) : 414-417.

a cependant eu beaucoup d'influence sur l'histoire commerciale en Amérique du Nord. Il était aussi une espèce très utilisée par les Amérindiens. Voici quelques jalons de l'histoire de la connaissance de ses utilisations.

En 1607, une expédition anglaise arrive à l'embouchure de la rivière Kennebec dans le Maine. On y observe le *pineapple*, c'est-à-dire le pin pomme qui est une sorte de pin portant des cônes. C'est possiblement le pin blanc, car on trouve plus tard dans le Maine le terme *applepine* pour décrire le pin blanc. On utilise aussi dans le Maine les expressions *pumpkin pine* et *sapling pine* pour nommer le pin blanc. Le botaniste français François-André Michaux (1770-1855) traduit ces trois noms comme étant le

«pin pomme», le «pin potiron» et le «pin baliveau». L'expression *pin pomme* réfère possiblement à la caractéristique de ce bois blanc facile à couper dans tous les sens, comme une pomme à chair molle.

Le premier moulin à scie dans les colonies anglaises nord-américaines est possiblement celui des chutes de Newichewannock sur la rivière Piscataqua près de Portsmouth au New Hampshire. Dans l'état voisin du Maine, on compte déjà 24 moulins à scie en 1682. Le bois de pin blanc se prête particulièrement bien au sciage mécanique. Le bois est surtout abattu en hiver pour bénéficier du transport sur les rivières gelées. De plus, les arbres coupés en hiver ne contiennent pas la sève printanière qui nuit à la conservation des essences.

Un canot amérindien en pin blanc fabriqué vers 1557

Durant l'été 2003, deux promeneurs sur la plage de Pointe-à-Barreau près de Val-Comeau au Nouveau-Brunswick découvrent, après une tempête, une structure de bois ressemblant à une pirogue. Des analyses confirment qu'il s'agit d'une grosse pièce de pin blanc de 4,81 m de longueur sculptée en forme de canot avec des outils en pierre. Une étude dendrochronologique conclut que le pin blanc a été abattu vers 1557. Il est donc vraisemblable que les Micmacs aient fabriqué ce type d'embarcation bien avant l'arrivée des Européens en Acadie. Cet artéfact fait maintenant partie de la collection du Musée du Nouveau-Brunswick à Saint-Jean.

Source : Pickard, Felicia, et autres, «Using dendrochronology to date the Val Comeau canoe, New Brunswick and developing an eastern white pine chronology in the Canadian Maritimes», *Dendrochronologia*, 2011, 29 (1) : 3-8.

White Pine.
Pinus Strobus.

Des caractéristiques du pin blanc. Le pin blanc (*Pinus strobus*) présente des feuilles allongées en forme d'aiguilles réunies par cinq à la base. Ce pin produit de longs cônes un peu arqués pouvant atteindre une vingtaine de centimètres. Les cônes portent des graines ailées.

Louis Nicolas, qui a séjourné en Nouvelle-France de 1664 à 1675, écrit que le «pin bâtard blanc» est celui dont «on peut faire aisément, tous les ouvrages nécessaires pour la bâtisse et pour l'ornement des maisons. On fait dcs poutres qui portent plus de 20 pouces carrés et plus de 50 ou 60 pieds de long… car presque toutes les maisons des champs que les Européens habitent sont de bois, depuis le fondement jusqu'au plus haut du toit». Nicolas décrit d'autres utilisations du pin blanc, comme l'usage du *pikieu* épilatoire et d'un mastic assurant l'étanchéité des canots d'écorce. Nicolas ajoute que l'écorce du pin blanc sert à allumer «un feu de capitaine», c'est-à-dire un «beau feu clair», selon les Amérindiens. Ces derniers fabriquent «divers ustensiles» et des «chaudières où ils font bouillir les viandes». Dans ces chaudières, «ils jettent de gros cailloux rougis au feu».

En 1664, Pierre Boucher indique que «les lieux où ils [les pins] naissent sont appelés Pinières». John Josselyn (vers 1608-1675) énumère en 1672 certaines propriétés du *board pine* de la Nouvelle-Angleterre. Ce pin de deux ou trois brasses de circonférence est le pin blanc. On extrait une térébenthine pour le traitement des blessures difficiles à guérir. Les Amérindiens traitent d'abord les brûlures avec une décoction forte d'aulne suivie d'une couche mince de l'écorce de pin bouillie et concassée entre deux pierres. On recouvre ensuite l'écorce de pin avec de l'huile de phoque. Josselyn décrit la guérison d'une grave blessure du pêcheur Christopher Luxe effectuée par une Amérindienne. À l'occasion, la guérisseuse utilise l'écorce de mélèze plutôt que celle du pin.

En 1674, Josselyn publie un second récit de ses deux séjours en Nouvelle-Angleterre en 1638-1639 et de 1663 à 1671. Il ajoute des détails sur le pin blanc. Les Anglais font de gros canots de vingt pieds de longueur et de deux pieds et demi de largeur en vidant le tronc des gros pins. Il précise que l'écorce interne du pin est utilisée pour soigner les brûlures. On fait bouillir cette écorce jusqu'à ce qu'elle devienne comme une gelée. La térébenthine de ce pin a toutes les propriétés que possède la térébenthine de Venise et la résine solide brûlée est aussi bonne que l'encens. La poudre des aiguilles séchées régénère la peau et l'eau distillée des cônes verts fait disparaître les rides du visage.

Selon certains dictionnaires, le nom iroquois du pin blanc est *ohnetta* ou *ohneta*. En 1882, le Sulpicien Jean-André Cuoq (1821-1898) publie un lexique iroquois. Pour cet auteur, le mot *ohneta* signifie «pin, poix, gomme, résine, encens et cire d'abeilles». D'autres auteurs ont interprété que le mot iroquois correspondrait à l'*annedda* des Iroquoiens au temps de Jacques Cartier. Par contre, le dernier récit de Cartier présente cet arbre comme étant moins haut que l'arbre le plus élevé qu'est le pin blanc. De

John Josselyn et la masculinité des plantes nord-américaines

John Josselyn fournit dans ses publications de 1672 et de 1674 des informations inédites sur les végétaux et leurs usages en Nouvelle-Angleterre tant par les Anglais que par les Amérindiens. Ces deux livres constituent la meilleure source d'informations botaniques et ethnobotaniques qui provient de la Nouvelle-Angleterre au XVIIᵉ siècle. Josselyn est plutôt élogieux quant aux plantes de cette région. Elles se comparent à la flore de n'importe quel pays d'Europe en ce qui concerne la diversité, la beauté et les vertus. Elles sont cependant généralement d'une vertu plus masculine que les mêmes espèces retrouvées en Angleterre. Heureusement, cela ne semble pas les affecter trop négativement en ce qui a trait à leurs propriétés médicinales. Il est difficile de cerner de façon précise les caractéristiques plus masculines des plantes américaines. À l'occasion, elles semblent d'apparence plus grossière et leurs fleurs sont peut-être moins élégantes qu'en Europe.

Sources: Sumner, Judith, *American Household Botany. A history of useful plants 1620-1900*, Portland, Oregon, Timber Press, 2004. Josselyn, John, *Account of two voyages to New-England made during the years 1638, 1663*, Londres, 1674. Disponible au www.americanjourneys.org/aj-107/.

plus, d'autres conifères ont un nom qui ressemble beaucoup à celui du pin blanc. Par exemple, William Martin Beauchamp (1830-1925) rapporte que le nom de la pruche est *o-ne-tah* chez les Onondagas, une nation iroquoise de l'État de New York.

On rapporte le plus souvent que l'appellation anglaise *pin de Weymouth* tient son origine de Lord Weymouth, qui a planté des pins blancs dans son domaine à Longleat, en Angleterre. Certains pins plantés en 1705 ont survécu jusqu'en 1856. Il faut cependant ajouter que ce nom est peut-être aussi en lien avec l'explorateur George Waymouth, qui a sillonné la côte est américaine en 1605 et qui a certainement observé ces grands arbres majestueux.

Durant ses voyages de 1720 à 1722 en Amérique française, François-Xavier de Charlevoix observe les « bois du Canada, au milieu des plus grandes forêts du Monde ». Certains pins blancs « jettent aux extrémités les plus hautes une espèce de Champignon semblable à du Tondre, que les Habitants appellent Guarigue et dont les Sauvages se servent avec succès contre les Maux de Poitrine et contre la Dysenterie ». Ce texte est calqué sur celui de Gédéon de Catalogne (1662-1729) datant de 1712. Il semble y avoir une confusion quant au champignon ressemblant au « Tondre ». Ce mot réfère à des champignons du type des polypores poussant sur les troncs d'arbres ou sur les branches. À l'époque, le tondre séché fournit un matériau qui prend feu facilement. Le terme *garrigue* réfère généralement aux terres recouvertes de buissons. Par extension, ce terme décrit peut-être des malformations pathologiques comme les balais de sorcière ressemblant à des petits buissons au travers des branches normales. Le texte ne permet pas de distinguer si les Amérindiens utilisent des champignons du tronc ou des « balais de sorcière ». Dans les deux cas, cependant, il s'agit de structures induites par un agent pathogène.

De 1739 à 1759, les autorités de la Nouvelle-France font exploiter les pinières des abords du lac Champlain pour construire des navires aux chantiers royaux de Québec. En 1751, Pehr Kalm spécifie que la plupart des mâts des bateaux anglais sont faits de bois de pin blanc. On fabrique des bateaux plats et des bateaux creusés avec ce pin, qui fournit aussi des bardeaux de toiture. De plus, sa résine est utilisée pour soigner les brûlures. On croit relire les propos

de John Josselyn un siècle auparavant. Les patriotes américains combattent pour l'indépendance de leur pays en 1776. Selon certains auteurs, l'un des plus vieux symboles de l'union des Treize colonies est le pin blanc. On le retrouve sur des drapeaux patriotiques en rappelant que plusieurs décrets royaux anglais avaient réservé ces grands arbres pour les mâts de la Marine royale anglaise.

En l'année 1810 à Québec, on estime qu'au moins 500 des 661 navires quittant le port sont chargés de pin blanc. À la même époque, le botaniste François-André Michaux rapporte qu'il y a environ 500 000 maisons construites en pin blanc dans les états américains du Nord. Les poutres principales des églises et d'autres grands édifices proviennent aussi du pin blanc. Les sculptures de proues des navires sont produites avec une variété de pin blanc dénommée le pin potiron (*pumpkin pine*). C'est le bois réservé pour les grands mâts des navires. Le plus beau bois de pin blanc se trouve dans le Maine, particulièrement autour de la rivière Kennebec.

Michaux rappelle qu'en 1711 et en 1721, l'Angleterre promulgue des lois prohibant la coupe des pins blancs sur les terres de la Couronne entre le nord de la Nouvelle-Écosse et le New Jersey. Il observe que le pin au nord de Ticonderoga est transporté à Québec. Les bardeaux de pin ont habituellement 18 pouces de longueur et 3 ou 6 pouces de largeur. En 1807, le prix pour 1 000 bardeaux est de trois dollars. Ces bardeaux durent de 10 à 15 ans et ils sont exportés aux Antilles. En 1807, l'Angleterre importe du bois américain pour plus de 1 300 000 dollars. Le pin blanc représente un cinquième des importations anglaises. Michaux propose une hypothèse sur l'origine de l'expression *pin potiron*, ou *pumpkin pine*. Selon lui, le pin blanc se coupe dans toutes les directions comme le potiron. Michaux observe que le pin blanc tient mal les clous et qu'il gonfle durant les périodes d'humidité. Il constate aussi que le pin blanc pousse mieux en Belgique que dans les environs de Paris. Il semble mieux adapté pour le Rhin, les Alpes, les Pyrénées, la Pologne et la Russie.

Entre 1815 et 1860, grâce aux ressources forestières et surtout aux pins, Québec est le troisième plus important chantier de construction navale en Amérique. En 1847, le professeur H. Croft publie une étude sur les pluies soufrées à Toronto. Il explique que ces pluies solides de couleur soufrée proviennent surtout des grains de pollen du pin blanc et du pin rouge. En 1867, selon l'abbé Ovide Brunet, le pin blanc se vend 12 sous le pied cube à Québec. Il est moins dispendieux que le pin rouge à 20 sous et que le cèdre à 15 sous. Il existe une variété très recherchée connue sous le nom de *pin jaune*.

Entre 1916 et 1965, l'écorce interne du pin blanc fait partie des substances médicinales reconnues dans le *National Formulary* aux États-Unis. Elle contient des tannins, une oléorésine, du mucilage et plusieurs autres substances physiologiquement actives. Louis-Philippe Audet (1903-1981) résume en 1949 l'apport économique majeur du pin blanc au Québec. Le «roi de nos forêts» a cependant perdu beaucoup de terrain. «Des 450 milliards de pieds de pin blanc que nous avions autrefois, c'est à peine s'il en subsiste encore 25 milliards de pieds d'une valeur d'environ cent millions de dollars». Il faut donc investir dans le reboisement. En 35 ans, les pins peuvent atteindre 40 à 50 pieds de hauteur. L'écorce imbibée de térébenthine est utilisée par la médecine populaire contre les brûlures et nos ancêtres déposaient les «cocottes» dans le lait pour leur propriété tonique. Audet ne comprend pas la logique qui a poussé Linné à nommer cette espèce *Strobus*. Ce mot réfère à un arbre de Perse recherché pour son encens. Selon Audet, on aurait dû l'appeler *alba*, c'est-à-dire «blanc». C'est aussi l'opinion de Marie-Victorin, qui condamne en 1935 «la bourde que commit Linné en fabriquant le binôme absurde et intraduisible de *Pinus Strobus*».

En 1950, Donald Culross Peattie (1898-1964) publie un livre qui devient un classique de la littérature historique sur les arbres d'Amérique. Pour le pin blanc, il conclut qu'aucun autre arbre d'Amérique n'a eu un impact aussi important. Cet arbre a créé des fortunes et des villes. En 1605, le capitaine anglais George Waymouth explore les rivières du Maine. Il rapporte en Angleterre des échantillons de bois et de semences. Elles sont semées à Longleat sur le domaine de Thomas Weymouth, le second Marquis de Bath. Pour Peattie, c'est l'origine du nom *pin de Weymouth*. Le pin blanc est une mine d'or pour les colons d'Amérique. Le premier moulin de sciage américain est établi vers 1623 à York, dans le Maine. La famille Wentworth du New Hampshire bâtit une

fortune en vendant des mâts pour 100 livres la pièce. Le pin blanc est aussi exporté en retour du sucre et du rhum des Antilles. Peu d'historiens mentionnent que le pin blanc a été dans le New Hampshire et le Maine un facteur économique et psychologique menant à la Révolution américaine. John Wentworth, le baron du pin blanc au New Hampshire, avait été nommé l'autorité suprême de la Marine anglaise pour marquer du sceau royal les arbres strictement réservés pour la Marine. Les colons sont alors très frustrés et ils coupent même plusieurs de ces pins en faisant disparaître le sceau sculpté. En 1761, la Couronne anglaise réagit et promulgue par ordonnance que les pins de deux pieds de diamètre lui sont uniquement réservés. En 1774, le Congrès américain cesse toute exportation vers l'Angleterre, incluant celle du pin blanc. Vers 1900, il n'y a plus de réserves majeures de pin blanc en Amérique du Nord, à l'exception des Appalaches du Sud. Certains propos de Peattie sont possiblement inexacts. Il n'y a pas d'évidence que George Waymouth ait rapporté des semences utilisées par la suite à Longleat par Thomas Weymouth. Certains contestent aussi que le premier moulin à sciage ait été établi vers 1623 à York dans le Maine.

Dans un manuel scolaire botanique du Québec de 1959 rédigé par le vulgarisateur scientifique Fernand Séguin (1922-1988) et Auray Blain, on rapporte que le pin blanc est l'arbre canadien qui a joué le plus grand rôle économique. Dès 1646, les Jésuites l'exploitent au Cap-de-la-Madeleine. L'intendant Jean Talon fait sa promotion en Nouvelle-France de 1665 à 1672 pour la construction des mâts de navires. En 1676, Jean-Baptiste Peuvret obtient le privilège unique de scier les planches de pin le long du Saint-Laurent. Il fait fortune. Vers 1713, on compte une dizaine de moulins à scie en Nouvelle-France. En 1734, il y en a déjà 52.

La synthèse ethnobotanique canadienne de Thor Arnason et ses collaborateurs décrit les usages amérindiens des végétaux. Cette étude révèle que la gomme de pin blanc est utilisée à diverses fins médicinales. On la mélange avec des graisses pour en faire un onguent anti-inflammatoire. On croit relire la préparation du *pikieu* décrit par Louis Nicolas au XVIIe siècle. En 1984, la province de l'Ontario promulgue que le pin blanc est son emblème

Un pin blanc champion en Outaouais

La région de l'Outaouais a longtemps été réputée pour ses magnifiques pinières de pin blanc. Leur exploitation commerciale a connu son apogée au XIXe siècle. Il reste cependant quelques sites majestueux connus par quelques initiés, comme l'ingénieur forestier Pierre Landry (1928-2007), qui fut également un excellent botaniste. Ce dernier découvre en 1996 à Chelsea, dans la vallée de la Gatineau, un petit coin enchanteur aux allures de cathédrale, avec sa trentaine de pins blancs impressionnants. L'un d'eux devient alors le champion du Québec avec ses 40,1 m de hauteur. En 2000, Pierre Landry le mesure à 40,5 m, ce qui correspond à un accroissement moyen de 0,1 m par année. Seulement deux autres pins blancs canadiens le surpassent à 43 m et à 45,1 m dans le comté d'Haliburton en Ontario. Au début des années 2000, on rapporte que le plus grand pin blanc de l'est de l'Amérique se trouve au Michigan et atteint 61,3 m.

À Chelsea, des conditions particulières favorisent la croissance de ces pins : un sol alluvial riche et profond, une protection des vents dominants et une bonne gestion du propriétaire du boisé, Hydro-Québec, qui a laissé cette pinière intacte depuis 1935. Même l'érablière adjacente bénéficie de ces conditions propices en possédant d'autres champions en hauteur. Pierre Landry y a mesuré un tilleul à 37,2 m et un hêtre à 33,1 m. Dans le cas de ces feuillus, le verglas de 1998 a laissé des séquelles, alors que la foudre continue sans cesse d'étêter les plus grands pins tout en laissant des traces noirâtres sur les troncs élancés.

Source : Landry, Pierre, «Very tall trees found at Chelsea, Quebec», *Trail and Landscape*, 2001, 35 (2) : 99-103.

arboricole. Cette espèce est le plus grand arbre de l'est du Canada et du nord-est des États-Unis. Il a été introduit dans plusieurs régions européennes où il pousse maintenant, comme en Pologne et en République tchèque.

En 1999, Ann Delwaide et Louise Filion publient une étude d'une dendrosérie de pin blanc couvrant la période entre 1470 et 1987. L'analyse de cette série dendrochronologique a été rendue possible grâce à l'utilisation d'arbres fossiles de Charlevoix ensevelis lors du séisme de 1663. La moyenne de la largeur des cernes de croissance annuelle est de 1,21 mm comparativement à 0,53 mm pour la pruche. Pour le pin blanc, des anneaux très étroits se retrouvent en 1538, en 1544, en 1580, en 1602, en 1614, en 1632, en 1667, en 1676, en 1687, en 1755, en 1781, en 1800, en 1820 et en 1841. L'étroitesse de ces cernes trahit une faible croissance.

Glen Blouin publie en 2001 un guide éclectique sur les arbres à l'est des Rocheuses. Il rappelle que 23 000 mâts de pin blanc ont été transportés de Québec en Angleterre pendant la seule année de 1811. À cette époque, Québec est le plus important port de transport de bois au monde. Ces mâts sont issus d'arbres de 120 pieds de longueur et de 4 pieds de diamètre. En 1871, le premier ministre John A. Macdonald écrit au premier ministre de l'Ontario pour lui signifier qu'on détruit allègrement cette ressource forestière. Quarante ans plus tard, il n'y a presque plus de majestueux pins blancs de chaque côté des 400 miles bordant la rivière des Outaouais et ses tributaires. En 1875, Henri Gustave Joly de Lotbinière (1829-1908) dénonce aussi la surexploitation des forêts. Cet avocat et politicien est l'un des rares écologistes de son époque à dénoncer l'absence d'aménagement des forêts canadiennes. Originaire de France, il était venu au Québec pour pratiquer le droit et s'occuper de la seigneurie familiale octroyée anciennement par Louis XIV à l'un de ses ancêtres. Il sera premier ministre libéral pendant un an au Québec. Dans le comté qui porte son nom, il tente de pratiquer une foresterie moderne basée sur l'aménagement des ressources et il crée l'une des premières plantations canadiennes.

Sources

Arnason, Thor, et autres, « Use of plants for food and medicine by Native Peoples of eastern Canada », *Canadian Journal of Botany*, 1981, 59 : 2189-2325.

Audet, Louis-Philippe, *Le Chant de la Forêt*, Québec, Éditions de l'érable, 1949.

Beauchamp, William Martin, *Indian names in New York, with a selection from other states, and some Onondaga names of plants, Etc.*, Fayetteville, New York, Printed by H. C. Beauchamp, 1893. Disponible au http://digital.library.cornell.edu/.

Blouin, Glen, *An eclectic guide to trees east of the Rockies*, Ontario, The Boston Mills Press, 2001.

Brunet, Ovide l'abbé, *Catalogue des végétaux ligneux du Canada pour servir à l'intelligence des collections de bois économiques envoyées à l'Exposition universelle de Paris, 1867*, Québec, C. Darveau, Imprimeurs-Éditeurs, 1867.

Burrage, Henry S. (editor), *Early English and French voyages, Chiefly from Hakluyt, 1534-1608*, New York, Charles Scribner's Sons, 1906, p. 355-394. Rosier, James. True Relation of Waymouth's Voyage, 1605. Disponible au www.americanjourneys.org/aj-041/.

Burrage, Henry S. (ed.), *Early English and French voyages, Chiefly from Hakluyt, 1534-1608*, New York, Charles Scribner's Sons, 1906, p. 397-419. Relation of a voyage to Sagadahoc 1607-1608. Disponible au www.americanjourneys.org/aj-042/.

Charlevoix, François-Xavier de, *Journal d'un voyage fait par ordre du roi dans l'Amérique septentrionale*, [Édition critique par Pierre Berthiaume], deux tomes, Montréal, Les Presses de l'Université de Montréal, 1994.

Chaumeton, François-Pierre, *Flore médicale. Volume IV. Gayac*, 1817, p. 34-38. Disponible à la Bibliothèque numérique Medic@ au www2.biusante.parisdescartes.fr.

Crié, Louis, « Pierre Belon et l'horticulture », dans Morren, Edouard, « Pierre Belon du Mans 1517-1564 », *Extrait de La Belgique Horticole 1885*, Liège, 1885.

Croft, H., « Sulphur rains », *The British American Journal of Medical and Physical Science*, 1847, 3 (7) : 171.

Cuoq, Jean-André, *Lexique de la langue iroquoise avec notes et appendices*, Montréal, J. Chapleau & Fils, Imprimeurs-Éditeurs, 1882. Disponible au http://www.canadiana.ca.

Delwaide, Ann et Louise Filion, « Dendroséries du pin blanc et de la pruche de l'est dans la région de Québec », *Géographie physique et Quaternaire*, 1999, 53 (2) : 265-275.

Ewan, Joseph, « Resources in Colonial America », *Environmental Review*, 1976, 1 (2) : 44-55.

Forman, Benno M., « Mill Sawing in Seventeenth-Century Massachusetts », *Old Time New England*, LX (Spring 1970) : 110-130.

Gagnon, François-Marc, et autres, *The Codex Canadensis and the Writings of Louis Nicolas. The natural history of the New World. Histoire naturelle des Indes Occidentales*, Montréal et Kingston, Gilcrease Museum et McGill-Queen's University Press, 2011.

Guillaume, Jean et Catherine Grodecki, « Le jardin des Pins à Fontaine-bleau », *Bulletin de la Société de l'histoire de l'art français*, 1978, 43-51.

Hickel, R., « Un précurseur en dendrologie, Pierre Belon (1517-1564) », *Bulletin de la Société dendrologique de France*, 1924, 51 (15 mai 1924) : 37-75.

Huguet-Termes, Teresa, « New World Materia Medica in Spanish Renaissance Medecine : from scholarly reception to practical impact », *Medical History*, 2001, 45 : 359-376.

Josselyn, John, *New England's Rarities discovered in birds, beasts, fishes, serpents and plants of that country*, Londres, 1672.

Josselyn, John, *Account of two voyages to New-England made during the years 1638, 1663*, Londres, 1674. Disponible au www.americanjourneys.org/aj-107/.

Larsen, Esther Louise, « Pehr Kalm's Short account of the natural position, use, and care of some plants, of which the seeds were recently brought home from North America for the service of those who take pleasure in experimenting with the cultivation of the same in our climate », *Agricultural History*, 1939, 13 (1) : 33-64.

Mackay, Donald, *Un patrimoine en péril. La crise des forêts canadiennes*, Québec, Les Publications du Québec, 1987.

Mathieu, Jacques, *L'Annedda. L'arbre de vie*, Québec, Les éditions du Septentrion, 2009.

McGarvie, Michael et John H. Harvey, « Revd George Harbin and His Memoirs of Gardening 1716-1723 », *Garden History*, 1983, 11 (1) : 6-36.

Michaux, François-André, *Histoire des arbres forestiers de l'Amérique septentrionale, considérés principalement sous les rapports de leur usage dans les arts et de leur introduction dans le commerce*, vol. I, Paris, L. Haussmann et d'Hautel, 1810.

Moore, Mary I., « Eastern White Pine and Eastern White Cedar », *Forestry Chronicle*, 1978, 54 (4) : 222-223.

Morren, Edouard, « Pierre Belon du Mans 1517-1564 », *Extrait de La Belgique Horticole 1885*, Liège, 1885.

Peattie, Donald Culross, *A Natural History of North American Trees*, [Édition 2007], A Frances Tenenbaum Book, Boston, Houghton Mifflin Company, 1950.

Provencher, Jean, *Chronologie du Québec*, Montréal, Boréal, 1991.

Rousseau, Jacques, « Pierre Boucher, naturaliste et géographe », dans *Pierre Boucher, histoire véritable et naturelle... (1664)*, Société historique de Boucherville, 1964, p. 262-400.

Séguin, Fernand et Auray Blain, *Le Monde des Plantes. Botanique*, Montréal, Centre de Psychologie et de Pédagogie, 1959.

Shea, John Gilmary, *Dictionnaire Français-Onontagué*, New York, Cramoisy Press, 1860. Disponible au www.gutenberg.net.

Small, Ernest, et autres, *Emblèmes floraux officiels du Canada. Un trésor de biodiversité*, Ottawa, Travaux publics et Services gouvernementaux Canada en collaboration avec le ministère de l'Agriculture et Agroalimentaire Canada, 2012.

Vogel, Virgil J., *American Indian Medicine*, Oklahoma, University of Oklahoma Press, 1970.

1557, PARIS. UNE RÉCOLTE INCROYABLE DE SÈVE SUCRÉE DE L'ARBRE COUTON

ANDRÉ THEVET (1516-1590), né à Angoulême, fréquente dès l'âge de 10 ans le couvent des Franciscains, c'est-à-dire les Cordeliers. Il est ordonné prêtre et devient prédicateur. Il a cependant peu d'affinité pour la vie monacale. Il est passionné par l'histoire, la géographie et les voyages. Il visite d'abord l'Italie et le Levant. En 1554, il publie un livre sur son périple au Proche-Orient effectué entre 1549 et 1552. En 1555-1556, il est l'aumônier de Nicolas Durand de Villegagnon (1510-1571), qui tente sans succès de fonder une colonie française au Brésil. Ce territoire est convoité par les Français et les Portugais pour ses richesses naturelles, comme le bois rouge du Brésil. Thevet séjourne du 10 novembre 1555 au 31 janvier 1556 près de Rio de Janeiro. Malade et confiné à son bateau, il doit rentrer rapidement en France. Il a cependant colligé des informations sur le pays, ses habitants et ses ressources naturelles.

Thevet rapporte du Brésil des graines de tabac, alors connu sous son nom amérindien, le *petum*. Les Amérindiens Tupinamba brûlent les feuilles séchées de tabac dans un cornet de feuilles enroulées pour en aspirer la fumée. Thevet expérimente la fumée de ces cigares. «Cette fumée cause sueurs et faiblesses, jusqu'à tomber en quelque syncope». Dans sa *Cosmographie universelle* de 1575, il dénonce le fait que cette plante porte maintenant le nom de *nicotiane*. «Je puis me vanter avoir été le premier en France qui a apporté la graine de cette plante et pareillement semé et nommé la dite plante l'Herbe Angoumoisine. Depuis, un quidam qui ne fit jamais le voyage, quelque 10 ans après que je fusse de retour de ce pays, lui donna son nom». Thevet s'insurge ainsi contre Jean Nicot (Jean Villemain, seigneur de Nicot), un ambassadeur français au Portugal, qui expédie vers 1560 du tabac à la cour de France, particulièrement à la reine mère Catherine de Médicis, pour soigner des maux de tête et des migraines. Cette dernière favorise tellement la culture et l'utilisation médicinale de cette plante qu'on propose alors de nommer cette espèce *Caterinaire* ou *Médicée*. Apparemment, le tabac de Nicot aurait soigné efficacement les migraines de plusieurs personnes à la cour. Le mot latin *Nicotiana*, latinisé à partir du nom de famille de Jean Nicot, devient éventuellement le nom scientifique du genre.

Certains historiens suggèrent que Thevet et Nicot ont possiblement introduit deux espèces différentes de tabac. Thevet aurait été le premier à rapporter en France le tabac commun (*Nicotiana tabacum*) du Brésil, alors que Nicot aurait expédié le tabac des paysans, le *Nicotiana rustica* à la cour de France. Les évidences concluantes quant à l'introduction

L'histoire de Jean Nicot et du tabac

L'Anglais John Gerard rapporte dans son livre *Herball*, publié en 1597, que Jean Nicot a fait la connaissance en 1559 d'un surintendant des prisons au Portugal. Cet homme lui fait connaître une plante étrange rapportée de Floride. Nicot sème alors le tabac dans son jardin et il utilise cette espèce à des fins médicinales. Il guérit rapidement son cuisinier qui a le pouce presque complètement coupé de la main. Gerard révèle en détail la recette de l'onguent guérisseur à base de tabac. Une livre de feuilles fraîches broyées est bouillie avec trois onces de résine et de cire. On ajoute ensuite trois onces de térébenthine de Venise et on filtre à l'aide d'un tissu de lin. Ce médicament est conservé dans des pots.

Source: Rohde, Eleanour Sinclair, *The old English herbals*, London, Longmans, Green and Co., 1922.

distincte de ces deux espèces sont malheureusement encore absentes. Charles Linné honore la contribution botanique de Thevet en lui dédiant le nom du genre *Thevetia*.

En 1557, Thevet publie une première édition du compte-rendu de son court voyage au Brésil. *Les Singularitez de la France Antarctique* connaissent un succès d'édition. Thevet décrit certaines plantes d'intérêt comme le manioc, l'ananas et le tabac. Il mentionne aussi l'anthropophagie rituelle des Tupinamba. L'année suivante, il quitte l'ordre franciscain tout en continuant ses activités d'écrivain et de géographe. Il devient l'aumônier de Catherine de Médicis et il est promu « Cosmographe du Roi » pour les Valois sous les règnes de Henri II (1547-1559), de François II (1559-1560), de Charles IX (1560-1574) et de Henri III (1574-1589). En 1584, Thevet fait paraître une encyclopédie historique intitulée *Des vrais portraits et vies des hommes illustres*. Il innove en incluant le portrait de trois femmes célèbres. Thevet décède à Paris, un an après la mort d'Henri III, son dernier protecteur. Au cours de sa vie, Thevet est poursuivi pour plagiat. On lui reproche aussi d'inventer certains faits au sujet de ses voyages et découvertes. Les œuvres de Thevet contiennent en effet à l'occasion des plagiats, des inventions, des exagérations et même des erreurs. Certains propos sont cependant valables et inédits, même s'ils ne sont pas nécessairement de l'auteur. De plus, Thevet a été « garde des singularités » pour les rois et il contribue ainsi à amasser diverses collections d'objets anciens et d'histoire naturelle.

Thevet écrit sur la Nouvelle-France et il prétend en 1557 qu'il est le premier auteur décrivant ce nouveau pays. Il omet, sciemment ou non, la publication en 1545 de la relation du voyage de Jacques Cartier. Pourtant, il déclare connaître très bien « le dit Quartier » qui est « l'un de mes meilleurs amis » et « mon grand et ultime ami ». Thevet a même été « logé en sa maison à Saint-Malo ». Il aurait eu un long entretien de cinq mois avec l'explorateur malouin. Thevet connaît aussi Roberval, qui a tenté sans succès d'installer une colonie au Canada à Cap-Rouge en 1542-1543. Roberval est un « familier » et Thevet a pour ce dernier une « grande amitié ». Thevet prétend avoir visité le Canada. Il décrit même une île portant son nom située près de Terre-Neuve. Il affirme qu'il est le premier « qui y mis le pied entre mes compagnons, qui y descendent avec moi ». Le séjour canadien de Thevet et sa découverte de l'île baptisée de son nom sont de pures fictions. Les échanges d'informations avec Cartier, Roberval et Jean Alfonse sont plus vraisemblables. Généralement, on considère aussi inventé son voyage au Brésil en 1550 avec le pilote normand Guillaume Testu.

Thevet serait le premier à faire connaître les toponymes amérindiens *Thadoyseau* (Tadoussac), *Naticousti* (Anticosti), *Gaspay* (Gaspé) et *Mechsameht* (Miramichi). L'île de Thevet, représentée sur une carte publiée dans le *Grand Insulaire*, ressemble étrangement à l'île d'Anticosti. Il est aussi le premier à rapporter par écrit des particularités de l'eau d'érable canadienne. Il vante tellement cette eau sucrée qu'il la compare au meilleur vin d'Orléans ou de Beaune. Il indique que « le capitaine et autres gentils hommes de sa compagnie, et y recueillirent de ce jus sur l'heure de quatre à cinq grands pots… cet arbre, en leur langue, est appelé *Couton* ». Généralement, on interprète que Thevet décrit la collecte rapide par Jacques Cartier et ses hommes d'un volume substantiel d'eau d'érable fort savoureuse. Selon certains, cette collecte a pu être effectuée au printemps de 1536 (deuxième voyage de Cartier), en 1542 (troisième voyage de Cartier) ou en 1543 (voyage de Roberval et de Jean Alfonse en 1542-1543). La description de la récolte d'eau d'érable est tout à fait dans le style exagéré de Thevet. Sans tenir compte des dimensions des pots, on devine bien qu'une telle coulée de sève est incroyable pour une seule heure de récolte. Malgré les enflures de style, Thevet est le premier à mentionner une récolte d'un grand volume de sève d'érable savoureuse dans des récipients. Une telle récolte laisse supposer la nécessité de très grosses entailles.

Le mot amérindien *couton*

Il n'y a pas de termes iroquois identiques à ce mot pour nommer l'érable à sucre ou les autres essences forestières générant de la sève sucrée. Il y a cependant quelques mots iroquois pouvant se rapprocher de *couton*. Il y a d'abord *ka'on* qui désigne le casseau d'écorce de bouleau pour recueillir l'eau d'érable. Dans sa publication de 1882, l'abbé Jean-André

Cuoq spécifie qu'il est préférable d'utiliser l'apostrophe inversée pour le mot *ka'on* afin de mieux différencier ce terme du mot *cahon*, qui signifie «outarde». Il est possible que des contenants d'écorce de bouleau aient été rapportés en France comme des objets de curiosité par les premiers explorateurs. On a peut-être alors confondu le contenant et le contenu pour ce qui est de la terminologie.

Une autre possibilité d'explication du mot *couton* est que ce mot iroquoien est dérivé ou fait partie d'un autre mot. Le mot iroquois pour le sapin est *otsokhoton*. Le suffixe *khoton* de ce mot explique peut-être le terme *couton*. Les remarques précédentes ne sont évidemment que des hypothèses qui requièrent des évidences supplémentaires. D'autant plus que, selon le dictionnaire de Jean-André Cuoq, le mot iroquois pour l'érable est *wahta*. Le mot algonquin pour le même arbre est *ininatik*, qui signifie «l'arbre par excellence». Une autre piste d'interprétation est celle de Pehr Kalm qui rapporte que l'érable à sucre est nommée *ozekéhta* par les Iroquois. *Couton* et *kéhta* seraient-ils apparentés? Il n'y a malheureusement aucune évidence à ce sujet.

D'autres botanistes ont utilisé le même terme. Ulisse Aldrovandi utilise le mot *coutoa* plutôt que *couton* dans l'expression «*Arbor Coutoa Canadensis*»,

mais il ne fait que répéter les propos de Thevet. Le botaniste Jean Bauhin ajoute dans son livre posthume de 1650-1651 que cet arbre est similaire à un noyer (couton, *Juglandi similis*) et que cet arbre merveilleux du Canada décrit par Thevet rend son suc vineux à la suite d'incisions. Il est difficile d'interpréter la similarité au noyer. La morphologie des feuilles simples de l'érable à sucre est bien différente des feuilles composées des noyers. La seule feuille composée de trois à cinq folioles d'un érable est celle de l'érable à Giguère (*Acer negundo*). Il n'y a pas d'évidence à l'effet que Thevet ait décrit initialement cet érable plutôt que l'érable à sucre. Il faut cependant noter que Louis Nicolas a observé, durant son séjour entre 1664 et 1675, que les Amérindiens recueillent une sève sucrée du frêne blanc (frêne d'Amérique, *Fraxinus americana*). Tout comme le noyer, le frêne a des feuilles composées. Est-ce que les propos de Thevet s'appliquent alors au frêne, au noyer, ou à une autre espèce? Il est impossible de conclure à ce sujet. L'érable à sucre demeure assurément un choix valable compte tenu des rendements décrits par Thevet.

Michel Sarrazin (1659-1735) indique, au début des années 1700, qu'il y a «une espèce de noyer en Canada qui sans neige fournit une espèce de sève

Un amateur de zoophytes et l'arbre *cotoni* des Canadiens

En 1605, Claude Duret (vers 1570-1611), un juriste français et ami d'Olivier de Serres (1539-1619), publie un ouvrage sur les plantes merveilleuses et miraculeuses. Duret est particulièrement intéressé par les zoophytes qui, en plus de leurs propriétés végétales et animales, auraient une tierce nature mystérieuse. Apparemment, le terme *zoophyte* aurait été employé en français pour la première fois en 1546 par François Rabelais. Aujourd'hui, ces créatures spéciales ne correspondent qu'à des descriptions erronées et anthropomorphiques de certains végétaux.

Cependant, Duret rapporte des informations d'intérêt historique. Au sujet du Canada, il indique que ses habitants, les «Canade(i)ens», nomment un arbre *cotoni*. Cet arbre est de la grosseur d'un gros noyer d'Europe. Des navigateurs portugais et espagnols ont écrit que, voulant couper cet arbre, ils ont vu «sortir une liqueur en quantité» dont la saveur égale «la bonté du goût du vin». Les Portugais et les Espagnols auraient donc découvert cette propriété de l'arbre «longtemps inutile, et sans aucun profit» pour les Canadiens. Duret conclut sur le *cotoni* en mentionnant que Jacques Cartier et André Thevet confirment ses propos sur cette liqueur.

Source: Duret, Claude, *Histoire admirable des plantes et herbes esmerveillables & miraculeuses en nature…*, Paris, N. Buon, 1605, p. 217-218. Disponible au http://gallica.bnf.fr/.

épaisse comme du sirop et aussi sucrée, mais c'est en petite quantité ». En 1712, Gédéon de Catalogne écrit aussi qu'une espèce de noyer fournit une eau sucrée en très petite quantité. Cette espèce de noyer est probablement le caryer cordiforme (*Carya cordiformis*). Quelques décennies plus tard, Pehr Kalm rapporte que quelques habitants à Albany et

au Canada font du sucre à partir de la sève sucrée d'une espèce correspondant au caryer cordiforme. Ce sucre serait très doux, mais les rendements de sève sont très faibles.

Enfin, faut-il être suspect quant à l'origine amérindienne du mot *couton* tel que rapporté par Thevet en 1557 ? Dans une publication de 1575, il utilise alors le terme *cotony*, qui ressemble étrangement au mot *cotonnier*. Malgré ces imprécisions terminologiques, Thevet a au moins le mérite de décrire une récolte impressionnante de sève sucrée.

Deux espèces d'érable du Canada distinctes de l'érable à sucre. L'érable à sucre (*Acer saccharum*) n'est pas la seule espèce dont on obtient de la sève sucrée. À l'époque de la Nouvelle-France, on connaît bien aussi la sève de la « plaine ». Cette espèce est l'érable rouge (*Acer rubrum*) dont la feuille est au bas de l'illustration. D'autres espèces, comme l'érable de Pennsylvanie (*Acer pensylvanicum*), correspondant à la feuille du haut, ne fournissent pas de sève abondante justifiant une récolte.

Source : Duhamel du Monceau, Henri-Louis, *Traité des arbres et arbustes qui se cultivent en France en pleine terre*, tome I, Paris, 1755, planche 12.

La controverse à propos de l'origine de la fabrication du sucre d'érable

Les premiers récits concernant la collecte de la sève d'érable ne révèlent rien sur le sucre d'érable obtenu par un traitement à la chaleur ou au froid. Deux interprétations différentes s'affrontent depuis la fin du XIXᵉ siècle. D'une part, des historiens soutiennent que les Amérindiens n'ont pas le savoir pour transformer la sève en sucre. À l'inverse, d'autres prétendent que ces derniers possèdent depuis très longtemps cette technique. Les défenseurs de l'origine européenne de la fabrication du sucre d'érable font remarquer que les premiers textes sur l'eau d'érable ne décrivent jamais la conversion en sucre. Cet état de la matière aurait dû attirer l'attention des observateurs qui auraient eu le réflexe de rapporter cette transformation spectaculaire. Pour eux, le silence des premiers écrits trahit l'absence du savoir amérindien quant à cette technique.

Les partisans de l'origine amérindienne tentent de présenter des textes qui réfèrent directement à cette conversion de la sève en sucre. Malheureusement, les textes les plus anciens apparaissent au moment de la maîtrise européenne de cette technique. On interprète donc que les Européens ont bonifié la connaissance amérindienne pour permettre la production du sucre. Les chaudrons métalliques européens auraient donc influencé la maîtrise de la transformation efficace du sirop en sucre.

Une polémique encore vivante

Dès 1890-1891, les protagonistes s'affrontent plutôt vigoureusement. La bataille reprend durant les années

1930. Les décennies 1970 et 1980 n'échappent pas au débat qui ne s'éteint pas et qui devient même parfois acrimonieux. En 1744, l'historien François-Xavier de Charlevoix est certain que les Amérindiens ignorent depuis toujours l'art de la fabrication du sucre d'érable. Des historiens canadiens, comme Lucien Campeau (1914-2003), soutiennent fortement l'interprétation de Charlevoix.

Les archéologues interprètent de façon différente la fonction de sites amérindiens associés à la préparation du sucre d'érable. Certains concluent qu'il s'agit plutôt de sites de préparation du sirop plutôt que du sucre. D'autres chercheurs, comme Marius Barbeau (1883-1969), se prononcent en faveur de l'origine amérindienne de la connaissance du sucre d'érable. Certains arguments semblent convaincants, mais ils demeurent indirects. L'absence de preuve historique écrite donne toujours place à des interprétations divergentes. Virgil J. Vogel (1918-1994) accuse les partisans de la thèse européenne d'occulter les contributions culturelles amérindiennes. Il rappelle qu'il y a même eu au XXᵉ siècle un débat à savoir si le maïs est une création amérindienne ou non. Il dénonce le peu de reconnaissance envers les contributions amérindiennes à la société moderne. Il se range du côté du missionnaire Joseph-François Lafitau, qui observe que les Européens ont beaucoup à apprendre des Amérindiens. Vogel donne trois exemples de manque de reconnaissance envers les Amérindiens. On passe sous silence leurs contributions à la connaissance des plantes médicinales, du sucre d'érable et de certains engrais agricoles.

Il faut convenir que les preuves finales historiques ou archéologiques sont manquantes. Cependant, cela ne justifie pas de conclure que les Amérindiens ignorent la transformation ultime de la sève en sucre. Il est difficile d'imaginer que ces derniers n'aient jamais observé cette transformation par la chaleur ou le froid. L'utilisation quotidienne du feu et de divers contenants pour la préparation de la nourriture a possiblement fourni de nombreuses occasions de découverte du phénomène. La cristallisation du sucre à partir de la sève a fort probablement été décelée par les Amérindiens. Leur sens aigu de l'observation est d'ailleurs constamment sollicité pour leur survie. Il est très difficile d'imaginer que ce phénomène leur ait échappé.

V. Havard rapporte, en 1896, que la manière primitive des Amérindiens pour produire le sucre d'érable implique l'utilisation de pierres chaudes dans le sirop ou la congélation du sirop dans des bassins peu profonds. Après la congélation, on enlève la glace qui s'est séparée du sucre.

Par contre, les Amérindiens n'ont peut-être pas rapidement utilisé certaines variantes technologiques européennes. Souhaitons que la recherche historique et archéologique révèle de nouvelles évidences au sujet de cette controverse persistante.

Sources

Aldrovandi, Ulisse, *Dendrologiae naturalis scilicet arborum historiae*, Bologne, 1668. Disponible à la bibliothèque numérique du Jardin botanique royal de Madrid au http://bibdigital.rjb.csic.es/spa/.

Barbeau, Marius, « Maple sugar : its native origin », *Transactions of the Royal Society of Canada*, 1946, Third series, section II, volume XL : 75-86.

Bauhin, Jean, *Historiae plantarum universalis*, tome I, 1650-1651. Disponible au http://gallica.bnf.fr/.

Cantacuzème, J. M., « Frère André Thevet. Grand voyageur, Cosmographe royal et Auteur échevelé », *Biblos*, 1939, 15 : 31-38.

Crawford, Gary W. et David G. Smith, « Paleoethnobotany in the Northeast », *People and Plants in Ancient Eastern North America, edited by Paul Minnis*, Washington, Smithsonian Books, 2003, p. 172-257.

Cuoq, Jean-André, *Lexique de la langue iroquoise avec notes et appendices*, Montréal, J. Chapleau & Fils, Imprimeurs-Éditeurs, 1882. Disponible au http://www.canadiana.ca.

Havard, V., « Drink Plants of the North American Indians », *Bulletin of the Torrey Botanical Club*, 1896, 23 (2) : 33-46.

Keller, R. H., « America's Native Sweet : Chippewa Treaties and the Right to Harvest Maple Sugar », *American Indian Quarterly*, 1989, 13 (2) : 117-135.

Lestringant, Frank, « Nouvelle-France et fiction cosmographique dans l'œuvre d'André Thevet », *Études littéraires*, 1977, 10 (1-2) : 145-173.

Lestringant, Frank, « L'Histoire d'André Thevet, de deux voyages par luy faits dans les Indes Australes et Occidentales (circa 1588) », *Colloque international « Voyageurs et images du Brésil »*, MSH-Paris, le 10 décembre 2003, Paris.

Litalien, Raymonde et Denis Vaugeois, *Champlain. La naissance de l'Amérique française*, Les éditions du Septentrion (Québec) et Nouveau Monde éditions (Paris), 2004.

Mason, Carol I., « Maple Sugaring Again ; or The Dog That Did Nothing in the Night », *Canadian Journal of Archaeology*, 1987, 11 : 99-108.

Métraux, Alfred, « Un chapitre inédit du cosmographe André Thevet sur la géographie et l'ethnographie du Brésil », *Journal de la Société des Américanistes*, 1933, 25 (1) : 31-40.

Pendergast, James F., *The origin of maple sugar*, Ottawa, National Museum of Natural Sciences, Publication n° 36, 1982.

Schlesinger, Roger et Arthur P. Stabler, *André Thevet's North America : A Sixteenth-Century View*, Kingston et Montréal, McGill-Queen's University Press, 1986.

Vogel, Virgil J., « The Blackout of Native American Cultural Achievements », *American Indian Quarterly*, 1987, 11 (1) : 11-35.

1606-1607, ACADIE. DES PLANTES TOUT USAGE : DU CHANVRE ACADIEN SEMÉ EN FRANCE ET DE LA GOMME DE SAPIN DANS LES ÉGLISES

ARC LESCARBOT (VERS 1570-1641) est né à Vervins, alors en Picardie. Il étudie au collège de sa ville natale et au collège des Bons Enfants à Paris. En 1585, il entame ses études à la Faculté de droit parisienne. En 1599, il est reçu avocat au Parlement de Paris. Il s'intéresse activement à la traduction d'œuvres et à la poésie. En 1606, Lescarbot se rend en Acadie avec Jean de Biencourt de Poutrincourt (1557-1615). Poutrincourt est le commandant du premier établissement permanent en Acadie. Lescarbot revient en France en septembre de l'année suivante. Il publie, en 1609, la première édition de l'*Histoire de la Nouvelle-France* ainsi que les *Muses de la Nouvelle-France*. Cet épicurien féru d'histoire et de littérature présente son interprétation des explorations et des découvertes en Acadie. Lescarbot se marie en 1619. Il décède à Presles-la-Commune.

Lescarbot manifeste de l'intérêt pour les plantes. Il est un fervent défenseur de la colonisation qui doit d'abord être agricole dans les pays du Nouveau Monde. Il attribue les précédents échecs d'établissement des Français à leur manque d'intérêt pour l'agriculture. Les explorateurs commettent trop souvent l'erreur de se fier uniquement aux ravitaillements par bateaux provenant de l'extérieur. Selon lui, il faut d'abord implanter les pratiques agricoles nécessaires à l'autosuffisance alimentaire. D'ailleurs, il rapporte qu'en plus des céréales, le chanvre, le lin, les navettes, les raiforts et les choux ont été semés. On cultive aussi du maïs du pays. Lescarbot est cependant encore plus préoccupé par la possibilité de faire pousser des plantes européennes dans ces nouvelles terres. Selon lui, les choses les plus précieuses à présenter au Roi sont « les fruits de la terre » comme le « blé, froment, seigle, orge et avoine ». Pour Lescarbot, il ne faut pas oublier que Rome « avait pour blason un chapeau d'épis de blé ». Il ajoute que « la première mine qu'il nous faut chercher », c'est le « labourage ». Le poète raconte qu'il a beaucoup apprécié le travail de la terre et du

jardinage en Acadie. Il se plaît d'ailleurs à rapporter que le fils de Poutrincourt a même essayé de semer des graines d'oranger et de citronnier.

Lescarbot relève les ressources végétales du milieu. En 1606, à Port-au-Mouton (aujourd'hui, Port Mouton en Nouvelle-Écosse), il énumère diverses plantes comme les « chênes porte-glands, cyprès, sapins, lauriers, roses muscades, groseilles, pourpiers, framboises, fougères, *lysimachia*, espèce scammonée, *Calamus odoratus*, Angélique, et autres simples… Et reportâmes en notre navire quantité de pois sauvages que nous trouvâmes bons ».

L'identification de plantes mentionnées par Lescarbot

William Francis Ganong (1864-1941) propose les identifications suivantes. Le chêne porte-glands est principalement le chêne rouge (*Quercus rubra*). Le cyprès serait le thuya occidental (*Thuja occidentalis*) et le sapin est le sapin baumier (*Abies balsamea*). Le laurier correspondrait aux myriques (*Myrica* sp.), alors que les roses muscades représentent diverses espèces de rosiers (*Rosa* sp.). Les groseilles proviennent des groseilliers (*Ribes* sp.), tandis que le pourpier désigne le glaux maritime (*Glaux maritima* maintenant nommé *Lysimachia maritima*) ou la sabline faux-péplus (*Arenaria peploides* maintenant nommé *Honckenya peploides* subsp. *diffusa*). Les framboises sont celles du framboisier sauvage (*Rubus idaeus* maintenant nommé *Rubus idaeus* subsp. *strigosus*). Les fougères correspondent à diverses espèces non identifiables. Le *lysimachia* serait l'épilobe à feuilles étroites (*Epilobium angustifolium* maintenant nommé *Chamerion angustifolium*) et l'espèce scammonée décrirait le liseron des haies (*Calystegia sepium*, anciennement *Convolvulus sepium*). *Calamus odoratus* est vraisemblablement l'espèce nord-américaine d'acore (*Acorus americanus*), alors que l'angélique pourrait être l'angélique noire-pourprée (*Angelica atropurpurea*) ou l'angélique brillante (*Angelica lucida*). Enfin, les pois sauvages sont les fruits de la gesse maritime (*Lathyrus maritimus* maintenant nommé *Lathyrus japonicus*), qui sont probablement les mêmes pois que ceux observés par Jacques Cartier dès 1534.

Selon Ganong, Lescarbot est responsable des premières mentions canadiennes du laurier, du *lysimachia*, de l'espèce scammonée, du *Calamus odoratus*. Lescarbot est aussi le premier à utiliser les termes *fougères* et *angélique*, qui réfèrent à plus d'une espèce présente en Acadie.

Une plante aux fibres soyeuses

En ce qui concerne les plantes indigènes, Lescarbot semble impressionné par « la chanvre » locale, particulièrement celle des Armouchiquois (Micmacs) qui porte « au bout de son tuyau une coquille pleine d'un coton semblable à la soie, dans laquelle gît la graine. De ce coton, ou quoi que ce soit, on pourra faire de bons lits plus excellents mille fois que de plumes, et plus doux que de coton commun. Nous avons semé de ladite graine en plusieurs lieux de Paris, mais elle n'a point profité ».

Ce chanvre à fruits en forme de coquille est sans contredit une asclépiade (*Asclepias* sp.) qui porte comme fructifications des follicules qui ressemblent effectivement à des coquilles. Cette description ne permet pas cependant de différencier l'asclépiade commune (*Asclepias syriaca*), incarnate (*Asclepias incarnata*) ou tubéreuse (*Asclepias tuberosa*). Il s'agit possiblement de l'asclépiade commune (*Asclepias syriaca*), une espèce fréquemment rencontrée.

Lescarbot n'est pas le premier à mentionner une asclépiade aux fibres soyeuses. Jacques Cartier avait louangé le chanvre de Stadaconé. Selon Jacques Rousseau, le chanvre de Cartier pourrait correspondre à trois espèces, le tilleul d'Amérique (*Tilia glabra*, maintenant *Tilia americana*), le laportéa du Canada (*Laportea canadensis*) et l'apocyn chanvrin (*Apocynum cannabinum*). Rousseau semble favoriser l'apocyn chanvrin pour le chanvre mentionné dans le deuxième et le troisième récit de Cartier. En plus des trois suggestions de Rousseau, l'asclépiade commune est une autre espèce à considérer. Victoria Dickenson réfère aussi à cette espèce comme étant peut-être le chanvre local. Selon A. C. Withford, le bois de plomb, ou dirca des marais (*Dirca palustris*),

L'asclépiade commune d'Amérique du Nord, une espèce d'apocyn de Syrie. Dès 1672, Abraham Munting (1626-1683) mentionne la présence de quelques plantes canadiennes dans le Jardin botanique de Groningue. Son livre posthume contient d'excellentes illustrations qui se démarquent par une présentation artistique fort réussie. C'est le cas de l'apocyn de Syrie à feuille large et à fleurs en glomérules qui est l'asclépiade commune (*Asclepias syriaca*).

Source : Munting, Abraham, *Phytographia curiosa... Pars prima*, Amsterdam et Leyde, 1702, figure 104. Bibliothèque numérique du Jardin botanique royal de Madrid.

est une autre espèce utilisée pour ses fibres par les Amérindiens du Nord-Est. Ce dernier auteur a examiné par microscopie environ 500 objets archéologiques d'origine amérindienne contenant des fibres. Les cinq fibres végétales les plus fréquemment rencontrées sont, dans l'ordre décroissant, celles du tilleul, des urticacées (famille des genres *Laportea*, *Urtica* et *Boehmeria*), des asclépiades (surtout l'asclépiade commune, *Asclepias syriaca*), du bois de plomb et des apocyns (*Apocynum* sp.).

Cette plante aux fibres soyeuses a vivement intéressé les botanistes et autres explorateurs. L'un des premiers récits des explorations anglaises de la côte est américaine est celui de Thomas Hariot (vers 1560-1621) intitulé *A brief and true report of the new found land of Virginia* et publié à Francfort en 1590. Ce livre est publié par Théodore de Bry dont le fils Johann sera responsable de la publication, à partir de 1612, d'un florilège allemand contenant dans l'édition de 1614 l'illustration du lis du Canada (*Lilium canadense*). Le récit de Hariot décrit les explorations du groupe de Walter Raleigh (vers 1552-1618) dans la région actuelle des États de la Caroline. L'artiste John White (vers 1540-vers 1593) accompagne les explorateurs et réalise une aquarelle de ce que certains croient être l'asclépiade commune. L'artiste ajoute la note suivante : « the herb which the Savages call WYSAUKE wherewith they cure their wounds which they receive by the poisoned arrows ».

Dans son livre *Herball* de 1597, l'Anglais John Gerard (1545-1612) inclut une gravure partiellement copiée de l'aquarelle de White. Ce livre populaire est en grande partie un plagiat d'une œuvre latine du botaniste flamand Rembert Dodoens. Gerard identifie la plante *wisanck* comme étant l'espèce *Vincetoxicum Indianum* et il ajoute que cette plante devrait être désignée *Asclepias Virginiana* ou *Vincetoxicum Indianum*. *Vincetoxicum* signifie « vaincre le poison ». Gerard est donc informé que cette plante sert d'antidote contre les flèches empoisonnées. Lescarbot ne semble pas au courant des mentions précédentes par les auteurs anglais.

Lescarbot expérimente les difficultés de germination du chanvre en France. La graine d'asclépiade requiert la levée d'une dormance de germination. Des périodes prolongées de grand froid et certains traitements chimiques permettent la levée de la dormance. Il semble donc que les graines apportées en France n'aient pas eu une exposition suffisamment prolongée au froid pour induire un taux élevé de germination.

Un intérêt pour les asclépiades qui se perpétue

Deux asclépiades sont décrites et illustrées dès 1635 dans la flore canadienne de Jacques Cornuti. Il rapporte que les graines possèdent un long duvet

---

Les difficultés d'interprétation des termes botaniques amérindiens

Wysauke est un des premiers mots algonquiens associés à une plante d'Amérique du Nord. Vers 1585, John White dessine une plante ressemblant à une asclépiade, possiblement l'asclépiade commune (*Asclepias syriaca*), observée en Caroline du Nord. Les Amérindiens utilisaient cette espèce comme antidote contre les flèches empoisonnées de leurs ennemis. Par la suite, ce mot est écrit, entre autres, *wisakon*, *wisacan* et *wysoccan*.

Les Européens ont évidemment le réflexe d'associer ce terme à une espèce particulière. Une analyse plus poussée semble démontrer que ce terme ne désigne pas une espèce végétale spécifique, mais plutôt une saveur d'amertume générée par diverses plantes et même d'autres substances. La prudence est donc de mise dans l'interprétation des termes botaniques amérindiens. La botanique amérindienne fonctionne avec ses propres codes de nomenclature et de classification.

Source : Merrill, W. L. et Christian F. Feest, « An exchange of botanical information : *Wisakon* of the Southwestern Algonquians », *Economic Botany*, 1975, 29 : 171-184.

ressemblant à de la soie. Durant son séjour en Nouvelle-France entre 1664 et 1675, Louis Nicolas observe que la soie de la «cotonnière» est inutile pour la confection des chapeaux. Les plantules sont cependant consommées comme des asperges. Le 26 mars 1670, M. Oldenburg de la Société royale de Londres remercie John Winthrop Jr. (1606-1676), le gouverneur du Connecticut, pour les spécimens biologiques et minéralogiques expédiés à la Société. Sa Majesté le roi d'Angleterre apprécierait recevoir des soies d'asclépiade pour faire confectionner un oreiller que l'on présume très douillet.

Durant la période coloniale américaine, on rapporte la fabrication de mèches de chandelles à base de soies tissées d'asclépiade. En Nouvelle-France, Michel Sarrazin note au début des années 1700 que l'asclépiade commune «fournit un suc duquel on fait du sucre en Canada, on ramasse pour cela la rosée qui se trouve dans le fond des fleurs». Le 12 juillet 1749, Pehr Kalm rapporte, comme Louis Nicolas, que les Français du Canada mangent au printemps des jeunes pousses préparées comme des asperges. Il ajoute que le coton des graines est «l'édredon des pauvres, ils le recueillent et en font des lits, surtout pour leurs enfants, aussi moelleux que des lits de plumes». On croirait que Kalm est bien au fait des propos de Lescarbot publiés en 1609.

Edward Allen Talbot (1796-1839) séjourne pendant cinq ans au Canada. En 1824, il écrit que le «cotonnier» est un excellent substitut pour les plumes de remplissage et que la jeune plante est vendue par les Canadiens français aux marchés de Québec et de Montréal. John Lambert avait rapporté les mêmes informations en 1813. Le 27 mars 1834, le Bureau des brevets américains attribue à Margaret Gerrish de Salem un brevet pour la fabrication de tissus à base de fibres externes d'*Asclepias syriaca*.

En 1862, le naturaliste canadien Léon Provancher (1820-1892) spécifie que «les aigrettes soyeuses de la graine font une excellente charpie ; on en fabrique aussi des tissus assez beaux, mais de peu de durée… Mais c'est surtout pour sa fibre que cette plante peut devenir précieuse comme plante textile. Depuis plusieurs années déjà, on l'exploite à cette fin en Russie. Et le gouvernement des États-Unis

vient d'acheter à un prix considérable le secret d'une compagnie russe exploitant cette plante… Si le résultat est tel que le proclament les journaux des États-Unis, cette plante peut opérer une révolution complète dans l'agriculture de notre pays». Quelles magnifiques promesses rapportées par Provancher concernant ce «chanvre», promesses qui ne se sont malheureusement pas réalisées.

En 1930, un chercheur américain récolte une tonne de tiges sèches d'asclépiade commune, en plus de 30 boisseaux de graines et de 280 livres de soies à l'acre. Les soies sont difficiles à utiliser pour confectionner des produits textiles. Cependant, elles ont une valeur de matériau de rembourrage comme le kapok.

En 1935, le frère Marie-Victorin indique que les très jeunes pousses se vendaient deux sous le paquet au marché de Montréal. En 1943, le gouvernement américain octroie 200 000 dollars pour une usine d'extraction de graines et de soies de l'asclépiade commune. L'usine est construite à Petoskey, au Michigan. Les soies sont vendues à la Marine américaine comme kapok pour les gilets de sauvetage. À compter de 1942, le kapok importé est restreint à cause de la guerre avec les troupes japonaises. Des efforts d'utilisation des soies d'asclépiade pendant la Seconde Guerre mondiale sont aussi initiés au Canada, particulièrement à la Ferme expérimentale d'agriculture à Ottawa. En 1943, plus de 500 acres sont exploités à Ottawa et dans le comté de Peterborough. En 1944 et 1945, plus de 2 500 000 sacs de fruits d'asclépiade sont recueillis par des organisations agricoles, scolaires ou autres pour une production annuelle d'environ deux millions de livres. En 1948 et 1949, les soies se vendent 43 sous la livre et les graines rapportent 5 sous la livre. En 1940, le président de la Milkweed Floss Corporation of America écrit que les plus belles cultures d'asclépiade se trouvent à Ottawa. Malgré toutes ces qualités, l'asclépiade commune est devenue une mauvaise herbe dans divers pays européens. En France, cette plante est l'une des 78 espèces d'origine américaine considérées comme des mauvaises herbes dans les cultures. Tout comme l'asclépiade commune, seulement quelques autres espèces envahissantes sont originaires de la partie est de l'Amérique du Nord.

L'asclépiade commune, encore un sujet de recherche au XXIᵉ siècle

Les fibres de cellulose des soies, des graines et de la tige font l'objet de recherches scientifiques ou technologiques dans le but de les utiliser dans divers produits textiles. On étudie aussi quelques utilisations potentielles de l'huile extraite des graines d'asclépiade. On rapporte de plus que les fibres de cellulose de l'asclépiade ont la propriété d'absorber diverses huiles. Certains y voient des applications dans les milieux contaminés. Erika Gaertner a fait part de quatre décennies d'expérimentations avec l'asclépiade, incluant même l'utilisation des fleurs pour aromatiser le vin tout en mentionnant la toxicité de certaines substances de l'asclépiade.

Sources : Gaertner, Erika E., « The history and use of milkweed (*Aslepias syriaca* L.) », *Economic Botany*, 1979, 33 (2) : 119-123. Holser, Ronald Alan et Rogers Harry-O'Kuru, « Transesterified milkweed (*Asclepias*) seed oil as a biodiesel fuel », *Fuel*, 2006, 85 : 2106-2110. Reddy, Narenda et Yiqi Yang, « Extraction and characterization of natural cellulose fibers from common milkweed stems », *Polymer Engineeering and Science*, 2009, 49 (11) : 2212-2217. Rengasamy, R.S., et autres, « Study of oil sorption behavior of filled and structured fiber assemblies made from polypropylene, kapok and milkweed fibers », *Journal of Hazardous Materials*, 2011, 186 : 526-532.

Il n'est pas impossible que les graines transportées par Lescarbot soient devenues des plantes envahissantes. Cependant, il n'y a aucune évidence qu'elles soient les seules à l'origine de l'envahissement qui affecte éventuellement la France, l'Autriche, la République tchèque, la Yougoslavie, la Hongrie et même l'Irak. L'intérêt pour cette plante d'Amérique qui produit des soies, des fibres, du latex, du nectar sucré et des jeunes pousses comestibles a probablement généré plusieurs transports de cette espèce vers l'Europe à partir de divers sites nord-américains.

De médecine et d'odeur

Lescarbot décrit un premier usage de la gomme de sapin. Le sieur de Poutrincourt « avait fait essai de la vertu de la gomme des sapins du Port-Royal et de l'huile de navette sur un garçon fort mangé de la mauvaise teigne, et qu'il en était guéri ». La teigne est une infestation du cuir chevelu et la navette est une plante oléagineuse de la famille des crucifères (brassicacées). Cette anecdote constitue peut-être le premier essai d'un remède hybride en sol nord-américain. Le sapin baumier est une espèce nord-américaine, alors que la navette est une espèce européenne. Il s'agit d'un rare exemple à cette époque de la combinaison d'un extrait médicinal d'une plante du Nouveau Monde avec un extrait d'une plante de l'Ancien Monde.

Lescarbot rapporte un autre usage de la gomme de sapin. « Cette gomme est belle comme la térébenthine de Venise, et fort souveraine à la pharmacie. J'en ai baillé (donné) à quelques églises de Paris pour encenser, laquelle a été trouvée fort bonne ». La gomme de sapin semble passablement prometteuse puisque le sieur de Poutrincourt « inventa le moyen de tirer la quintessence de ces gommes et écorces de sapins : et fit faire quantité de briques, desquelles il façonna un fourneau tout à jour, dans lequel il mit un alambic… » pour extraire la gomme fondue. Selon Lescarbot, les Amérindiens sont impressionnés par cette technique d'extraction des oléorésines.

Le *Calamus odoratus*, ce roseau odorant

L'espèce mentionnée par Lescarbot peut correspondre à deux espèces d'acore : *l'Acorus americanus* ou *l'Acorus calamus*. La première espèce, diploïde et fertile, est indigène à l'Amérique où elle est présente dans toutes les provinces canadiennes. Il s'agit de l'acore d'Amérique. La seconde espèce, triploïde et originaire d'Asie, a été successivement introduite en Europe et en Amérique. C'est l'acore roseau qui, au Canada, est considérée introduite en Ontario, au Québec et dans trois provinces maritimes.

Lescarbot réfère vraisemblablement à la plante indigène qui semble avoir été disséminée dans

Térébenthine, résine, rosine, poix, brai, goudron…
un peu de clarté dans la confusion terminologique

Ces termes décrivent le plus souvent, mais non exclusivement, des substances résineuses des conifères. Ces matières sont obtenues d'arbres vivants (térébenthines) ou morts (goudrons). Les térébenthines peuvent être converties par chauffage en dérivés solides (brais secs et rosines) ou liquides plus ou moins visqueux (brais clairs, résines et autres térébenthines). Les goudrons sont produits par diverses techniques de combustion lente du bois. De plus, on peut effectuer des mélanges avec ces divers extraits. Certaines poix sont issues de l'amalgame d'un solide (comme le brai), d'un liquide (comme la térébenthine ou le goudron) et de corps gras (graisses ou huiles). Il y a cependant plusieurs exceptions ou variantes à cette nomenclature.

Pour bien comparer ces substances, il faut tenir compte de l'espèce de conifère utilisée et du mode de préparation du produit. Ainsi, les térébenthines sont produites avec divers genres de conifères (*Abies, Picea, Larix* et *Pinus*), alors que les goudrons sont extraits du bois mort de pin (*Pinus*). La térébenthine de Strasbourg (*olio d'abezzo* et *olio d'abete* des Italiens) provient de deux sapins (*Abies alba* ou *pectinata*). Sa composition est très semblable à celle de la térébenthine ou baume du Canada produit par le sapin baumier (*Abies balsamea*). La térébenthine de Venise est issue du mélèze d'Europe (*Larix decidua*), alors que celle de Bordeaux est tirée du pin maritime (*Pinus pinaster*) et celle du Jura, de l'épinette de Norvège (*Picea abies*). Les techniques de préparation influencent évidemment la composition finale des préparations issues des sécrétions résineuses des conifères.

Les résines végétales ont divers usages. Elles constituent même des médicaments utilisés seuls ou en combinaison avec d'autres drogues. En 1717, François de Beauharnois, l'intendant au port de Rochefort, autorise la commande des drogues pour l'hôpital royal de Rochefort et les vaisseaux du roi. En plus du mercure, des cires, de l'huile d'olive commune et vierge, on commande 183 livres de poix noire à 4 sols la livre pour un montant total de 36 livres et 12 sols.

Sources : De Beauharnois, François, *Ratification par François de Beauharnois, intendant au port de Rochefort*, Archives départementales de la Charente-Maritime (France), 1717 (11 juin), 3 E 33 art. 16, Folios 127-128 verso. Disponible au http://bd.archivescanadafrance.org/. Langenheim, Jean H., *Plant Resins. Chemistry, Evolution, Ecology, Ethnobotany*, Portland, Oregon, Timber Press, 2003, chapitres 6 et 7. Loewen, Brad, « Resinous paying materials in the French Atlantic, AD 1500-1800. History, technology, substances », *The International Journal of Nautical Archaeology*, 2005, 34 (2) : 238-252.

diverses régions des États-Unis lors des migrations des Amérindiens. Ernest Small et Paul Catling recommandent de réserver le nom *acore roseau* à l'espèce eurasiatique introduite en Amérique du Nord. Pour ces auteurs, l'espèce indigène devrait être nommée *acore d'Amérique*. Ils rapportent que les colons d'Amérique du Nord recouvraient les planchers d'acore pour altérer les odeurs. À une époque, on a aussi mâché de l'acore pour contrer le tabagisme. La consommation d'acore aurait été aussi utilisée par les Amérindiens, comme les Cris, et les coureurs des bois pour contrer la fatigue et peut-être

même provoquer certains effets psychotropes. Cependant, Schultes et ses collaborateurs doutent de l'activité psychotrope de cette espèce.

Cette plante est spéciale à d'autres points de vue. C'est possiblement l'une des espèces mentionnées dans la Bible sous le vocable *Calamus* (*Qaneh* en hébreu) (voir l'appendice 3). Lescarbot a vraisemblablement été impressionné de découvrir en Amérique cette plante européenne très aromatique et citée dans la Bible au temps du roi Salomon. À l'époque de Lescarbot, cette espèce a déjà une très longue tradition de diverses utilisations en Asie et en Europe. On l'utilise même dans les églises pour parfumer les lieux saints et elle sert à plusieurs fins médicinales.

Les Égyptiens mélangeaient cette espèce au vin aromatisé de divers baumes. Au premier millénaire avant l'ère chrétienne, ils préparaient le *kyphi* contenant diverses plantes, incluant les rhizomes moulus d'acore roseau (*Acorus calamus*). Cette poudre est par la suite mélangée avec du vin, des baies de genévrier (*Juniperus* sp.), du miel et diverses autres substances végétales. Certains auteurs ont aussi associé l'acore roseau européen à l'un des ingrédients des onguents hallucinogènes du Moyen Âge qui permettent aux sorcières de voler. Il est plus probable que les alcaloïdes de diverses plantes de la famille des solanacées aient fourni les molécules hallucinogènes simulant les envols des sorcières.

Il faut attendre plusieurs décennies après la parution du livre de Lescarbot pour retrouver une mention de cette espèce en Amérique du Nord. En 1672, John Josselyn mentionne la présence de *Bastard Calamus Odorarus* en Nouvelle-Angleterre. Les feuilles de cette plante sont utilisées par les Anglais pour se garder les pieds au chaud en Nouvelle-Angleterre. Josselyn ajoute que les rats musqués se nourrissent de cette plante, qui pousse en bordure des marais. On interprète généralement que les colons de la Nouvelle-Angleterre couvrent les planchers froids de leurs maisons avec les feuilles odorantes de *Calamus odoratus*. Le qualificatif *bâtard* utilisé par Josselyn traduit probablement le sentiment que les plantes américaines ressemblant beaucoup aux plantes européennes leur sont cependant inférieures à cause du climat et de l'environnement plus rigoureux en Amérique.

Avant Josselyn, Adrian van der Donck (1620-1655) mentionne en 1655 le *Calamus aromaticus* parmi la quarantaine de plantes médicinales présentes en Nouvelle-Hollande. En 1586, Pietro Andrea Mattioli signale que le *Calamus odoratus* est nommé *Calamus aromaticus* par les Italiens. L'une des caractéristiques les plus appréciées de cette espèce est certes sa fragrance.

La fleur emblématique du Yukon et la géobotanique

L'épilobe à feuilles étroites devient l'emblème floral du Yukon en 1957. On la rencontre dans toutes les provinces et les territoires canadiens. Cette espèce est bien adaptée à la colonisation d'habitats perturbés, en particulier ceux très exposés à l'ensoleillement. L'épilobe est une plante apicole qui produit beaucoup de nectar. Près de Seattle, dans l'État de Washington, on produit un miel d'épilobe vendu comme un aliment de spécialité. On utilise encore en Russie un thé à base de feuilles d'épilobe plutôt riches en tanins. Les Amérindiens de l'Ouest canadien ont utilisé les fibres de la tige pour fabriquer des cordes et des filets.

La couleur des fleurs, blanche plutôt que violette ou rose, semble indiquer la présence d'uranium dans le sol. Certains croient que l'uranium induirait la mutation en fleurs blanches. De fait, on constate une teneur élevée en uranium dans les feuilles d'épilobe croissant dans les sols riches en cet élément. La géobotanique ou la prospection minière à l'aide de plantes indicatrices pourrait présenter certains avantages. Ainsi, on rapporte que le thé du Labrador (*Ledum groenlandicum* maintenant nommé *Rhododendron groenlandicum*) a la capacité de concentrer l'or dans ses tiges. Lorsque les concentrations en or dépassent 2,5 parties par milliard, on estime que le sous-sol vaut la peine d'être exploré pour son potentiel économique aurifère.

Sources : Girard, Fabien, *Secrets de plantes. Saveurs, élixirs et fragrances de la flore boréale*, Chicoutimi, Les Éditions JCL, 2008. Small, Ernest, et autres, *Emblèmes floraux officiels du Canada. Un trésor de biodiversité*, Ottawa, Travaux publics et Services gouvernementaux Canada en collaboration avec le ministère de l'Agriculture et Agroalimentaire Canada, 2012.

L'épilobe à feuilles étroites

Cette espèce (*Chamerion angustifolium*) de distribution circumboréale est un élément caractéristique des régions affectées par les feux de forêt. Elle se retrouve en Amérique du Nord, en Europe du Nord et dans les Alpes. À l'époque de Lescarbot, cette espèce à belles fleurs connue en Europe est fidèlement illustrée dans le florilège de 1608 de Pierre Vallet. Elle porte alors le nom *Chamaenerium Gesnerii(j)*. Selon Tournefort, *Chamaenerium* signifie « petit laurier-rose », alors que Gesnerii réfère au savant naturaliste allemand Conrad Gessner. Se peut-il que Lescarbot ait décelé la parenté entre la plante acadienne et celle retrouvée en Europe ? Il est probable que Lescarbot ait observé cette espèce en Acadie dans une clairière dégagée par les feux de forêt naturels ou provoqués par les humains. Cette plante a été une des espèces pionnières à coloniser les versants dévastés après l'éruption du volcan du mont Saint Helens dans l'État de Washington en 1980. En fait, 81 % des plantules observées étaient de cette espèce.

En 1609, Lescarbot publie une carte de la Nouvelle-France où sont illustrés des grappes de raisins possiblement locaux et des épis de maïs. Il s'agit de la première illustration d'épis de maïs sur une carte de la Nouvelle-France.

Sources

Bauhin, Caspar, *Prodomos theatri botanici*, Francfort-sur-le-Main, 1620. Disponible à la bibliothèque numérique du Jardin botanique royal de Madrid au http://bibdigital.rjb.csic.es/spa/.

Berkman, Boris, « Milkweed. A War Strategic Material and a potential Industrial Crop for sub-marginal lands in the U.S », *Economic Botany*, 1949, 3 (3): 223-235.

Dickenson, Victoria, « Cartier, Champlain, and the Fruits of the New World: Botanical Exchange in the 16th and 17th Centuries », *Scientia Canadensis*, 2008, 31 (1-2): 27-47.

Ganong, William Francis, « The identity of the Animals and Plants mentioned by the early Voyagers to Eastern Canada and Newfoundland. Mémoires et comptes rendus de la Société royale du Canada », *Proceedings and Transactions of the Royal Society of Canada*, 1909, series III, volume 3: 197-242.

Gerhardt, Fisk, « Commercial possibilities of the common milkweed », *Industrial and Engineering Chemistry*, 1930, 22 (2): 160-163.

Josselyn, John, *New England's Rarities Discovered in Birds, Beasts, Fishes, Serpents and Plants of that Country*, 1672. Introduction et notes d'Edward Tuckerman, M.A., 1865, Boston.

Juel, Hans Oscar, « The French Apothecary's Plants in Burser's Herbarium », *Rhodora*, 1931, 34: 176-179.

Lambert, John, *Travels through Canada and the United States of North America in the years 1806, 1807 and 1808*, Londres, 1813.

Lescarbot, Marc, *Voyages en Acadie (1604-1607) suivis de La description des mœurs souriquoises comparées à celles d'autres peuples*, [Édition critique par Marie-Christine Pioffet], Québec, Les Presses de l'Université Laval, 2007.

Maillet, J., « Caractéristiques bionomiques des mauvaises herbes d'origine américaine en France », *Monographia Del Jardin Botanico de Cordoba*, 1997, 5: 99-120.

Marchand, L. W., « Voyage de Kalm en Amérique, analysé et traduit par L.W. Marchand », *Mémoires de la Société historique de Montréal*, huitième livraison, Montréal, 1880.

Mattioli, Pietro Andrea, *De plantis Epitome utilissima...*, Francfort-sur-le-Main, 1586. Disponible sur le site de la Bibliothèque interuniversitaire de médecine (Paris) au http://web2.bium.univ-paris5.fr/.

McGovern, Patrick E., et autres, « Ancient Egyptian herbal wines », *Proceedings of the National Academy of Sciences* (USA), 2009, 106 (18): 7361-7366.

Musselman, Lytton John, *Figs, Dates, Laurel and Myrrh. Plants of the Bible and the Quran*, Portland, Oregon, Timber Press, 2007.

Provancher, Léon, *Flore canadienne*, Québec, J. Darveau, 1862.

Reveal, James L., et autres, « Proposal to conserve the name and type of *Arum triphyllum* L. (Araceae) », *Taxon*, 1990, 39: 355-357.

Rousseau, Jacques, « La botanique canadienne à l'époque de Jacques Cartier », *Annales de l'Association canadienne-française pour l'avancement des sciences* (ACFAS), 1937, 3: 151-236.

Schultes, Richard Evans, et autres, *Plants of the Gods. Their Sacred, Healing, and Hallucinogenic Powers*, [édition révisée et augmentée], Rochester, Vermont, Healing Arts Press, 2001.

Small, Ernest et Paul M. Catling, *Les cultures médicinales canadiennes*, Conseil national de recherches du Canada (CNRC), Ottawa, Les Presses scientifiques du CNRC, 2000.

Sumner, Judith, *American Household Botany. A history of Useful Plants, 1620-1900*, Portland, Oregon, Timber Press, 2004.

Talbot, Edward Allen, *Five year's residence in the Canadas including a tour through part of the United States of America in the year 1823*, Londres, 1824.

Van der Donck, Adriaen, *A description of the New Netherlands*, 1655. Disponible au http://americanjourneys.org/aj-096/.

Whitford, A. C., « Textile fibers used in eastern aboriginal North America », *Anthropological Papers of the American Museum of Natural History*, 1941, 35 (Part 1): 1-22.

9 FÉVRIER 1618, PARIS. MESSIEURS DE LA CHAMBRE DE COMMERCE, INVESTISSEZ MASSIVEMENT DANS LES VÉGÉTAUX DE LA NOUVELLE-FRANCE

SAMUEL DE CHAMPLAIN, né d'une famille protestante et baptisé à La Rochelle en 1574, effectue possiblement des voyages de jeunesse avec son père, qui est capitaine de navires. Il navigue aussi avec son oncle Guillaume Allène. En 1599, il se dirige avec ce dernier et un équipage espagnol vers les Antilles et le Mexique. Un document manuscrit, intitulé *Brief Discours*, est apparemment l'œuvre de Champlain, qui aurait rédigé ce qui pourrait être un rapport d'espionnage sur l'Amérique hispanique pour le compte d'Henri IV. Cependant, certains historiens doutent que Champlain soit l'auteur de ce récit. Le débat à ce sujet n'est pas tout à fait clos. Champlain a été maréchal des logis dans l'armée d'Henri IV. Dès 1603, les nombreux voyages de Champlain sont soulignés dans la première publication de Champlain sur l'Amérique du Nord intitulée *Des Sauvages*. Un poème de la préface de ce livre vante les nombreux voyages exotiques de Champlain, qui a toujours la mission d'aller « à la Chine ».

Muses, si vous chantez, vraiment je vous conseille
Que vous louiez Champlain, pour être courageux :
Sans crainte des hasards, il a vu tant de lieux,
Que ses relations nous contentent l'oreille.
Il a vu le Pérou, Mexique et la Merveille
Du Volcan infernal qui vomit tant de feux,
Et les saults Mocasans, qui offensent les yeux
De ceux qui osent voir leur chute non pareille.
Il nous promet encore de passer plus avant,
Réduire les Gentils, et trouver le Levant,
Par le Nord, ou le Sud, pour aller à la Chine.
C'est charitablement tout pour l'amour de Dieu.
Si des lâches poltrons qui ne bougent d'un lieu !
Leur vie, sans mentir, me paraît trop mesquine.

Ce texte louangeur, dont on ne connaît pas la date de rédaction, indique que Samuel de Champlain a déjà exploré le Pérou, le Mexique, un volcan incroyable et les saults Mocasans. Certains ont suggéré que ces saults correspondraient à la chute du Niagara. Par contre, le terme *mocasa* se retrouve sur diverses cartes géographiques de l'époque pour désigner divers lieux, comme le sault Saint-Louis près de Montréal. Le mot *mocosa* apparaît aussi sur une carte du célèbre cartographe flamand Abraham Ortelieu pour nommer un pays entre la Nouvelle-France et la Floride. Ce nom fut probablement inspiré de l'expédition de Louis Mocoso de Alvaredo, qui accompagnait Ferdinand de Soto en 1539 dans la traversée du continent depuis la Floride jusqu'au Rio Grande. Il n'y a pas d'évidence concluante quant au voyage de Champlain au Pérou et au volcan. La référence au Mexique est cependant appuyée par le document du *Brief Discours*.

En 1951, Jacques Rousseau publie une étude sur la botanique décrite par Champlain dans le *Brief Discours*. Champlain fournit une description considérée classique de la fabrication des tortillas à partir de la farine moulue de grains jaune et rouge de maïs. Il utilise le mot *mamaix* pour désigner le maïs. Curieusement, quelques années plus tard, Champlain rencontre à nouveau cette espèce en Amérique du Nord et l'identifie alors comme du blé d'Inde. Il ne fait pas mention de ses connaissances antérieures sur cette espèce ou toute autre. Il protège peut-être ses présumées activités d'espionnage aux Antilles et au Mexique. Dans le *Brief Discours*, il note qu'il serait profitable de cultiver en Europe des pommiers et des poiriers d'Amérique méridionale, même si ces fruits ont un goût plutôt passable. Champlain semble préoccupé par l'exploitation des ressources naturelles des pays visités. Cette attitude se retrouve à nouveau dans ses expéditions en sol canadien.

Champlain débarque d'abord à Tadoussac, le 26 mai 1603, pour explorer cette grande région nordique. Entre 1604 et 1607, il se retrouve en Acadie et le long des côtes américaines du Nord-Est. Il revient dans la vallée du Saint-Laurent pour y fonder Québec, le 3 juillet 1608. Un an plus tard,

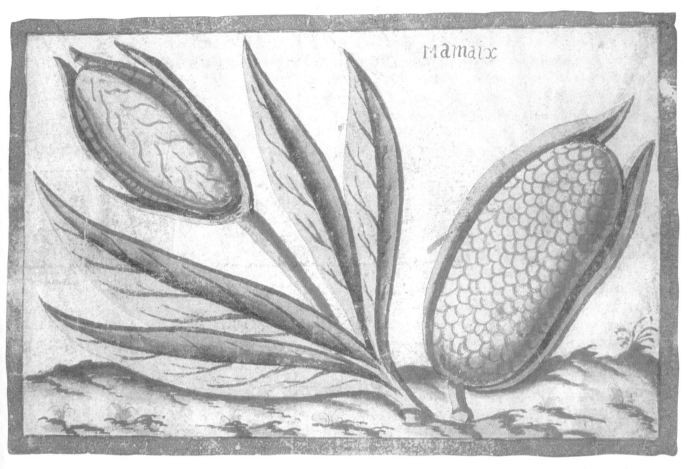

Du maïs rudimentaire. Samuel de Champlain décrit la recette de préparation des galettes [tortillas] à base de farine de « mammaix » [maïs] par les Amérindiens du Mexique. La plante « mamaix » est représentée de façon rudimentaire. Les nervures non parallèles des feuilles ne correspondent pas à la réalité. Il en est de même de la juxtaposition des grains sur l'épi de maïs à droite. Le nombre de rangées de grains est plutôt élevé et la base de l'épi à gauche est trop allongée par rapport à la longueur des feuilles. La tige est absente. Malgré tout, on reconnaît bien le maïs.

Source : Samuel de Champlain, *Brief Discours*, planche XLIII. Banque d'images, Septentrion.

il explore le lac Champlain et ses environs. Il voyage en Huronie en 1615-1616. Il se déplace fréquemment entre l'Amérique du Nord et la France. En fait, entre 1599 et 1635, l'année de son décès à Québec, on estime que Champlain a effectué vingt-sept voyages transatlantiques, sans compter les voyages précédents aux Caraïbes ou ailleurs.

Au fil des ans, Champlain relève de diverses compagnies détentrices du monopole d'exploitation des richesses naturelles en Nouvelle-France.

En 1618, les marchands lui refusent leur soutien financier. Champlain décide alors de se tourner vers la Chambre de commerce de Paris. Il écrit au Baron de Roussillon pour formuler son plan d'affaires. Le 9 février, il présente lui-même son nouveau plan de développement de la Nouvelle-France et dépose une proposition auprès du roi. Le 12 mars, le roi Louis XIII répond favorablement à sa demande. Encouragé, Champlain est de retour à Tadoussac dès le 24 mai.

La lettre à la Chambre de commerce et les projections des revenus annuels

La « pêcherie des morues » vint au premier rang *ex aequo* avec les mines d'argent, de fer, de plomb, de cuivre et d'« autres minéraux » avec plus d'un million de livres de revenu annuel pour ces deux industries. Les « barbes » des baleines, les « dents de vache marine » et les « loups marins » se vendront pour 500 000 livres, les huiles de baleines rapporteront 200 000 livres, la « pêcherie » des saumons, de l'« esturgeon marine », des anguilles, sardines, harengs et autres poissons contribueront 300 000 livres pour un total de 1 million de livres en ressources de la mer. Enfin, le commerce des pelleteries rapportera plus de 400 000 livres par an.

Les produits végétaux ne sont pas moins importants. Champlain estime les revenus de la vente des « bois » à 400 000 livres. C'est potentiellement autant que le commerce de la fourrure. Il énumère les divers bois à revenu : chêne, ormeau, hêtre, noyer, plaine, érable, bouleau, cèdre, cyprès, châtaignier, pruche, pin, sapin et « autres bois ». Le même rendement financier proviendra des bois inutiles qui fourniront « des cendres ». Les pins et sapins permettront l'extraction de « brai, goudron, résine » pour 100 000 livres. Champlain ajoute que, si on peut cultiver la racine qui produit « une couleur pareille à la cochenille », on peut alors espérer 400 000 livres. Les toiles produites avec le « chanvre dudit pays » se vendront aussi pour 400 000 livres sans compter un autre profit anticipé de 300 000 livres avec ce même chanvre que la « terre rapporte sans cultiver ».

Les promesses des revenus totalisent au moins 5,4 millions de livres annuellement. Deux millions de livres pourraient provenir du seul commerce des produits végétaux indigènes à la Nouvelle-France. Les plantes représentent environ 37 % du potentiel économique des ressources naturelles de la Nouvelle-France. Champlain ajoute quelques informations sur des végétaux sans quantifier leur potentiel économique. Il mentionne qu'il y a des vignes « en quantité » au pays et « que si elles étaient cultivées, elles rendraient de grandes utilités ». Il indique aussi que la terre a déjà produit des « blés, maïs, fèves, pois ».

Replaçons cette présentation de Champlain dans son contexte historique avant de tenter d'identifier les plantes indigènes et leurs utilisations à potentiel économique. Ces deux millions de livres de revenus représentent des sommes considérables. Les salaires versés à l'époque fournissent des éléments de comparaison. Le système monétaire français de l'époque est basé sur les livres tournois. À la base, douze deniers équivalent à un sol. Vingt sols correspondent à une livre tournois. Une livre tournois équivaut à 240 deniers. Enfin, trois livres valent un écu.

Il est impossible de déterminer avec justesse l'équivalent monétaire contemporain. Certains ont proposé qu'une livre tournois vaut environ une quinzaine d'Euros. Ces équivalences sont cependant approximatives et sans base solide de comparaison. Il est plus pertinent de comparer ces valeurs monétaires avec les rémunérations annuelles versées à l'époque. Au moment de la fondation de Québec en 1608, certains notables peuvent obtenir 250 livres par an. Martin Béguin reçoit 45 livres par an pour ses services comme jardinier de Champlain. Les travailleurs non spécialisés reçoivent un salaire inférieur à 40 livres. En 1608, les Hollandais engagent Mathieu da Costa, comme interprète pour la somme de 195 livres par an. Ce contrat représente une excellente rémunération. Cet interprète a fait partie de l'expédition de Champlain en Acadie en 1604. Il est reconnu pour son travail d'interprète auprès des Micmacs de l'Acadie. Certains estiment qu'il est un métis d'origine afro-portugaise. Entre 1580 et 1620, le prix d'un chapeau de castor est d'environ 5 livres (100 sols) tournois en France alors que les chapeaux de laine se vendent environ 30 sols.

La vente des produits végétaux aurait donc fourni du travail à des milliers de salariés de l'époque. Le plan d'affaires de Champlain est évidemment partiel, car il ne tient pas compte des dépenses reliées à l'obtention, à la transformation, au transport et à la vente de ces produits.

Champlain et la connaissance des essences forestières à potentiel commercial

La liste des essences forestières du document de Champlain comprend treize arbres, incluant cinq conifères (cèdre, cyprès, pruche, pin et sapin) et huit espèces à feuilles caduques (chêne, ormeau, hêtre, noyer, plaine, érable, bouleau et châtaignier). Comparons la liste des arbres de 1618 avec celles des publications de 1603 et 1613.

Dans son récit de voyage de 1603 intitulé *Des Sauvages*, Champlain mentionne trois conifères (pin, cyprès et sapin) et six arbres à feuilles caduques (bouleau, chêne, noyer, châtaignier, érable et hêtre). La terminologie utilisée n'est pas toujours identique entre les publications de Champlain. En 1603, le bouleau est nommé « boulle » ou « bouille ». Ce terme fut utilisé par Jacques Cartier. De plus, Champlain n'utilise pas directement le terme châtaignier alors qu'il décrit « une manière de fruit qui semble à des châtaignes ». La plaine et l'ormeau ne sont pas mentionnés. Cependant, d'autres arbres sont mentionnés en 1603 et absents en 1618. C'est le cas du frêne, du tremble et du « pible ». Ce dernier est tout simplement une sorte de peuplier (piboule).

Champlain utilise le mot « sappin » dans le *Brief discours*. Jacques Rousseau suggère en 1951 que ce mot décrit des pins. En 1603, Champlain utilise les deux mots, sapin et pin. Il utilise le mot cèdre dans le premier récit alors qu'en 1603, on ne retrouve que le mot cyprès. Pour Rousseau, le cèdre du sud correspond aux genévriers (*Juniperus* sp.). Il semble y avoir cependant quelques confusions ou des imprécisions concernant les descriptions des conifères. Rousseau observe que la « transposition des noms d'une espèce à l'autre chez les conifères est un fait constant chez la plupart des voyageurs visitant des pays étrangers ». Une certaine prudence d'interprétation est donc de mise, particulièrement pour les conifères.

Dans son livre *Les voyages du Sieur de Champlain* de 1613, tous les arbres énumérés en 1618 sont mentionnés. En 1613, il utilise cependant l'expression cèdre blanc plutôt que cèdre. Un seul arbre est absent des deux publications précédant le document de 1618. Il s'agit de la plaine qui correspond à l'érable rouge. Selon une interprétation, le mot plaine serait dérivé de « plane » (platane) qui décrit une espèce d'érable européenne. Certains observateurs auraient donc noté une ressemblance entre la « plane » d'Europe et une espèce d'érable d'Amérique du Nord. Il semble que Champlain ait acquis l'usage du mot « plaine » entre 1613 et 1618.

Il s'agit possiblement de la première mention de ce terme associé à l'érable rouge.

Il est intéressant de comparer quelques noms de plantes provenant du *Brief discours* (1599-1601) et *Des Sauvages* (1603). Dans le premier texte, Champlain utilise les termes tabac, tabaco, petum et herbe à la Royne (Reine) pour décrire le tabac commun (*Nicotiana tabacum*), le tabac des paysans (*Nicotiana rustica*) ou les deux. En 1603, il ne mentionne que les deux premiers termes (tabac et petun) tout en ajoutant le mot « petunoir » pour désigner l'instrument pour pétuner.

Les arbres et d'autres espèces sur le cartouche de la carte de la Nouvelle-France de 1612

Champlain est reconnu comme un excellent cartographe. En 1612, il produit une carte détaillée de la Nouvelle-France gravée par David Pelletier. Sur le cartouche, on observe des dessins de plantes. Deux essences forestières mentionnées en 1618 s'y retrouvent : le chêne et le châtaignier. Le chêne est représenté par deux glands. Quant au châtaignier, on observe le fruit et une feuille. La « chataigne » identifie le fruit du châtaignier d'Amérique (*Castanea dentata*). À l'époque, ce châtaignier est un très gros arbre abondant dans les forêts de l'est nord-américain, particulièrement entre le Maine et l'Alabama. Au début du XXe siècle, une maladie fongique importée d'Asie commence à faire des dégâts majeurs en Amérique. Vers 1940, cet arbre est même retiré de la liste des arbres forestiers de l'Amérique. En plus des arbres, on retrouve diverses espèces à fruits ou à graines comestibles, comme les groseilles rouges, les prunes, les cerises, les fraises et d'autres petits fruits, les raisins de trois sortes, les citrouilles et les fèves du Brésil. Il y a de plus le noisetier d'Amérique (*Corylus americana*), une espèce différente du noisetier à long bec (*Corylus cornuta*) mentionné par Jacques Cartier en 1535. L'aire de distribution canadienne du noisetier d'Amérique est moins nordique et beaucoup plus restreinte que celle du noisetier à long bec. Ainsi, on le retrouve seulement dans des régions du sud du Québec, de l'Ontario et du Manitoba alors que l'autre noisetier est présent dans toutes les provinces canadiennes.

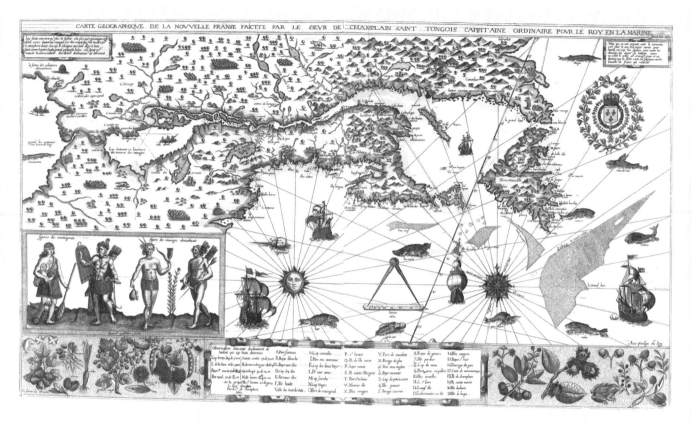

Plantes sur la carte de la Nouvelle-France de Samuel de Champlain en 1612. Le cartouche est divisé en deux sections. Dans une section, on observe 12 dessins de plantes ou groupes de végétaux. Au milieu de cette section, on reconnaît les groseilles rouges (*Ribes* sp.) et la « chataigne » avec le fruit globuleux du châtaignier d'Amérique (*Castanea dentata*). Deux dessins de « prune » plutôt similaires correspondent à une espèce de prunier, peut-être le prunier noir (*Prunus nigra*). Le « cachy » est possiblement l'iris versicolore (*Iris versicolor*). La plante « pisque penay » illustre l'apios d'Amérique (*Apios americana*), alors que les autres plantes ne sont pas identifiables. Les fèves du Brésil représentent vraisemblablement le haricot commun (*Phaseolus vulgaris*). Parmi les 10 dessins de l'autre section, on reconnaît des cerises, peut-être celles du cerisier de Pennsylvanie (*Prunus pensylvanica*), les noisettes du noisetier d'Amérique (*Corylus americana*), deux glands, des fraises et, près de la grenouille, ce qui semble un plant de bleuets ou une autre espèce de petits fruits.

Source : Samuel de Champlain, *Carte géographique de la Nouvelle-France faite par le Sieur de Champlain saintongeois capitaine ordinaire pour le Roi en la Marine, fait l'an 1612*, 1612. Banque d'images, Septentrion.

D'autres espèces sont illustrées avec des racines en évidence, comme la plante herbacée portant le nom « cachy ». À l'époque, ce terme signifie cachet, c'est-à-dire un sceau utilisé pour sceller [cacheter] et authentifier les lettres. Le « cachy » est possiblement l'iris versicolore (*Iris versicolor*) dont la fleur ressemble à la fleur de lys, cet emblème se retrouvant sur le sceau royal. Pour l'historien François-Xavier Charlevoix, le « cachet » est une autre espèce correspondant à la smilacine à grappes (*Maianthemum racemosum* subsp. *racemosum*).

Il est impossible d'identifier les espèces nommées « aux » et « asterama ». Quelques espèces illustrées montrent des racines de grosseur importante. L'espèce identifiée « aux » correspond peut-être à une crucifère à quatre pétales produisant une racine ressemblant au navet ou au chou-rave [navette] qui appartiennent à la même famille. Est-ce l'illustration d'une espèce échappée de culture ? Le mot « aux » réfère vraisemblablement au mot « aulx » qui à l'époque est le pluriel d'ail. Les quatre pétales peuvent aussi représenter la fleur d'onagre

Des courges et des citrouilles de l'Amérique. Samuel de Champlain fournit une illustration de quelques cucurbitacées. Ces fruits plutôt volumineux présentent des formes et des couleurs très variées. En Europe, on connaît bien les concombres, les gourdes et les melons. Depuis la découverte de l'Amérique, on doit se familiariser avec la nouvelle gamme de citrouilles et de courges.

Source : Samuel de Champlain, *Brief Discours*, planche XLV. Banque d'images, Septentrion.

(*Oenothera* sp.), une espèce mentionnée en Europe au début du XVIIᵉ siècle. Il peut s'agir aussi d'une tout autre espèce. L'illustration est trop imprécise et schématique. L'espèce « asterama » ressemble quelque peu au tabac (*Nicotiana* sp.) pour ce qui est des feuilles. Louis Nicolas rapporte le mot algonquien *racema* pour le pétun, c'est-à-dire le tabac.

L'espèce « pisque penay » correspond à l'apios d'Amérique (*Apios americana*). Pour Marthe Fari-bault, on doit à Champlain la première mention en 1603 de la présence en Nouvelle-France de l'apios d'Amérique (*Apios americana*) et de sa première illustration sur la carte géographique de 1612 de Champlain gravée par David Pelletier. Cette espèce est alors nommée *pisquepenay*, un terme

montagnais [innu] désignant cette plante. En 1590, Thomas Hariot avait décrit la plante nommée *openauk* comme ayant des racines en forme de noix attachées ensemble sur une corde. Ces racines sont bonnes à manger après les avoir fait bouillir. D'autres noms algonquiens ont été aussi rapportés pour cette espèce, comme *chiquebi*, *oupin* et *penak*. Ce dernier terme semble être à l'origine des mots français panacles, pénacs et leurs dérivés. Ces mots sont différents du terme français patate qui désigne de nos jours la pomme de terre comestible (*Solanum tuberosum*). Le mot patate provient du terme taïno *batata*, assimilé sous les formes *papa* et *patata* en espagnol. Ces termes ont été initialement utilisés pour diverses espèces à tubercules comestibles,

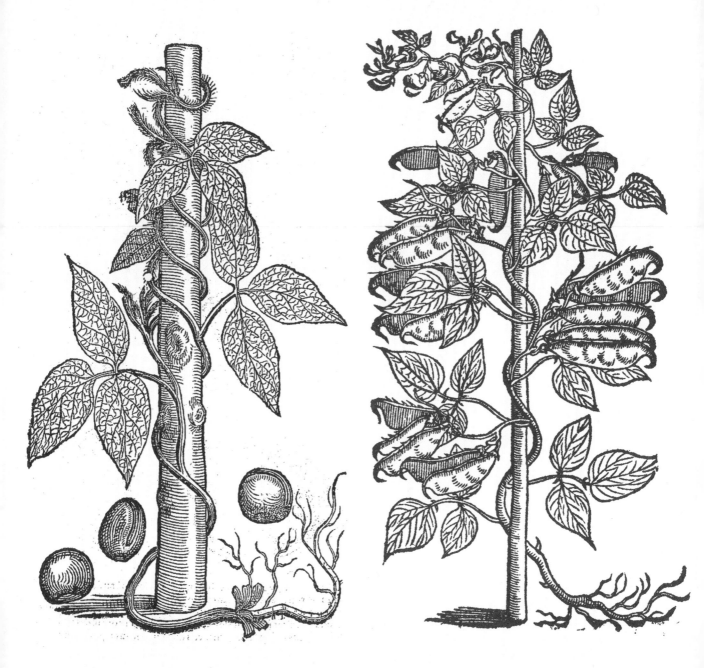

Une première espèce de fève ou phaséole du Brésil. À l'époque, on écrit faséole plutôt que phaséole. Nicloas Monardes présente l'illustration de deux espèces de *fèves du Brésil*. La première se nomme *Phaseolus Brasilianus*. Un botaniste italien de renom, Pietro Andrea Mattioli, avait publié la même illustration de cette fève du Brésil en 1568. Cette illustration correspond peut-être à une variété du haricot commun.

Source : Monardes, Nicolas, *Simplicium medicamentorum ex Novo Orbe delatorum, quorum in medicina usus est, Historia*, Antwerp, 1579, p. 62. Bibliothèque numérique du Jardin botanique royal de Madrid.

Une seconde espèce de fève ou phaséole du Brésil. La seconde espèce se nomme *Phaseolus alter Brasilianus*, c'est-à-dire une autre phaséole du Brésil.

Source : Monardes, Nicolas, *Simplicium medicamentorum ex Novo Orbe delatorum, quorum in medicina usus est, Historia*, Antwerp, 1579, p. 63. Bibliothèque numérique du Jardin botanique royal de Madrid.

La génétique de l'apios et un indice
de sa région de provenance dans un jardin parisien

L'apios d'Amérique est une espèce intéressante à plusieurs points de vue. Cette plante a la capacité de fixer l'azote atmosphérique à cause de la symbiose qu'elle effectue au niveau des racines avec une espèce bactérienne fixatrice d'azote. De plus, l'apios produit des petits tubercules et des graines comestibles. On retrouve cependant deux populations distinctes d'apios par rapport à la production de graines. Au nord de son territoire nord-américain, l'apios est triploïde, c'est-à-dire qu'il possède un ensemble supplémentaire de chromosomes. Cette population d'apios triploïde ne produit pas de graines pour sa reproduction et sa dissémination est alors uniquement dépendante des déplacements des tubercules par les humains ou par d'autres moyens. Dans les régions plus au sud, l'apios diploïde forme des graines qui peuvent produire des plants adultes.

En 1635, Jacques Cornuti décrit l'*Apios Americana* en ces termes. «À partir d'une graine, contenue dans une légère gousse, et semée avec les soins appropriés dans un vase en terre, s'est développée, en l'espace de quatre ans, une plante des plus vivaces». Cornuti écrit aussi que «Vespasien Robin s'est procuré cette plante à partir de gousses d'Amérique». Les recherches modernes montrent que, sauf pour un site en Ontario (Black River, Medoc), l'apios au nord du Massachussetts est triploïde et qu'il ne produit pas de graines viables. Cornuti a donc vraisemblablement observé et décrit un apios provenant d'une région au sud du Massachussetts. Rappelons que, dès 1590, Thomas Hariot avait décrit l'*openask* correspondant à l'apios d'Amérique dans une région de la Caroline du Nord. Cette espèce diploïde s'est ensuite retrouvée dans certains jardins européens, comme probablement celui des Robin à Paris.

Daniel Austin a rapporté des exemples fréquents, dans la littérature historique, de confusion d'identification de l'apios, notamment avec l'ipomée sauvage (*Ipomoea pandurata*).

Sources : Austin, Daniel F., «Indian Potato (*Ipomoea pandurata*, Convolvulaceae)- A Record of Confusion», *Economic Botany*, 2011, 65 (4) : 408-421. Bruneau, Anne et Gregory J. Anderson, «Reproductive biology of diploid and triploid *Apios americana* (Leguminosae)», *American Journal of Botany*, 1988, 75 (12) : 1876-1883. Pringle, James S., «How Canadian is Cornut's *Canadensium Plantarum Historia*? A Phytogeographic and Historical analysis», *Canadian Horticultural History*, 1988, 1 (4) : 190-209.

comme les patates douces et les pommes de terre. Lorsque Guy de La Brosse s'interroge en 1628 sur l'identité botanique des «Patates de Canada», cette appellation désigne cependant le topinambour. Ces patates du Canada ont des «racines approchantes de la nature des Trufles (Truffes)». Certains auteurs utiliseront même le seul mot «Canadas» pour désigner le topinambour.

Deux autres espèces non arborescentes à haut revenu

Le chanvre n'est pas mentionné en 1603, mais il y a deux références au «chanvre» indigène en 1613.

Les Amérindiens informent Champlain que le «chanvre» pousse naturellement sans être cultivé et qu'il peut atteindre de quatre à cinq pieds de hauteur. Champlain souligne de plus que des vêtements amérindiens sont fabriqués «d'herbes et de chanvre».

Quant à la racine prometteuse qui contient une teinture rouge, Champlain ne la mentionne qu'en 1613 en spécifiant qu'il «s'y trouve une racine qui teint en couleur cramoisie, de laquelle les Sauvages se peignent le visage et de petits affiquets à leur usage». Le chanvre et la racine qui teint en couleur cramoisie ne sont pas illustrés sur la carte de Champlain de 1612.

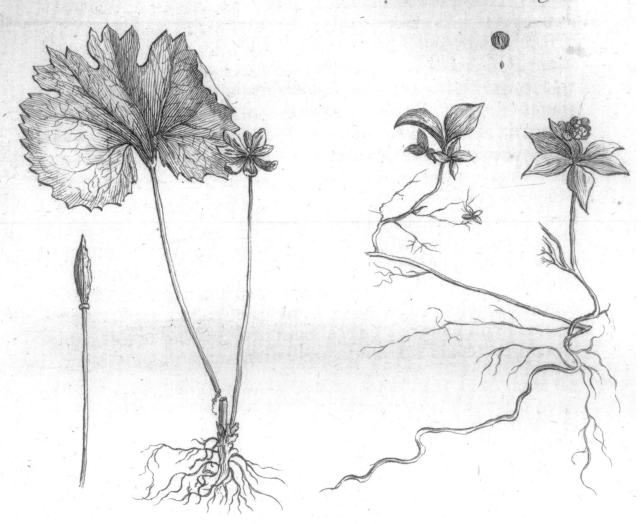

La racine à teinture ou sang-dragon et le matagon. La racine à teinture de Samuel de Champlain est la sanguinaire du Canada (*Sanguinaria canadensis*). Une des premières illustrations du sang-dragon nord-américain est celle présentée en 1744 par Charlevoix. L'illustration du sang-dragon est adjacente à celle du matagon, le quatre-temps (*Cornus canadensis*), une espèce fréquente de la forêt boréale de conifères. Le nom populaire sang-dragon fait référence à la couleur rougeâtre du latex des rhizomes et à son utilisation médicinale. Cette très belle espèce est mentionnée, mais non illustrée, dès 1635 dans la première flore nord-américaine de Jacques Cornuti.

Source : Charlevoix, François-Xavier de, *Histoire et description générale de la Nouvelle-France*, [Tome second], Paris, 1744, planches LXVI et LXVII. Bibliothèque de recherches sur les végétaux, Agriculture et Agroalimentaire Canada, Ottawa.

L'identité du chanvre et de la racine à teinture rouge

Le chanvre peut correspondre à quelques espèces, aussi diverses que l'asclépiade commune (*Asclepias syriaca*), le laportéa du Canada (*Laportea canadensis*) et l'apocyn chanvrin (*Apocynum cannabinum*). Le tilleul ou « bois blanc » peut aussi servir de chanvre pour les Amérindiens tout comme le dirca des marais (*Dirca palustris*). Le Récollet Gabriel Sagard décrit éloquemment les divers usages des lanières, bouillies ou non, de l'écorce du tilleul, appelé *atti* en langue huronne. Les lanières non bouillies servent de « ligatures » pour « envelopper leurs plaies et blessures». Cette «ligature est tellement bonne et forte qu'on n'en saurait désirer une meilleure et de moindre coût». En plus du tilleul, il faut ajouter le frêne noir (*Fraxinus nigra*) dont le bois se sépare en feuillets minces et résistants. Comme Champlain indique que le chanvre atteint quatre ou cinq pieds de hauteur, les choix d'arbres sont à éliminer. Il est fort probable que les Amérindiens utilisent plus d'une espèce de chanvre, selon les besoins spécifiques. Il ne faut donc pas nécessairement limiter le choix à une seule espèce.

La racine à teinture fait référence au rhizome de la sanguinaire du Canada (*Sanguinaria canadensis*) qui contient un suc très rouge utilisé à diverses fins tinctoriales et médicinales par les Amérindiens. Parmi les objets amérindiens échangés avec les Européens, on pouvait retrouver des plumes de diverses couleurs. Les rhizomes de la sanguinaire ont possiblement servi à teindre certains assemblages de plumes.

L'identité des autres plantes mentionnées en 1618

Certains arbres sont identifiables en ce qui a trait au genre, comme le chêne (*Quercus* sp.), l'ormeau [orme] (*Ulmus* sp.), le noyer (*Juglans* sp. ou *Carya* sp.), l'érable (*Acer* sp.), le bouleau (*Betula* sp.), la pruche (possiblement des épinettes, *Picea* sp., et non le tsuga du Canada, *Tsuga canadensis*), le pin (*Pinus* sp.), le sapin (incluant possiblement le sapin baumier (*Abies balsamea*), les épinettes (*Picea* sp.) et le cyprès (Genévrier, *Juniperus* sp.).

D'autres sont identifiables en ce qui concerne l'espèce. C'est le cas du hêtre (Hêtre à grandes feuilles, *Fagus grandifolia*), de la plaine (Érable rouge, *Acer rubrum*), du cèdre (Thuya occidental, *Thuja occidentalis*) et du châtaignier (Châtaignier d'Amérique, *Castanea dentata*). Les identifications du cèdre et du cyprès ne représentent cependant qu'une possibilité parmi d'autres. Champlain utilise aussi deux termes, «cèdre» et «cèdre blanc». Ce dernier terme date de la fondation de Québec en 1608. Le terme «cèdre» de 1618 représente vraisemblablement le «cèdre blanc». Champlain est le premier auteur à introduire le terme «cèdre blanc» comme un nom vernaculaire du thuya occidental (*Thuja occidentalis*). Soulignons que Champlain n'a pas utilisé le terme «arbre de vie»

pour nommer le cèdre blanc d'Amérique du Nord. Jacques Mathieu rapporte des propos de Jacques et Paul Contant en 1628, apothicaires de Poitiers, qui démontrent bien la confusion de l'époque quant à cet arbre: «si nous avons en France du Cedre Atlantic, c'est cet arbre que l'on nomme arbre de vie, dont le premier s'est veu et se void encore à Fontainebleau & maintenant fort commun en nos jardins, estant l'arbre beau à voir et ayant une bonne odeur». Pour les Contant, ce «thuia» de Théophraste est le cèdre Atlantique qui pousse en Afrique!

En résumé, il semble que Champlain soit le premier rapporteur de deux expressions botaniques vernaculaires: «cèdre blanc» en 1608 et «plaine» en 1618.

Le devenir des promesses commerciales

Champlain répète la même opération de persuasion commerciale à plusieurs reprises. Par exemple, il transmet une autre lettre à Louis XIII en 1630 en fournissant la liste de 38 «utilités». Le 15 août 1633, dans une missive à Armand Jean du Plessis dit le cardinal de Richelieu (1585-1642), il énumère encore les ressources naturelles,

À long terme, la Nouvelle-France a effectivement développé un commerce très important du bois qui s'est même prolongé jusqu'au XIXᵉ siècle. Le chanvre indigène et la sanguinaire n'ont jamais conquis les marchés. Dans le cas de la sanguinaire, Champlain est probablement au courant du succès commercial de la teinture rouge de cochenille provenant de l'Amérique Centrale et du Sud. Il est étonnant qu'il n'ait pas inclus des végétaux médicinaux dans sa liste commerciale. Le commerce du gaïac et du sassafras antisyphilitiques provenant des Amériques était pourtant encore vivant et aurait pu servir de modèle pour la vente de plantes médicinales de la Nouvelle-France. Il est aussi surprenant que la liste de Champlain n'ait pas été apparemment influencée par les apothicaires. L'apothicaire Louis Hébert (vers 1575-1627) est pourtant en Nouvelle-France après un long séjour en Acadie. Il est même fort probable que ce dernier ait expédié plusieurs plantes médicinales ou horticoles en France.

En plus de l'importance historique du commerce du bois et de ses cendres (potasse et perlasse), il

Un plant de cochenille qui n'en est pas un. Samuel de Champlain présente une illustration schématique d'un plant de cochenille dont les fruits récoltés fournissent, selon ses propos, le colorant si recherché. Le plant à tiges ramifiées porte des feuilles et des fleurs verdâtres. Quelques graines rougeâtres contiennent le colorant. Le problème est que le colorant est extrait d'insectes qui parasitent certaines espèces de cactus. Champlain n'a donc pas les bonnes informations ou les bons souvenirs concernant cette espèce.

Source : Samuel de Champlain, *Brief Discours*. Banque d'images, Septentrion.

faut souligner qu'au moins quatre produits végétaux ont fait l'objet d'un commerce à partir de la Nouvelle-France. Ce fut le cas pour la fougère nommée capillaire (Adiante du Canada, *Adiantum pedatum*), le ginseng (Ginseng à cinq folioles, *Panax quinquefolius*), la gomme de sapin (Sapin baumier, *Abies balsamea*) et le sucre d'érable (surtout l'érable à sucre, *Acer saccharum,* et à l'occasion l'érable rouge, *Acer rubrum*).

Une teinture pour faire compétition aux Espagnols?

Si Champlain est effectivement l'auteur du *Brief Discours*, il fournit l'illustration de la plante « cochenille » en plus de spécifier que seul le Roi d'Espagne a le contrôle de son commerce. Cette « marchandise

de grand prix… a l'estime de l'or et de l'argent ». Il ajoute que la plante « cochenille » se trouve dans les champs et qu'elle produit un « fruit gros comme une noix, qui est plein de grains par dedans ». Champlain spécifie qu'on coupe la plante qui est ensuite battue pour recueillir la graine qu'on peut semer à nouveau.

Champlain n'a pas bien résolu le secret de la production de la teinture à base de la cochenille. Il croit que les grains de la plante sont la source de la fameuse et dispendieuse teinture écarlate tant recherchée. Il ignore que ce sont des insectes qui parasitent des cactus spécifiques. Son illustration de la plante est erronée, car elle ne représente pas des cactus parasités. Ce manque d'informations est compréhensible à l'époque. Le roi d'Espagne contrôle rigoureusement tout ce qui a trait au monopole de cette teinture de luxe.

Bien connu des Aztèques, le rouge de cochenille a très tôt attiré l'attention des Européens. Son commerce a duré très longtemps. Vers 1850, le Mexique exporte annuellement environ 600 tonnes d'insectes. En 1875, les Canaries en produisent 2 700 tonnes. Vers 1890, le marché de la cochenille s'effondre à cause de nouveaux substituts produits par synthèse chimique. Selon John H. Elliott, le premier navire chargé de cochenilles aurait quitté le Mexique vers l'Espagne dès 1526.

Champlain sait assurément que la cochenille est un objet de commerce international qui suscite un très vif intérêt. Comme pour d'autres produits du Nouveau Monde, il existe de surcroît un commerce illicite, du vol, des substitutions et des altérations fréquentes. Le commerce de la cochenille du Nouveau Monde participe au déclin du commerce des teintures de Venise tout en favorisant la richesse des Espagnols. Les Hollandais et les Flamands profitent beaucoup de ce commerce florissant. Cette cochenille contribue de plus à l'essor commercial des Anglais. En France, elle aide à la réputation des fameuses tapisseries Gobelin. La cochenille permet en effet l'obtention de la couleur écarlate la plus éclatante.

Les membres de la Chambre de commerce de Paris ont probablement pris connaissance en 1615 du Traité de l'économie politique d'Antoyne de Montchrétien publié à Paris. Dans ses recommandations à Louis XIII et à sa mère, le savant économiste spécifie les biens importés et exportés de France. Il indique que la cochenille est expédiée en France par «leurs facteurs et correspondants, lesquels en peuvent faire la vente à meilleur marché que nos marchands qui en font l'achat en Espagne». Le message est clair. Les Espagnols essaient de contrôler encore le plus possible le marché de la précieuse teinture. Il y a avantage à faire des affaires avec leurs représentants. Le livre de Montchrétien mentionne la majorité des produits présentés par Champlain en 1618. Les produits suivants de Nouvelle-France sont énumérés : cèdre, cyprès, lin, chanvre, térébenthine, résine, tar, brai, peaux et fourrures, teintures et peintures, morues, loups marins, vaches marines, baleines, esturgeons, saumons et bien d'autres. L'auteur recommande très fortement au roi de favoriser des plantations de toutes sortes dans ce nouveau pays. Champlain semble donc bien appuyé par certains économistes de l'époque.

Champlain et l'importance accordée au chanvre

En bon navigateur, Champlain voit les promesses de vente pour les voiles et les différents cordages. Le chanvre peut aussi servir à la fabrication de divers contenants. Il réalise aussi l'importance des fibres

Un vrai plant de cochenille et le mode d'extraction du colorant. Les Aztèques exploitent depuis longtemps le colorant extrait d'insectes parasitant certains cactus. L'illustration du haut montre un plant de cactus en fleurs et la présence d'insectes tandis que celle du bas indique que les insectes récoltés dans des contenants sont écrasés pour en extraire le colorant. Ce colorant est par la suite utilisé sur du papier ou d'autres surfaces.

Source : De Sahagun, Bernardino (frère), *Histoire générale des choses de la Nouvelle-Espagne. Livre XI. Les choses naturelles*, XVIᵉ siècle. Bibliothèque numérique mondiale. Ce livre est aussi connu sous le nom de *Codex de Florence*.

végétales comme matériaux de calfatage des navires. Les rebuts de vieux cordages sont fort précieux à l'époque, car ils sont recyclés en matériaux de calfatage en les mélangeant à des gommes, des goudrons et des graisses. Le calfatage dépend donc à l'époque de la disponibilité de fibres de lin et de chanvre. Tel que rapporté par Michèle Bilimoff, les registres de la corderie royale de Rochefort indiquent qu'un navire de taille

De la cochenille pour l'hôpital royal de Rochefort

En 1717, l'intendant au port de Rochefort autorise la commande des drogues pour l'hôpital royal et les vaisseaux de la marine du roi. Les autorités commandent une livre de cochenille au prix de 30 livres. La cochenille est dispendieuse. Parmi les 35 autres drogues, on retrouve les yeux d'écrevisse, la racine de gentiane et d'angélique, le savon noir, la rhubarbe, les prunes de Damas et le quinquina d'Amérique.

Source : *Ratification par François de Beauharnois, intendant au port de Rochefort. 1717 (18 décembre)*, Archives départementales de la Charente-Maritime (France), 3 E 33 art. 16, folios 321-322 verso. Disponible au http://bd.archivescanadafrance.org/.

Des colorants rouges pour la peau, le cerveau et la margarine

En plus du rouge de cochenille, l'Amérique a procuré le rocou, un autre colorant rouge important commercialement. Le rocouyer, une plante d'Amérique tropicale (*Bixa orellana*), fournissait aux Amérindiens le rocou, un mot dérivé du tupi *urucu* décrivant un pigment rouge orangé pour peindre leur corps. Le nom de cette coloration a contribué à l'appellation « peaux rouges ». Certaines descriptions des Européens font mention que les corps peints en rouge ressemblent même à des corps en feu. Le rocou parvient en Europe au XIXᵉ siècle sous la forme d'une pâte séchée, enveloppée dans des feuilles de roseaux, préparée à partir des graines rougeâtres de cette espèce. Les chroniqueurs espagnols du XVIᵉ siècle avaient décrit les usages du rocouyer que les Aztèques nommaient *achiyotl*. En 1744, le mot rocou est utilisé par l'historien Charlevoix pour caractériser un petit arbre d'Amérique du Nord, le « Bignonia aux feuilles de Rocou ».

Le rocou a été en partie remplacé par le rouge Congo, un colorant synthétique. Le rouge Congo a la propriété particulière de se lier fortement aux fibrilles agglutinées sous forme de plaques neurodégénératives dites « séniles » dans la maladie d'Alzheimer. Des dérivés du rouge Congo ont même été évalués, sans grand succès à ce jour, comme médicaments. Les plaques dites amyloïdes et certaines protéines ou peptides qui leur donnent naissance interfèrent possiblement avec la physiologie normale du cerveau. Le rouge Congo et d'autres molécules sont toujours utiles pour étudier la formation, la distribution et l'inhibition des structures moléculaires amyloïdes qui ne sont pas uniques à la maladie d'Alzheimer.

Au XXᵉ siècle, le rocou a été utilisé en capsule pour colorer la margarine en jaune. Le lobby du beurre s'est opposé longtemps à ce que la margarine soit vendue sous forme colorée. Il fallait donc la colorer soi-même à l'aide de sachets contenant une solution concentrée de rocou. Aujourd'hui, l'utilisation de ce colorant (E160B) est approuvée dans les pays membres de la Communauté européenne. Biochimiquement, ce pigment est la bixine [*annatto* en anglais] qui est synthétisée dans la plante à partir du lycopène, ce pigment caroténoïde qui est aussi un précurseur de la vitamine A.

Sources : Bouvier, Florence, et autres, « Biosynthesis of the Food and Cosmetic Plant Pigment Bixin (Annatto) », *Science*, 2003, 300 : 2089-2091. Charlevoix, François-Xavier de, *Histoire et description générale de la Nouvelle-France*, [Tome second], Paris, 1744. Disponible au http://gallica.bnf.fr/. Ewan, Joseph, « Plant resources in colonial America », *Environmental Review*, 1976, 1 (2) : 44-55. Vachon, Catherine, « Plantes textiles et tinctoriales », dans Allain, Yves-Marie, et autres, *Passions botaniques. Naturalistes voyageurs au temps des grandes découvertes*, Rennes, Éditions Ouest-France, 2008.

moyenne de la seconde moitié du XVIIᵉ siècle utilise environ 80 tonnes de chanvre pour ses cordages et 6 à 8 tonnes pour les voiles. Champlain, en bon marin, connaît aussi les besoins en bois pour la construction d'un vaisseau. On utilise généralement du bois de chêne européen pour la coque et du bois de « pin du Nord », c'est-à-dire du nord de l'Europe, pour la mature.

Champlain se souvient aussi sûrement de son contact avec les fibres des « paniers » amérindiens à la mi-octobre 1615. Champlain et ses compagnons de guerre amérindiens viennent d'affronter les Iroquois au fort Onondaga, près de Perryville au sud du lac Oneida dans l'actuel état de New York. Champlain a une blessure au genou qui l'empêche de marcher. Il doit donc être transporté dans un « panier » installé sur le dos des Amérindiens. Champlain décrit qu'il est « impossible de se mouvoir » dans ce « panier ». Cette torture dure pendant quelques jours sur une distance d'environ 125 kilomètres. Cela lui « faisait perdre patience » et il a dû en conserver un souvenir douloureux. Malgré la torture, ces contenants sont impressionnants, car ils peuvent supporter pendant longtemps le poids d'un homme. Le « chanvre » amérindien peut donc servir de matériau fort résistant pour divers contenants.

Champlain et les promesses de l'*annedda*

Champlain ne mentionne pas les revenus du commerce potentiel de l'arbre guérisseur si efficace et décrit par Jacques Cartier. Pourtant, il semblait connaître les récits des voyages de Cartier, car il réfère aux grandes contributions du capitaine. Champlain est sans doute au courant de l'histoire de l'*annedda*.

De la même façon, il est très familier avec les problèmes scorbutiques. En 1613, il décrit l'épisode de la « fort cruelle maladie » de l'hiver 1604-1605 à l'île Sainte-Croix en Acadie. Ce « mal de terre », que les savants appellent « scurbut », fait périr 35 ou 36 hommes et « plus de 20 » autres sont très malades. Le groupe des 79 hivernants est décimé. On procède même à des autopsies en faisant « l'ouverture de plusieurs pour reconnaître la cause de leur maladie ». Au XVIIIᵉ siècle, les Amérindiens avaient nommé cette île *Bone Island*, l'île aux Os,

parce que les corps, enterrés superficiellement dans le sol, se sont retrouvés en partie exposés à la surface. Des fouilles archéologiques récentes ont permis de démontrer que le crâne d'un homme a été perforé de façon circulaire selon la procédure d'époque pour les autopsies. Les propos de Champlain sont donc appuyés par ces trouvailles archéologiques. Il s'agit en fait de la première autopsie nord-américaine confirmée par des évidences archéologiques. Un ouvrage édité par Steven R. Pendery résume les connaissances historiques et archéologiques concernant cette île et l'épisode mortel du scorbut.

Champlain décrit la même maladie à l'hiver 1605-1606 à Port-Royal. Douze hommes décèdent parmi le groupe des 45 hivernants. Cinq personnes sont très malades jusqu'au printemps. Le chirurgien nommé « Des Champs » « fit ouverture de quelques corps ». Il trouve les mêmes altérations que l'hiver précédent. Champlain spécifie qu'on ne peut pas « trouver remède pour les guérir ». Le taux de mortalité est de 26 % comparativement à 44 % pour l'hiver précédent.

Le troisième épisode de scorbut décrit par Champlain est celui de l'hiver 1608-1609 à Québec. Cette « maladie de la terre » sévit de février jusqu'à la mi-avril. Dix des dix-huit hommes décèdent. Le chirurgien Bonnerme procède à quelques autopsies et il décède lui-même quelque temps après. Champlain expose alors ses interprétations médicales. Les maladies de la terre « ne proviennent que de manger trop de salures et légumes qui échauffent le sang et gâtent les parties intérieures ». Il ajoute que « l'hiver aussi en est en partie cause… et aussi la terre quand elle est ouverte il en sort de certaines vapeurs qui y sont encloses lesquelles infectent l'air ». Pour Champlain, une mauvaise nutrition basée sur des aliments salés et trop de légumes et les rigueurs de l'hiver peuvent être neutralisées par le « bon pain et viandes fraîches ». Champlain mentionne que les Hollandais « Flamans » « ont trouvé un remède fort singulier ». Il ajoute cependant qu'il ne connaît pas l'efficacité réelle de ce remède dont il a entendu parler. Champlain fait probablement référence à la publication de François Pyrard (vers 1578-vers 1623) décrivant l'efficacité des oranges et des citrons.

Le texte de 1613 de Champlain révèle qu'il est bel et bien au courant de l'*annedda* de Cartier. Il mentionne que l'« *Aneda* que Jacques Quartier a dit avoir tant de puissance contre la maladie appelée Scurbut». Champlain commet cependant deux erreurs d'interprétation par rapport à cette plante guérisseuse. D'abord, il croit que c'est une herbe et non un arbre. D'autre part, après avoir rencontré le 8 juillet 1605 un chef amérindien nommé *Aneda*, il conclut qu'un Amérindien «de sa race» doit être celui «qui avait trouvé l'herbe appelée *Aneda*». Cette «race» est algonquienne, fort différente des Iroquoiens rencontrés par Jacques Cartier. Champlain n'interroge donc pas les Amérindiens de la bonne famille linguistique en plus d'interpréter qu'il s'agit d'une herbe, selon le lexique de Cartier. Il ne faut donc pas s'étonner que «les sauvages ne connaissent point cette herbe». Il semble que Champlain ne considère pas les descriptions de Cartier ayant trait à un gros conifère guérisseur.

Les écrits de Marc Lescarbot corroborent l'insuccès de Champlain, car cet auteur révèle que Champlain «qui est présentement en la grande rivière de Canada, passant l'hiver au quartier même où ledit Cartier hiverna, a charge de le reconnaître et en faire provision». Cette allusion à la mission de Champlain est rapportée dans les premières éditions de 1609 et 1611-1612 du livre de Lescarbot. Par contre, elle en est absente à partir de 1617. Il est donc évident que Champlain n'a pas réussi sa mission par rapport à l'*annedda*. Cet insuccès de Champlain a causé à la jeune colonie de sérieux problèmes de survie à l'hiver.

Pourquoi la sanguinaire et le chanvre ne deviennent-ils pas des succès commerciaux?

Contrairement à la cochenille des Espagnols, Champlain ne peut pas compter sur une armée de travailleurs dédiés à la récolte des racines de sanguinaire. Le marché européen de la cochenille est approvisionné avec régularité par la flotte espagnole. Le réseau de distribution de ce produit est solidement installé depuis près d'un siècle. La compétition des Espagnols est agressive et féroce.

De plus, il n'y a aucune évidence que le colorant de la sanguinaire surpasse les effets de coloration produits par la cochenille. La sanguinarine est chimiquement différente de l'acide carminique de la cochenille. Il serait intéressant de comparer la coloration de divers matériaux textiles par les deux molécules. La coloration à la sanguinarine aurait-elle pu faire compétition à l'extrait de cochenille?

Quant au chanvre indigène, il est en compétition avec le chanvre cultivé (*Cannabis sativa*) européen qui est une plante annuelle facile à produire aux champs. Ce n'est pas le cas pour les chanvres d'Amérique. Dans certains cas, ces chanvres sont même des arbres ou des arbustes, comme le tilleul et le frêne noir, dont la culture ne peut faire compétition au chanvre annuel européen. On comprend mieux alors les efforts répétés d'implantation du chanvre européen en Nouvelle-France.

D'autres découvertes botaniques attribuées à Champlain

Parmi ces découvertes, celles de l'été 1605 sont particulièrement intéressantes. Entre le 18 juin et le 3 août, Champlain explore la côte de la Nouvelle-Angleterre, à partir de l'île de Sainte-Croix, à la frontière entre le Maine et le Nouveau-Brunswick, jusqu'à Cape Cod. En juillet, il observe des «citrouilles, courges et pétun [tabac]». Le 17 du même mois, il mange en salade des «petites citrouilles de la grosseur du poing et du pourpier, qui vient en quantité parmi le blé d'inde, dont ils ne font non plus d'état que de mauvaises herbes». Il rapporte aussi la présence de plusieurs «petites maisonnettes, qui sont parmi les champs où ils sèment leur blé d'Inde». Champlain ne semble pas réaliser que ces maisonnettes, abritant souvent de jeunes Amérindiens, servent à éloigner les oiseaux et d'autres animaux causant des dégâts au maïs. Le lendemain, il examine de la corde de chanvre, qu'il croit être «comme celui de France». Le 21 juillet, près du port de Mallebarre (région de Cape Cod), il note la présence d'un champ de maïs «en fleur de la hauteur de 5 pieds et demi» où il y a de plus des «fèves du Brésil, et force citrouilles de plusieurs grosseurs, bonnes à manger, du pétun et des racines qu'ils cultivent lesquelles ont le goût d'artichaut [topinambour]». Certaines espèces précédentes, comme les citrouilles et les fèves du Brésil, se retrouvent d'ailleurs illustrées sur le cartouche de la carte de la Nouvelle-France de 1612. Les bois sont remplis de «chênes, noyers et de très beaux cyprès, qui sont rougeâtres et ont fort bonne odeur». Il est le premier à utiliser l'appellation «cyprès rouge(âtre)»

Huit ans plus tard, du cyprès rouge dans la vallée de l'Outaouais

Après une première observation en 1605 en Nouvelle-Angleterre, Champlain observe à nouveau le cyprès rouge en Nouvelle-France. Du 29 mai au 17 juin 1613, il explore la région de la rivière des Outaouais. Il atteint un lac formé par l'élargissement de la rivière. Ce lac, appelé plus tard le lac des Chats, est situé à environ 50 km à l'ouest de la ville de Gatineau. Dans l'une des îles, Champlain signale la présence de «plusieurs beaux cyprès rouges, les premiers que j'eusse vu en ce pays, desquels je fis une croix, que je plantai à un bout de l'île, en lieu éminent, et en vue, avec les armes de France». Il s'agit bel et bien du genévrier de Virginie (*Juniperus virginiana* var. *virginiana*) qui n'est d'ailleurs présent au Québec que dans la vallée de l'Outaouais et dans un site de la région de Brome-Missisquoi. On observe encore ces genévriers sur les îles du lac des Chats, en compagnie des pins blancs, des chênes et des thuyas. Cette espèce est cependant en déclin au Québec, car elle fait partie de la liste des espèces susceptibles d'être désignées menacées ou vulnérables. C'est le seul genévrier arborescent et il peut atteindre jusqu'à 10 m de hauteur. Il affectionne les milieux rocheux, ouverts, secs et souvent à sol calcaire. Des genévriers du lac des Chats semblent très âgés et avoir échappé aux incendies. La croix de genévrier planté par Champlain n'a pas qu'un caractère religieux; elle sert de repère utile pour évaluer les distances.

Durant cette exploration de la région, Champlain manifeste au chef algonquin Tessouat le désir de visiter la nation des Nipissing. Pour Tessouat, cette nation en est une de sorciers qui empoisonnent leurs victimes. Champlain répond que Dieu le préserverait des sortilèges, qu'il connaît «aussi leurs herbes» toxiques et qu'il ferait bien attention «d'en manger». En attendant la réponse finale du chef, Champlain se promène dans les jardins algonquins remplis de «citrouilles, phasioles [phaséoles] et de nos pois, qu'ils commencent à cultiver». Cette culture des pois d'Europe par les Amérindiens est l'une des premières mentions en Nouvelle-France. Champlain, même s'il a déclaré connaître les végétaux létaux, ne réussit pas à convaincre le chef algonquin à le laisser poursuivre son exploration.

Sources: Cayouette, Jacques, observations personnelles. Comité Flore québécoise de FloraQuebeca, *Plantes rares du Québec méridional. Guide d'identification produit en collaboration avec le Centre de données sur le patrimoine naturel du Québec* (CDNQ), Québec, Les Publications du Québec, 2009. Laverdière, Charles-Honoré, *Œuvres de Champlain, publiées sous le patronage de l'Université Laval*, [Seconde édition], six volumes, tome V, Québec, Geo-E. Desbarats, 1870. Disponible au www.classicistranieri.com.

pour identifier le genévrier de Virginie (*Juniperus virginiana* var. *virginiana*).

Pour plusieurs historiens, Champlain est aussi le premier à mentionner, le 21 juillet 1605, le topinambour (*Helianthus tuberosus*) sur la côte du Massachusetts. Cette variété, que l'on croit à peau rouge, a été introduite, selon Lacaita, en France dès 1607, en Hollande en 1613 et en Angleterre vers 1616-1617. En 1622 en Angleterre, on considère que manger des racines du topinambour peut causer des problèmes de santé. Malgré cette remarque négative, cette plante devient très abondante dans ce pays dès 1629. Un autre auteur, Kurt Wein, suggère la séquence suivante pour son introduction européenne : France (1607), Hollande (1613), Italie (1614), Angleterre (1617), Allemagne (1626), Danemark (1642), Pologne (1652) et Portugal (1661). Marc Lescarbot, le premier historien de la Nouvelle-France, discute de cette plante qui porte incorrectement le nom de topinambour, une peuplade du Brésil. Il dénonce d'ailleurs cette confusion terminologique. En 1612, Lescarbot raconte comment quelques premiers colons en Acadie ont trouvé la solution à une disette. Ils mangèrent tout simplement les racines qui sont «bonnes comme Truffes» et que les Amérindiens «mangent au besoin». Ils «défrichèrent environ quatre arpents» pour obtenir ces racines et ils se servirent de cet espace dégagé pour semer des «seigles et légumes».

Ce n'est pas la seule confusion terminologique concernant le topinambour parfois nommé « poires de terre ». Le nom « artichaut de Jérusalem », de l'anglais *Jerusalem artichoke,* est encore une source de confusion et d'erreurs historiques quant à son origine. Plusieurs soutiennent que le mot Jérusalem est dérivé du terme italien *girasole* décrivant le mouvement des capitules des fleurs influencé par le déplacement du soleil. L'analyse critique de cette théorie datant de 1802 démontre qu'elle est non fondée. Au début des années 1920, une autre hypothèse, plus étoffée, suggère que le mot Jérusalem est possiblement une corruption de *Terneusen,* le nom d'une ville des Pays-Bas d'où le topinambour a été diffusé à partir de 1613 dans diverses régions européennes. Le fameux Petrus Hondus (vers 1578-1621) est reconnu pour avoir disséminé cette plante après avoir initié sa culture le 28 février 1613. La réputation de son jardin de *Terneuzen,* une redoute abandonnée par les soldats allemands, et de ses topinambours ont possiblement joué un rôle dans l'adoption du mot déformé Jérusalem. D'autres hypothèses font référence à d'autres noms hollandais communs à l'époque. Par exemple, les topinambours étaient pour les Hollandais des artichauts sous terre (*artischocten unter der aerden*). Les recherches historiques sur le topinambour, ces patates du Canada, sont loin d'être terminées.

James Pringle souligne que la plantation de rosiers à Québec par Champlain en 1611 semble constituer la première mention d'une préoccupation d'horticulture ornementale au Canada. On reconnaît de plus que Champlain est le premier à décrire le podophylle pelté (*Podophyllum peltatum*) en août 1615. Au mois de mai 1624, il est aussi l'un des premiers auteurs à colliger des observations phénologiques rapportant l'apparition des fleurs, des feuilles et des plantules de diverses espèces indigènes et cultivées.

Sources

Biggar, Henry Percival (editor), *The Works of Samuel de Champlain*, [Six volumes], Toronto, The Toronto Champlain Society, 1922-1936. Disponible sur le site de la Société Champlain au http://link.library.utoronto.ca/champlain.

Bilimoff, Michèle, *Histoire des plantes qui ont changé le monde*, Paris, Albin Michel, 2011.

Champlain, Samuel de, *Des Sauvages*, [Texte établi, présenté et annoté par Alain Beaulieu et Réal Ouellet], Montréal, Éditions TYPO, Collection « Typo », n° 73, 1603 (1993).

Donkin, R.A., « An ethnogeographical study of cochineal and the *Opuntia* cactus », *Transactions of the American Philosophical Society. New Series*, 1977, 67 (5) : 1-84.

Dunmire, William W., *Gardens of New Spain. How Mediterranean Plants and Foods changed America*, Austin, Texas, University of Texas Press, 2004.

Elliott, John Huxtable, *Empires of the Atlantic World*, New Haven et London, Yale University Press, 2006.

Faribault, Marthe, « L'Apios tubéreux d'Amérique : histoires de mots », *Recherches amérindiennes au Québec*, 1991, 21 (3) : 65-69.

Fischer, David Hackett, *Champlain's Dream. The visionary adventurer who made a New World in Canada*, Toronto, Alfred A. Knopf Canada, 2008.

Lacaita, C.C., « The "Jerusalem Artichoke" (*Helianthus tuberosus*) », *Bulletin of Miscellaneous Information (Royal Gardens, Kew)*, 1919, 9 : 321-339.

Laverdière, Charles-Honoré, *Œuvres de Champlain, publiées sous le patronage de l'Université Laval*, [Seconde édition], six volumes, Québec, Geo-E. Desbarats, 1870. Disponible au www.classicistranieri.com.

Le Blant, Robert et René Beaudry, *Nouveaux documents sur Champlain et son époque. Volume I (1560-1622)*, Ottawa, Publications des Archives publiques du Canada, publication n° 15, 1967.

Lescarbot, Marc, *Voyages en Acadie (1604-1607) suivis de La description des mœurs souriquoises comparées à celles d'autres peuples*, [Édition critique par Marie-Christine Pioffet], Québec, Les Presses de l'Université Laval, 2007.

Lescarbot, Marc, *Relation dernière de ce qui s'est passé au voyage du sieur de Poutrincourt en la Nouvelle-France depuis 20 mois ença*, Paris, Chez Jean Millot, 1612. Disponible sur le site Nos Racines au http://www.ourroots.ca.

Litalien, Raymonde et Denis Vaugeois, *Champlain. La naissance de l'Amérique française*, Les éditions du Septentrion (Québec) et Nouveau Monde éditions (Paris), 2004.

Mathieu, Jacques, *Le premier livre de plantes du Canada. Les enfants des bois du Canada au jardin du roi à Paris en 1635*, Sainte-Foy, Les Presses de l'Université Laval, 1998.

Montchrétien Antoine de, *Traicté de l'oéconomie politique. Dédié en 1615 au Roy et à la Reyne Mère du Roy*, [Avec introduction et notes par Th. Funck-Brentano], Paris, 1615. Disponible au http://gallica.bnf.fr/.

Pendery, Steven R., ed., *Saint Croix Island. Maine. History, Archeology and Interpretation*, Augusta, Maine, The Maine Historic Preservation Commission and the Maine Archaeological Society, 2012.

Pringle, James S., « How Canadian is Cornut's *Canadensium Plantarum Historia*? A Phytogeographic and Historical analysis », *Canadian Horticultural History*, 1988, 1 (4) : 190-209.

Rousseau, Jacques, « La botanique canadienne à l'époque de Jacques Cartier », *Annales de l'Association canadienne-française pour l'avancement des sciences (ACFAS)*, 1937, 3 : 151-236.

Rousseau, Jacques, « Samuel de Champlain, botaniste mexicain et antillais », *Les Cahiers des Dix*, 1951, 16 : 39-61.

Séguin, Maurice K., *Samuel de Champlain. L'entrepreneur et le rêveur*, Québec, Les éditions du Septentrion, 2008.

Wein, K., « Die Einführungsgeschichte von *Helianthus tuberosus* L. », *Genetic Resources and Crop Evolution*, 1963, 11 (1) : 41-91.

Zuppiroli, Libero et Marie-Noëlle Bussac (avec les photographies de Christiane Grimm), *Traité des couleurs*, Lausanne, Presses polytechniques et universitaires romandes, 2003.

AU PLUS TARD EN 1620, ANNABERG EN SAXE.
UN MÉDECIN ACQUIERT UN TRILLE
DE LA NOUVELLE-GAULE

JOACHIM BURSER (1583-1639) est né à Kamenz, aussi orthographié à l'occasion Camentz, dans la région de Saxe en Allemagne. Il exerce la médecine dans la ville d'Annaberg, dans la région de la Misnie de l'époque. En 1625, il devient professeur de médecine et de botanique à Sorö au Danemark. Il s'intéresse beaucoup à la botanique. Il voyage en Europe tout en collectionnant un herbier. À son décès, sa collection impressionnante se compose de 25 volumes de spécimens d'herbier en plus d'un volume supplémentaire sur les plantes danoises.

Cet herbier est transféré en Suède durant la guerre de 1658-1660, qui oppose la Suède et le Danemark. Depuis 1854, l'herbier de Burser est conservé à l'Université suédoise d'Uppsala, au nord de Stockholm. Deux volumes ont été détruits avec le temps. Burser inclut des informations sur les 3189 montages de plantes séchées restantes. Ces informations indiquent, dans certains cas, la provenance des échantillons. L'herbier de Burser est fort utile à Linné, le père de la botanique moderne. La plupart des spécimens de Burser sont des plantes européennes. On y retrouve aussi des plantes exotiques, incluant des plantes américaines.

Une espèce brésilienne
provient de la Nouvelle-Gaule !

Étonnamment, une plante provient de la Nouvelle-Gaule (*ex Gallia Nova*), c'est-à-dire de la Nouvelle-France. Cette espèce porte le nom de *Solanum triphyllon Brasilianum* et elle a déjà été décrite en 1620 par le botaniste Gaspard [Caspar] Bauhin. Burser ajoute qu'il a obtenu cette plante d'un apothicaire de Paris (*Lutetiam attulit Pharmacopoeus quidam*). L'auteur ne semble pas avoir décelé la confusion géographique. La plante est dite « Brésilienne », mais elle provient de la Nouvelle-Gaule. En français, il s'agit du solanum à trois feuilles du Brésil. Une autre plante du Brésil en Nouvelle-France ! Il y

a au moins deux autres exemples précédents. Il suffit de relire les propos de Cartier sur le mil du Brésil et de se remémorer le nom des fèves du Brésil sur le cartouche de la carte de la Nouvelle-France de 1612 élaborée par Champlain.

L'identité de cette plante est facile à déterminer en observant le spécimen d'herbier. C'est le trille blanc (*Trillium grandiflorum*) de l'Amérique du Nord, qui est d'ailleurs devenu l'emblème floral de la province de l'Ontario. Cette espèce est aussi présente au Québec, particulièrement dans la région montréalaise et dans la vallée de l'Outaouais. Dans l'est canadien, on la rencontre aussi en Nouvelle-Écosse. Elle est cependant absente de Terre-Neuve. Aux États-Unis, on la rencontre sur la côte est entre le Maine et la Georgie. Contrairement au mil du Brésil de Jacques Cartier, elle n'est pas présente au Brésil.

L'acquisition du trille
de la Nouvelle-Gaule par Joachim Burser

La première mention de cette espèce dans un traité botanique est celle de Gaspard Bauhin en 1620 qui indique qu'il a obtenu ce trille de Joachim Burser. Il ajoute que ce dernier l'a reçu d'un apothicaire de Paris. On peut donc conclure que Bauhin l'a acquis au plus tard en 1620, l'année de la publication de son traité de botanique *Prodomos theatri botanici*. Il est cependant fort probable que l'acquisition soit antérieure de quelques années à 1620. Le livre de Bauhin de 1620 mentionne en fait huit plantes provenant de Joachim Burser. Joachim Burser a donc vraisemblablement acquis ces spécimens durant la décennie 1610.

La confusion dans l'identification de la provenance référant au Brésil plutôt qu'à la Nouvelle-France demeure sans explication. Pourtant dès 1618, Marc Lescarbot dénonce ceux qui nomment *Toupinambaux* les racines comestibles d'une autre plante rapportée d'Acadie. « Mais je veux mal à ceux qui les font nommer Toupinambaux aux crieurs de Paris ».

En fait, Lescarbot décrit les racines du topinambour (*Helianthus tuberosus*). Lescarbot ajoute que «nous avons apporté quelques-unes de ces racines en France, lesquelles ont tellement multiplié que tous les jardins en sont maintenant garnis». Lescarbot dénonce en vain la fausse identité brésilienne de cette espèce, car le mot topinambour persiste même à ce jour. Les *Toupinambaux* sont les membres d'une nation amérindienne brésilienne. Des *Toupinambaux* ont été à l'occasion exhibés à Paris comme des curiosités de l'Amérique. Il est donc coutume à l'époque d'associer le Brésil à ses habitants indigènes qui impressionnent l'imaginaire des Européens. Par extension, on utilise aussi le même mot pour identifier le pays ou la région d'où vivent ces indigènes.

D'autres espèces de l'Amérique du Nord

D'autres plantes nord-américaines ont été incorrectement identifiées comme des plantes des *Toupinambaux* du Brésil. Le cas du trille blanc n'est pas unique. En 1931, le botaniste Hans Oscar Juel (1863-1931) a répertorié 27 plantes nord-américaines dans l'herbier de Joachim Burser qui proviennent, selon les notes de l'herbier, du pays ou de la région des *Toupinambault* au Brésil et qui ont été acquises par Burser par l'intermédiaire de cet apothicaire de Paris. Oscar Juel croit que toutes ces plantes, sauf peut-être une espèce, proviennent en fait du Canada.

Voici les 27 identifications suggérées par Hans Oscar Juel en 1931, transcrites entre parenthèses et précédées des noms français modernes. Les huit espèces aussi mentionnées par Gaspard Bauhin en 1620 sont signalées par un astérisque. Les noms latins complets et quelques autres informations provenant de l'herbier de Burser sont présentés à l'appendice 5.

La linnée boréale (*Linnaea borealis*)*, maintenant identifiée *Linnaea borealis* subsp. *longiflora*, une osmorhize, probablement celle de Clayton (*Osmorhiza* sp., probablement *claytonii*), l'aralie à tige nue (*Aralia nudicaulis*), le trille blanc (*Trillium grandiflorum*)*, l'anémone du Canada (*Anemone dichotoma*) correspondant à *Anemone canadensis*, une actée, probablement l'actée rouge (*Actaea*, probablement *rubra*), le cypripède soulier ou sabot de la Vierge (*Cypripedium parviflorum*) qui pourrait aussi correspondre à une autre espèce, la pyrole à feuilles d'Asaret (*Pyrola asarifolia*), la pyrole unilatérale (*Pyrola secunda*) maintenant nommée *Orthilia secunda* (cette même identification revient aussi pour un second échantillon), le quatre-temps (*Cornus canadensis*)*, la trientale boréale (*Trientalis americana*)* maintenant

---

Le myrique baumier, un vieux compétiteur du houblon dans la fabrication de la bière

Le myrique baumier se retrouve dans des régions du nord de l'Eurasie et de l'Amérique. Dès le xᵉ siècle en Europe, des sources écrites confirment son usage dans la fabrication de la bière. Le myrique a l'avantage de ne pas devoir être cultivé comme le houblon (*Humulus lupulus*). À la fin du Moyen Âge, le myrique est même en forte compétition avec le houblon, comme additif à la bière, dans les régions où il pousse naturellement. Il semble que le myrique baumier était déjà utilisé dans la bière produite au début du premier millénaire de notre ère dans une région du nord de la Hollande. Certaines législations et ordonnances ont favorisé l'usage du houblon. Le myrique baumier a été utilisé de plus pour le tannage et la teinture des tissus. On s'en est aussi servi pour sa fragrance et sa valeur condimentaire. Durant son séjour en Nouvelle-France (1664-1675), Louis Nicolas observe que les Amérindiens fument du myrique baumier et offrent de l'encens à *michipichi*, leur dieu des eaux. Par ailleurs, dans un autre texte, Louis Nicolas rapporte que *michi-pichi* est le nom d'un mauvais génie ou d'un animal monstrueux pour certains Amérindiens.

Sources: Behre, Karl-Ernst, «The history of beer additives in Europe-a review», *Vegetation History and Archaebotany*, 1999, 8: 35-48. Skene, K. R., et autres, *Myrica gale* L. *Journal of Ecology*, 2000, 88: 1079-1094.

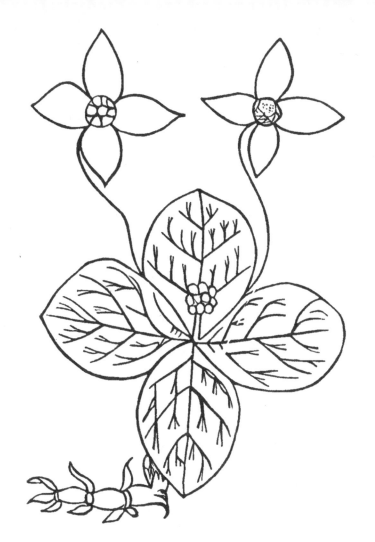

Le premier dessin du quatre-temps (*Cornus canadensis*) en Amérique du Nord. John Josselyn décrit environ 227 espèces végétales en Nouvelle-Angleterre. Parmi celles-ci, 48 plantes sont propres au pays. Parmi les espèces indigènes, Josselyn fournit l'illustration du quatre-temps, une plante caractéristique des sous-bois de conifères. Le dessin schématique met en évidence les bractées florales et un fruit globuleux près du centre des quatre feuilles disposées en verticille.

Source : Josselyn, John, *New England's Rarities discovered in birds, beasts, fishes, serpents and plants of that country*, Londres, 1672.

nommée *Trientalis borealis*, l'arisème petit-prêcheur (*Arisaema triphyllum*)* maintenant nommé *Arisaema triphyllum* subsp. *triphyllum*, la violette du Canada (*Viola canadensis*), la bermudienne à feuilles étroites (*Sisyrinchium angustifolium*) qui est vraisemblablement plutôt la bermudienne montagnarde (*Sisyrinchium montanum*), la castilléjie écarlate (*Castilleja coccinea*), une onagre (*Oenethera* sp.) (Juel note que les fleurs ont été détruites par les insectes), l'immortelle blanche (*Anaphalis margaritacea*), l'uvulaire à grandes fleurs (*Uvularia grandiflora*)*, la smilacine à grappes (*Smilacina racemosa*) maintenant nommée *Maianthemum racemosum* subsp. *racemosum*, la tiarelle cordifoliée (*Tiarella cordifolia*), la mitrelle à deux feuilles (*Mitella diphylla*), la benoîte des ruisseaux (*Geum rivale*) (Juel note que ce spécimen ne provient peut-être pas de l'Amérique), le pigamon dioïque (*Thalictrum dioicum*), l'adiante du Canada (*Adiantum pedatum*)*, le sumac glagre (*Rhus glabra*)*

et le myrique baumier (*Myrica gale*). Juel indique qu'un autre spécimen de cette même espèce est collé sur la même feuille.

Quelques caractéristiques et les aires de répartition géographique de ces 27 espèces

À l'exception de l'adiante du Canada qui est une fougère, toutes les espèces de l'herbier de Burser sont des plantes à fleurs retrouvées le plus souvent dans les sous-bois ou à proximité de ceux-ci. Il n'y a aucun arbre. Le myrique baumier et le sumac glabre sont les seules espèces avec un port arbustif. Il s'agit donc pour la plupart de plantes à fleurs de type herbacé typiques de la flore boréale nord-américaine.

Si la répartition moderne est une indication valable de celle de 1620, on observe que toutes ces espèces, sauf la castilléjie écarlate, peuvent provenir de la vallée du Saint-Laurent. Cependant, la castilléjie n'est présente au Canada qu'en Nouvelle-Écosse, en Ontario, au Manitoba et en Saskatchewan. Les 27 espèces de l'herbier de Burser sont toutes présentes dans les états de la côte est américaine entre le Massachusetts et l'État de New York. Quelques-unes d'entre elles croissent même en Floride. Il pourrait donc y avoir plus d'un site de provenance de ces espèces.

Si la plupart des échantillons proviennent d'une même région canadienne, la Nouvelle-Écosse (l'Acadie) et le Québec (Nouvelle-France) semblent les régions les plus probables. Cependant, au moins dix espèces de l'herbier de Joachim Burser ne peuvent pas provenir de Terre-Neuve, car elles y sont absentes.

D'autres informations à partir des annotations de Joachim Burser

L'illustration de la linnée boréale est présente dans le traité de Gaspard Bauhin de 1620. L'onagre est présente dans des jardins de Misnie et de Zélande alors que l'immortelle blanche se trouve dans le jardin de Gaspard Bauhin à Bâle en Suisse. La benoîte des ruisseaux a été trouvée en Misnie, en Bohême, en Suisse et au Danemark. Juel doute cependant que ce spécimen provienne bel et bien de l'Amérique du Nord. La Misnie est une région allemande de la Saxe sur l'Elbe. La Zélande, littéralement « Terre de la Mer », est une région des Pays-Bas, à l'embouchure de l'Escaut et la Meuse.

Qui serait l'apothicaire parisien qui a fourni ces spécimens d'Amérique du Nord ?

Une information du traité de Gaspard Bauhin de 1620 permet d'ajouter une information quant à la période d'acquisition des échantillons. En décrivant l'espèce *Serpentaria triphylla Brassiliana,* Bauhin indique que cette plante a été obtenue en 1614 à *Toupinambault* au Brésil (*ex Tououpinambault Braffiliae anno 1614 allata*). Cette plante, l'arisème petit-prêcheur, fait partie de la liste des 27 plantes étudiées par Juel.

À l'exception de 1614 pour l'arisème petit-prêcheur, il n'y a pas d'autres années indiquées

Une illustration moderne et fidèle du quatre-temps (*Cornus canadensis*). Cette espèce, aussi connue en Nouvelle-France sous le nom de matagon, est présente dans l'herbier du médecin allemand Joachim Burser au début du XVIIe siècle. Le botaniste Gaspard Bauhin mentionne aussi son existence en 1620. Il croit cependant que cette plante, nouvellement signalée, provient du Brésil.

Source : *Curtis's Botanical Magazine*, vol. 22, 1805, planche 880. Bibliothèque de recherches sur les végétaux, Agriculture et Agroalimentaire Canada, Ottawa.

pour la collecte des échantillons nord-américains. Qui a pu cueillir l'arisème au Canada en 1614 ? Cette espèce est présente dans tout l'est canadien, à l'exception de Terre-Neuve. Si on limite la collection à la vallée du Saint-Laurent, l'apothicaire Louis Hébert est éliminé, car il n'y est arrivé qu'en 1617. En effet, cet apothicaire parisien est contraint de retourner en France en 1614 après la destruction de Port-Royal par les troupes de Samuel Argall à l'automne de 1613. Il est cependant vraisemblable que cet apothicaire ait rapporté des échantillons de plantes obtenus durant son séjour en Acadie. Louis Hébert y séjourne d'ailleurs dès 1606. Après un retour en France en 1607, il retourne en Acadie en 1610 et en 1612. Louis Hébert effectue donc trois séjours distincts pendant lesquels il a vraisemblablement collectionné des plantes d'Acadie. Il est donc probablement l'apothicaire de Paris qui fournit des échantillons à Joachim Burser. La preuve finale est cependant manquante. Par contre, dès son séjour en Acadie, on surnomme Louis Hébert « le ramasseur d'herbes ».

Louis Hébert est le fils de Nicolas Hébert, un apothicaire parisien plutôt prospère qui, semble-t-il, a été un des fournisseurs de médicaments pour Catherine de Médicis. Son apothicairerie est située d'ailleurs à proximité de la demeure de cette dernière. Le père de Louis Hébert ne peut pas être l'apothicaire parisien pour les plantes récoltées en 1614, car il est décédé avant 1601. Louis Hébert est le cousin de Claude Payot, l'épouse de Biencourt de Poutrincourt (vers 1557-1615) qui effectua des voyages au Canada en 1604, 1606, 1610 et 1614 avant son décès en Champagne.

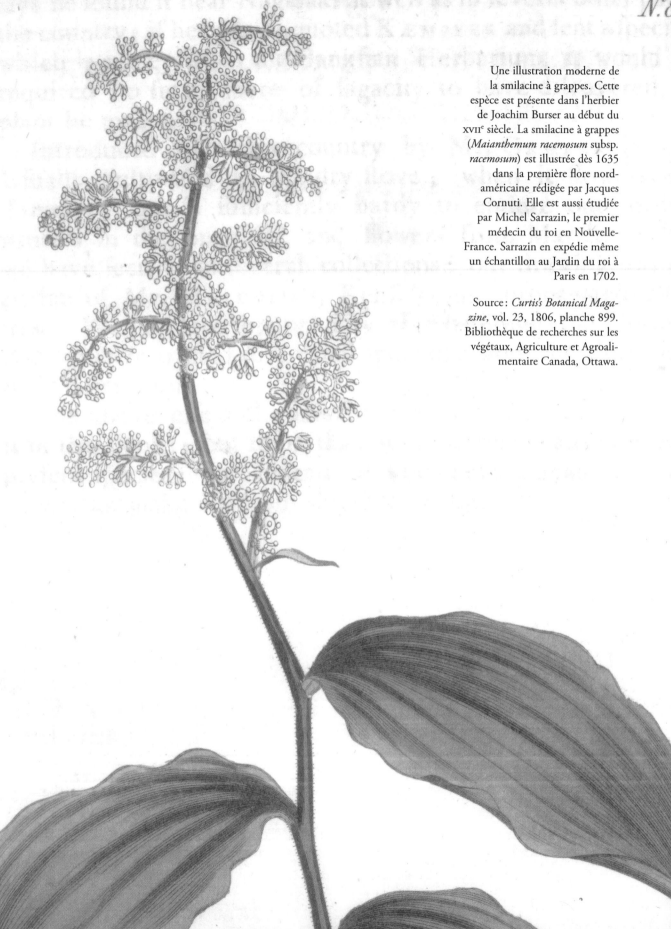

Une illustration moderne de la smilacine à grappes. Cette espèce est présente dans l'herbier de Joachim Burser au début du XVIIᵉ siècle. La smilacine à grappes (*Maianthemum racemosum* subsp. *racemosum*) est illustrée dès 1635 dans la première flore nord-américaine rédigée par Jacques Cornuti. Elle est aussi étudiée par Michel Sarrazin, le premier médecin du roi en Nouvelle-France. Sarrazin en expédie même un échantillon au Jardin du roi à Paris en 1702.

Source : *Curtis's Botanical Magazine*, vol. 23, 1806, planche 899. Bibliothèque de recherches sur les végétaux, Agriculture et Agroalimentaire Canada, Ottawa.

Il y a plusieurs autres apothicaires parisiens au temps de Louis Hébert. Avant lui, Pacifique Duplessis (vers 1584-1619), un apothicaire devenu frère récollet, séjourne comme missionnaire en Nouvelle-France de mai 1615 à juin 1619. Il devient le premier religieux à décéder en Nouvelle-France. Les restes du frère Duplessis, comme ceux de son confrère pharmacien Louis Hébert, reposent d'ailleurs encore sous la chapelle des Récollets maintenant située dans l'Hôpital général de Québec. On rapporte que le corps de Louis Hébert est enseveli dans un cercueil de cèdre. Pacifique Duplessis est, semble-t-il, un apothicaire expérimenté qui a probablement été exposé à la médecine amérindienne lors de son séjour dans la région des Trois-Rivières. Le séjour de Duplessis est cependant postérieur à la récolte des spécimens de 1614. Marie-Victorin affirme que «le premier botaniste de l'Amérique fut Louis Hébert, l'apothicaire-herboriste de Paris, devenu le premier colon de Stadaconé». Si Louis Hébert est un intermédiaire avant son arrivée à Québec en 1617, les plantes acquises par Burser proviennent donc de l'Acadie.

D'autres apothicaires parisiens bien en vue de l'époque sont aussi des intermédiaires potentiels pour Burser. Par exemple, Jean Mocquet (né en 1575), chanoine et apothicaire du roi Henri IV est de plus nommé «garde du cabinet de singularités et du palais des Tuileries» en 1616. Mocquet collectionne les plantes médicinales et diverses curiosités des nouveaux pays. Henri, sieur de Beaufort, est aussi un apothicaire parisien réputé du début du XVIIᵉ siècle. Son père, Antoine de Beaufort, apothicaire, est un marchand très prospère à Paris. Henri de Beaufort est de plus sur la liste des personnes devant participer à l'expédition de Champlain et de Mons en Acadie en 1604. On ne sait pas s'il a survécu au terrible hiver de 1604-1605 sur l'île de Sainte-Croix où plusieurs hommes sont décédés du scorbut.

Il faut enfin considérer le fait que Vespasien Robin a reçu une formation d'apothicaire et que certains l'identifient à ce métier, même s'il est aussi reconnu comme jardinier, comme son père Jean Robin. Catherine de Médicis le dit aussi simpliste. Selon Jacques Mathieu, la formation de Vespasien Robin et Louis Hébert aurait eu lieu durant les mêmes années. Robin serait-il l'apothicaire parisien? Ce n'est qu'une hypothèse parmi d'autres. Jacques Mathieu a décrit en détail plusieurs aspects du réseau parisien des apothicaires et des jardiniers regroupés sur la rue du Bout-du-Monde! Ce réseau est assurément au courant et à l'affût des nouvelles espèces des Amériques qui arrivent à Paris.

Louis Hébert, un apothicaire reconnu dans l'histoire. En 1985, Postes Canada émet un timbre de 34 cents en l'honneur de Louis Hébert. Le premier apothicaire et agriculteur autosuffisant en Nouvelle-France est représenté avec le mortier et le pilon, la faux, le blé, le sapin baumier et la potentille ansérine, une espèce médicinale présente au Canada et en Europe. Deux autres projets du timbre commémoratif (32 cents) prévoyaient l'illustration d'autres plantes, comme le pissenlit officinal (timbre du centre) et l'achillée millefeuille.

Source: Bibliothèque et Archives Canada/MIKAN 2265008 et 2265009 et Postes Canada, Ottawa.

Sources

Bauhin, Caspar, *Prodomos theatri botanici*, Francfort-sur-le-Main, 1620. Disponible à la bibliothèque numérique du Jardin botanique royal de Madrid au http://bibdigital.rjb.csic.es/spa/.

Bouvet, Maurice, «L'apothicaire Louis Hébert, premier colon français du Canada», *Revue d'histoire de la pharmacie*, 1954, 42: 328-334.

Christenhusz, Marteen J. M., «The *hortus siccus* (1566) of Petrus Cadé: a description of the oldest known collection of dried plants made in the Low countries», *Archives of Natural History*, 2004, 31 (1): 30-43.

Fischer, David Hackett, *Champlain's Dream. The visionary adventurer who made a New World in Canada*, Toronto, Alfred A. Knopf Canada, 2008.

Juel, Hans Oscar, «The French Apothecary's Plants in Burser's Herbarium», *Rhodora*, 1931, 34: 176-179.

Lescarbot, Marc, *Voyages en Acadie (1604-1607) suivis de La description des mœurs souriquoises comparées à celles d'autres peuples*, [Édition critique par Marie-Christine Pioffet], Québec, Les Presses de l'Université Laval, 2007.

Mathieu, Jacques, *Le premier livre de plantes du Canada. Les enfants des bois du Canada au jardin du roi à Paris en 1635*, Sainte-Foy, Les Presses de l'Université Laval, 1998.

Rivallain, Josette, «Cabinets de curiosité: aux origines des musées», *Outre-Mers. Revue d'histoire*, Société française d'histoire d'outre-mer, 2001, t. 88, nº 332-333: 17-35.

1620, PARIS. L'ILLUSTRATION DU MARTAGON DU CANADA ET UN LIVRE DE BIOLOGIE EN FORMAT DE POCHE

UN OPUSCULE QUI ACCOMPAGNE un livre publié à Paris en 1620 contient une illustration de la plante nommée le lis du Canada (*Lilium canadense*) par Linné en 1753. Ce livre est la seconde édition de l'*Histoire des plantes* de Geoffroy Linocier. Il s'agit d'un traité de biologie descriptive présentant succinctement des plantes et des animaux. Ce livre a la particularité d'être publié en format de poche.

Geoffroy Linocier (décédé en 1620) est natif de Tournon en Vivarais. Il pratique la médecine dans sa région natale et il est particulièrement doué pour les langues grecques et latines. Il traduit en français divers ouvrages d'histoire naturelle et de mythologie. Il se permet à l'occasion des commentaires dans ses traductions et il fait parfois office d'éditeur. Il est un proche parent de Guillaume Linocier, un libraire parisien bien connu. Au XVIIIe siècle, on nommera le genre botanique *Linociera* en l'honneur du médecin intéressé à la botanique.

L'*Histoire des plantes* de Geoffroy Linocier

La première édition de ce livre date de 1584. En fait, les descriptions des plantes par Linocier ne sont qu'une traduction française de la même *Histoire* publiée par Antoine du Pinet (décédé en 1584) en 1561 à Lyon. Du reste, ce dernier auteur avait simplement condensé les descriptions du botaniste italien Pietro Andrea Mattioli afin de produire un des premiers livres de botanique vulgarisée en format de poche.

L'édition de Linocier de 1620, en partie revue et corrigée, est accompagnée d'un opuscule intitulé *Histoire des plantes nouvellement trouvées en l'Isle Virgine, & autres lieux, lesquelles ont été prises & cultivées au Jardin de Monsieur Robin Arboriste du Roy.* Cet opuscule décrit quatorze nouvelles plantes qui ne sont pas cependant toutes originaires de la région de «l'Isle Virgine». Cette île réfère à diverses régions

nord-américaines imprécises. Quant à «Monsieur Robin», il s'agit de Jean Robin.

Ces quatorze nouvelles espèces, décrites brièvement, sont illustrées de façon rudimentaire, quoiqu'avec une certaine fidélité. On retrouve dans l'ordre : *Maracocq Indica* ou la fleur de la passion qui «croit en l'Amérique», un narcisse «apporté des Isles de Virgine», une fleur observée «en quantité vers Orléans et en Poitou», une tulipe du type de celles nommées «tulipes panachées», un cactus «des Isles de Virgine», un iris, un narcisse «des Indes Occidentales», une plante «apportée de Canada», un œillet apporté «d'Allemagne l'an 1618 par Nicolas des Champs marchand quincaillier», une jacinthe des «Indes Orientales», une anémone de «Constantinople», une plante nommée «couronne impériale», une canne des «Indes» et une plante qui «croît partout dans les prés». Il y aussi une plante «virgine» avec un nom canadien.

Une espèce canadienne

Le nom accompagnant l'illustration est *Lilium Canadence flore luteo punctato*, c'est-à-dire le lis du Canada à fleur jaune tachetée. La courte description indique que «quelques-uns la nomment martagon de Canada». C'est bel et bien le lis du Canada (*Lilium canadense*) tant par sa description que par son illustration.

Certains ont affirmé que l'auteur est plutôt Jean Robin ou son fils Vespasien alors que d'autres préfèrent Linocier. Il y a aussi d'autres suggestions quant à l'identité de l'auteur. Les candidats les plus probables semblent Jean Robin et son fils Vespasien. Pour Jacques Mathieu, cet ouvrage est le produit des Robin et il signale qu'il «s'agit d'un petit opuscule de 16 pages, placé après la page 704 de l'ouvrage posthume de Linocier et qui comporte une courte description et une illustration par plante et par page». Mathieu rapporte le texte suivant concernant le lis du Canada : «*Lilium Canadance flore luteo*

DES PLANTES.

Maracocq Indica siue flos passionis.

Cette plante croist en l'Amerique, elle vient haute & rampe comme nostre couleuree elle fleurit en Septembre & porte quantité de fleurs de couleur de gris de lin, le pilier & les trois clous de couleur de vert cendré & picotez de taches rouges, ses racines sont blanches & traisnantes comme nostre liset, son fruit est gros comme vn citron vny & poyl comme vne citrouille.

ã ij

Une des premières illustrations de la fleur de la passion en France en 1620. Le terme *maracocq* est un mot algonquien recensé à la suite des explorations anglaises en Virginie [Caroline] au début du XVIIᵉ siècle. L'appellation fleur de la passion désigne les espèces de passiflore (*Passiflora* sp.) nouvellement découvertes en Amérique. Ces magnifiques fleurs attirent très tôt l'attention des explorateurs et missionnaires espagnols qui voient en elles une image symbolique de la crucifixion de Jésus. L'illustration, rudimentaire quoique réaliste, dans l'opuscule de l'édition de 1620 du livre de Geoffroy Linocier est suivie d'un dessin plus complet et mieux réussi par Pierre Vallet en 1623.

Source : *Histoire des plantes nouvellement trouvées en l'Isle Virgine, & autres lieux, lesquelles ont été prises & cultivées au Jardin de Monsieur Robin Arboriste du Roy*, p. 5.

10   HISTOIRE

Lilium Canadance flore luteo punctato

Le martagon de Canada en 1620. Il s'agit vraisemblablement de la première illustration du lis du Canada (*Lilium canadense*) en France. Ce lis est la première plante nord-américaine dont le nom latin d'identification inclut le mot Canada. Plus tard, Daniel Rabel identifie la plante canadienne comme un *Liliomartagum* alors que Pierre Vallet utilise le mot *Martagum*. Dès le début de la décennie 1620, le lis du Canada a déjà trois appellations différentes dans la seule région parisienne.

Source : *Histoire des plantes nouvellement trouvées en l'Isle Virgine, & autres lieux, lesquelles ont été prises & cultivées au Jardin de Monsieur Robin Arboriste du Roy*, p. 10.

Cette plante a esté aportee de Canada, elle vient hault e.de deux pieds et plus, elle porte huict ou dix fleurs au bout de la tige de couleur de iaune dorétach: tee de rouge brun , ladite plante tient du lis et du martagon, dautant que ses fleurs sont à demy retroufees, quelques-uns le nomment martag on de Canada.

Lychnis

punctato apportée de Canada, haute de 2 pieds et plus, elle porte 8 ou 10 fleurs au bout de la tige de couleur jaune d'or taché de rouge brun. On l'appelle aussi *Martagon du Canada* ». Curieusement, il semble y avoir quelques versions différentes de cette description. Elles concordent toutes cependant à identifier ce lis comme un martagon du Canada. Joseph Ewan remarque que les bulbes de ce lis nord-américain étaient consommés par diverses nations amérindiennes.

D'autres illustrations du lis canadien de la même époque

Le lis ou martagon du Canada, portant cependant un nom différent, est illustré en 1623 dans la seconde édition du florilège publié par Pierre Vallet. La première édition intitulée *Le Jardin du Roy tres chrestien Henri IV Roy de France et de Navarre* est publiée initialement à Paris en 1608. La deuxième édition *Le*

Jardin du Roy tres chrestien Loys XIII Roy de France et de Navarre tient compte du changement de roi.

Pierre Vallet (1575-1657), natif d'Orléans, s'identifie souvent comme « brodeur du roi ». C'est un artiste peintre employé dans les jardins royaux. À son époque, la broderie se développe comme une nouvelle mode à la cour de France, rendue populaire surtout par Catherine de Médicis. Les motifs de cet art sont fréquemment des illustrations de fleurs locales et étrangères produites par des artistes reconnus comme Pierre Vallet. Les illustrations imprimées à partir de plaques de cuivre sont reliées sous la forme d'un florilège qui contient aussi quelques informations sur les noms des espèces. Ces florilèges, faits pour être coloriés, sont très dispendieux à produire et leurs utilisateurs sont surtout les personnes fortunées de la cour. Les plus belles fleurs poussent dans les jardins royaux. Sous le règne d'Henri IV, les jardins de Saint-Germain-en-Laye, Fontainebleau, Monceaux et Blois prennent de plus

Le florilège le plus volumineux de l'époque est produit en Allemagne

Basilius Besler (1561-1629) a réalisé ce magnifique ouvrage. Il est apothicaire à Nuremberg. Ce florilège de 1613 est dû au parrainage de Johan Konrad von Gemmingen (1561-1612), le prince-évêque d'Eichstätt qui règne sur son domaine de 1593 ou 1595 à 1612. Grâce à l'aide de Joachim Camerarius le Jeune (1534-1598), cet évêque avait mis sur pied des jardins qui deviennent rapidement parmi les beaux d'Europe. Il est probable que la parution de l'ouvrage *Hortus Eystettensis* (Le Jardin d'Eichstätt) était prévue pour 1612, une année bissextile. En effet, selon la numération, on compte 366 planches illustrant 667 plantes. Dans le cas de la giroflée des murailles (*Erysimum cheiri*), l'espèce illustrée sous le nom de *Flos Cheyri maximus Eystettensis* (page 107) souffre à l'évidence d'une maladie virale systémique. Il faudra attendre près de trois siècles avant d'élucider la nature de ce groupe d'agents pathogènes des végétaux.

Plus de la moitié des plantes du florilège sont présentes naturellement ou cultivées en Allemagne. Beaucoup d'autres sont des espèces du bassin méditerranéen. Quelques dizaines d'espèces proviennent d'Asie alors que moins d'une dizaine sont des plantes des Amériques., comme la tomate, la patate, le piment ou poivron, le figuier de Barbarie, une espèce d'agave et le tournesol. Cette plante est présentée sous deux formes : *Flos solis major* et *Flos solis prolifer*. Certains ont identifié la seconde forme à un hybride (*Helianthus ×multiflorus*) plutôt qu'au tournesol (*Helianthus annuus*). Le florilège a été produit en trois volumes de grand format de 57 cm sur 46 cm pouvant inclure jusqu'à 584 feuillets. Les espèces sont regroupées selon les quatre saisons. Une version coloriée coûtait au moins dix fois plus que les versions non coloriées. En 1998, on a retrouvé 329 plaques de cuivre originales ayant servi à l'impression. Elles étaient au cabinet des Estampes de Vienne.

Source : Anonyme, *Le Jardin d'Eichstätt. L'herbier de Basilius Besler. Une sélection des plus belles planches*, Cologne, Taschen, 2001.

en plus d'importance. Il en est de même pour les jardins royaux près du Louvre, sur la rive droite de la Seine. Pierre Vallet fréquente aussi le jardin de Jean et Vespasien Robin à Paris qui accueille régulièrement les membres de la cour.

En plus des belles fleurs, les jardins royaux contiennent aussi des «parterres de broderie» qui sont des sections sans végétaux ornées au sol par des matériaux colorés. Ces patrons de formes géométriques variables sont reproduits sur des meubles, des draperies ou des vêtements. Pierre Vallet publie le premier florilège d'importance en 1608. Selon Alice Coats, ce livre semble avoir lancé la mode du florilège. Son livre contient 75 planches de fleurs, incluant des espèces de l'Espagne et des îles près de la Guinée africaine. Le florilège est produit en fait pour Henri IV, son employeur, qui a régné de 1589 à 1610. Le titre de son œuvre indique que ce roi est «très chrétien». Cette expression réfère vraisemblablement à la conversion du roi au catholicisme. Selon certains auteurs, les fleurs reproduites dans le florilège proviennent probablement des jardins royaux du Louvre où des espèces de la Guinée avaient été transplantées.

La seconde édition du florilège de Vallet

La première édition de 1608 ne contient aucune illustration d'une plante d'Amérique du Nord. On observe cependant l'épilobe à feuilles étroites, alors connue en Europe, et que l'on retrouve aussi en Amérique du Nord. Il faut souligner que l'édition de 1608 de Vallet inclut la présence de quelques plantes à fleurs originaires du Mexique, de l'Amérique centrale ou du Sud. L'édition de 1623 contient 93 planches, 18 de plus que l'édition initiale, illustrant 271 espèces ou variétés de fleurs. Trois espèces nord-américaines avec un nom référant à l'Amérique sont illustrées: le martagon américain à fleur jaune tachetée (*Martagum Americanum flore luteo pomtato (punctato)*), le phalangium américain à fleur violacée (*Phala(n)gion Americanum flo(re) violatio (violaceo)*) et le trachélium américain à fleur rouge ou plante du Cardinal (*Trachelium Americanum flo(re) Rubro seu Cardinalis planta*). Ce sont respectivement le lis du Canada (*Lilium canadense*), la tradescantie de Virginie (*Tradescantia virginiana*) et la lobélie cardinale (*Lobelia cardinalis*).

Le mot canadien est absent dans les deux éditions des florilèges de Vallet. Le nom du lis illustré dans le florilège de Vallet réfère à l'Amérique et non au Canada comme c'est le cas dans l'opuscule complétant le livre de Linocier. En plus des plantes dites américaines, l'espèce Alc(a)ea *major peregrina* correspond peut-être à la ketmie des marais nord-américaine (*Hibiscus moscheutos*), une plante vraisemblablement mentionnée dans la flore de Cornuti

La fleur du cardinal. En 1629, l'auteur anglais John Parkinson écrit que la lobélie du cardinal (*Lobelia cardinalis*) croît près de la rivière du Canada [le fleuve Saint-Laurent] et qu'il a obtenu cette espèce de France. Cette lobélie est illustrée dans l'édition parisienne de 1623 du florilège de Pierre Vallet. Elle fait aussi partie de la liste de 1623 des plantes du jardinier parisien Jean Robin. En 1621, la lobélie du cardinal semble déjà présente à Rome. Elle se retrouve en Hollande en 1646. Dans un livre posthume, le botaniste hollandais Abraham Munting fournit cette belle illustration.

Source: Munting, Abraham, *Phytographia curiosa… Pars secunda,* Amsterdam et Leyde, 1702, figure 159. Bibliothèque numérique du Jardin botanique royal de Madrid.

La fleur du cardinal dans un magazine de renom. En 1787, William Curtis (1746-1799), un apothicaire et botaniste œuvrant au *Kew Gardens* en Angleterre, publie un premier numéro du magazine *The Botanical Magazine*. À partir de 1801, cette publication périodique, produite encore de nos jours, devient *Curtis's Botanical Magazine*. Jusqu'en 1948, les illustrations sont toutes effectuées à la main par des illustrateurs soucieux de la qualité scientifique et artistique. La fleur du cardinal est l'une des belles fleurs nord-américaines.

Source : *The Botanical Magazine*, volume 9, 1795, planche 320. Bibliothèque de recherches sur les végétaux, Agriculture et Agroalimentaire Canada, Ottawa.

de 1635. Certains auteurs soutiennent cependant que cette espèce dite étrangère n'est pas originaire d'Amérique. Une fleur de la passion (*Passiflora* sp.), provenant probablement aussi d'Amérique du Nord, est illustrée par Vallet en 1623. Cette espèce porte le nom de *Maraco Indica*. En 1620, son nom accompagnant l'illustration dans le livre de Linocier, était *Marococq Indica*. Le mot *Marococq*, un terme algonquien, avait été mentionné dès 1612 par les explorateurs anglais, comme le capitaine John Smith en Virginie [Caroline]. Cette espèce se retrouve vraisemblablement dès la décennie 1610 dans le jardin des Robin à Paris. Gaspard Bauhin mentionne cette espèce en 1623.

Au début du florilège de 1623, Pierre Vallet donne des conseils « aux amateurs des plantes et de l'enluminure » sur la façon de peindre en couleur les plantes représentées. Il faut d'abord traiter le papier « avec une mie de pain ranci » et une solution d'eau d'alun. Vallet décrit ensuite l'utilisation de la « gomme Arabie » et de divers pigments et enduits. La gomme arabique est un exsudat recueilli des arbres de la famille des acacias (*Acacia* sp.), déjà bien connu en Égypte antique. Vallet privilégie la « graine d'Avignon » pour la coloration jaune verdâtre. Cette graine, provenant d'une espèce de nerprun (*Rhamnus*), était aussi utilisée par les teinturiers et les corroyeurs, ces ouvriers préparant les cuirs. Pour l'espèce « *Martagon Americanum flore luteo puntacto* », les recommandations sont les suivantes : « Il [la fleur] est d'un beau jaune comme or, et les points d'oranger, c'est de la gomme aguta, finie avec de l'ocre jaune, et un peu d'ocre de (feu ?), les étamines orangées de mine, le cœur vert ».

Un lis martagon du Canada en 1622

Daniel Rabel (vers 1578-1632), fils de Jean Rabel, peintre du roi, devient aussi dessinateur et peintre. En 1618, il vit à Saint-Germain-des-Prés où il dessine et peint des fleurs. Louis XIII utilise ses talents d'artiste et le nomme même ingénieur du roi en 1625. Il devient « dessinateur des ballets du roi » pour ce roi qui pratique la danse et compose lui-même des ballets. En 1631-1632, Rabel œuvre comme artiste pour Gaston d'Orléans (1608-1660). Vers la fin de sa vie, cet artiste est exilé par Mazarin à Blois. En

1622 et 1627, Rabel produit, de façon anonyme, *Theatrum florae*, les deux premières éditions d'un florilège remarqué à l'époque. Son nom n'est cependant associé à cette œuvre qu'en 1633, lors de la troisième édition du florilège. La première édition inclut 57

planches des plus belles fleurs recherchées par les connaisseurs. On y trouve une plante canadienne, le *Liliomartagum canadense* correspondant au lis du Canada. Dans l'édition de 1633, l'illustration du lis du Canada est accompagnée du dessin d'un papillon et de l'organe bulbeux du lis.

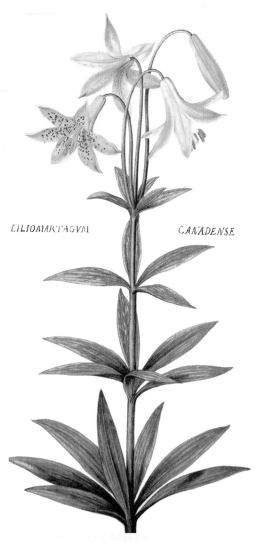

LILIOMARTAGVM   CANADENSE

Le lis du Canada en couleur dès 1624. Daniel Rabel est l'artiste responsable de cette reproduction réaliste du lis du Canada (*Lilium canadense*). Entre 1622 et 1633, il utilise l'appellation *Liliomartagum canadense* pour les deux premiers termes identifiant cette espèce. Le mot *Liliomartagum* traduit le fait que cette plante du Canada ressemble au lis (*Lilium*) et au martagon (*Martagum*), une plante considérée apparentée au lis.

Source : Bibliothèque nationale de France.

Sources

Anonyme, *Comparison of the plates in Pierre Vallet's Le jardin du Roy tres chrestien Henri IV 1608 and 1620 editions.* Royal Horticultural Society Lindley Library. Disponible sur le site de la bibliothèque Lindley au http://www.rhs.org.uk/. Cette comparaison est plutôt avec la seconde édition en 1623 du jardin de Louis XIII.

Bauhin, Caspar, *Pinax theatri botanici*, Bâle, 1671. Disponible à la bibliothèque numérique du Jardin botanique royal de Madrid au http://bibdigital.rjb.csic.es/spa/.

Bouvet, Maurice, «Les anciens jardins botaniques médicaux de Paris», *Revue d'histoire de la pharmacie* (35ᵉ année), 1947, 119 : 221-228.

Cap, Paul-Antoine, *Le Muséum d'histoire naturelle*, Paris, 1854.

Coats, Alice M., *L'art des fleurs. Quatre siècles d'illustration florale*, Paris, Édition du Chêne, 1973.

De la Fizelière, Albert, *Rymaille sur les plus célèbres Bibliotières de Paris*, Paris, 1868.

Denise, Louis, *Bibliographie historique et iconographique du Jardin des plantes,* Jardin royal des plantes médicinales et Muséum d'histoire naturelle, Paris, 1903.

Ewan, Joseph, «Seeds and Ships and Healing Herbs, Encouragers and Kings», *Bartonia*, 1978, 45 : 24-29.

Jackson, Benjamin Daydon, *A catalogue of plants cultivated in the garden of John Gerard, in the years 1596-1599/edited with notes, references to Gerard's Herball, the addition of modern names, and a life of the author*, Londres, 1876. Disponible sur le site Biodiversity Heritage Library au http://www.biodiversity.org.

King, Ronald, *Botanical Illustration*, New York, Clarkson N. Potter Inc. Publishers, 1979.

Kraus, Gregor, *Geschichte der Pflanzeneiführungen in die Europäischen Botanischen Gärten*, Leipzig, 1894.

Lack, H. Walter, *Un Jardin d'Eden. Chefs-d'œuvre de l'illustration botanique*, Cologne, Taschen, 2001.

Linocier, Geoffroy, *L'histoire des plantes, traduite de latin en françois : avec leurs pourtraicts, noms, qualités & lieux où elles croissent, à laquelle sont adioustées celles des Simples Aromatiques, Animaux à quatre pieds, Oiseaux, Poissons, Serpens & autres bestes venimeuses, ensemble les Distillations*, Paris, 1620.

Mathieu, Jacques, *Le premier livre de plantes du Canada. Les enfants des bois du Canada au jardin du roi à Paris en 1635*, Sainte-Foy, Les Presses de l'Université Laval, 1998.

Peabody, F. J., «A 350-Year-Old American Legume in Paris», *Castanea*, 1982, 47 (1) : 99-104.

Vallet, Pierre, *Le jardin du Roy tres chrestien Henri IV Roy de France et de Navare*, Paris, 1608. Disponible au http://gallica.bnf.fr/.

Vallet, Pierre, *Le jardin du Roy tres chrestien Loys XIII Roy de France et de Navare dédié à la Royne Mère de Sa Majesté*, Paris, 1623. Disponible au http://gallica.bnf.fr/ et sur le site du Jardin botanique du Missouri au http://www.illustratedgarden.org/mobot/rarebooks/.

Warner, Marjorie F., «Jean and Vespasien Robin, "Royal Botanists", and North American Plants, 1601-1635», *The National Horticultural Magazine*, 1956, 35 : 214-220.

Liliomartagum canadenfe, flore luteo cum maculis purpureis .

Le lis du Canada en noir et blanc. Daniel Rabel est aussi responsable de cette œuvre enjolivée par l'ajout d'un papillon et du bulbe du lis. Quant au dessin de la plante (*Lilium canadense*), il correspond à l'image inversée de l'illustration en couleur de 1624.

Source : Rabel, Daniel, *Theatrum florae...*, 1633, planche 33. Bibliothèque numérique du Jardin botanique royal de Madrid.

Le lis du Canada, un trésor en verre

Entre 1886 et 1936, Léopold (1822-1895) et son fils Rudolph (1857-1939) Blaschka produisent en Allemagne environ 780 espèces ou variétés de plantes en verre pour l'Université Harvard. Ces œuvres d'art en couleur doivent servir à l'origine de modèles à échelle réelle lors des démonstrations botaniques. Elles sont plutôt devenues ce que l'Université Harvard considère un trésor inestimable conservé à température et humidité relative constantes. Cette collection unique permet l'observation détaillée des caractéristiques de plusieurs espèces agricoles et ornementales provenant de la plupart des régions du monde.

Les maîtres verriers Blaschka fabriquent leurs modèles surtout d'après nature et les botanistes d'Harvard fournissent la liste des plantes désirées. Parmi celles-ci, on retrouve quelques plantes avec un nom canadien, dont la verge d'or du Canada (*Solidago canadensis*), l'if du Canada (*Taxus canadensis*) et le lis du Canada (*Lilium canadense*). Les Blaschka produisent de plus quelques milliers de pièces en verre pour illustrer les détails morphologiques des fleurs et d'autres organes. Le lis de Philadelphie, une espèce apparentée au lis du Canada, fait aussi partie des modèles manufacturés de façon artisanale et fidèle à la réalité botanique.

Lors des rares déplacements de quelques modèles, on estime que le meilleur mode de transport des plantes en verre est un corbillard motorisé. C'est de cette façon que des spécimens ont fait le voyage de Boston à New York en 1976 ! Les Blaschka n'ont pas seulement réalisé des modèles de végétaux. Ils ont fabriqué de magnifiques modèles d'invertébrés conservés dans divers musées, surtout universitaires, à travers le monde.

Source : Schultes, Richard Evans et William A. Davis, photographs by Hillel Burger, *The glass flowers at Harvard*, [deuxième édition], Cambridge, Massachusetts, Harvard Museum of Natural History, 2004.

Le lis du Canada en verre. Comme professeur de botanique à l'Université Harvard, George Lincoln Goodale (1839-1923) fait fabriquer des modèles de plantes en verre pour illustrer de façon permanente certaines caractéristiques des végétaux. Elizabeth C. Ware, une riche résidente de Boston, finance l'acquisition de cette collection unique produite entre 1886 et 1936 par Léopold et Rudolph Blaschka à Hosterwitz, près de la ville de Dresde en Allemagne. La partie inférieure non photographiée de l'étiquette d'identification spécifie que le modèle du lis du Canada porte le numéro 306, réalisé en 1892, Harvard Museum of Natural History, Cambridge, Massachusetts.

Source : Photographie de Louise Cadoret.

1623, BÂLE. PARMI 6 000 PLANTES, CINQ ESPÈCES CANADIENNES INCLUANT LE FAMEUX LIS DU CANADA

GASPARD (CASPAR) BAUHIN (1560-1624), issu d'une famille huguenote de Picardie, étudie la médecine à Bâle et à Padoue. Il devient par la suite le premier professeur d'anatomie et de botanique à l'Université de Bâle. Il est le frère cadet de Jean Bauhin (1541-1613), un autre grand botaniste de souche française œuvrant en Suisse, qui a recensé environ 5 000 plantes durant sa carrière. L'œuvre de Gaspard dont la famille s'était réfugiée en Suisse est très influencée par celle de Jean qui a étudié à Montpellier et à Tübingen avec le réputé Leonhart Fuchs. Il devient le médecin du Duc de Wurtemberg à Montbéliard. Au XVIᵉ siècle, cette cité était devenue protestante, chassant les catholiques et les juifs. L'œuvre monumentale de Jean Bauhin ne fut publiée qu'à titre posthume en 1650-1651. Les deux frères sont d'allégeance protestante. À cette époque, plusieurs botanistes protestants sont formés à Montpellier, alors que Paris accueille plus favorablement les scientifiques catholiques. Gaspard eut un fils, Johann-Caspar (1606-1685), qui devint médecin ordinaire du roi sous Louis XIV et qui publia comme son père un ouvrage de botanique.

En 1596, Gaspard Bauhin publie un premier ouvrage décrivant environ 2 700 espèces dans lequel il remercie pas moins de 44 collaborateurs. En 1620, il publie *Prodomos theatri botanici* qui ne contient aucune plante identifiée au Canada selon les descriptions de l'auteur. Cependant, ce livre décrit environ 600 nouvelles espèces dont la mention de huit plantes dites du Brésil correspondant à des plantes canadiennes. En 1623, il fait paraître *Pinax theatri botanici*, un inventaire d'environ 6 000 plantes, un millier de plus que l'inventaire de son frère Jean. Une partie de celles-ci sont cependant des variétés de mêmes espèces. Les notions d'espèce et de variété ne sont pas encore clairement définies. Gaspard Bauhin remercie pas moins de 63 collaborateurs qui lui ont expédié des plantes ou des semences. Le *Pinax* est considéré même aujourd'hui comme une source fiable de la nomenclature jusqu'en 1623. On y retrouve la gamme des synonymes utilisés pour nommer les plantes. Cette œuvre encyclopédique inclut cinq plantes canadiennes.

Trois espèces proviennent du Canada

Martagon sive Lilium de Canada auri colorem referens, flore intus nigris maculis asperso. C'est le martagon ou lis du Canada de couleur dorée, à fleur parsemée à l'intérieur de taches noires. C'est le lis du Canada (*Lilium canadense*) de l'histoire précédente. Pour Bauhin, en accord avec l'auteur de l'opuscule accompagnant le livre de 1620 de Geoffroy Linocier, il s'agit d'une espèce canadienne plutôt qu'américaine.

Chrysanthemum è Canada. C'est le topinambour (*Helianthus tuberosus*) déjà mentionné une vingtaine d'années auparavant par Champlain et quelques années plus tard par Lescarbot.

Arbor vitae è Canada. Cet arbre de vie est le thuya occidental (*Thuja occidentalis*) décrit depuis longtemps par d'autres botanistes, comme Pierre Belon du Mans. Comme les auteurs qui l'ont précédé, Bauhin indique que cet arbre de vie a été apporté à l'origine au Jardin du roi François Iᵉʳ.

Deux autres espèces sont dites canadiennes

Vitis canadensis. Cette vigne est peut-être la variété grimpante et élevée d'herbe à puce de l'Est (*Toxicodendron radicans* var. *radicans*). L'autre variété (var. *rydbergii*), l'herbe à puce de Rydberg, est non grimpante et de plus petite taille. Il s'agirait alors d'une des premières mentions de cette espèce. Bauhin ajoute que cette plante ressemble à celle décrite et illustrée sous le nom «*Arbor Coral*» (arbre corail) par Charles de l'Écluse en 1601. Grossièrement, cette espèce ressemble à l'herbe à puce, mais elle a été identifiée plus tard à l'arbre corail (*Erythrina corallodendron*). Cette dernière espèce n'est pas présente en Amérique du Nord. La vigne canadienne pourrait aussi correspondre à la vigne vierge à cinq folioles (*Parthenocissus quinquefolia*), à la vigne des rivages (*Vitis riparia*) ou à une autre espèce de vigne nord-américaine (*Vitis* sp.).

La vigne du Canada semble attirer rapidement l'attention de quelques curieux, comme le grand érudit provençal Nicolas-Claude Fabri de Peiresc qui en possède déjà en 1626. En effet, le médecin Antoine Nouvel demande à Peiresc de lui fournir « la vigne du Canada et celle de Tartarie, un oranger de Chine, et un figuier de Marseille ». Il faut dire que Nouvel avait expédié à Peiresc « des patates, un

Vitis canadensis, la vigne du Canada. Il s'agit de l'herbe à puce, déjà illustrée dès 1635 dans la première flore nord-américaine produite par Jacques Cornuti. Il existe deux variétés d'herbe à puce : la variété grimpante et élevée d'herbe à puce de l'Est (*Toxicodendron radicans* var. *radicans*) et l'herbe à puce de Rydberg (var. *rydbergii*) non grimpante et de plus petite taille. À l'époque des XVIIᵉ et XVIIIᵉ siècles, on ne distingue pas ces variétés. Cette illustration correspond à la variété de Rydberg.

Source : Munting, Abraham, *Phytographia curiosa… Pars prima*, Amsterdam et Leyde, 1702, figure 60. Bibliothèque numérique du Jardin botanique royal de Madrid.

coral arbol mis dans un grand baril, un dragonnier, des oies, un jasmin royal, des fèves rouges, une plante nommée *hicoma*, etc. ». La vigne du Canada semble avoir une grande valeur en ce qui a trait aux échanges botaniques. Si cette vigne correspond à l'herbe à puce (*Toxicodendron radicans*), cette valeur est un peu empoisonnée.

Prunus Sylvestri affinis Canadensis. Cette espèce est identifiée éventuellement par Linné sous le nom de *Spiraea hypericifolia*, la spirée à feuille de millepertuis. Il ne s'agit pas d'une espèce canadienne, mais d'une plante eurasiatique. Voilà, semble-t-il, une autre confusion géographique quant à la provenance d'une espèce étrangère ou une méprise d'identité entre 1623 et 1753. Bauhin ajoute que cette plante du Canada porte le nom *Hypericum frutescens* dans le jardin à Paris.

En conclusion, Bauhin associe encore en 1623 à une origine brésilienne le groupe des plantes brésiliennes énumérées par lui-même trois ans auparavant. Parmi les nouvelles plantes dites canadiennes de 1623, une espèce est eurasiatique (la spirée) et deux autres espèces nord-américaines sont déjà bien connues (le topinambour et le thuya). Le lis du Canada, aussi précédemment décrit, semble de plus en plus recherché pour ses qualités ornementales. Il sert probablement aussi de modèle pour la broderie. Quant à l'herbe à puce, il semble y avoir une confusion quant à son identité réelle et sa provenance. Cette espèce semble d'abord recherchée à cause de son port grimpant ornemental.

D'autres espèces nord-américaines dans les écrits des frères Bauhin

James Reveal a recensé 20 espèces considérées nord-américaines qui sont mentionnées dans les traités de Gaspard ou de Jean Beauhin et qui sont aussi rapportées par Linné en 1753 dans la première édition de *Species Plantarum*. Parmi celles-ci, on retrouve quelques espèces de la flore de Cornuti de 1635.

La description du lis canadien et son illustration en Allemagne en 1614

On s'attendait à ce que Gaspard Bauhin réfère au livre de 1620 de Linocier et à son opuscule ou au florilège de 1623 de Vallet. Il n'en est rien. Bauhin cite plutôt «Bry» comme la seule référence au lis canadien. Il indique que l'œuvre consultée est *Florilegium novum* produite en trois volumes entre 1612 et 1618. Il s'agit donc d'une publication de la première illustration du lis du Canada, nettement antérieure à celles produites en France.

Jean-Théodore (Johann Theodore) de Bry (1561-1623), né à Strasbourg, devient un associé de la

La serpentaire du Brésil à trois feuilles, une plante canadienne. Parmi les espèces découvertes en Amérique du Nord et mentionnées par Gaspard Bauhin en 1620 comme provenant du Brésil, on retrouve l'arisème petit-prêcheur maintenant nommé *Arisaema triphyllum* subsp. *triphyllum*. Bauhin écrit que cette plante fut apportée du Brésil en 1614 et qu'il n'a comme échantillon qu'un morceau de plante sèche. Il ne peut donc pas en fournir une illustration. En 1676, Denis Dodart indique qu'on a apporté depuis peu du Canada cette plante en France. On peut donc en produire une illustration fidèle.

Source: Dodart, Denis, *Mémoires pour servir à l'histoire des plantes*, Paris, 1676, p. 80-81. Bibliothèque nationale de France.

maison d'édition de son père, Théodore de Bry (vers 1527-1598). Ce dernier est d'abord orfèvre à Liège, sa ville natale. Il émigre à Anvers et à Londres entre 1578 et 1588 où il perfectionne le métier de graveur sur cuivre. Depuis environ 1565, la gravure sur des plaques de cuivre a beaucoup amélioré la qualité des illustrations imprimées par rapport à la gravure sur des plaques de bois. Théodore est d'allégeance calviniste et il se déplace en 1588 à Francfort où il met sur pied une maison d'édition. À cette époque, cette ville est une place commerciale centrale sur le marché européen, particulièrement pour l'imprimerie. En 1588, le botaniste de renom Charles de l'Écluse séjourne aussi à Francfort après avoir quitté Vienne. La famille de Bry et le fameux botaniste deviennent d'étroits collaborateurs. Ses deux fils, Jean-Israël (Johann Israël) (vers 1570-1611) et Jean-Théodore s'associent à l'entreprise qui produit plus de 250 publications entre 1590 et 1623. Parmi leurs collections les plus connues, on retrouve les séries *America*, *India Occidentalis* et *India Orientalis* qui relatent les voyages de découvertes dans les nouveaux pays.

En 1590, Théodore de Bry publie à Francfort en version latine, allemande, française et anglaise le compte-rendu d'une tentative de colonisation anglaise en Amérique du Nord sous l'égide de Walter Raleigh. En anglais, le livre s'intitule *A briefe and true report of the new found land of virginia*. Il est rédigé par Thomas Hariot et illustré par l'artiste John White. L'éditeur a rencontré l'auteur et l'artiste à Londres en 1588. Ce livre des découvertes d'une région de la côte est américaine contribue beaucoup à développer l'intérêt du lectorat européen pour les récits des voyages au Nouveau Monde.

Jean-Théodore continue l'entreprise de son père. Il se spécialise comme artiste de la gravure sur cuivre. Il possède même sa propre presse pour l'impression avec les plaques. Il est reconnu pour produire des illustrations de grande qualité. En 1609, année du décès de son frère Jean-Israël, il s'installe à Oppenheim et la maison d'édition connaît une période intensive de publications entre 1612 et 1619. C'est durant cette période qu'il publie le florilège cité par Gaspard Bauhin. Matthaeus Merian, reconnu par plusieurs comme le meilleur graveur sur cuivre en Europe, se joint à lui en 1616, après avoir épousé la fille aînée de l'éditeur.

Le lis canadien arrive en Angleterre

La première mention du lis du Canada en Angleterre est celle de John Parkinson (1567-1650) en 1629. Parkinson est un apothicaire au service du roi Jacques Ier. Il possède un jardin à Londres. Parkinson mentionne que peu de personnes se sont intéressées aux plantes nouvelles, à l'exception du botaniste Charles de l'Écluse.

Le martagon de la variété *Canadense maculatum* a été apporté du Canada en France et de là en Angleterre. Cela semble aussi le cas de la plante du cardinal (*planta Cardinalis*) correspondant à la lobélie cardinale (*Lobelia cardinalis*) provenant d'une région près de la rivière du Canada (*near the river of Canada*).

En 1640, Parkinson publie un ouvrage plus élaboré dans lequel il mentionne les plantes de Cornuti et quelques autres espèces nord-américaines. Il fait mention d'environ 3 800 plantes regroupées en 17 groupes hétéroclites, incluant un groupe sur les plantes étrangères et exotiques. Parkinson indique qu'une espèce, *Herba Paris triphyllos Brasiliano*, a été aussi obtenue du Canada. Il spécifie même qu'un certain prédicateur de La Rochelle, nommé Lomeau, aurait reçu cette espèce du Canada. Il s'agit de Samuel Loumeau, qui a été pasteur protestant à La Rochelle entre 1594 et 1632, l'année de son décès. Loumeau a donc reçu cette plante du Canada au plus tard en 1632 et peut-être même avant 1629 quand la Nouvelle-France passe temporairement aux mains aux Anglais.

Sources : Parkinson, John, *Paradisi in sole paradisus terrestris*, London, 1629. Parkinson, John, *Theatrum botanicum*, London, 1640.

Le florilège de Jean-Théodore de Bry connaît un grand succès et est publié à nouveau en 1641 par Matthaeus Merian l'Ancien, le père de Maria Sybilla Merian (1647-1717), la première femme naturaliste qui s'intéresse à l'entomologie en Amérique du Sud. Le *Florilegium novum* contient plusieurs illustrations plagiées sur celles du *Hortus floridus* (1614) de Crispin de Passe le jeune (1597-1670) et du Jardin du roy Henry IV (1608) de Pierre Vallet.

Le premier volume du florilège publié en 1612 par de Bry contient 54 planches numérotées. Une première addition en 1613 ajoute 24 planches avec des numéros et quelques autres sans identification. Selon Marjorie Warner (vers 1871-1960), le volume additionnel de 1614, nommé *Augmentatio uberior Florilegii*, présente deux plantes nouvelles d'Amérique du Nord, le lis du Canada (*Lilium canadense*) alors identifié sous le nom « *Martagoun sive Lilium de Canada* ». Une autre espèce nord-américaine illustrée serait le cypripède royal (*Cypripedium reginae*). Selon Warner, la première illustration du lis du Canada date donc de 1614.

La source d'information concernant le lis du Canada du florilège de Johann de Bry demeure inconnue. On sait cependant que la famille de Bry possède un jardin à Francfort. Il est alors possible que Johann ait d'abord observé le lis canadien en Allemagne, à Francfort ou à Oppenheim. L'illustration du lis canadien dans ce florilège publié en Allemagne en 1614 précède donc de six ans l'illustration dans l'opuscule accompagnant le livre de Linocier publié à Paris en 1620.

Sources

Bauhin, Caspar, *Prodomos theatri botanici*, Francfort-sur-le-Main, 1620. Disponible à la bibliothèque numérique du Jardin botanique royal de Madrid au http://bibdigital.rjb.csic.es/spa/.

Bauhin, Caspar, *Pinax theatri botanici*, Bâle, 1623. Disponible à la bibliothèque numérique du Jardin botanique royal de Madrid au http://bibdigital.rjb.csic.es/spa/.

Lack, H. Walter, *Un Jardin d'Eden. Chefs-d'œuvre de l'illustration botanique*, Cologne, Taschen, 2001.

Reveal, James L., « Significance of pre-1753 botanical explorations in temperate North America on Linnaeus' first edition of *Species plantarum* », *Phytologia*, 1983, 53 (1) : 1-96.

Ubrizzy in Savoia, A. et J. Heniger, « Carolus Clusius and American Plants », *Taxon*, 1983, 32 (3) : 424-435.

Van Groesen, Michiel, *The De Bry collection of voyages (1590-1634). Editorial strategy and the representations of the overseas world. Academisch Proefschrift*, 2007. Thèse disponible au http://dare.uva.nl/document/45895.

Warner, Marjorie F., « The *Augmentatio*, 1614, of de Bry's *Florilegium novum* », Libri, 1956, 6 : 29-32.

1623, PARIS. DU BOUT DU MONDE AU CŒUR DU MONDE :
UNE PLANTE CANADIENNE DANS LE JARDIN DES ROBIN

JEAN ROBIN (1550-1629) a plusieurs occupations. On le dit apothicaire, simpliste, botaniste, arboriste, jardinier et « professeur botanique du roi ». En 1586, il est le botaniste ou arboriste d'Henri III. Il devient *Hortulanus*, c'est-à-dire le jardinier au Louvre sous Henri IV et Louis XIII. Il possède de plus à Paris un jardin très envié à l'île Notre-Dame. Les gens de la cour visitent cet emplacement enrichi de plantes exotiques. On affirme souvent à tort que le jardin de Jean Robin est le premier « Jardin du Roi de la Cité ». Selon Louis Denise, un jardin existe « déjà sous ce titre sur le plan dit de Tapisserie (1512-1547) et sur le plan d'Olivier Truschet, dit de Bâle, 1552 ».

Le 30 octobre 1597, un décret confie à Jean Robin la responsabilité de mettre sur pied une parcelle de démonstration pour la culture des plantes médicinales, c'est-à-dire les « simples ». Cette parcelle, située sur la rue de la Bucherie, doit être disponible à la Faculté de médecine à Paris. Entre 1597 et 1627, Jean Robin reçoit 36 livres par an pour les soins apportés au jardin de la faculté. À partir de 1598, cette faculté charge 3 livres par an à chaque étudiant en médecine pour les frais du jardin de démonstration. Ce n'est rien de nouveau, car on charge déjà 18 sous par an en 1506 pour un jardin annexé à l'École. En 1947, Maurice Bouvet décrit les anciens jardins botaniques médicaux de Paris. À la période du décret de 1597, Jean Robin fait déjà partie d'un réseau de collaborateurs avec qui il échange des plantes. Par exemple, l'Anglais John Gerard (1545-1612) écrit en 1597 dans son livre *The Herball* qu'il a reçu certaines plantes de Jean Robin, tel le *Stramonium peregrinum* ou la pomme du Pérou (« *the apple of Peru* »). Selon Jules Janik et collaborateurs, cette plante d'Amérique est une espèce de *Datura*, probablement *Datura metel*. Une autre plante obtenue de Robin est l'espèce *Christophoriana* que Benjamin Daydon Jackson identifie à l'actée en épi (*Actaea spicata*). On rapporte aussi que Gerard a obtenu en 1593 un yucca d'Amérique qu'il a par la suite expédié à Jean Robin à Paris.

En 1601, Robin publie à Paris un catalogue des espèces de son jardin. Le livre *Catalogus stirpium* énumère quelques plantes exotiques de l'Orient, de l'Afrique et de l'Amérique du Sud. En 1956, Marjorie Warner suggère que le catalogue de Jean Robin contient deux espèces nord-américaines : *Arbor vitae et Aconitum racemosum sive Christophoriana*, c'est-à-dire l'arbre de vie et l'aconit à grappe ou l'herbe de Saint-Christophe. L'espèce identifiée comme arbre de vie est le thuya occidental (*Thuja occidentalis*) alors que l'herbe de Saint-Christophe est l'actée en épi (*Actaea spicata*), selon Marjorie Warner. Cette dernière identification à une actée (*Actaea* sp.) nord-américaine est possible, mais non démontrée.

Jean Robin est, selon Gregor Kraus (1841-1915) citant les écrits d'Antoine de Jussieu, « le premier qui se distingua à Paris par la culture des fleurs de ce genre, qu'il élevait pour ce motif dans un Jardin, qui au commencement lui était propre, et qui devint par la suite en quelque façon celui d'Henri IV et de Louis XIII, depuis que ces princes entrant dans sa curiosité, lui eurent donné des appointements avec le titre, tantôt de leur Botaniste, et tantôt de leur Simpliste ».

Les « fleurs de ce genre » sont les fleurs, souvent exotiques, qui servent de modèles pour la broderie des habits et pour les ornements des meubles. Cet art aristocratique « consistait à imiter, par le mélange de l'Or et de l'Argent, des Soies et des Laines de différentes couleurs, la variété des plus belles fleurs qu'ils connaissaient alors ; de là vint la nécessité de Dessins de fleurs, auxquels s'appliquèrent ceux qui voulurent exceller dans cet Art de représenter avec l'aiguille les Plantes au naturel ». En réponse à « une obligation que la Botanique eut à la vanité du sexe », il faut établir des « Jardins de fleurs rares et singulières, apportées des Pays les plus éloignés ». Dans le Jardin de Jean Robin, Pierre Vallet, natif d'Orléans, Brodeur ordinaire des Rois Henri IV et Louis XIII, « allait copier d'après la nature les fleurs de la nouveauté ». Selon Antoine de Jussieu, Vallet aurait publié des listes des plantes du jardin de Robin.

Linné nomme un arbre nord-américain en l'honneur de Jean Robin, ce fameux jardinier collectionneur. C'est le robinier faux-acacia (*Robinia pseudoacacia*). Cet arbuste s'est beaucoup répandu en Europe après son introduction par Jean Robin. Dès 1635, Jacques Cornuti avait aussi nommé le robinier en référence à Robin (*Acacia Americana Robini*).

Les travaux de Jean Robin se poursuivent avec son fils Vespasien

Vespasien Robin (1579-1662) est le fils de Jean Robin et Catherine Duchâtel. Né à Paris, il devient rapidement le collaborateur de son père et il demeure célibataire pendant toute sa vie. Dès 1603, selon Jacques Mathieu, Vespasien est recommandé vivement par Marie de Médicis à sa famille de Florence pour une visite des jardins italiens. En 1635, à 56 ans, il est nommé premier sous-démonstrateur au nouveau Jardin du roi qui est sous l'intendance de Guy de La Brosse, le responsable initial de cette institution. Il occupe cette fonction jusqu'à son décès à l'âge de 83 ans. Il porte aussi le titre d'« arboriste » ou « simpliciste » du roi. Le mot simpliste (simpliciste) réfère aux personnes connaissant les simples, c'est-à-dire les plantes médicinales. Le précurseur du nouveau Jardin du roi ou Jardin des Plantes est en fait le jardin des Robin. Vespasien voyage beaucoup en Europe et en guinée portugaise pour ses excursions botaniques. Il correspond avec d'autres jardiniers européens bien en vue, comme le réputé Nicolas-Claude Fabri de Peiresc (1580-1637). Ce dernier informe le botaniste Charles de l'Écluse de certaines plantes étrangères observées chez Vespasien Robin à Paris. Peiresc possède un jardin d'acclimatation à Aix-en-Provence.

Vespasien Robin aurait terminé son apprentissage d'apothicaire au cours des mêmes années que Louis Hébert. Louis Hébert provient d'une famille prospère d'apothicaires et de marchands d'épices. Jacques Mathieu résume ainsi la formation menant au titre d'apothicaire : « Pour devenir apothicaire, Louis Hébert a étudié les plantes et la pharmacopée. Depuis la fin du xve siècle, le métier était très réglementé. La formation comptait quatre années d'étude : deux ans philiatres, deux autres années pour devenir bachelier et enfin les examens de licence. Elle comprenait deux heures de cours par semaine pendant une année à la faculté de médecine et il fallait servir pendant six ans dans les officines avant d'aspirer à la maîtrise. Enfin, deux examens, dont un sur les herbes, sanctionnaient cet apprentissage ».

Pour Mathieu, « Louis Hébert et Vespasien Robin ont été des contemporains dans l'étude des plantes à Paris, et ce sous le même personnage, en l'occurrence Robin père ». Vespasien Robin a la distinction de son vivant d'avoir une tulipe qui porte son nom. C'est la tulipe « Vespasien de Monsieur Robin ». Vespasien Robin est l'auteur d'un catalogue des plantes du jardin initié par son père. Ce livre publié à Paris en 1623, intitulé *Enchiridion isagogicum ad facilem notitiam stirpium tam indigenarum, quam exoticarum, quae coluntur in horto D. D. Loannis et Vespasiani Robin, botanicorum regiorum*, énumère environ 1 700 espèces ou variétés de plantes tant indigènes qu'exotiques.

Une seule espèce canadienne

Une seule espèce porte un nom référant au Canada. Il s'agit de *Chamaemespilus altera pyrifolia Canadensis* qui correspond, selon Marjorie Warner, à l'amélanchier du Canada (*Amelanchier canadensis*). Comme il est très difficile d'identifier les amélanchiers quant à l'espèce, il serait plus opportun de conclure qu'il s'agit d'une espèce non identifiée d'amélanchier (*Amelanchier* sp.).

Selon Warner, plus de 28 plantes sont associées à des espèces nord-américaines. Certaines sont nommées américaines, virginiennes, étrangères ou autres (voir l'appendice 6). Dix de ces espèces font partie de la flore canadienne de Cornuti en 1635. L'amélanchier canadien n'y apparaît pas.

Vespasien Robin est vraisemblablement responsable de la plantation du premier robinier faux-acacia au Jardin du roi vers 1634 ou 1635. Un très vieux robinier survit dans l'actuel square René-Viviani à Paris. Robin possède une bibliothèque respectable puisqu'elle fait partie des « plus célèbres bibliotières de Paris » décrites par Albert de la Fizelière en 1649. Selon Paul-Antoine Cap (1788-1871), un historien du Muséum d'histoire naturelle de Paris, Vespasien « obtint l'autorisation de faire construire la première serre et (qui) fit creuser le grand bassin qui existe encore en face des bâtiments ».

En 1623, Gaspard Bauhin écrit dans son appendice mentionnant des plantes d'Amérique qu'il a obtenu certaines de ces espèces de Jean et Vespasien Robin par l'intermédiaire de Georgius Spörlinus de Bâle, un étudiant en médecine à Paris. En 1646, on retrouve un Georgius Sporlinus, médecin et un des auteurs d'un traité de médecine. Il s'agit possiblement de l'étudiant qui a servi d'intermédiaire dans le transport des plantes. Parmi celles-ci, il y a la rudbeckie laciniée (*Rudbeckia laciniata*) obtenue de Vespasien Robin sous le nom de *Aconitum Americanum*, l'aconit d'Amérique.

Des usages du robinier faux-acacia en Europe

Le robinier pousse très bien en Europe. En fait, il a conquis en quatre siècles une grande partie de l'Europe. On le trouve même de plus en Corée et au nord de l'Inde. Cet arbre produit de nombreuses graines et des rejets initialement épineux très envahisseurs. En France, il réussit à s'installer dans certaines forêts de chênes. Des auteurs considèrent que le robinier est la troisième espèce arborescente feuillue à croissance rapide plantée dans le monde après les eucalyptus et les peupliers hybrides.

Comme le signale Amy Schneider, les fleurs très odorantes constituent aujourd'hui une source majeure du miel sauvage d'Alsace. Apparemment, certains Français incorporent aussi les fleurs sucrées dans des crêpes. En Hongrie, la production de miel

Les premiers collectionneurs du robinier faux-acacia, les Français ou les Anglais ?

La controverse persiste à savoir si les Robin en France ou les Tradescant en Angleterre sont les premiers à cultiver et décrire cet arbre d'Amérique du Nord. Ainsi, Prudence Leith-Ross écrit que, malgré les propos rapportés de John C. Loudon (1783-1843) en 1844 dans *Arboretum et fructicetum britannicum*, les évidences semblent manquantes quant à la présence du robinier à Paris en 1601. Pour Leith-Ross, la première mention écrite est celle de la liste de 1634 des plantes du jardin de John Tradescant sous le nom de *Locusta Virginiana arbor*. Cet arbre aurait été acquis avant 1629 et ses graines auraient été peut-être transmises aux Robin à Paris. John Harvey, l'historien des jardins anglais, mentionne que le robinier a probablement été introduit en Angleterre vers 1625. James Pringle estime que cet arbre était présent en Angleterre avant son introduction en France.

Du côté français, le robinier est décrit dans la flore de Cornuti dont la rédaction s'est achevée en 1634, la même année que celle de la liste des plantes du jardin des Tradescant. Cet arbre d'Amérique septentrionale, est nommé *Acacia Americana Robini* en l'honneur du jardinier parisien nommé Robin. Cornuti décrit et illustre un arbre âgé d'au moins quelques années puisqu'il rapporte des observations sur les fleurs de l'arbre. Le débat ne semble pas clos. Par ailleurs, Gérard Aymonin du Muséum national d'histoire naturelle de Paris note que le plus ancien spécimen d'herbier du robinier en France consiste en deux feuilles ouvrant un herbier daté de 1655 et réalisé à Orléans dans la vallée de la Loire.

Sources : Aymonin, Gérard, « Introduction », dans Allain, Yves-Marie, et autres, *Passions botaniques. Naturalistes voyageurs au temps des grandes découvertes*, Rennes, Éditions Ouest-France, 2008. Harvey, John H., « The plants in John Evelyn's *Elysium Britannicum* », 1998. O'Malley, Therese et Joachim Wolschke-Bulmahn (ed.), « John Evelyn's *Elysium Britannicum* and European Gardening », *Dumberton Oaks Colloquium on the History of Landscape Architecture*, Washington D. C., 1998, vol. 17. Disponible au www.doaks.org/etexts.html. Leith-Ross, Prudence, *The Tradescants. Gardeners to the Rose and Lily Queen*, London, Peter Owen Publishers, 1984. Pringle, James S., « How Canadian is Cornut's *Canadensium Plantarum Historia* ? A Phytogeographic and Historical analysis », *Canadian Horticultural History*, 1988, 1 (4) : 190-209.

La première illustration de l'acacia d'Amérique de Robin. En 1635, la première flore nord-américaine de Jacques Cornuti contient l'illustration de cet arbre d'Amérique du Nord. Le nom Robin identifie Jean Robin, ce réputé jardinier parisien, reconnu comme étant le premier à cultiver cet arbre exotique. C'est le robinier faux-acacia (*Robinia pseudo-acacia*). Sur cette illustration, la feuille et les fleurs en bas à droite sont celles du robinier. La feuille en bas à gauche de même que les fruits velus ou épineux n'appartiennent pas à cet arbre. Quant au port de l'arbre, il est représenté de façon rudimentaire.

Source : Cornuti, Jacques, *Canadensium Plantarum, alia-rumque nondum editarum Historia*, Paris, 1635, p. 172. Bibliothèque de recherches sur les végétaux, Agriculture et Agroalimentaire Canada, Ottawa.

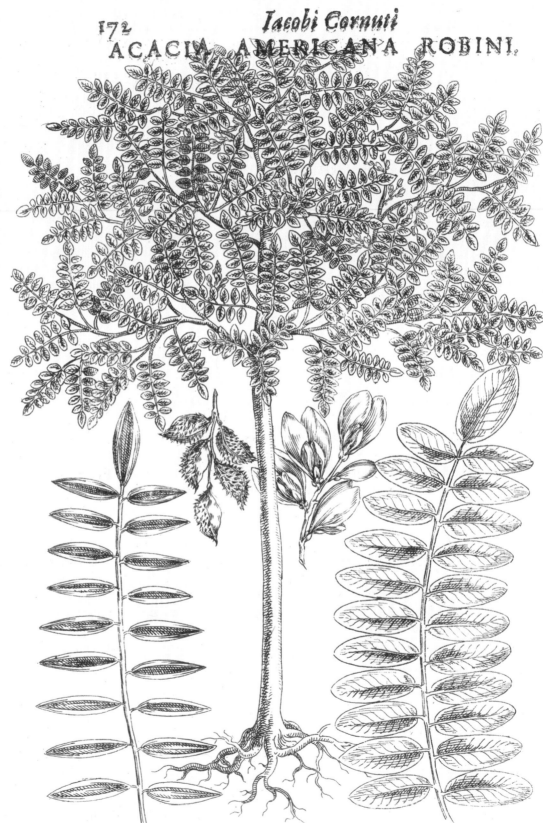

Iacobi Cornuti
172
ACACIA AMERICANA ROBINI.

Une illustration plus fidèle du robinier faux-acacia. L'acacia d'Amérique de Robin décrit par Jacques Cornuti à Paris en 1635 est nommé acacia majeur en Hollande en 1702. À la différence de l'illustration de 1635, on reconnaît une gousse caractéristique. On observe aussi des épines sur les tiges et à la base des pétioles.

Source : Munting, Abraham, *Phytographia curiosa… Pars prima*, Amsterdam et Leyde, 1702, figure 8. Bibliothèque numérique du Jardin botanique royal de Madrid.

Une vieille plantation de robiniers faux-acacia au Québec

Le centre d'interprétation de la seigneurie des Aulnaies à Saint-Roch-des-Aulnaies permet d'observer un moulin banal (1842), un manoir (début de la décennie 1850), des jardins et des plantations d'arbres, incluant quelques gros robiniers, situés tout près du manoir construit à l'origine par le seigneur et marchand Amable Dionne (1781-1852) et planifié par Charles Baillairgé (1826-1906), le célèbre architecte et ingénieur civil de Québec.

Durant la décennie 1860, l'horticulteur Auguste Dupuis (1839-1922) met sur pied dans cette même localité l'une des premières pépinières du Québec. Les robiniers de l'ancienne seigneurie des Aulnaies sont vraisemblablement des arbres ou des rejetons de ceux-ci provenant de la pépinière de Dupuis. Quelques robiniers atteignent maintenant environ un mètre de diamètre, indiquant que ces arbres pourraient être centenaires. Dans une annonce publicitaire de 1874 à l'endos du livre *Le verger, le potager et le parterre dans la province de Québec* de l'abbé Léon Provancher, Dupuis fait quelques remarques à sa clientèle. Il indique qu'il a « mis des capitaux considérables pour fonder une première pépinière Canadienne, [il] ose compter sur le patronage de tous ses compatriotes, ses produits étant de première qualité, et ses prix des plus modérés ». De plus, la livraison des végétaux est « par chemins de fer et bateaux-à-vapeur dans toutes les directions ».

Source : Provancher, Léon, *Le verger, le potager et le parterre dans la province de Québec*, Québec, 1874.

de robinier, connu sous le nom de « miel d'acacia », est importante. Certaines régions de Chine produisent aussi du miel de robinier. De plus, cet arbre est utile dans certaines régions viticoles françaises. Les tuteurs de pieds de vigne faits de bois de robinier résistent bien à la dégradation microbiologique dans le sol pendant une cinquantaine d'années. Selon Hugh

Johnson, le bois du robinier est même supérieur à celui de diverses espèces locales. Il y des recherches concernant la valeur nutritive des feuilles de robinier pour certains herbivores, comme les chèvres. Cet arbre contribue de plus à incorporer de l'azote au sol à cause de sa capacité de fixation de l'azote par ses nodules souterrains.

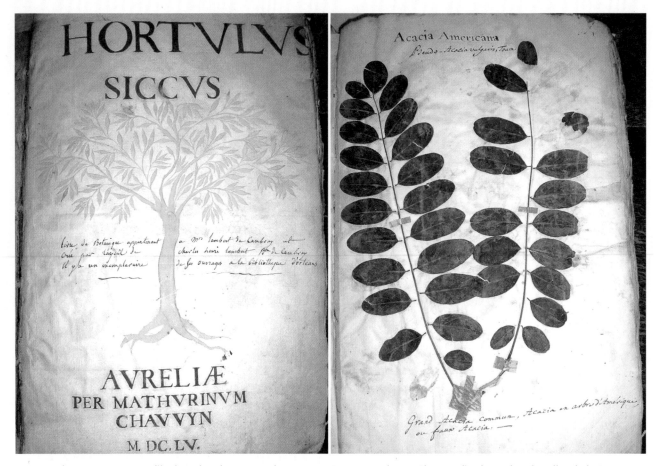

Le plus vieux spécimen d'herbier du robinier pseudo-acacia en France. Mathurin Chauvin d'Orléans dans la vallée de la Loire indique que son herbier de plantes séchées date de 1655. Cet herbier commence par deux feuilles d'*Acacia Americana*. Plus tard, un autre auteur ajoute que cette espèce correspond à *Pseudo-Acacia vulgaris*, selon la nomenclature de Tournefort. On lit aussi que c'est le « Grand acacia commun, Acacia ou arbre d'Amérique, ou faux Acacia ». Que cet arbre soit commun confirme qu'il a bien prospéré en France et dans d'autres pays européens.

Source : Chauvin, Mathurin, *Hortus siccus*, Orléans, 1655, Page de titre et première page d'herbier, Muséum national d'histoire naturelle, Paris. Gracieuseté du professeur Gérard Aymonin et de Cécile Aupic du Muséum national d'histoire naturelle à Paris.

Sources

Bauhin, Caspar, *Pinax theatri botanici*, Bâle, 1671. Disponible à la bibliothèque numérique du Jardin botanique royal de Madrid au http://bibdigital.rjb.csic.es/spa/.

Bouvet, Maurice, « Les anciens jardins botaniques médicaux de Paris », *Revue d'histoire de la pharmacie* (35ᵉ année), 1947, 119 : 221-228.

Cap, Paul-Antoine, *Le Muséum d'histoire naturelle*, Paris, 1854.

De la Fizelière, Albert, *Rymaille sur les plus célèbres Bibliotières de Paris*, Paris, 1868.

Denise, Louis, *Bibliographie historique et iconographique du Jardin des plantes*, Jardin royal des plantes médicinales et Muséum d'histoire naturelle, Paris, 1903.

Jackson, Benjamin Daydon, *A catalogue of plants cultivated in the garden of John Gerard, in the years 1596-1599/edited with notes, references to Gerard's Herball, the addition of modern names, and a life of the author*, Londres, 1876. Disponible sur le site Biodiversity Heritage Library au http://www.biodiversity.org.

Janik, Jules, et autres, « The cucurbits and nightshades of Renaissance England : John Gerard and William Shakespeare », *Horticultural Reviews*, 2012, 40 : 215-257.

Johnson, Hugh, *Arbres*, Montréal, Les Éditions de l'Homme, 2011.

Kraus, Gregor, *Geschichte der Pflanzeneinführungen in die Europäischen Botanischen Gärten*, Leipzig, 1894.

Mathieu, Jacques, *Le premier livre de plantes du Canada. Les enfants des bois du Canada au jardin du roi à Paris en 1635*, Sainte-Foy, Les Presses de l'Université Laval, 1998.

Peabody, F. J., « A 350-Year-Old American Legume in Paris », *Castanea*, 1982, 47 (1) : 99-104.

Schneider, Amy, *Arbres et arbustes thérapeutiques*, Montréal, Les Éditions de l'Homme, 2002.

Song, Xiao-Yan, et autres, « Pollen analysis of natural honeys from the central region of Shanxi, North China », *PLoS ONE*, 2012, 7 (11) : e49545. Disponible au www.plosone.org.

Warner, Marjorie F., « Jean and Vespasien Robin, "Royal Botanists", and North American Plants, 1601-1635 », *The National Horticultural Magazine*, 1956, 35 : 214-220.

1623-1624, HURONIE. ON DÉGUSTE DES PRUNES ENFOUIES DANS LE SOL ET ON SE SOIGNE AVEC *OSCAR* ET LA PRUCHE

ON CONNAÎT PEU DE CHOSES de Théodat (frère Gabriel) Sagard avant et après son séjour au Canada. On pense que Théodat est son prénom de baptême. Il est peut-être en formation chez les Récollets dès 1604. En 1612, il est en communauté à Metz. Il ne devient pas prêtre. Il est nommé secrétaire du provincial à Paris et il manifeste un grand intérêt pour le travail missionnaire. Il avoue qu'il aurait bien aimé faire partie du premier groupe des quatre missionnaires récollets envoyés en 1615 en Nouvelle-France. Il part de Dieppe pour sa mission et il arrive à Québec le 28 juin 1623. Il se dirige avec deux collègues vers la Huronie située dans la région sud-est de la baie Georgienne. Il revient à Québec en juillet 1624. À cette époque, la Nouvelle-France ne compte qu'une centaine d'habitants. Après sa mission en Huronie, Sagard retourne en France pour assumer des fonctions administratives dans sa communauté. Il semble déçu de quitter le travail missionnaire. En 1632, paraît à Paris *Le Grand Voyage du pays des Hurons* qui fait part de son séjour de dix mois. Arrivé au pays huron le 20 août 1623, il en est reparti au mois de mai de l'année suivante. Cette publication essentiellement tournée vers l'intérieur du continent et la vie des Amérindiens constitue une première. En 1636, il publie aussi à Paris une *Histoire du Canada* couvrant la période entre 1615 et 1629. Ce livre d'histoire canadienne est aussi une première dans sa catégorie. La même année, Sagard passe des Récollets aux Cordeliers. Par la suite, on perd sa trace vers 1638.

Le terme huron est un ethnonyme datant de 1625 qui décrit d'abord leur coiffure en forme de hure. Les Hurons se nomment *Hoüandate*. À l'époque de Sagard, ils sont environ 20 000 à 30 000 sur leur territoire agricole en Ontario. Avec les Iroquois, Les Pétuns, les Neutres, les Ériés et d'autres Nations, ils sont de la famille linguistique des Iroquoiens. Les Hurons fournissent alors près de la moitié des fourrures et ils forment une puissante nation très impliquée dans les échanges commerciaux.

Sagard fait part d'observations d'intérêt botanique dans ses deux publications. En voici quelques exemples.

Le couvent des Récollets est entouré de cardinales et de martagons à oignons comestibles

Dans le récit du *Grand Voyage*, Gabriel Sagard prend le soin de décrire les lieux avoisinant la demeure des Récollets à Québec sur les bords de la rivière Saint-Charles qui «a flux et reflux, là où les Sauvages pêchent une infinité d'anguilles en automne et les Français tuent le gibier qui y vient à foison; les petites prairies qui la bordent sont émaillées en été de plusieurs petites fleurs, particulièrement de celles que nous appelons cardinales, et des martagons, qui portent quantité de fleurs en une tige, qui a près de six, sept ou huit pieds de haut, et les Sauvages en mangent l'oignon cuit sous la cendre qui est assez bon». Sagard ajoute qu'ils ont apporté en France de ces martagons et des cardinales «comme fleurs rares». Malheureusement, ces plantes «n'y ont point profité ni parvenu à la perfection, comme elles font dans leur propre climat et terre natale».

La cardinale est la lobélie cardinale (*Lobelia cardinalis*) illustrée en 1623 par Pierre Vallet à Paris. Le martagon, dont la hauteur semble exagérée, est peut-être le lis du Canada (*Lilium canadense*) aussi illustré en 1623 par Vallet et par d'autres artistes avant lui. Sagard est l'un des premiers à spécifier que les Récollets ont rapporté en France des fleurs rares d'Amérique du Nord. Il a aussi pu déguster les bulbes du lis du Canada, une pratique culinaire inspirée des Amérindiens. Comme l'a souligné James Pringle, on mentionne rarement la contribution des Récollets à la connaissance, au transport et à la diffusion d'espèces nord-américaines en France. Comme le rapporte Marie-Josée Fortier, Samuel de Champlain a cependant vanté à la même époque les talents jardiniers des Récollets. Il écrit que les Récollets n'ont «d'autre soin que de prier Dieu et jardiner».

On mange des prunes enfouies dans le sol

Dans le récit du *Grand Voyage*, Sagard inclut un chapitre sur les fruits, les plantes et les arbres du pays. Il mentionne que les Huronnes ramassent des prunes nommées *tonestes* qu'elles «enfouissent en terre quelques semaines pour les adoucir» avant de les manger. Ce n'est pas la première fois que Sagard observe que les Hurons altèrent des aliments de cette façon. Il mentionne qu'ils ont «un blé qu'ils font pourrir dans les fanges et eaux croupies et marécageuses, trois ou quatre mois durant» avant de devenir un délice pour eux. En 1640, les *Relations* des Jésuites concernant la Huronie mentionnent le même blé macéré dans la bourbe. Une nation huronne nommée *andoouanchronon* porte le nom du blé enfoui pendant quelques mois. Le mot huron *andohi* désigne ce blé affiné. Sagard utilise le mot *leindohy* qui lui est similaire.

Ces prunes «désagréables au goût» possédant «cette acrimonie et rudesse» sont vraisemblablement les fruits du prunier d'Amérique (*Prunus americana*) plutôt que ceux du prunier noir (*Prunus nigra*) qui sont comestibles et sans grande astringence. On peut supposer que ces prunes sont déposées possiblement dans des contenants d'écorces. L'écorce de bouleau semble d'ailleurs améliorer le temps de conservation de certains aliments. Quoi qu'il en soit, les Amérindiens ont sûrement observé les changements de saveur associés à la conservation et à la température fraîche du sol. L'astringence des prunes est possiblement aussi diminuée avec le temps. C'est un peu comme le vieillissement des vins. Il est impossible de déterminer si ces prunes enfouies sont simplement des réserves ou si les Hurons procèdent à un entreposage pour une altération volontaire du goût, comme cela semble le cas pour le blé.

D'autres exemples de conservation de nourriture dans le sol

Les Amérindiens ont en effet l'habitude de conserver et de dissimuler des réserves de nourriture dans le sol. Sagard décrit l'habitude des Hurons de recourir à des provisions cachées de maïs. Il signale que, lors de leurs voyages, ils déterrent aux deux jours des provisions de blé d'Inde enfouies dans le sol forestier ou dans le sable. Il s'étonne que les Hurons puissent retrouver si facilement ces cachettes souvent situées loin des sentiers parcourus. Il n'est pas le premier à signaler de telles provisions de maïs enterrées. Par

exemple, en novembre 1620, des explorateurs du *Mayflower* décrivent la découverte de quatre boisseaux de grains de blé d'Inde séchés dans un gros panier. Ils sont dans la région de Cape Cod. Les grains secs de maïs peuvent se conserver très longuement. On a retrouvé des grains de maïs vieux d'un millier d'années au Mexique. Bien avant les Puritains de 1620 et Sagard à la même époque, Champlain décrit une cache de maïs en 1606. Les Amérindiens ont aussi appris aux nouveaux arrivants comment conserver dans des abris certains produits végétaux pendant la saison hivernale en les protégeant du gel.

Paul-Louis Martin rapporte que les Amérindiens avaient une technique particulière pour se débarrasser des involucres épineux adhérant fortement aux noisettes du coudrier ou noisetier à long bec (*Corylus cornuta*). Ils enfouissaient les fruits dans un sol humide pendant une douzaine de jours. Comme par magie, les gaines protégeant les noisettes s'enlevaient facilement par la suite. Ernest Small et collaborateurs indiquent que les premiers colons des États-Unis entreposent au frais les pommes, les légumes racines et les patates entre des couches de feuilles d'érable. Cette pratique est possiblement le fruit d'une influence amérindienne.

La plante *oscar* fait merveille

Gabriel Sagard ne veut pas être en reste par rapport à l'*annedda* de Jacques Cartier. Au chapitre 20 traitant *De la santé et maladie des Sauvages et de leurs médecins*, il indique que «nos Montagnais et Canadiens ont un arbre appelé annedda, d'une admirable vertu». Il écrit *annedda* comme Lescarbot. Comme Champlain, il associe erronément l'*annedda* à un mot d'origine algonquienne. Sagard semble intéressé à décrire une plante aussi précieuse que l'*annedda* qui peut guérir «toutes autres sortes de maladies intérieures et extérieures».

Il mentionne qu'entre toutes les plantes «pour guérir leurs maladies», «ils font état de celle appelée *oscar*, qui fait merveille contre toutes sortes de plaies, ulcères et autres incommodités». Quelle est cette espèce? Certains, comme Charlotte Erichsen-Brown, croient que c'est la salsepareille, l'aralie à tige nue (*Aralia nudicaulis*). Cependant, cette identification n'est pas supportée par le vocable utilisé. Le mot huron *oscar*

Un botaniste expérimente l'enfouissement d'un aliment

En 1755, l'agronome et botaniste français Duhamel du Monceau (1700-1782) décrit l'huile des faînes de hêtre comme étant «fort douce, qui ressemble à celle de noisette». Il fait part d'une expérience de Danty d'Isnard qui œuvre au Jardin du roi à Paris. Ce botaniste semble avoir amélioré la digestibilité de l'huile de faîne «nouvellement tirée» qui «cause des pesanteurs d'estomac». Il s'agit simplement de la conserver pendant «un an dans des cruches de grès bien bouchées que l'on enterre». Du Monceau ne semble pas cependant très enthousiaste envers cette méthode.

Source : Duhamel du Monceau, Henri-Louis, *Traité des arbres et des arbustes qui se cultivent en France en pleine terre*, [Tome premier], Paris, 1755.

---

appartient à la famille linguistique iroquoienne. Selon le lexique iroquois botanique de Jean-André Cuoq, le mot *oskare* signifie lin ou chanvre. Nous avons déjà présenté diverses identifications possibles du chanvre indigène. Dans le contexte du récit de Sagard, il semble que cet «*oscar*» ne soit pas un arbre, ce qui permet d'éliminer les fibres du tilleul ou du frêne. L'*oscar* peut alors être l'apocyn chanvrin, l'asclépiade commune ou l'ortie du Canada. L'apocyn et l'asclépiade appartiennent à la famille des apocynacées. Cette famille est celle de la pervenche de Madagascar (*Catharanthus roseus*) qui fournit des molécules utilisées de nos jours pour la chimiothérapie anticancéreuse. Dès 1935, Marie-Victorin voit juste en ce qui concerne le potentiel biochimique de cette famille. Il écrit que «le nombre des substances physiologiquement actives que peuvent fournir les apocynacées est considérable ;

malgré leur action énergique elles sont encore peu utilisées ; ce sont des substances d'avenir». Se peut-il que les Hurons et d'autres Amérindiens aient déjà expérimenté par essais et erreurs certains effets de ces substances physiologiquement actives ?

Il serait intéressant de déterminer si le latex des apocynacées pourrait favoriser la guérison des «plaies, ulcères et autre incommodités», comme le rapporte Sagard. Par ailleurs, il ne faut pas négliger la possibilité de réactions allergiques dues au latex des apocynacées. Il y a de fait des évidences à ce sujet. Les panacées sans effets secondaires semblent rares !

William Fenton (1908-2005) suggère que cet *oscar* est peut-être apparenté au mot *oskaaa* de la nation iroquoise Seneca. Ce terme désigne le vérâtre vert (*Veratrum viride*). Cette espèce, aussi connue sous le nom de tabac du diable, est cependant relativement

---

La pervenche de Madagascar, une recherche canadienne et des alcaloïdes antitumoraux

En 1957, une équipe canadienne de recherche médicale attire l'attention sur la capacité de l'extrait de pervenche de Madagascar injecté à des rats de provoquer une baisse importante des globules blancs. On imagina alors que cet extrait pourrait être utile dans les leucémies, ces maladies tumorales caractérisées par l'accroissement très important du nombre de globules blancs. Au même moment, des chercheurs américains confirment l'activité antitumorale de l'extrait de pervenche de Madagascar. On réussit par la suite à caractériser la vinblastine et la vincristine qui deviennent des molécules utiles dans les traitements de certains types de cancer.

Il est intéressant de noter que les Malgaches ont utilisé cette espèce depuis les temps anciens à des fins médicales bien précises. Ils avaient de plus observé que la consommation de cette plante supprimait la faim.

Source : Sévenet, Thierry (avec la collaboration de Claudette Tortora), *Plantes, molécules et médicaments*, Paris, Nathan et CNRS Éditions, 1994.

1

2

toxique et les poils foliaires peuvent irriter la peau. Fenton indique aussi que ce mot ressemble un peu au mot iroquois de la nation Mohawk « *onaahra'ge'ha* » identifiant le sureau blanc (*Sambucus canadensis*). Le doute persiste donc quant à l'identité de l'*oscar*. D'autres termes hurons de plantes rapportés par Sagard demeurent incertains quant à leur identification précise. Pour Charlotte Erichsen-Brown, la plante *Ooxrat* serait le calla des marais (*Calla palustris*) et l'*ondachiera* correspondrait à la cicutaire maculée (*Cicuta maculata*). Sagard admirait les Hurons « eux-mêmes brûler par plaisir de la moelle de sureau sur leurs bras nus ». Ce missionnaire est l'un des rares à décrire ce mode de tatouage à l'aide des tissus internes des branches de sureau (*Sambucus* sp).

En cas de brûlures graves, utilisez la seconde écorce de pruche

Dans son *Histoire du Canada*, Sagard raconte une guérison étonnante de graves brûlures subies par un « Sauvage appelé Neogabinat » qui, enivré par l'eau-de-vie des Français, fut déposé par d'autres Amérindiens sur le feu. Il est « rôti depuis la tête jusqu'à la plante des pieds ». Des femmes lui enlèvent les « charbons » sur le corps. « Admirablement », il guérit grâce à l'utilisation de la « seconde écorce de pruche espèce de sapin ». En moins de trois semaines, il redevint « sain et gaillard » grâce à la décoction bouillie de cette écorce.

À l'époque, le mot pruche ou pérusse peut s'appliquer à divers conifères. C'est aussi vrai pour le mot sapin. L'écorce interne de divers conifères contient des tannins. C'est particulièrement le cas de la pruche, au sens moderne du terme. Ce conifère est possiblement celui qui a permis la guérison efficace des brûlures. La pruche du Canada (*Tsuga canadensis*) est effectivement reconnue pour sa concentration élevée en tannins polyphénoliques qui favorisent la cicatrisation naturelle. Ce traitement est basé sur l'action des tannins extraits de l'écorce. La seconde écorce décrite par Sagard correspond vraisemblablement à la couche la plus interne de l'écorce. Cette couche est rougeâtre et particulièrement riche en tannins. Les Iroquois ont un mot spécifique *osanenta* pour identifier le tan de la pruche et l'expression *tsi wasanentetha* décrit le village des tanneries, là où l'on pile le tan.

Des informations botaniques dans le dictionnaire de Sagard

Sagard publie en 1632 son *Dictionnaire de la langue huronne*. À la section « Plantes, arbres et fruits », on dénombre un peu plus d'une soixantaine de termes reliés aux végétaux. Sagard distingue parmi les arbres ou arbustes, le cèdre, le chêne, le fouteau [hêtre], l'érable, le bois de sureau, le genévrier et le merisier produisant les merises. Il inclut la racine rouge à peindre (la sanguinaire du Canada), un « naveau à purger le cerveau », une angélique et surtout les « canadiennes » et les petits fruits, comme cerises rouges qui n'ont point de noyau nommés « toca » [atoca]. Les « canadiennes » correspondent vraisemblablement au topinambour (*Helianthus tuberosus*).

Rameau de feuilles portant deux cônes et détail d'une graine ailée de la pruche du Canada (*Tsuga canadensis*). L'écorce de cet arbre, très riche en tannins, a servi d'agent de tannage en Nouvelle-France et en Nouvelle-Angleterre. La pruche est l'un des gros conifères correspondant possiblement à l'*annedda* des Iroquoiens qui a servi à guérir du scorbut la troupe de Jacques Cartier en 1536. À l'époque du botaniste Michaux, la pruche est nommée *Abies canadensis*.

Source : Michaux, François-André, *Histoire des arbres forestiers de l'Amérique septentrionale*, [Tome 1], 1810, planche XIII. Bibliothèque de recherches sur les végétaux, Agriculture et Agroalimentaire Canada, Ottawa.

Sources

Campeau, Lucien, *La mission des Jésuites chez les Hurons. 1634-1650. Suivi de la formulation des noms de peuples et de bourgades en Huron par Pierrette-L. Lagarde*. Bibliotheca Instituti Historici S.I., vol. XLVI, Montréal, Éditions Bellarmin, 1987.

Cuoq, Jean-André, *Lexique de la langue iroquoise avec notes et appendices*, Montréal, J. Chapleau & Fils, Imprimeurs-Éditeurs, 1882. Disponible au http://www.canadiana.ca.

Erichsen-Brown, Charlotte, *Medicinal and other uses of North American plants*, New York, Dover Publications, 1989.

Fenton, William N., *Contacts between Iroquois herbalism and colonial medicine*, Smithsonian Institute, Facsimile Reproduction 1971, Seattle, Washington, The Shorey Book Store, 1941.

Fortier, Marie-Josée, *Les jardins d'agrément en Nouvelle-France. Étude historique et cartographique*, Québec, GID, 2012.

Martin, Paul-Louis, *Les Fruits du Québec. Histoire et traditions des douceurs de la table*, Québec, Les éditions du Septentrion, 2002.

Philbrick, Nathaniel, *Mayflower. A Story of Courage, Community and War*, New York, Penguin Books, 2006.

Pringle, James S., « How Canadian is Cornut's *Canadensium Plantarum Historia*? A Phytogeographic and Historical analysis », *Canadian Horticultural History*, 1988, 1 (4) : 190-209.

Rioux, J. de la Croix, « Sagard, Gabriel (baptisé Théodat) », *Dictionnaire biographique du Canada en ligne*, vol. I, 2000. Disponible au http://www.biographi.ca/.

Sagard, Gabriel, *Le grand voyage du pays des Hurons*, [Texte établi par Réal Ouellet, introduction et notes par Réal Ouellet et Jack Warwick], Canada, Bibliothèque québécoise, 1632 (2007).

Sagard, Gabriel, *Dictionnaire de la langue huronne*, Paris, 1632.

Sagard, Gabriel, *Histoire du Canada et voyages que les Frères Mineurs Récollets ont fait pour la conversion des infidèles*, Paris, 1636.

Small, Ernest, et autres, *Emblèmes floraux officiels du Canada. Un trésor de biodiversité*, Ottawa, Travaux publics et Services gouvernementaux Canada en collaboration avec le ministère de l'Agriculture et Agroalimentaire Canada, 2012.

L'importance commerciale de la pruche du Canada comme agent de tannage

Le tannage des peaux avec l'écorce de pruche devient une activité commerciale importante en Amérique du Nord au XIXe siècle. En 1842, la ville de Québec compte 32 tanneries. Trente ans plus tard, on en recense 46. Elles sont presque toutes situées au pied du Cap Diamant et au pied du coteau Sainte-Geneviève. Originellement, les rues Arago et Saint-Vallier portent le nom de rue des Tanneries. En 1868, 10 000 acres de forêts de pruche au Québec sont exploitées et on exporte 23 000 barils de tannins aux États-Unis sans compter les milliers de cordes d'écorce de pruche. En 1880, on abat un million et demi de pruches seulement dans les Cantons de l'Est pour récolter 150 000 cordes d'écorce. Henri Gustave Joly de Lotbinière proteste vigoureusement contre ces coupes massives de pruche. Ce n'est pas la première fois que ce personnage politique dénonce la destruction des forêts.

En 1900, on utilise 1,2 million de cordes d'écorce de pruche aux États-Unis. À cette époque, environ 72 % des tannins proviennent de l'écorce de pruche récoltée dans un territoire couvrant à peu près 400 000 hectares dans la région du nord-est de l'Amérique. On estime qu'environ 2,5 cordes d'écorce de pruche sont requises pour traiter une centaine de peaux. Cette récolte massive a contribué beaucoup au déclin de la pruche en Amérique du Nord. En général, on récolte seulement l'écorce tout en abandonnant les troncs dénudés à la pourriture.

Aux États-Unis, on met sur pied plusieurs tanneries bien avant la décennie 1650. On en trouve à Lynn, Salem, Boston, Charlestown, Watertown et Newbury. Dès 1653, on fait le commerce des peaux tannées à New Haven (Connecticut) avec des partenaires de la Virginie. La première tannerie en Nouvelle-Angleterre est peut-être celle établie par Experience Mitchell en 1623. Cette tannerie a d'ailleurs été en affaires pendant 170 ans. Dès 1700, quelque 200 tanneries sont recensées. En 1840, on compte pas moins de 8 229 tanneries américaines. Il n'en reste que 350 en 1950.

Les premiers colons tanneurs en Amérique du Nord utilisent l'écorce de chêne, comme le font les Européens. On découvre par la suite l'utilité de l'écorce de pruche contenant de 8 à 10 % de tannins dans son écorce. Les Amérindiens ont vraisemblablement joué un rôle dans la connaissance de cette nouvelle source de tannins. À partir de 1909, la pruche comme source principale de tannins, commence à diminuer aux États-Unis. Au début de la décennie 1920, les Américains importent de plus en plus de la pruche du Canada.

En plus de la pruche, on utilise l'écorce de chênes et les feuilles de sumac (*Rhus* sp.). À partir de 1819, on exploite le bois de châtaignier d'Amérique (*Castanea dentata*) qui contient de 5 à 10 % de tannins. En 1938, environ 60 % des tannins extraits aux États-Unis proviennent du bois de châtaignier local. Une maladie fongique, observée pour la première fois en 1904 au Jardin zoologique de New York décime peu à peu cette espèce. La dernière exploitation commerciale des tannins extraits du bois de châtaignier américain a eu lieu en 1956.

Sources : Fulling, Edmund H., « Botanical aspects of the Paper-Pulp and Tanning Industries in the United States-An Economic and Historical Survey », *American Journal of Botany*, 1956, 43 (8) : 621-634. Provencher, Jean, *Les Quatre Saisons dans la vallée du Saint-Laurent*, Montréal, Boréal, 1988. Welsh, Peter C., « A craft that resisted change : American tanning practices to 1850 », *Technology and Culture*, 1963, 4 (3) : 299-317.

1633, ROME. LE NEVEU DU PAPE CULTIVE DES FRAISES CANADIENNES D'UNE GROSSEUR INOUÏE

GIOVANNI BATTISTA (BAPTISTA) FERRARI (1584-1655) devient jésuite. Originaire de Sienne, il est pendant longtemps professeur d'hébreu au Collège Romain à Rome. Un autre botaniste siennois réputé fut Pietro Andrea Mattioli. Ferrari est le protégé du cardinal Francesco Barberini (1597-1679), le neveu de Maffeo Barberini (1568-1644) qui devient le pape Urbain VIII en 1623. La famille Barberini est très influente et elle contribue à faire de Rome un centre d'art baroque avec de grands jardins. Francesco Barberini possède alors un magnifique jardin au Quirinal, où se trouve aujourd'hui la résidence du Président de l'Italie. Le cardinal affectionne les plantes rares et exotiques et il fait construire le célèbre Palazzo Barberini qui abrite maintenant la Galerie nationale d'art antique à Rome.

En 1625-1626, Barberini accomplit une mission diplomatique en France et en Espagne pour le pape. Il est accompagné de personnes à la recherche d'informations et de nouveautés pouvant intéresser la papauté. Un des membres du groupe, Cassiano dal Pozzo (1588-1657), fait partie de la prestigieuse Académie des Lynx, l'*Academia del Leinci*, fondée en 1603 par le prince Federico Cesi (1586-1630). Dal Pozzo a la mission d'observer particulièrement les curiosités scientifiques et naturelles. Il est de surcroît un collectionneur intéressé aux dessins des plantes, comme celles provenant du Mexique. Il est donc possible que cette délégation papale ait rapporté en 1626 des plantes exotiques pour les jardins italiens.

En 1633, Ferrari publie un traité sur la floriculture qui devient rapidement un ouvrage de référence jusqu'à la fin du siècle. Le livre énumère les diverses plantes des grands jardins de Rome et des environs. Il contient aussi la première illustration botanique basée sur une observation à l'aide d'un microscope. Certaines espèces sont exotiques et quelques plantes d'Afrique du Sud sont illustrées pour la première fois. C'est le cas d'une fleur nommée plus tard *Ferraria crispa* en son honneur. Ferrari est un expert

botaniste et il devient l'horticulteur qui conseille les Barberini pour les aménagements de leurs grands jardins. Selon Ferrari, le plus beau jardin de la région romaine est celui des Barberini qui exhibe plusieurs plantes étrangères. En 1646, Ferrari publie un traité sur les agrumes qui demeure une référence à ce jour. Dès 1633, Ferrari énumère trois plantes avec un épithète canadien.

Gelsiminum Indicum, sive Canadanum. Il s'agit vraisemblablement d'une espèce américaine de bignone (*Bignonia* sp.) probablement pas originaire du territoire canadien. En 1676, le livre de Denis Dodart (vers 1634-1707) fournit l'illustration d'une autre espèce de bignone, le bignone à vrilles (*Bignonia capreolata*), une espèce du sud-est des États-Unis.

Vitis Canadana, la vigne du Canada, est peut-être la vigne des rivages (*Vitis riparia*). Elle peut correspondre aussi à d'autres espèces fort différentes, mais grimpantes, comme la variété grimpante d'herbe à puce de l'Est (*Toxicodendron radicans* var. *radicans*). À cette époque, l'herbe à puce semble plutôt populaire et elle est souvent caractérisée comme une vigne grimpante.

Fraga Canadana, les fraises du Canada, sont décrites comme étant de grosseur inouïe (*Canadana pariter insolitae magnitudinis fraga*). Ferrari semble très impressionné par les fraises du Canada. Est-ce que ces fraises canadiennes sont si grosses? Le fruit allongé du fraisier américain (*Fragaria vesca* subsp. *americana*) a entre 10 et 15 millimètres de longueur à maturité alors que celui du fraisier de Virginie (*Fragaria virginiana*) est de forme plus globuleuse. Ce fruit risque donc de paraître plus volumineux. Cette dernière espèce est probablement celle décrite par Ferrari. Il s'agit du fraisier commun au Québec. Les premiers explorateurs du Canada semblent aussi impressionnés par les fraisiers. Ce fut le cas pour Jacques Cartier dès le mois de juin 1534. Le cartouche de la carte de 1612 de Champlain montre le dessin d'une fraise assez grosse. Des informations complémentaires sur les premières descriptions des fraisiers d'Amérique se retrouvent dans la publication de Stephen Wilhem.

Jacques Mathieu rapporte d'autres propos louangeurs sur les fraises du Canada émanant d'une lettre de Nicolas-Claude Fabri de Peiresc à son demi-frère et datant du 21 mai 1626: «J'ay enfin mangé des fraises de Canada et les ay trouvées excellentes, et,

Le bignone à vrilles (*Bignonia capreolata*). En France, on connaît cette plante sous le nom de «'clématis d'Amérique à quatre feuilles, portant des gousses». Sa belle fleur «est un cornet rouge tirant sur l'orangé». À cette époque et depuis fort longtemps, on goûte les différents organes végétaux pour des fins de comparaison entre les plantes et une appréciation médicinale. Pour cette espèce, la feuille est «astringente, avec un goût de Champignon» alors que la racine est «amère». On ne précise pas la provenance de cette plante à vrilles. Son aire de distribution la plus nordique commence dans la région de l'état de Virginie.

Source: Dodart, Denis, *Mémoires pour servir à l'histoire des plantes*, Paris, 1676, p. 70-71. Bibliothèque nationale de France.

ce semble, plus aromatiques que les communes, voire quasi musquées. Il y en a deux espèces…». Les fraises canadiennes dégustées en Provence par Peiresc semblent avoir pris assez rapidement la direction de Rome. Il faut noter que Peiresc a été en contact avec les Robin de Paris entre juin 1610 et son décès. Le jardin des Robin est donc une source probable des fraisiers canadiens distribués par la suite dans d'autres régions européennes.

D'autres plantes canadiennes dans le traité de 1633

En plus des trois espèces canadiennes, deux autres plantes peuvent être d'origine canadienne. L'*Arbor vitae* correspond vraisemblablement au thuya occidental (*Thuja occidentalis*), le fameux arbre de vie, mieux connu sous le nom populaire de cèdre.

Le *Trachelium Americanum*, aussi nommé par Ferrari la fleur de Barberini (*flos Barberinis*) et la plante du Cardinal (*planta Cardinalis*) correspondent vraisemblablement à la lobélie cardinale (*Lobelia cardinalis*) pouvant provenir du Canada. En effet, l'apothicaire John Parkinson (1567-1650) dans son livre *Paradisi in sole paradisus terrestris*, publié à Londres en 1629, indique que cette espèce croît près de la rivière du Canada, où la colonie française d'Amérique se trouve. Il ajoute qu'elle est nommée «plante du Cardinal» en France, d'où il en a reçu pour son jardin. De plus, dès 1623, cette lobélie fait partie des plantes illustrées dans le florilège de Pierre Vallet. Elle est identifiée sous

Trois fraisiers dans un florilège allemand. Basilius Besler, un apothicaire de Nuremberg, réalise un magnifique ouvrage grâce au parrainage de Johan Konrad von Gemmingen, le prince-évêque d'Eichstätt. L'ouvrage *Hortus Eystettensis* (*Le Jardin d'Eichstätt*) compte 366 planches illustrant 667 plantes. On observe trois fraisiers d'Europe, le fraisier à gros fruit (*Fraga fructu magno*), le fraisier à fruit rouge (*Fraga fructu rubro*) et le fraisier à fruit blanc (*Fraga fructu albo*).

Source: Besler, Basilius, *Hortus Eystettensis*, 1613, vol. 1, p. 242. Bibliothèque numérique du Jardin botanique royal de Madrid.

I.
Fraga fructu magno.

III.
Fraga fructu rubro.

II.
Fraga fructu albo.

Des fraises peu mûres, une source de maux de ventre

Selon Jean-François Gaultier, un médecin du roi en Nouvelle-France, des problèmes de « flux de ventre » peuvent être causés par des fraises et des framboises qui ne sont pas « parvenues à une parfaite maturité ». Si tel est le cas, le médecin du roi recommande de considérer l'utilisation d'une gamme élaborée de remèdes. Si ceux-ci ne s'avèrent pas efficaces, « on faisait trois ou quatre saignées par jour, ce qui a très bien réussi ».

Source : Lessard, Rénald, *Au temps de la petite vérole. La médecine au Canada aux XVII*[e] *et XVIII*[e] *siècles*, Québec, Les éditions du Septentrion, 2012, p. 72-73.

le nom *Trachelium Americanum flore rubro seu Cardinalis planta*. L'espèce décrite par Ferrari a peut-être alors été acquise en France lors de la mission diplomatique du cardinal Barberini en 1625-1626. Quel beau souvenir pour le prélat catholique que de rapporter à Rome la « fleur du Cardinal » ! La papauté est assurément heureuse d'observer une espèce portant un nom représentant la dignité et l'autorité ecclésiastiques.

Curieusement, Marie-Victorin indique dans sa *Flore laurentienne* que cette espèce aurait été déjà présente « dans les jardins anglais au temps de la reine Élisabeth ». Le règne de cette reine qui n'a pas laissé de descendance s'est terminé en 1603. Marie-Victorin ne cite pas de référence appuyant son commentaire. Les botanistes anglais considèrent généralement que la première mention de cette lobélie en Angleterre est celle de Parkinson en 1629. Est-ce que Marie-Victorin avait des informations inédites concernant la lobélie cardinale ? La question demeure sans réponse.

Sources

Anonyme, *Comparison of the plates in Pierre Vallet's Le jardin du Roy tres chrestien Henri IV 1608 and 1620 editions. Royal Horticultural Society Lindley Library*. Disponible sur le site de la bibliothèque Lindley au http://www.rhs.org.uk/. Cette comparaison est plutôt avec la seconde édition de 1623 que celle de 1620 traitant du jardin de Louis XIII.

Anonyme, editorial, « The Cassiano dal Pozzo Project », *The Burlington Magazine*, 1989, 131 (n° 1037) : 523.

Ferrari, Giovanni Battista, *De florum cultura libri IV*, Rome, 1633. Disponible à la bibliothèque numérique du Jardin botanique royal de Madrid au http://bibdigital.rjb.csic.es/spa/.

Lack, H. Walter, *Un Jardin d'Eden. Chefs-d'œuvre de l'illustration botanique*, Cologne, Taschen, 2001.

Lack, H. Walter, « Ferrari, Giovan Battista », *Taxon*, 2002, 51 (3) : 597.

Mathieu, Jacques, *Le premier livre de plantes du Canada. Les enfants des bois du Canada au jardin du roi à Paris en 1635*, Sainte-Foy, Les Presses de l'Université Laval, 1998.

Parkinson, John, *Paradisi in sole paradisus terrestris*, Londres, 1629. Disponible à la bibliothèque numérique du Jardin botanique royal de Madrid au http://bibdigital.rjb.csic.es/spa/.

Wilhelm, Stephen, « The Garden Strawberry : A Study of Its Origin : Hardy and prolific New World species contributed to the development of the strawberry's exceptional quality, productivity, and adaptability », *American Scientist*, 1974, 62 (3) : 264-271.

1634, QUÉBEC. UN MISSIONNAIRE JÉSUITE REFUSE UN VOMITIF ET LES AMÉRINDIENS MANGENT DES CHAPELETS

PAUL LE JEUNE (1591-1664) est né en Champagne de parents calvinistes. Il se convertit au catholicisme à l'adolescence et entre au noviciat des Jésuites en 1613. En 1631, il est prédicateur à Dieppe et devient l'année suivante le supérieur de la mission des Jésuites en Nouvelle-France (1632-1639). Il est considéré comme le fondateur des missions des Jésuites au Canada. Il rédige les premières *Relations* des Jésuites à compter de 1634. Il est « le plus abondant et le plus efficace des rédacteurs » de cette série. Cette publication informe annuellement les lecteurs intéressés par le Nouveau Monde et les missions des Jésuites en Nouvelle-France. Ces *Relations* deviennent aussi une source privilégiée d'informations diverses sur le nouveau pays et ses habitants tout en étant un instrument privilégié d'influence et de promotion auprès des autorités politiques, civiles et religieuses. Paul Le Jeune redevient simple missionnaire en 1639. Il rentre en France en 1649. Il décède à Paris.

Après les Récollets arrivés en Nouvelle-France dès 1615, les Jésuites installent leurs pénates en 1625. Ils doivent cependant partager le territoire avec leurs confrères missionnaires.

Les *Relations* de 1634 sont publiées l'année suivante à Paris. Les 342 pages du texte font référence à l'occasion aux ressources végétales du pays. En voici quelques exemples.

Les plantes et le réseau international des Jésuites

Aux XVIIe et XVIIIe siècles, les Jésuites deviennent une organisation très influente dans plusieurs domaines du savoir. Des membres de la Société de Jésus sont actifs en botanique dans les collèges et les missions. Ils contribuent à faire connaître et distribuer l'écorce ou la poudre des Jésuites (*Cinchona* sp.), le premier remède efficace contre les fièvres de la malaria. Leur réseau international contrôle même pour un temps la distribution de cette drogue.

Une autre plante des Amériques, le thé des Jésuites (*Chenopodium ambrosioides* maintenant nommé *Dysphania ambrosioides*), est aussi exportée vers l'Europe. Les apothicaireries des Jésuites relient des grandes villes, comme Munich, Vienne, Cologne, Madrid, Milan et Rome. Le jardin de leur collège de Rome devient un lieu privilégié d'importation de plantes exotiques. On y trouve des espèces des Amériques, comme le tabac (*Nicotiana* sp.) et la fleur de la passion (*Passiflora* sp.) tout comme des espèces de Chine, comme le rosier de Chine ou l'hibiscus (*Rosa chinensis* ou *Hibiscus rosa-sinensis*). Les Jésuites sont aussi en contact avec les grands botanistes de l'époque, comme Charles de l'Écluse.

Les Jésuites de la Nouvelle-France fournissent aussi à l'occasion des informations inédites sur les champignons et leurs usages, incluant même certains aspects spirituels. Ainsi, en 1626, le missionnaire Charles Lalemant (1587-1674) écrit que les Amérindiens croient à l'immortalité des âmes qui vont de plus au Ciel où elles « mangent des champignons » et communiquent entre elles. Ces propos trahissent vraisemblablement une conception amérindienne unique du monde mycologique.

Sources : Anagnostou, Sabine, « The international transfer of medicinal drugs by the Society of Jesus (sixteenth to eighteenth centuries) and connections with the work of Carolus Clusius », *Royal Netherlands Academy of Arts and Sciences*, 2007 : 293-312. Gaudreau, Guy, et autres, *Des champignons et des hommes. Consommation, croyances et science*, Divonne-les-Bains, Éditions Cabédita, Collection Archives vivantes, 2010.

Les Amérindiens mangent quelques sortes de racines. En premier, il y a «des racines comme des oignons de martagons rouges» et «une racine qui a goût de réglisse». Une autre racine est celle «que nos Français appellent chapelets, pour ce qu'elle est distinguée par nœuds en forme de grains». Ils consomment aussi «quelques autres en petit nombre».

Pour ce qui est des plantes médicinales, Le Jeune note que les Amérindiens préparent un vomitif composé de «raclures d'écorces internes de bouleau». Ces raclures sont bouillies dans l'eau. Il est cependant hésitant quant à son identification botanique, car il ajoute «du moins cet arbre me semblait tel». Il rapporte que les Amérindiens lui ont souvent proposé «cette potion». Il a cependant refusé, car «je ne la jugeais pas à mon usage». Le Jeune a en effet accès aux remèdes européens transportés en Nouvelle-France. Du reste, les Jésuites sont des savants qui connaissent bien la médecine européenne et qui possèdent leur propre arsenal de médicaments. Cela évite de prendre des risques avec des potions inconnues!

La racine à oignons

La racine à oignons de martagon rouge réfère probablement à la racine d'un lis indigène. À cette époque, le mot martagon désigne généralement des lis et les botanistes utilisent le nom latin *Martagum*. Il s'agit probablement du lis du Canada (*Lilium canadense*) ou du lis de Philadelphie (*Lilium philadelphicum*). Ce dernier a les fleurs d'un rouge orangé, tachetées de pourpre alors que le lis du Canada possède des fleurs d'un jaune orangé, souvent tachetées de brun. Le martagon rouge semble mieux correspondre au lis de Philadelphie quant à la couleur. Par contre, les bulbes du lis du Canada sont environ deux fois plus gros que ceux du lis de Philadelphie. Il y aurait donc avantage à consommer les bulbes plus volumineux du lis du Canada.

Le lis du Canada (*Lilium canadense*) est illustré dès 1614 dans un florilège allemand et en 1620 dans un opuscule accompagnant un livre français de biologie descriptive. Daniel Rabel l'a aussi illustré en 1622 ainsi que Pierre Vallet dans son florilège de 1623 dédié à Louis XIII. Dès 1629, on recense ce lis en Angleterre.

Il y a d'autres évidences ethnobotaniques de la consommation des bulbes de lis par les Amérindiens. Le missionnaire jésuite Louis Nicolas indique que les Amérindiens font bouillir les oignons des martagons avant de les manger. Ils les utilisent aussi pour traiter les tumeurs. Les Hurons ont utilisé les bulbes du lis du Canada et les glands des chênes en situation de disette. Daniel Moerman rapporte le même usage pour un autre groupe amérindien. Le lis de Philadelphie a servi aux mêmes fins.

La racine au goût de réglisse

Le goût de réglisse est insuffisant pour permettre une identification précise de la racine concernée. On peut cependant penser à des racines avec des saveurs agréables particulières. Le rhizome de l'asaret du Canada (*Asarum canadense*) a une forte odeur de gingembre et ses saveurs complexes s'apparentent de loin à celles de la réglisse. Cette espèce est connue dès 1623 à Paris et elle est souvent mentionnée par la suite.

Une autre racine à forte saveur est celle de l'anis sauvage (Aralie à grappes, *Aralia racemosa*). Ce gros rhizome est très aromatique. Cette espèce est illustrée dans la flore de Cornuti de 1635 et elle est souvent mentionnée par la suite. Ces deux espèces ont servi comme nourriture ou condiment à diverses nations amérindiennes. Il se peut aussi que Le Jeune décrive une tout autre espèce.

La racine en forme de chapelet

Selon toute évidence, il s'agit de l'apios d'Amérique (*Apios americana*) qui a la particularité d'avoir un rhizome avec des renflements ou tubercules dont l'ensemble imite la forme d'un chapelet. Deux noms vernaculaires sont rapportés dans la *Flore laurentienne* de Marie-Victorin: pénacs et patates en chapelet. Cette espèce, signalée dès 1603 et 1613 par Champlain, est illustrée dans la flore de Cornuti de 1635. Marthe Faribault a publié une étude sur les premières mentions de cette plante et ses premières appellations en Amérique du Nord. On sait aujourd'hui que l'apios d'Amérique produit généralement de 4 à 12 tubercules de 2 à 10 cm de diamètre espacés de 3 à 10 cm le long du rhizome.

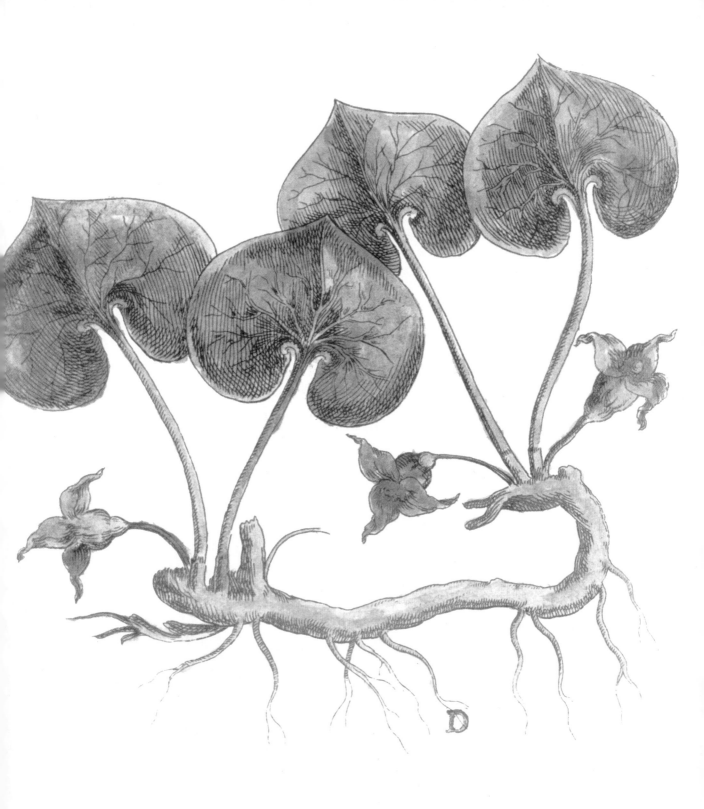

Première illustration de l'asaret du Canada (*Asarum canadense*). Cette espèce nord-américaine au rhizome à saveur de gingembre porte alors le nom *Asaron canadense*. Sous une autre appellation, cet asaret fait aussi partie de la liste de 1623 des espèces du jardin des Robin à Paris. Les fleurs ne sont pas vertes ; elles sont d'un pourpre brunâtre.

Source : Cornuti, Jacques, *Canadensium Plantarum, aliarumque nondum editarum Historia*, Paris, 1635, p. 25.

Pierre-Joseph-Marie Chaumonot et la famille iroquoise de la pomme de terre

Le missionnaire jésuite Chaumonot (1611-1693) arrive en Nouvelle-France en 1639 où il débute immédiatement un ministère chez les Hurons qui dura pendant plus d'un demi-siècle. En 1666, il aurait rédigé un mémoire décrivant neuf familles iroquoises réparties dans deux bandes. Huit familles portent le nom d'un animal alors qu'une seule est identifiée par un végétal. Il s'agit de la famille de la pomme de terre qui correspond en fait à l'apios d'Amérique. Chaumonot fournit de plus des dessins, incluant celui illustrant la famille de la pomme de terre.

Source : Chaumonot, Pierre-Joseph-Marie, «Mémoire concernant la nation iroquoise», 1666, dans Document d'archives, 1996, *Recherches amérindiennes au Québec*, 26 (2) : 5-10.

Le gland de terre d'Amérique illustré avec élégance. En 1635, Jacques Cornuti fournit une première illustration de l'apios d'Amérique sous le nom *Apios Americana*, identique au nom scientifique actuel. Dans la présente illustration, l'apios d'Amérique est désigné comme étant le gland de terre d'Amérique (*Glans terrestris americana*). À l'exception de la disposition parfaitement circulaire des renflements des rhizomes, ce dessin est fidèle à la réalité.

Certains observateurs ont insisté sur le symbolisme de la disposition des tubercules en forme de chapelet.

Source : Munting, Abraham, *Phytographia curiosa… Pars prima*, Amsterdam et Leyde, 1702, figure 107. Bibliothèque numérique du Jardin botanique royal de Madrid.

Une hormone sexuelle anticancéreuse dans les tubercules d'apios

Depuis quelques décennies, on constate que l'alimentation humaine influence la fréquence de certains cancers. Des aliments, comme le soja, contiennent des composés polyphénoliques appelés isoflavones. Deux molécules du soja, la génistéine et la daidzéine, ressemblent par leur structure chimique, à des hormones sexuelles femelles. C'est pourquoi, ces molécules portent aussi le nom de phytoestrogènes.

Dans des études en laboratoire, des phytoestrogènes, comme la génistéine, se comportent comme des molécules anticancéreuses parce qu'elles diminuent la prolifération de cellules cancéreuses. Les tubercules de l'apios d'Amérique contiennent de la génistéine qui a, de plus, la propriété d'activer l'expression de certains gènes des bactéries fixatrices d'azote qui développent alors une symbiose avec les racines de la plante.

Source: Krishnan, Hari B., «Identification of geneistein, an anticarcinogenic compound, in the edible tubers of the American groundnut (*Apios americana* Medikus)», *Crop Science*, 1998, 38: 1052-1056.

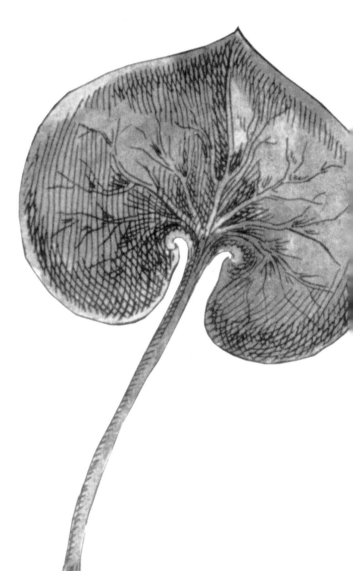

Ce n'est pas la première fois que le terme «chapelet» est associé à cette plante. Le père Le Jeune est vraisemblablement au courant de la *Relation* publiée en 1616 par son collègue missionnaire, Pierre Biard (vers 1567-1622), concernant l'Acadie en 1612-1614. Biard parle de racines qui «croissent sous terre enfilées l'une à l'autre en forme de chapelet».

Sources

Bruneau, Anne et Gregory J. Anderson, «Reproductive biology of diploid and triploid *Apios americana* (Leguminosae)», *American Journal of Botany*, 1988, 75 (12): 1876-1883.

Faribault, Marthe, «L'Apios tubéreux d'Amérique: histoires de mots», *Recherches amérindiennes au Québec*, 1991, 21 (3): 65-69.

Le Jeune, Paul, *Relation de ce qui s'est passé en la Nouvelle France en l'année 1634*, Paris, 1635. Disponible au http://gallica.bnf.fr/.

Moerman, Daniel E., *Native American Food Plants. An Ethnobotanical Dictionary*, Portland, Oregon, Timber Press, 2010.

Pouliot, L., «Le Jeune, Paul», *Dictionnaire biographique du Canada en ligne*, vol. I, 2000. Disponible au http://www.biographi.ca/.

Vallet, Pierre, *Le jardin du Roy tres chrestien Henri IV Roy de France et de Navare*, Paris, 1608. Disponible au http://gallica.bnf.fr/.

Vallet, Pierre, *Le jardin du Roy tres chrestien Loys XIII Roy de France et de Navare dédié à la Royne Mère de Sa Majesté*, Paris, 1623. Disponible au http://gallica.bnf.fr/ et sur le site du Jardin botanique du Missouri au http://www.illustratedgarden.org/mobot/rarebooks/.

1635, PARIS. LA PREMIÈRE FLORE CANADIENNE ET NORD-AMÉRICAINE, UNE NOUVELLE ESPÈCE POTAGÈRE ET UNE TEINTURE POUR LES CHEVEUX

JACQUES-PHILIPPE CORNUTI (VERS 1600-1651), le fils de Georges Cornuti et Anne Gallois, est diplômé de la Faculté de médecine de Paris. La graphie Cornuti correspond à celle apparaissant sur la page de titre de son traité de botanique de 1635. Jacques Mathieu remarque cependant que les membres de cette famille signent Cornuty dans les actes notariés entre 1575 et 1671. Il indique aussi à juste titre que l'on doit éviter les noms Cornu ou Cornut qui « ont une connotation péjorative associée à la situation du mari trompé ». Pour la suite du texte, nous utilisons seulement Jacques comme prénom.

Originaire de Lyon, le père de Jacques est médecin et, de 1608 à 1610, il est doyen de la Faculté que fréquentera son fils. Pendant son mandat, il dénonce la nouvelle médecine chimique, comme celle prônée dans les écrits posthumes de Paracelse qui vante les mérites de l'opium, du mercure et de l'antimoine au détriment des saignées, des lavements et des remèdes végétaux des Anciens. Le frère aîné de Jacques, Georges dit « Le jeune », devient aussi docteur régent. Une fille de Jacques, nommée Gemme, épouse en 1650 Armand-Jean de Mauvillain (1620-1685), ami et conseiller de Molière (1622-1673). Au moment du mariage de sa fille Gemme, Jacques demeure sur la rue Beaubourg dans la paroisse Saint-Médéric à Paris. Il est sûrement très heureux de sceller l'union entre deux grandes familles de médecins. Un fils de Gemme, Armand-Jean de Mauvillain, le jeune (1651-1677), deviendra aussi docteur régent.

Georges Cornuti, père, a d'excellentes relations dans le monde savant. Par exemple, il a connu le fameux Conrad Gessner (1516-1565) qui a étudié à Faculté de médecine de Montpellier et qui a été en relation avec les principaux naturalistes et botanistes de l'époque. Gessner est reconnu comme l'un des grands savants de son époque. On l'a même surnommé le « Pline allemand ». Jacques Mathieu rapporte que Gessner avait procuré à Georges Cornuti « 45 livres et un ouvrage peint en trois volumes ». Jacques est donc élevé dans un environnement savant de botanique médicale.

Au décès de son père en 1616, Jacques a 16 ans. C'est pourquoi on situe sa naissance vers 1600. Entre 1620 et 1626, il poursuit des études en médecine à Paris. « Après deux années de philosophie ou de maîtrise ès arts, le candidat devait suivre deux années de cours pour obtenir le baccalauréat et

La guerre de l'antimoine

Tout comme son frère Georges, Jacques devient éventuellement un partisan de l'utilisation de l'antimoine comme puissant émétique. La guerre de l'antimoine, débutée dès 1566, est encore féroce au siècle suivant. Son beau-fils Armand-Jean de Mauvillain est un autre grand défenseur de l'efficacité de cette formulation chimique. Ce dernier cosigne avec une soixantaine de docteurs de la Faculté une déclaration assurant « plusieurs rares vertus » à l'antimoine. En décembre 1658, de Mauvillain en vient même aux poings avec le doyen de la Faculté de médecine. Il est expulsé de cette prestigieuse Faculté par le Recteur, l'autorité suprême en matière de dispute universitaire. Réintégré quatre ans plus tard, il devient même doyen de la dite Faculté de 1666 à 1668. En 1655, il avait été élu professeur de botanique. Curieusement, le Parlement vient tout juste alors de légiférer pour autoriser « tous docteurs médecins de la dite Faculté de se servir du dit vin émétique pour la cure des malades ».

deux autres pour décrocher une licence. Toutefois, entre la licence et le doctorat, il suffisait de six semaines, bien que le tour de passage se déterminait au mérite ». Le doctorat impliquait la présentation d'une courte thèse (acte de vespérie), le cérémonial de l'acte de doctorat où « le promu montait en chaire et proposait à son tour une question à un plus jeune ». L'acte de régence couronnait éventuellement le tout par une « simple présidence d'une thèse quodlibertaire ». Jacques Cornuti devient docteur régent en 1626.

En 1623, Jacques Cornuti signe deux courts poèmes au début du catalogue des plantes de Jean et Vespasien Robin publié à Paris et intitulé *Enchiridion isagogicum ad facilem notitiam stirpium tam indigenarum, quam exoticarum, quae coluntur in horto D. D. Loannis et Vespasiani Robin, botanicorum regiorum.* Jacques Mathieu interprète que « ces deux poèmes de Cornuty en hommage aux Robin prouvent les liens très étroits qui les unissaient ».

Jacques Cornuti décède en laissant des enfants d'âge mineur. Le tutorat de sa fille Marie-Anne est confié à son gendre médecin. Celui-ci a des problèmes de taille avec Marie-Anne qui épouse sans son consentement un individu très endetté. Le mariage illégal est même annulé. Marie-Anne et Anne Bergeret, sa mère complice, sont condamnées à être confinées dans un couvent. Guy Patin (1601-1672) profite du décès de son collègue avec qui il a conseillé le doyen de la Faculté de médecine en 1640 pour dénoncer sa pratique médicale. Patin est bien connu comme un pamphlétaire utilisant souvent des propos très virulents. Jacques Mathieu indique que « Patin conclut à sa façon sarcastique : il est "mort du même couteau dont il avait égorgé les autres, savoir de jaleps cordiaux, de tablettes et de poudres cordiales : le tout en faveur des apothicaires, dont il recherchait l'amitié quoiqu'il fut très riche…" Telles furent l'épitaphe et l'oraison funèbre de Patin qui avait pourtant louangé Cornuty ».

Le botaniste Charles Plumier (1646-1704) nomme le genre botanique *Cornutia* en l'honneur du médecin botaniste. En 1753, le grand Linné nomme une espèce de pigamon, *Thalictrum cornuti*, en l'honneur de celui qui avait nommé cette espèce *Thalictrum canadense* en 1635 dans un livre qui devient une référence pour Linné et d'autres botanistes sur les espèces du Canada.

En 1635, Jacques Cornuti publie à compte d'auteur en latin la première flore illustrée canadienne qui constitue aussi la première flore nord-américaine. Ce traité est accompagné en appendice d'une flore énumérant environ 560 noms de plantes de la grande région parisienne. Cet ouvrage débute par une pompeuse dédicace à Charles Bouvard (1572-1658), médecin du roi depuis 1628 et surintendant du Jardin des Plantes. Ce livre est édité à nouveau en 1651 et 1672. Il s'agit d'éditions factices, produisant, selon un truc de libraire assez courant à l'époque, une nouvelle page de titre. Selon Jacques Mathieu, le graveur des plaques responsable de plusieurs illustrations serait vraisemblablement Abraham Bosse (1602-1676) qui travaillera aussi pour Guy de La Brosse, le premier intendant du Jardin des Plantes à Paris. Il y a probablement d'autres graveurs aussi impliqués dans cet ouvrage. Selon Wilfrid Blunt et William Stearn, la technique de gravure des illustrations du livre de Cornuti semble inspirée de celle des œuvres de Paul Reneaulme (1560-1624) et de Fabio Colonna (1567-1640). Reneaulme a produit à Paris en 1611 un excellent ouvrage d'art intitulé *Specimen Historiae Plantarum* dont l'étude semble avoir été négligée.

L'ouvrage de Cornuti contient trois sonnets. Les deux premiers sont signés H.V. alors que le troisième est de la plume de Gui Patin. Ce dernier louange Cornuti en 1635. Seize ans plus tard, son opinion envers Cornuti est fort différente. Jacques Mathieu indique que les initiales H.V. sont vraisemblablement celles de Jean Héroard de Vaugrigneuse. Il ajoute cependant que ce dernier est décédé en 1628, sept ans précédant la parution du livre de Cornuti. Ces initiales signifient possiblement *Hortulanus Vespasianus*, identifiant en latin le réputé jardinier Vespasien Robin, le grand responsable sur le terrain de l'élaboration du nouveau Jardin du roi à Paris, un ami et collaborateur de longue date de Cornuti. Rappelons que Cornuti avait écrit deux courts poèmes précédant le catalogue des plantes des Robin en 1623. On comprend alors peut-être un peu mieux la pertinence des courts sonnets rédigés par Vespasien Robin.

La première flore nord-américaine, une publication innovatrice

Le livre de Cornuti innove à plusieurs points de vue. Il a la prétention de décrire des plantes jusque-là inconnues. Il s'inspire d'un mode de présentation visant à distinguer les genres, espèces et variétés. À la suite de la flore, Il présente le fruit de nombreuses herborisations dans différentes régions aux environs de Paris. Il introduit deux analyses scientifiques sur la sensibilité des fleurs ou des plantes à la chaleur ainsi qu'au jour et à la nuit, dont la valeur durera plus d'un siècle. Surtout Cornuti fournit une description relativement élaborée des plantes du Canada précisant la forme des feuilles et des racines, la nature des fleurs et à l'occasion, les usages de ces plantes, en plus de les faire accompagner d'une illustration de qualité.

Cette flore contient des illustrations de bonne qualité pour l'époque. La preuve est que plusieurs botanistes, même un siècle plus tard, les copient sans cependant citer la source. Par exemple, en 1744, François-Xavier de Charlevoix utilise 36 gravures de Cornuti parmi les 96 illustrations botaniques présentées dans son *Histoire et description générale de la Nouvelle-France*. L'historien des sciences Raymond Phineas Stearns indique que la qualité scientifique de la flore de Cornuti n'a aucune équivalence à son époque. Ni les Hollandais, ni les Anglais n'ont réussi à produire un ouvrage d'une telle qualité « neither the Dutch in New Netherland nor the English in Virginia, Maryland and New England produced anything comparable to it ».

L'ouvrage de Jacques Mathieu présente une vue d'ensemble du contexte historique au moment de la préparation du livre de Cornuti qui n'a pas par la suite reçu toute l'attention méritée. Les observations qui suivent montrent clairement que Cornuti procède à des expérimentations avec les plantes. Il les touche, les sent, les goûte tout en les admirant. Sa flore n'est pas que livresque, elle est expérimentale et sensorielle. À ce point de vue, le livre de Jacques Mathieu permet d'apprécier l'approche botanique et les états d'âme de Cornuti. « J'avoue franchement avoir été assez négligent au début ; cependant, par la suite, je me suis appliqué à la botanique avec un peu plus de scrupule ; quand mon esprit eut commencé à se passionner pour cet exercice, il entraîna mes yeux, mes narines et mon palais dans la participation de son entreprise ; à tel point que bientôt après, je ne rencontrais aucune plante sans l'arracher et la soumettre à l'examen de ces sens ». Jacques Mathieu explique le vaste réseau d'interactions interpersonnelles derrière l'œuvre de Cornuti, dont l'hypothèse originale concernant « les espoirs entretenus par Cornuty de travailler au jardin du roi ».

Les espèces dans la flore de Cornuti

La flore de Cornuti contient 92 titres de chapitres dont quelques-uns présentent des remarques générales sur des genres botaniques alors que la plupart décrivent des espèces illustrées. Selon leur région d'origine, on peut distinguer deux grands types de plantes : les espèces d'Europe, d'Eurasie et d'Afrique et les espèces d'Amérique. Parmi ces dernières, on retrouve une espèce d'Amérique centrale ou du Mexique et une quarantaine d'espèces nord-américaines. Pour celles-ci, l'auteur utilise le mot *Canadense* ou *Canadensis* pour les noms de 20 espèces. Il s'agit d'une première par rapport aux publications des autres botanistes de l'époque. Le mot *Americanum* ou *Americana* est appliqué à 5 espèces et le terme *Nothae Angliae* (Nouvelle-Angleterre) qualifie une seule espèce qu'il spécifie avoir reçue de cette région. Parmi les espèces présentées par Cornuti, une dizaine de celles-ci ont une identité douteuse ou non résolue.

Des espèces européennes, eurasiatiques et africaines

Parmi environ une trentaine de ces espèces, Cornuti décrit le lilas de Perse (*Syringa xpersica*), le houx commun (*Ilex aquifolium*), une espèce européenne maintenant introduite en Ontario et en Colombie-Britannique, et le rosier fétide (*Rosa foetida*) aussi nommé la ronce d'Autriche. Ce rosier à fleur jaune, originaire du Caucase avait été décrit par Charles de l'Écluse en 1583 et illustré par l'artiste flamand Joris (George) Hoefnagel (1542-1601) durant la décennie 1590. Cornuti inclut aussi la description du roseau à quenouilles ou canne de Provence (*Arundo donax*), une espèce méditerranéenne introduite de nos jours au sud des États-Unis.

Cornuti et le lis de Jersey ou de Guernesey

La flore de Cornuti ne décrit pas que des espèces canadiennes ou nord-américaines. Parmi quelques dizaines d'autres espèces européennes ou eurasiatiques, comme le lilas par exemple, Jacques Cornuti est le premier à décrire le lis de Jersey. Il en présente aussi une illustration. Pour Cornuti, il s'agit du narcisse japonais à fleur rutilante (*Narcissus laponicus (japonicus) rutilo flore*) maintenant connu sous les noms de lis de Jersey ou de Guernesey et de nérine (*Nerine sarniensis*). Cette espèce ornementale a aussi porté le nom de *Amararyllis sarniensis*. Cornuti signale en 1635 que cette espèce a fleuri le 7 octobre 1634 dans le jardin des Morin à Paris. En 1680, le botaniste écossais Robert Morison indique qu'un bateau hollandais ou anglais, revenant du Japon, échoua sur les côtes de l'île de Guernesey. Les bulbes enterrés dans le sable par le vent produirent leurs belles fleurs pourpres. En Angleterre, cette nérine était cultivée dès 1659. Elle aurait été particulièrement propagée par Christophe Halton, le gouverneur de Guernesey. Le narcisse japonais de Cornuti provenait plutôt de l'Afrique du Sud.

Source : Van Houtte, Louis (éditeur), *Flore des serres et des jardins de l'Europe, Journal général d'horticulture*, vol. 11, Belgique, Gand, 1856.

Cornuti traite de plus de la saponaire officinale (*Saponaria officinalis*), une espèce introduite en Amérique et recensée dans toutes les provinces canadiennes et le reste de l'Amérique du Nord. Cornuti est le premier à décrire le lis de Jersey, une espèce ornementale originaire d'Afrique du Sud.

Une espèce d'Amérique centrale ou du Mexique

Pour Cornuti, c'est le *Faseolus puniceo flore*, c'est-à-dire le phaséole (haricot) à fleur écarlate. Il s'agit du haricot d'Espagne, aussi nommé haricot écarlate ou haricot-fleur (*Phaseolus coccineus*). Selon Ken Albala, cette espèce aurait été domestiquée vers l'an 2000 avant l'ère chrétienne sur les plateaux mexicains. Ce haricot aurait été utilisé d'abord en Espagne au XVIe siècle comme plante ornementale grimpante à fleurs d'un rouge vif. Il a ensuite servi de plante alimentaire. Ce haricot est considéré aujourd'hui une espèce introduite dans certains états américains, comme le Massachusetts.

Quarante-cinq espèces identifiées comme nord-américaines dont 20 canadiennes

En cumulant les identifications de divers auteurs, 45 espèces pourraient provenir de l'Amérique du Nord (voir l'appendice 7). Il y a cependant des avis divergents quant à l'identification de certaines plantes et leur provenance nord-américaine. Néanmoins, il semble probable que plusieurs espèces proviennent de l'Amérique française qui incluait des régions aussi diverses que l'Acadie, la vallée du Saint-Laurent ainsi que le territoire du lac Champlain et des Grands Lacs. Pour une dizaine d'espèces, leur identité peut être multiple, incertaine ou même indéterminable. C'est le cas, par exemple, de l'espèce identifiée par Cornuti comme la grande roquette du Canada.

Parmi les 20 espèces portant un nom canadien, deux sont non identifiables, trois peuvent représenter plus d'une espèce alors que 15 correspondent à une seule espèce : la monarde fistuleuse (*Monarda fistulosa*), l'asaret du Canada (*Asarum canadense*), la desmodie du Canada (*Desmodium canadense*), l'ancolie du Canada (*Aquilegia canadensis*), l'aralie à grappes (*Aralia racemosa*), l'asclépiade incarnate (*Asclepias incarnata*), l'herbe à puce de Rydberg (*Toxicodendron radicans* var. *rydbergii*), la vigne vierge à cinq folioles (*Parthenocissus quinquefolia*), la polanisie à douze étamines (*Polanisia dodecandra*), le trille rouge (*Trillium erectum*), la sanguisorbe du Canada (*Sanguisorba canadensis*), la rudbeckie laciniée (*Rudbeckia laciniata*), l'angélique brillante (*Angelica lucida*), l'angélique pourpre (*Angelica atropurpurea*) et la sanguinaire du Canada (*Sanguinaria canadensis*).

La grande roquette du Canada, une identité difficile à établir

Personne à ce jour n'a réussi à identifier de façon convaincante la grande roquette du Canada (*Eruca maxima Canadensis*). Dès 1829, William Sheppard, un botaniste amateur de Sillery, indique qu'il s'agit possiblement de l'espèce *Hesperis pinnatifida* (synonymes : *Hesperis pinnatifidus* et *Iodanthus pinnatifidus*), une espèce indigène dans quelques états américains. Elle possède des fleurs de teinte violacée alors que la roquette de Cornuti a cependant des fleurs de couleur jaune. Cette suggestion de Sheppard n'a jamais été reprise par un autre botaniste. Pour James Pringle, il s'agit peut-être de la rorippe hispide (*Rorippa palustris* subsp. *hispida*).

Sources : Sheppard, William (of Woodfield), « Observations on the American Plants described by Charlevoix », *Transactions of the Literary and History Society of Québec*, 1829, 1 : 218-230. Pringle, James S., « How Canadian is Cornut's *Canadensium Plantarum Historia*? A Phytogeographic and Historical analysis », *Canadian Horticultural History*, 1988, 1 (4) : 190-209.

Parmi les 25 espèces n'ayant pas un nom canadien, 17 correspondent à une identification unique, selon les auteurs. Ce sont la cystoptère bulbifère (*Cystopteris bulbifera*), l'adiante du Canada (*Adiantum pedatum*), l'eupatoire rugueuse (*Ageratina altissima* var. *altissima*), la smilacine étoilée (*Maianthemum stellatum*), la smilacine à grappes (*Maianthemum racemosum* subsp. *racemosum*), l'uvulaire perfoliée (*Uvularia perfoliata*), la corydale toujours verte (*Capnoides sempervirens*), l'hélénie automnale (*Helenium autumnale*), l'aster à feuilles cordées (*Symphyotrichum cordifolium*), l'asclépiade commune (*Asclepias syriaca*), la ronce odorante (*Rubus odoratus*), la verge d'or toujours verte (*Solidago sempervirens*), le robinier faux-acacia (*Robinia pseudoacacia*), l'eupatoire pourpre (*Eutrochium purpureum* var. *purpureum*), la vergerette annuelle (*Erigeron annuus*), l'apios d'Amérique (*Apios americana*) et le bignone radicant (*Campsis radicans*).

La provenance des espèces nord-américaines

Cornuti ne spécifie pas la provenance des espèces ni l'identité des récolteurs ou des transporteurs des échantillons jusqu'en France. Il utilise les termes Canada, Nouvelle-France, Amérique, Amérique septentrionale et Inde pour indiquer à l'occasion l'origine géographique des espèces en Amérique du Nord. Il note cependant que trois espèces ont séjourné dans le jardin de Vespasien Robin qu'il identifie comme arboriste du roi. C'est le cas pour *Valeriana urticaefolia flore violaceo*, *Polygonatum spicatum fertile* et *Apios Americana*. Le *Polygonatum* est cultivé déjà depuis quelques années dans le jardin de Robin. On déduit que les arrivées de plantes nord-américaines ne sont pas tous nécessairement récents.

Cornuti fait en outre référence six fois aux Robin quant à la provenance de certains spécimens. De plus, on recense 10 espèces de la flore canadienne de Cornuti dans le catalogue des espèces du jardin de Jean et Vespasien Robin publié en 1623. À l'exception d'un amélanchier nommé canadien, aucune des espèces du catalogue de 1623 ne porte un nom canadien. Elles sont étrangères (*peregrina*), américaines (*Americana*), virginiennes (*Virginiana*) ou sans référence géographique. La présence d'une dizaine de plantes de la flore de 1635 de Cornuti dans le catalogue de 1623 des Robin indique clairement que ces espèces sont déjà présentes à Paris depuis une douzaine d'années. Jacques Cornuti a vraisemblablement pu les observer pendant quelques années avant de rédiger sa flore. Jacques Mathieu a présenté plusieurs évidences mettant en scène les rapports étroits entre les Robin et Jacques Cornuti.

FVMARIA SILIQVOSA SEMPER VIRENS.

Dessin colorié de la corydale toujours verte (*Capnoides sempervirens*). Jacques Cornuti identifie cette espèce comme un fumeterre toujours vert à siliques (*Fumaria siliquosa semper virens*). Pour Cornuti, il y a deux espèces de fumeterre en Amérique septentrionale. La première est le fumeterre toujours vert à siliques qui semble la même espèce que l'espèce européenne très utilisée en médecine. Les feuilles écrasées entre les dents font généralement sécréter la salive. De plus, son suc fait pleurer les yeux. C'est l'explication du mot *fumaria* qui dérive de *fumus*, signifiant fumée.

Source : Cornuti, Jacques, *Canadensium Plantarum, aliarumque nondum editarum Historia,* Paris, 1635, p. 58.

L'hélénie automnale (*Helenium autumnale*). Cette espèce est d'abord illustrée dans la première flore nord-américaine réalisée par Jacques Cornuti en 1635. Cornuti la nomme *Aster luteus alatus*, c'est-à-dire l'aster jaune ailé. Il signale que cette plante a été récemment acquise d'Amérique septentrionale. Elle a des fleurs jaune doré autour d'un disque central aussi jaune. Ses fleurs dégagent une odeur de camomille lorsqu'elles sont froissées entre les doigts. La racine fibreuse est astringente. L'illustration, plus moderne et détaillée de cette plante des marais et rivages d'eau douce, met en évidence les fleurs ligulées de couleur jaune ou orangée.

Source : *Curtis's Botanical Magazine*, vol. 57, 1830, planche 2294. Bibliothèque de recherches sur les végétaux, Agriculture et Agroalimentaire Canada, Ottawa.

L'ancolie du Canada (*Aquilegia canadensis*). Cette espèce est d'abord illustrée dans la première flore nord-américaine réalisée par Jacques Cornuti en 1635. Cornuti la nomme *Aquilegia pumila praecox Canadensis*, c'est-à-dire l'ancolie naine et précoce du Canada. Pour Cornuti, cette ancolie est très petite, mais elle pousse très rapidement, c'est pourquoi il la nomme précoce. Étonnamment, cette plante n'est pas connue des Anciens. Cornuti spécifie qu'il préfère le nom « *aquilegia* », plutôt qu' « *aquilina* » ou « *aquileia* ». Pour Cornuti, cette espèce retient l'eau au début de sa croissance. Elle doit donc porter le nom « *aquilegia* » qui réfère à cette propriété. Cette illustration plus moderne montre bien la disposition et la beauté des fleurs.

Source : *The Botanical Magazine*, vol. 7, 1794, planche 246. Bibliothèque de recherches sur les végétaux, Agriculture et Agroalimentaire Canada, Ottawa.

Le dicentre du Canada (*Dicentra canadensis*). Selon certains auteurs, ce dicentre est illustré dans la première flore nord-américaine de Jacques Cornuti en 1635. Cette espèce porte alors le nom de *Fumaria Tuberosa insipida*, c'est-à-dire le fumeterre tubéreux insipide. Pour Cornuti, cette espèce de fumeterre provenant du Canada, n'a à peu près aucun goût. Il en est de même pour son odeur. La racine produit deux tubercules ressemblant à des testicules généreusement couverts de poils. L'illustration plus moderne permet de mieux apprécier la morphologie des fleurs. Les racines tubéreuses poilues sont cependant absentes.

Source : *Curtis's Botanical Magazine*, vol. 57, 1830, planche 3031. Bibliothèque de recherches sur les végétaux, Agriculture et Agroalimentaire Canada, Ottawa.

La rudbeckie laciniée (*Rudbeckia laciniata*). Cette espèce est d'abord illustrée dans la première flore nord-américaine réalisée par Jacques Cornuti en 1635. Cornuti la nomme aconit à fleur de soleil du Canada, *Aconitum Helianthemum Canadense*. Selon Cornuti, cette plante a tendance à envahir les jardins si on ne la contrôle pas. Pour cet auteur, la nature toxique de cette espèce justifie son nom (*Aconitum*). Cette illustration plus moderne met à l'avant plan une fleur d'un jaune brillant.

Source : *Curtis's Botanical Magazine*, vol. 49, 1822, planche 2310. Bibliothèque de recherches sur les végétaux, Agriculture et Agroalimentaire Canada, Ottawa.

La monarde fistuleuse (*Monarda fistulosa*). Cette monarde est illustrée dans la première flore nord-américaine réalisée par Jacques Cornuti en 1635. Cornuti la nomme l'origan fistuleux du Canada (*Origanum fistulosum Canadense*). Pour Cornuti, cette espèce, reçue récemment du Canada, dégage une odeur caractéristique sans même la froisser entre les doigts. Les feuilles sont très âcres au goût et elles brûlent même la langue. La racine est cependant sans goût. Cette illustration plus moderne met en évidence la fleur et les organes floraux. L'odeur signalée par Cornuti se rapproche de celle de la menthe due à la présence d'huiles volatiles complexes.

Source : *Curtis's Botanical Magazine*, vol. 61, 1834, planche 3310. Bibliothèque de recherches sur les végétaux, Agriculture et Agroalimentaire Canada, Ottawa.

La ronce odorante (*Rubus odoratus*). Cette ronce aux grandes fleurs est illustrée dans la première flore nord-américaine réalisée par Jacques Cornuti en 1635. Pour Cornuti, les feuilles sont très fragrantes. Depuis Cornuti, cette espèce porte toujours le même nom latin (*Rubus odoratus*). Cornuti avait aussi utilisé seulement deux termes pour nommer d'autres espèces, comme l'apios d'Amérique (*Apios americana*).

Source : *The Botanical Magazine*, vol. 9, 1795, planche 323. Bibliothèque de recherches sur les végétaux, Agriculture et Agroalimentaire Canada, Ottawa.

Les caractéristiques principales des plantes canadiennes ou nord-américaines

Comme dans l'herbier de Joachim Burser constitué au plus tard en 1620, on retrouve surtout des plantes à fleurs. Cette sélection semble traduire davantage les compétences d'un apothicaire que d'un botaniste. Elle répond plus vraisemblablement à des préoccupations médicinales. Seulement deux fougères sont incluses. Le seul arbre est le robinier qui produit des fleurs voyantes et odorantes. L'adiante du Canada est la seule plante commune entre l'herbier de Burser et la flore de Cornuti. Ce capillaire canadien fit d'ailleurs l'objet d'un commerce pendant plusieurs décennies entre la mère patrie et la colonie. Les deux botanistes semblent s'approvisionner à des lots distincts de spécimens. Si la source de Burser est reliée aux activités de l'apothicaire Louis Hébert en Acadie, celle de Cornuti semble plus étendue. Cela n'exclut pas cependant la participation de Louis Hébert. Loin de là, car plusieurs experts en la matière concluent, tout comme l'historien Jacques Mathieu, que Louis Hébert est probablement un fournisseur de premier plan de plantes canadiennes.

La signification de la présence de certaines espèces dans la flore de Cornuti

Les espèces croissent dans des milieux écologiques spécifiques et dans des zones géographiques délimitées. On assume généralement que la répartition actuelle des plantes indigènes nord-américaines est relativement comparable à celle de la période des découvertes de l'Amérique. On peut donc conclure que la verge d'or toujours verte (*Solidago sempervirens*) provient de rivages estuariens ou maritimes. C'est d'ailleurs la seule verge d'or locale pouvant s'adapter au milieu salin. Cette espèce ne peut pas provenir d'une région en amont de la ville de Québec, si elle a été récoltée dans la vallée du Saint-Laurent. Elle peut cependant avoir été récoltée en aval de cette ville dans la région estuarienne, autour du golfe ou aux îles de la Madeleine sans oublier la région acadienne et la côte est américaine. Contrairement à la verge d'or toujours verte, l'apios d'Amérique (*Apios americana*) est exclus des rivages maritimes. Cette espèce provient donc d'un milieu différent de celui de la verge d'or toujours verte. L'apios d'Amérique est aussi réparti en deux populations distinctes par rapport à la production de graines viables.

L'analyse de la répartition géographique des plantes décrites par Cornuti révèle que plusieurs espèces ne peuvent provenir de Terre-Neuve. C'est le cas de l'ancolie du Canada (*Aquilegia canadensis*) et de l'herbe à puce de Rydberg (*Toxicodendron radicans* var. *rydbergii*). Quelques espèces sont absentes des Provinces Maritimes et de Terre-Neuve, comme l'hélénie automnale (*Helenium autumnale*) et la monarde fistuleuse (*Monarda fistulosa*) qui croît dans tous les états américains continentaux, à l'exception de l'Alaska, de la Californie et de la Floride.

La majorité des espèces rapportées par Cornuti croissent au Québec et leur aire de répartition s'étend beaucoup plus au sud le long de la côte est américaine. Plusieurs espèces atteignent même la Georgie et la Floride. Quelques espèces se retrouvent d'est en ouest tant au Canada qu'aux États-Unis, comme la smilacine étoilée (*Maianthemum stellatum*) présente dans toutes les provinces canadiennes et dans les états du nord des États-Unis. L'ensemble des espèces nord-américaines de la flore de Cornuti ne peut pas provenir uniquement de la vallée du Saint-Laurent ou de l'Acadie. Quelques espèces en sont absentes, comme le bignone radicant et le robinier faux-acacia. La région de l'Amérique française du bassin des Grands Lacs et des colonies anglaises plus au sud a donc constitué une source complémentaire de collection des spécimens.

Même si l'étude de la répartition géographique des espèces ne permet pas de délimiter de façon précise la provenance de celles-ci, ces plantes font vraisemblablement souvent référence à l'espace occupé en Amérique française à l'époque. Les plantes récoltées sont probablement localisées près des voies navigables, les voies de circulation de l'époque. Il est probable que les approvisionnements en Europe, et en particulier en France, en espèces nord-américaines aient été multiples et diversifiés quant aux sites de collecte des échantillons.

Les informateurs sur les plantes canadiennes

Cornuti n'a jamais exploré lui-même la Nouvelle-France. Cependant, au moment de la fondation de Québec en 1608, son père est au début de son mandat comme doyen de la Faculté de médecine de Paris. Son père a donc un excellent réseau de contacts avec le monde botanique. Le père et son fils connaissent bien Jean et Vespasien Robin qui prennent grand soin des plantes étrangères dans leur jardin. Ces jardiniers de renom constituent une source privilégiée de spécimens et d'informations pour les Cornuti. Jacques est certainement très reconnaissant de l'apport des Robin, car il nomme une plante en l'honneur de Jean Robin. Il la baptise *Acacia americana Robini*. C'est un hommage bien mérité pour le vaillant jardinier qui est possiblement responsable de l'introduction de cet arbre en France au début du XVIIe siècle. Le robinier faux-acacia est l'un des rares arbres nord-américains qui a réussi à conquérir l'Europe. Cornuti a certainement fréquenté le jardin sous la responsabilité des Robin lors de ses études universitaires en médecine. Ce jardin est si réputé qu'il est en fait devenu le précurseur du nouveau Jardin du roi, aussi connu comme le Jardin des Plantes, le Jardin royal, le Jardin royal des plantes médicinales et aujourd'hui le Muséum national d'histoire naturelle.

Jacques Cornuti connaît aussi Jacques Hébert de la communauté des Minimes qui, selon Jacques Mathieu, œuvre dans ce couvent depuis 1586. Il est le frère de Louis Hébert qui a séjourné longuement en Acadie et à Québec. Louis Hébert est apothicaire et il s'intéresse aux plantes américaines. On présume qu'il expédie et transporte des plantes en France. Le frère de Louis sert peut-être d'intermédiaire pour Cornuti qui est médecin bénévole chez les Minimes au couvent de la place Royale (aujourd'hui Place des Vosges) à Paris. Une belle façon de compenser le médecin est peut-être de lui fournir des échantillons du Canada et des informations botaniques provenant de Louis Hébert. Ce n'est évidemment qu'une hypothèse qui est aussi élaborée par Jacques Mathieu. Ce dernier souligne de plus que Cornuti a dû côtoyer Eustache Boullé (décédé après 1638) à compter de 1631 chez les Minimes à Paris. Eustache Boullé, le frère aîné de Hélène Boullé (1598-1654), l'épouse de Champlain, a séjourné en Nouvelle-France de 1618 à 1629. Il est entré chez les Minimes au couvent de la place Royale à Paris. Mathieu rapporte aussi qu'Abraham Bosse, le graveur probable des illustrations du livre de Cornuti de 1635, a réalisé des travaux artistiques en 1636-1637 chez les Minimes de Paris.

Il faut noter la présence chez les Minimes parisiens d'un réputé savant de premier plan, Marin Mersenne (1588-1648), cet érudit qui entretient des relations avec les plus grands savants de l'époque. Jacques Mathieu signale que Cornuti a hérité de la «lunette d'observation des astres» de Mersenne à la mort de ce dernier. Mersenne est en contact épistolaire avec Nicolas-Claude Fabri de Peiresc qui correspond aussi avec les Robin. Ainsi, les «maillages» entre la France et la Nouvelle-France sont nombreux et ces «présences chez les Minimes ont pu jouer un rôle incitatif sur Cornuty et l'amener à s'intéresser aux plantes canadiennes». Par ailleurs, la vie chez les Minimes est d'abord empreinte d'humilité et de simplicité, même nutritionnelle. Tous les produits animaux (viandes, œufs, beurre, fromage et lait) sont prohibés. On comprend peut-être un peu mieux pourquoi certains membres de cette communauté fondée au XVe siècle aiment bien les plantes.

Une autre source potentielle d'informations est le réseau des Jésuites. Jacques a un frère, le père Jean Cornuti, qui est membre de cette communauté depuis 1614 ou 1616. Il meurt en 1658 sans jamais venir en Nouvelle-France. C'est peut-être par son intermédiaire que l'on trouve dans l'inventaire après décès de son père, en 1616, un crucifix en «boys de bouys [buis]» représentant la croix du Brésil, une première en France. De plus, Cornuti est assurément en contact avec d'autres médecins et apothicaires qui lui fournissent les préparations médicinales pour sa pratique. Ces derniers ont leurs réseaux d'informateurs et de fournisseurs en ce qui a trait aux plantes médicinales locales et étrangères. Il ne faut pas aussi oublier l'influence du réseau des Récollets qui ont même précédé les Jésuites dans la vallée du Saint-Laurent et la région des Grands Lacs. James Pringle propose que le récollet Gabriel Sagard est un candidat de choix pour le transport de la monarde fistuleuse

(*Monarda fistulosa*) en France à partir d'échantillons récoltés durant son séjour en Huronie.

Cornuti spécifie que certaines informations relatives à trois espèces proviennent des frères Pierre et René Morin, des jardiniers commerciaux de Paris fort reconnus à l'époque. Les catalogues de leurs plantes exotiques sont populaires dans toute l'Europe. Cornuti est précis quant à l'obtention de certaines espèces grâce aux Morin. Il indique que le premier « *Gladiolus Aethiopicus* », provenant en fait de la région du Cap en Afrique, a initialement fleuri en octobre 1633 dans le jardin de Pierre Morin. Quant au « *Geranium triste* », il provient du jardin de René. Le jardin des frères Morin est « situé près du couvent des Minimes, au voisinage de la place Royale ».

Il faut souligner à nouveau l'importance du Jardin royal des plantes médicinales établi à Paris. Dans le premier catalogue publié par Guy de La Brosse en 1636, on apprend que certaines plantes font partie de ce jardin depuis deux ans et demi. Le précurseur de ce jardin est le jardin des Robin. Le catalogue mentionne 68 plantes dont les noms incluent les mots *Americanum* ou *Virginianum*. Aucun nom n'est identique. Cependant, plusieurs de ces plantes sont les mêmes que celles décrites par Cornuti. On ignore le niveau précis de collaboration du botaniste avec les autorités du Jardin royal. La liste de 1636 des plantes américaines du Jardin royal est présentée en comparaison avec celle de Cornuti dans la prochaine histoire.

Cornuti indique qu'une plante lui est parvenue sans nom de la Nouvelle-Angleterre. Les Anglais John Tradescant père (vers 1570-1638) et fils (1608-1662) ne sont peut-être pas étrangers à ce spécimen. Les Tradescant aiment bien collectionner et échanger diverses plantes exotiques, incluant celles des colonies anglaises d'Amérique. Le père est un bon ami du capitaine John Smith (1580-1611), l'un des premiers explorateurs à mettre sur pied la colonie anglaise de Jamestown en 1607 en Amérique du Nord. John Smith lègue d'ailleurs une partie de sa bibliothèque à John Tradescant. Smith est le premier à décrire l'effet nocif d'une herbe à puce en Amérique du Nord. John Tradescant père avait accompagné en 1628 le duc de Buckingham à La Rochelle pour délivrer les huguenots confinés à cette ville. Cette tentative échoua. Ce jardinier avait précédemment œuvré pour Robert Cecil (1563-1612), le comte de Salisbury et ministre pour Elisabeth Ire.

Les Tradescant connaissent bien aussi David Kirke (vers 1597-1654) qui a assiégé la ville de Québec en 1629 pour le compte des Anglais. Ce territoire retourne cependant à la France trois ans plus tard. David Kirke est l'un des 109 bienfaiteurs qui ont permis d'amasser les nombreux objets de la collection des Tradescant. De 1632 à 1634, les Tradescant recensent 5 plantes dites canadiennes dans leur jardin. Il s'agit de *Frutex canadensis Epimedium folio* (Herbe à puce, *Toxicodendron radicans*), *Tulipe canadense* (une tulipe canadienne ?, il n'y a évidemment pas de tulipe indigène nord-américaine), *Gladiolus Canadensis* (peut-être une bermudienne, *Sisyrinchium bermudiana* ?), *Martigon Canadensis* (Lis du Canada, *Lilium canadense*) et *Nux juglans Canadensis* (noyer cendré ou noyer noir, *Juglans cinerea* ou *Juglans nigra*). L'herbe à puce est répertoriée par les Tradescant dès 1632.

John Tradescant père connaît bien le jardin des Robin à Paris. Il s'y rend d'ailleurs en 1611 et en 1625 pour des achats de plantes. Tradescant n'est pas le seul Anglais à apprécier les Robin. John Gerard déclare dans son livre de 1597 que Jean Robin est son « *loving friend* ». L'apogée de la carrière de John Tradescant père arrive en 1630 lorsqu'il se voit confier la responsabilité des jardins du roi Charles Ier.

Les descriptions de la flore de Cornuti sont reconnues par les botanistes

En général, les grands botanistes du XVIIe siècle mentionnent les descriptions de Cornuti. Joseph Pitton de Tournefort de l'Académie royale des Sciences et professeur au Jardin royal des Plantes inclut Cornuti comme source d'information pour la description des plantes américaines. Tournefort cite Cornuti à plus de dix reprises dans son traité de 1694 publié à Paris et intitulé *Elemens de botanique ou methode pour connoître les plantes*. Jacques Mathieu rapporte cependant des propos peu flatteurs de Tournefort à l'endroit de Cornuti. Il lui reproche ses « descriptions trompeuses, si étrangères au style des botanistes ». Il ne faut pas s'étonner de cette remarque de Tournefort qui adore corriger le style et les noms suggérés par d'autres auteurs. Comme par hasard, il préfère ses propres dénominations. Il aime particulièrement critiquer les noms et les descriptions de John Ray, son grand rival anglais.

Dès 1640, Cornuti reçoit une critique hargneuse de l'apothicaire anglais John Parkinson. Jacques Mathieu rapporte les propos suivant : « But there is a cornuted Cornutus…could not write true, but false English and latine too, it were not amisse therefore that he were whipt at the school for it ». Pour Parkinson, les propos incorrects de Cornuti sur la description d'une plante reçue de la Nouvelle-Angleterre mériteraient un châtiment physique, comme celui que l'on donne aux mauvais écoliers ! Cependant, un siècle plus tard, le grand Linné ne se gêne pas pour inclure les noms des plantes décrites par Cornuti tout en lui faisant l'honneur de nommer une espèce de plante canadienne en sa mémoire. Il est loin d'être offusqué comme Parkinson.

Déjà en 1646 à Amsterdam, on cite la description de certaines plantes de Cornuti dans un catalogue des espèces du jardin de cette ville. Le livre de Cornuti semble bien connu du milieu savant hollandais.

La liste de 1665 des plantes du Jardin du roi à Paris présentée par Denis Joncquet, mais élaborée en grande partie par Guy-Crescent Fagon (1638-1718), contient la majorité des mentions des espèces canadiennes de Cornuti. Dans quelques cas, on ajoute même le nom français. Ainsi, *Adiantum* est capillaire, *Asarum* est cabaret, *Chelidonium* est éclaire, *Fumaria* est fumeterre, *Hedera quinquefolia Canadensis* est la vigne vierge, *Lysimachia* est lysimachie, *Pimpinella* est pimpinelle et *Vitis laciniatis foliis* de Cornuti est la vigne d'Autriche. Ce nom français suggère que la vigne décrite par Cornuti n'est peut-être pas une vigne canadienne.

Cette même liste mentionne une plante nommée « Canadas ». Cette espèce est *Helenium Indicum tuberosum* qui correspond au topinambour ou artichaut de Jérusalem (*Helianthus tuberosus*). Les Français utilisent à cette époque le mot « Canada » pour nommer le topinambour alors que les Anglais préfèrent les termes « French Potatoes » ou « Jerusalem Artichokes ». En 1666, le botaniste italien Giacinto Ambrosini (1605-1672) énumère les noms utilisés pour le topinambour. Parmi ceux-ci, on retrouve les noms « *Canada, Artichoki subterra* (artichaut souterrain), *Flos Solis Farnesianus*

(fleur de soleil du cardinal Farnèse) et *Gigantea Burgundis* (la géante de Bourgogne) ».

En 1753, la première édition de *Species Plantarum* de Linné, l'ouvrage de botanique moderne le plus influent de son époque, contient les références à 33 descriptions de plantes nord-américaines par Cornuti (voir l'appendice 7).

Une nouvelle plante potagère canadienne

Parmi les 20 nouvelles plantes nommées canadiennes, Cornuti inclut la description d'une plante potagère. Au chapitre XXXI, il décrit le *Panaces Karpimon Sive Racemosa Canadensis*. Son illustration confirme qu'il s'agit de l'aralie à grappes (*Aralia racemosa*). C'est l'anis sauvage ou la grande salsepareille connue en anglais sous le nom d'*Indian-root*. Pour Cornuti, cette plante élégante n'a jamais été décrite précédemment. Il en étudie la racine, la tige, les feuilles et les baies lourdes contenant un suc doux fort agréable. Les feuilles et la racine ont le même goût que celles du genre botanique nommé *Panaces*. Cornuti ne dit rien par rapport aux propriétés médicinales. Par contre, il certifie que la plante est potagère et donc propre à l'alimentation humaine. Il a possiblement des informations sur des usages amérindiens de cette plante. Les racines de celle-ci leur servent d'ailleurs probablement de nourriture de survie. Cornuti ne réfère jamais à des utilisations amérindiennes pour les plantes canadiennes. De fait, rappelons qu'il n'est jamais venu au Canada.

Tournefort est le premier botaniste en 1694 à associer le nom *Aralia* au genre *Panaces* de Cornuti. Il utilise alors le nom *Aralia canadensis*. En 1753, Linné retient le nom du genre, mais il remplace le nom spécifique *canadensis* par *racemosa*. L'origine de l'utilisation du mot *Aralia* est révélée par Tournefort en 1694. Il écrit qu'il a reçu autrefois des semences de Hollande identifiées sous le nom *Aralia*. Malheureusement, l'histoire demeure incomplète. Cependant, Marie-Victorin spécifie dans sa *Flore laurentienne* que le nom *Aralia* est d'origine amérindienne et qu'il fut communiqué à Tournefort par Michel Sarrazin. Nous ne savons pas si Marie-Victorin connaissait les propos de Tournefort de 1694 concernant la provenance hollandaise des semences.

Sébastien Vaillant (1669-1722) écrit en 1718 que les premiers échantillons d'aralie commune du Canada sont parvenus « dès l'année 1700 » au « Jardin Royal de Paris » par l'intermédiaire de « Monsieur Sarrazin ». Il s'agit évidemment de Michel Sarrazin. Vaillant ne réfère pas aux plantes décrites par Cornuti et à la remarque de Tournefort de 1694.

Les plantes du genre *Panaces* à l'époque

Cornuti n'est pas le premier à décrire ce genre. Pietro Andrea Mattioli a été l'un des botanistes les plus célèbres et populaires du XVIᵉ siècle. On compte plus de 60 éditions de sa publication *De plantis Epitome utilissima*. Dans l'édition de 1586, on retrouve le *Panaces Heracleum* et le *Panaces Asclepium*. Immédiatement après les *Panaces*, Mattioli décrit les *Panax*. Cela correspond exactement à la présentation de Cornuti.

Bien avant Mattioli, Dioscoride utilise le terme *Panakes*. Ce fameux auteur de *De medica materia libri six* influence la médecine et la botanique pendant des siècles. Pour certains, aucune plante n'est considérée médicinale si elle n'a pas été décrite par le maître Dioscoride.

L'aralie à grappes (*Aralia racemosa*). L'aralie est d'abord illustrée dans la première flore nord-américaine réalisée par Jacques Cornuti en 1635. Cornuti nomme cette plante *Panaces Karpimon sive Racemosa Canadensis*, c'est-à-dire le panaces (panax) en grappes du Canada. Pour Cornuti, cette plante d'Amérique a une morphologie particulière et elle n'a jamais été décrite précédemment. Le mot grec *panakes*, *panax* en latin, signifie qui guérit tout. Dans cette illustration du siècle suivant, l'aralie à grappes est nommée *Angelica baccifera*, c'est-à-dire l'angélique qui porte des baies. Le terme angélique est associé à des plantes bénéfiques pour la santé des humains. Les baies de l'aralie à grappes sont d'un pourpre foncé.

Source : Munting, Abraham, *Phytographia curiosa… Pars prima*, Amsterdam et Leyde, 1702, figure 99. Bibliothèque numérique du Jardin botanique royal de Madrid.

Cornuti ne relève rien de spécial concernant les vertus médicinales de l'espèce. Il est peut-être déçu qu'une plante du type *Panaces* présentant des affinités avec les *Panaces* classiques d'intérêt médical ne présente pas de propriétés médicinales valables. Il est intéressant de constater que l'appartenance de la plante canadienne au type *Panaces* a été déterminée en partie par le goût des feuilles et des racines. En effet, l'aralie à grappes ne ressemble pas morphologiquement aux *Panaces* de référence de Dioscoride et Mattioli. À l'époque de Cornuti, les saveurs, les odeurs et les propriétés médicinales des végétaux sont encore des critères majeurs d'identification des espèces.

Quelques usages subséquents de la nouvelle plante potagère canadienne

Parmi les plantes envoyées en 1704 de Québec à Paris par Michel Sarrazin, on observe que l'*Aralia canadensis* de Tournefort est utile, car sa racine est vulnéraire. « On l'applique avec succès cuite sur les vieux ulcères, elle est aussi apéritive, sa semence a un goût d'anis ». La racine comestible de Cornuti est devenue « apéritive ». Contrairement à ce dernier, Sarrazin décrit une propriété médicinale des racines cuites et il spécifie que les semences ont un goût d'anis. Sarrazin n'a pas tendance à exagérer les propriétés curatives des plantes locales. Il est même très critique en ce qui concerne l'efficacité de certaines thérapies. Dans un document de 1708, Sarrazin ajoute des détails. « La racine bien cuite et appliquée en cataplasme est très bonne pour les vieux ulcères. On seringue et on lave les plaies avec la décoction ». De plus, on « prétend » que les graines ont le goût de l'anis. Pour cette raison, on a « donné le nom à la plante ». Voilà une première explication de l'origine du nom populaire de cette espèce.

Vers 1724, un manuscrit anonyme présente certains remèdes amérindiens de la région des Illinois. Pour toutes sortes de plaies, on utilise la racine d'anis bouillie. En 1751, Pehr Kalm publie un compte-rendu des utilisations de 126 plantes américaines. Kalm atteste qu'il a lui-même des preuves que cette plante est la meilleure pour traiter les plaies. La racine est particulièrement efficace. Il ajoute que cette espèce est également bonne pour ceux qui souffrent de calculs. Il conclut en disant

qu'il a expédié en 1750 des graines de cette espèce en Suède. En 1752, selon Philip Miller (1691-1771), cette plante est présente dans plusieurs jardins de Londres.

Cet anis sauvage se retrouve à l'Exposition Universelle de Londres en 1862. Le pharmacien Olivier Giroux de Québec présente une collection de produits médicinaux canadiens. L'anis sauvage fait partie des échantillons présentés. La même année, le prêtre botaniste Léon Provancher indique que la racine de l'anis sauvage « est recherchée comme un ingrédient recommandable dans les petites bières ». En 1870, un autre prêtre botaniste, Ovide Brunet, mentionne que la racine en cataplasme est « très employée pour guérir les vieux ulcères ». Les Sœurs de Charité de l'asile de la Providence à Montréal indiquent, en 1890, que « la partie molle de la racine est employée comme résolutif, ou cataplasme sur les clous, les furoncles, les abcès, etc. ». L'utilisation médicinale de la racine de cette plante est bien implantée depuis déjà deux siècles.

En 1899, le prix canadien de la racine d'anis sauvage est de 15 sous la livre. Ce prix augmente à 20 sous pour les racines broyées. À quoi se compare ce prix par rapport à d'autres végétaux considérés thérapeutiques ? Pour 15 sous la livre, on peut acheter la réglisse en vrac, la lobélie, la salsepareille mexicaine, la feuille de *Datura stramonium,* l'écorce d'orme rouge, l'armoise, la racine de pissenlit, les soies d'épis de maïs, les graines de céleri, les graines de poivre noir moulu, la racine de bardane, la graine d'anis cultivé, les fleurs d'*Arnica* et la racine d'*Aconitum* pour donner quelques exemples. À cette époque, la drogue végétale la plus dispendieuse est la racine d'Ipecac à 2,75 $ pour une livre.

Une espèce canadienne qui teint très efficacement les cheveux

Cornuti rapporte l'utilisation étonnante d'une plante canadienne. Au chapitre XL, il décrit l'*Edera trifolia canadensis*. Il fournit aussi une illustration très fidèle qui permet l'identification de l'herbe à puce de Rydberg (*Toxicodendron radicans* var. *rydbergii*). Il indique que le suc laiteux noircit peu après son relâchement de la plante brisée. Le suc devient noir comme de l'encre et certains estiment ce colorant très efficace pour la teinture des cheveux. Mélangé à d'autres teintures, ce suc s'avère prodigieux pour les cheveux.

L'auteur ne semble pas au courant des effets secondaires cutanés de cette prodigieuse teinture. Se peut-il que ce dernier rapporte des expériences tinctoriales effectuées avec des perruques insensibles à la toxine ?

Dans un document de 1624, le fameux capitaine John Smith rapporte avoir observé vers 1609 les effets nocifs de l'herbe à puce de Virginie ou d'une espèce semblable dans la colonie anglaise de Jamestown. Il décrit cette herbe toxique comme causant au simple toucher des rougeurs, des démangeaisons et des éruptions cutanées. Ces symptômes viennent cependant à disparaître d'eux-mêmes sans plus de complications. « The poisoned weed is much in shape like our English Ivy, but being but touched, causes redness, itching, and lastly blisters, the which however after a while they pass away of themselves without further harm ».

Ce n'est pas la fin des expérimentations avec l'herbe à puce. Un des comptes-rendus les plus inusités à ce sujet date de 1788. André-Ignace-Joseph Dufresnoy (né en 1733), médecin et conseiller du roi, publie un traité concernant les propriétés de *Rhus (Toxicodendron) radicans* « pour la guérison des Dartres, des affections Dartreuses, & de la Paralysie des parties inférieures ». Il utilise l'extrait de la plante et son « eau distillée ». Il souligne que

Les Amérindiens et la fumée toxique contre les ennemis

André Thevet a tendance à exagérer la description de certains événements ou de phénomènes. En 1557, il rapporte que les Amérindiens du nord utilisent des fumées toxiques contre leurs ennemis. Des feuilles d'arbres, des herbes et des fruits, séchés au soleil, sont mélangés avec des rameaux. Charlotte Erichsen-Brown associe cette tactique amérindienne à la toxicité des fumées de deux espèces de sumac, l'herbe à puce (*Toxicodendron radicans*) et le sumac à vernis (*Toxicodendron vernix*). Cette dernière espèce est considérée plus vénéneuse que l'herbe à puce. En brûlant des plants de sumac, la résine toxique est relâchée sous forme de gouttelettes associées aux particules de fumée. La fumée est effectivement toxique, car elle contient le toxicodendrol qui provoque des réactions nocives chez les personnes sensibles. Le contact entre le toxicodendrol et les tissus humains est requis pour initier les réactions délétères.

Le toxicodendrol peut provenir de la plante même ou du latex déposé sur une surface adhérente, comme un outil, un vêtement ou la peau d'un animal ou d'une personne. Il ne suffit pas de s'approcher simplement de la plante. Il faut un contact avec le latex contenant le toxicodendrol. On ne connaît pas encore les raisons expliquant les grandes différences de sensibilité entre les individus. Il semble même que des personnes résistantes à la toxine y deviennent sensibles avec le temps. Ce fut le cas des botanistes Lionel Cinq-Mars et Samuel Brisson. Dès 1740, Pehr Kalm observe que deux sœurs ont une sensibilité très différente envers une espèce de sumac. En fait, l'une des sœurs est résistante. Elle peut manipuler le sumac sans aucun effet toxique.

Comme le souligne Marie-Victorin, les « innombrables remèdes populaires (qui) paraissent aussi inefficaces les uns que les autres. Le plus raisonnable semble être l'usage du "soda à pâte" (bicarbonate de soude), agent saponificateur du toxicodendrol, que les flotteurs de bois de la Nouvelle-Angleterre portent avec eux pour s'en servir à l'occasion ».

Le journal de route de 1749 de Pehr Kalm révèle que l'herbe à puce aurait eu le nom populaire « acage sauvage ». Le mot acage est peut-être dérivé du mot laitage, en référence au latex contenu dans les espèces de sumac.

Sources : Erichsen-Brown, Charlotte, *Medicinal and other uses of North American plants*, New York, Dover Publications, 1989. Rousseau, Jacques et Guy Béthune (avec le concours de Pierre Morisset), *Voyage de Pehr Kalm au Canada en 1749*, Montréal, Pierre Tisseyre, 1977.

les «Paralytiques» ont «eu le courage de prendre de l'Extrait du *Rhus-Radicans*, trois fois par jour, jusqu'à la dose d'une once chaque fois, sans en ressentir le moindre effet». Il est convaincu que ses traitements sont bel et bien efficaces contre certains types de paralysie. Il recommande des «précautions que la prudence indique pour cueillir cette Plante». Il ajoute cependant qu'il «est également certain qu'il y a des personnes qui touchent, broient et se frottent les bras, les mains, même le visage, avec les feuilles vertes de cette Plante, sans éprouver le moindre accident». Ce genre d'utilisation médicinale de l'herbe à puce ne semble pas avoir été repris avec enthousiasme par d'autres médecins. Peut-être sont-ils trop sensibles à la toxine de cette plante? Plusieurs se sont moqués des prétentions du médecin et on a écrit que son frère, pharmacien à Valenciennes, a fait arracher les plantes toxiques. Il ne semble pas croire aux promesses thérapeutiques soutenues par son frère.

L'herbe à puce semble bien s'adapter au réchauffement de la planète et certaines données récentes suggèrent même une augmentation du contenu en toxine!

Sources

Adriaenssen, Diane, *Le latin du jardin*, Paris, La Librairie Larousse, 2011.

Albala, Ken, *Beans. A history*, New York, Berg, 2007.

Ambrosini, Giacinto, *Phytologiae hoc est De Plantis. Partis Prima tomus Primus*, Bologne, 1666. Disponible à la bibliothèque numérique du Jardin botanique royal de Madrid au http://bibdigital.rjb.csic.es/spa/.

Anonyme, *Traité élémentaire de matière médicale et guide pratique des Sœurs de Charité de l'Asile de la Providence*, [Troisième édition], Montréal, 1890.

Blunt, Wilfrid et William T. Stearn, *The art of botanical illustration*, [New edition revised and enlarged], Kew, England, Antique Collector's Club in association with The Royal Botanic Gardens, 1994.

Boivin, Bernard, *La Flore du Canada en 1708*, Étude d'un manuscrit de Michel Sarrazin et Sébastien Vaillant, *Études littéraires*, 1977, 10 (1/2): 223-297. Aussi disponible sous forme de mémoire de l'Herbier Louis-Marie de l'Université Laval dans la collection *Provancheria*, Québec, n° 9, 1978.

Brunet, Ovide (Abbé), *Éléments de botanique et de physiologie végétale suivis d'une petite flore simple et facile pour aider à découvrir les noms des plantes les plus communes au Canada*, Québec, P.-G. Delisle, 1870.

Cornuti, Jacques, *Candensium Plantarum aliarumque nondum editarum Historia*, Paris, 1635. Disponible à la bibliothèque numérique du Jardin botanique royal de Madrid au http://bibdigital.rjb.csic.es/spa/.

De La Brosse, Guy, *Description du jardin royal des plantes médicinales étably par le roi Louis le juste à Paris, contenant le catalogue des plantes qui y sont de présent cultivées, ensemble le plan du jardin*, Paris, 1636. Disponible à la bibliothèque interuniversitaire de médecine (Paris) au http://web2.bium.univ-paris5.fr/.

De Villiers, Marc, *Recettes médicales employées dans la région des Illinois vers 1724*, Société des américanistes de Paris, 1926, tome 18: 15-20.

Dufresnoy, André-Ignace-Joseph, *Des propriétés de la plante appelée Rhus radicans. De son utilité & des succès, qu'on en a obtenu pour la guérison des Dartres, des affections Dartreuses, & de la Paralysie des parties inférieures. Des propriétés du Narcisse des prés, & des succès qu'on a obtenu, pour la guérison des Convulsions*, Leipsick, 1788. Disponible à la bibliothèque numérique du Jardin botanique royal de Madrid au http://bibdigital.rjb.csic.es/spa/.

Duhamel du Monceau, Henri-Louis, *Traité des arbres et des arbustes qui se cultivent en France en pleine terre*, Paris, 1755. Disponible à la bibliothèque numérique du Jardin botanique royal de Madrid au http://bibdigital.rjb.csic.es/spa/.

Joncquet, Denis, *Hortus Regius*, Paris, 1665. Disponible à la bibliothèque numérique du Jardin botanique royal de Madrid au http://bibdigital.rjb.csic.es/spa/.

Laflamme, C., *Jacques-Philippe Cornuti*-Note pour servir à l'histoire des sciences au Canada, *Transactions of the Royal Society of Canada*, 1901, Section IV, p. 57-72.

Larsen, Esther Louise, «Peter Kalm's Short Account of the Natural Position, Use, and Care of Some Plants, of Which the Seeds Were Recently Brought Home fron North America for the Service of Those who Take Pleasure in Experimenting with the Cultivation of the Same in Our climate», *Agricultural History*, 1939, 13 (1): 33-64.

Leith-Ross, Prudence, *The John Tradescants. Gardeners to the Rose and Lily Queens*, London, Peter Owen Publishers, 1984.

Leith-Ross, Prudence, «A seventeenth-century Paris garden», *Garden History*, 1993, 21 (2): 150-157.

Mathieu, Jacques, *Le premier livre de plantes du Canada. Les enfants des bois du Canada au jardin du roi à Paris en 1635*, Sainte-Foy, Les Presses de l'Université Laval, 1998.

Mathieu, Jacques, *Entre poudrés et pouilleux. Le jeu des apparences à Paris au XVIIᵉ siècle*, Québec, Les éditions du Septentrion, 2008.

Miller, Philip, *The Gardeners Dictionary. The Sixth Edition; Carefully Revised; and Adapted to the Present Practice*, Londres, 1752. Disponible à la bibliothèque numérique du Jardin botanique royal de Madrid au http://bibdigital.rjb.csic.es/spa/.

Pringle, James S., «How Canadian is Cornut's *Canadensium Plantarum Historia*? A Phytogeographic and Historical analysis», *Canadian Horticultural History*, 1988, 1 (4): 190-209.

Provancher, Léon, *Flore canadienne*, Québec, J. Darveau, 1862.

Smith, John, *General Historie of Virginia by Captain John Smith*, [the Fourth book], dans Tyler, Lyon Gardiner (editor), *Narratives of Early Virginia, 1606-1625*, New York Charles Scribner's Sons, 1624 (1907), p. 291-407. Disponible au http://www.americanjourneys.org/aj-082/.

Stearns, Raymond Phineas, *Science in the British Colonies of America*, Urbana, University of Illinois Press, 1970.

Tournefort, Joseph-Pitton de, *Elemens de Botanique ou Methode pour connoître les plantes*, Paris, 1694. Disponible au http://edb.kulib.kyoto-u.ac.jp/.

Vaillant, Sébastien, *Sermo de structura florum ou Discours sur la structure des fleurs, leurs différences et l'usage de leurs parties... Leyde, 1718.* Disponible à la bibliothèque numérique du Jardin botanique royal de Madrid au http://bibdigital.rjb.csic.es/spa/.

Warner, Marjorie F., «Jean and Vespasien Robin, "Royal Botanists", and North American Plants, 1601-1635», *The National Horticultural Magazine*, 1956, 35: 214-220.

Warolin, Christian, «Armand-Jean de Mauvillain (1620-1685), ami et conseiller de Molière, doyen de la Faculté de médecine de Paris (1666-1668)», *Histoire des sciences médicales*, Tome XXXIX, 2005, (2): 113-129.

1636, PARIS. AU JARDIN ROYAL : DES PLANTES D'AMÉRIQUE FRANÇAISE NOMMÉES *AMERICANUM*, AUCUNE *CANADENSE*

L E PÈRE DE GUY DE LA BROSSE (vers 1586-1641) est médecin à la cour d'Henri IV. Guy de La Brosse porte éventuellement le titre de médecin ordinaire de Louis XIII. Il se dit botaniste en 1614 et il interagit avec Jean Robin qui possède un jardin renommé à Paris. La Brosse affirme qu'il a aussi son propre jardin. Il a l'honneur d'être le fondateur du Jardin des Plantes à Paris. Ce jardin est rendu possible parce qu'il a obtenu les appuis de Jean Héroard (1550-1627) et Charles Bouvard, premiers médecins du roi. C'est en fait un grand exploit politique parce que la toute-puissante Faculté de médecine de Paris s'oppose très vigoureusement à la création d'un Jardin pour dispenser des enseignements sur les plantes, leurs vertus et la chimie utile à leur analyse. Le Jardin est autorisé dès 1626, mais la Faculté réussit à en retarder l'implantation jusqu'en 1635. Pendant ce

temps, un premier jardin botanique universitaire anglais est créé à Oxford entre 1620 et 1630.

L'édit de 1635 spécifie qu'on doit enseigner la chimie pour « faire les opérations de Pharmacie, d'où procède une infinité d'erreurs des Médecins en leurs pratiques et ordonnances, et d'abus ordinaires des Apotiquaires leurs Ministres en l'exécution d'icelles, à la ruine de la santé et de la vie de nos sujets ». Pour remédier à ces abus et lacunes, on ordonne d'engager « trois Docteurs » pour « la Démonstration de l'intérieur des Plantes et de tous les médicaments, tant simples que complexes ». L'ouverture officielle du Jardin n'a lieu qu'en 1640, mais La Brosse publie en 1636 à Paris le premier catalogue des plantes intitulé *Description du jardin royal des plantes médicinales étably par le roi Louis le Juste à Paris, contenant le catalogue des plantes qui y sont de présent cultivées, ensemble le plan du jardin*. Il est l'intendant

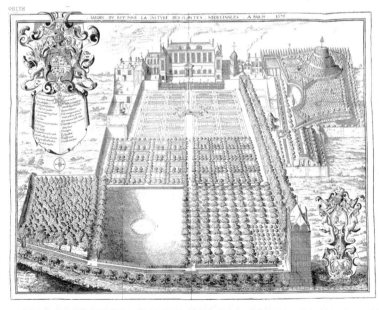

Plan du jardin du roi pour la culture des plantes médicinales en 1636. Guy de La Brosse, l'intendant du nouveau jardin du roi, présente une illustration des terrains et bâtiments du jardin. Les arrangements rectangulaires ou carrés sont à l'honneur. Le jardin est entouré de murs. À droite, une colline est ceinturée par un sentier qui conduit à ce qui semble être un conifère au sommet. D'autres conifères sont présents près de la colline. En face des bâtiments qui laissent presque tous échapper de la fumée, le grand espace central montre des rangées d'arbres feuillus de taille semblable et des regroupements de plus petits arbustes de même taille.

Source : La Brosse, Guy de, *Description du jardin royal des plantes médicinales étably par le roi Louis le Juste à Paris, contenant le catalogue des plantes qui y sont de présent cultivées, ensemble le plan du jardin*, Paris, 1636, p. 109. Bibliothèque interuniversitaire de médecine (Paris).

La Brosse, la doctrine des signatures et la botanique astrologique

La Brosse est bien au courant de l'influence de la théorie des signatures dont le plus grand défenseur a été Paracelse (1493-1541) qui avait latinisé son nom en Paracelsus. Celui-ci, fils de médecin, devient aussi un disciple d'Esculape et obtient un poste de professeur à Bâle. Ses collègues le dénigrent parce qu'il n'utilise pas le latin dans ses enseignements. Il brûle les livres des Anciens, comme Galien. Il perd rapidement son poste de professeur et meurt plutôt pauvre à Salzbourg. Il se croyait le grand monarque de la médecine. La théorie des signatures est aussi appliquée à l'usage des métaux. Ainsi, Diane de Potiers (vers 1499-1566), la favorite du roi de France Henri II (règne 1547-1559), buvait chaque matin de l'or soluble pour obtenir un teint doré et lumineux. Paracelse croyait que toutes les plantes, belles et laides, pouvaient servir à soigner une partie du corps. Il a écrit « Honneur aux [plantes] laides, aux sans-fleurs, aux grisâtres, à tous les visages revêches des décombres et de la jachère ; mieux que le lis et la rose, ils ont veillé à la survie des hommes ».

La Brosse dit de Paracelse qu'il « a de très belles et très rares pensées, mais aussi qu'elles ne sont pas toujours égales ». Paracelse défendait vigoureusement le concept que certaines caractéristiques des plantes indiquent clairement leurs usages spécifiques. Ainsi, le millepertuis possède des feuilles avec des perforations qui révèlent que cette plante sert à soigner les blessures ouvertes de toutes sortes. De plus, les fleurs brûlées du millepertuis sont colorées comme du sang. Cette espèce doit donc être d'usage pour les blessures sanglantes. La Brosse n'appuie pas cette doctrine qui a encore des disciples même de nos jours. Pour La Brosse, ce concept est « comme des nuées ». On « fait rassembler à tout ce que la fantaisie se représente, à une grue, à une grenouille, à un homme, à une armée, et autres semblables visions ».

La Brosse prend aussi position sur la botanique astrologique. Selon cette doctrine, les astres et les plantes sont intimement liés et l'influence des corps célestes doit être considérée lors de l'usage des plantes. Certains auteurs classifient même les végétaux selon les signes du zodiaque. Une attention particulière est accordée à l'influence lunaire. Ainsi, il y a des « herbes lunaires » qui doivent être récoltées à un stade et à une heure spécifiques. Des plantes sont aussi nommées « *lunaria* », c'est-à-dire des lunaires.

Au XVIIe siècle, l'Angleterre est particulièrement influencée par la botanique astrologique de Nicholas Culpeper (1616-1654). Déjà critiqués vivement à son époque, ses écrits sont encore populaires de nos jours. La Brosse n'est pas un partisan enthousiaste de l'influence des corps célestes sur les plantes et leurs usages.

Sources : Arber, Agnes, *Herbals. Their origin and evolution. A chapter in the history of botany. 1470-1670*, London, Cambridge University Press, 1953. Bilimoff, Michèle, *Les remèdes du Moyen Âge*, Rennes, Éditions Ouest-France, 2011 : 44.

du Jardin royal des plantes médicinales situé « sur la grande rue que l'on nomme Coypeaux » dans le faubourg Saint-Victor à Paris.

Depuis « le commandement de son établissement » en 1626, ce jardin ne se veut pas seulement un « vain ornement à la France et à Paris, mais pour une très nécessaire et très utile École, de la Matière Médicale ». En effet, le jardin et son officine servent à étudier « les vertus des plantes selon leurs divers usages et préparations, tant ordinaires que Chimiques ». En plus du rôle important de la recherche et de la formation médicale, le jardin contient beaucoup d'espèces ornementales, comme les narcisses, les jacinthes, les iris, les renoncules et des tulipes.

La Brosse a publié en 1628 *De la Nature, vertu et utilité des Plantes*, son œuvre majeure en botanique. Ce traité révèle qu'il est déjà très intéressé par la chimie pour caractériser et préparer les remèdes végétaux. La devise sur la page de garde est « La

La lunaire et l'influence de la lune. La plante est nommée *Lunaria*, c'est-à-dire lunaire. Dans ce manuscrit datant possiblement de la fin du XVe siècle et vraisemblablement élaboré au nord de l'Italie, près de deux cents plantes sont illustrées de façon rudimentaire et souvent symbolique. La plante lunaire, qui correspond peut-être à une fougère, montre un feuillage en forme de quartiers de lune. Une feuille est cependant fort différente. Serait-ce un nuàge obstruant la lune ? Pour certains, les lunaires croissent évidemment selon le rythme du cycle lunaire.

Source : Anonyme, *Herbal containing 192 drawings of plants*, The University of Pennsylvania Libraries, fin du XVe siècle, Lawrence J. Schoenberg Collection, document ljs 419, folio 79 verso.

vérité et non l'autorité », c'est-à-dire la primauté de l'observation directe des spécimens, de l'analyse et de l'expérimentation plutôt que les références livresques aux Anciens. La Brosse est donc très moderne dans son approche scientifique. Il défend cependant quelques concepts des Anciens. Il croit à l'âme des plantes, mais il rejette la notion d'âme végétative d'Aristote. Comme les Anciens, il veut étudier les plantes essentiellement pour leurs vertus médicinales. La Brosse divise les plantes en sept catégories : les arbres, les arbustes ou arbreaux, les herbes, les surcroissantes (espèces comme le gui qui pousse sur une autre), les mousses, les champignons et les truffles (truffes).

La Brosse n'a pas que des amis. Ses ennemis les plus virulents sont à la Faculté de médecine de Paris. On le dit incompétent parce qu'il favorise l'utilisation de remèdes chimiques, comme l'antimoine. Il dénonce aussi trop vigoureusement certaines connaissances des Anciens. Guy Patin, un ancien doyen de la Faculté, dénonce férocement tous les propagandistes de la médecine chimique qui, selon lui, tuent leurs patients avec leurs remèdes toxiques, comme l'antimoine.

La Brosse est très fier du nouveau Jardin qu'il dirige. À l'ouverture officielle en 1640, il le compare aux Jardins de Padoue, Pise, Leyde et Montpellier. Il affirme fièrement que ces derniers sont beaucoup plus petits et moins diversifiés en espèces. Il compare même les superficies de ces sites. Il doit réaliser les difficultés surmontées pour contrer les efforts de la Faculté qui favorise encore l'utilisation massive des saignées et réfute l'efficacité des nouveaux traitements chimiques.

Des plantes canadiennes dans les publications de Guy de La Brosse

La Brosse inclut dans son livre de 1628 une lettre au Cardinal de Richelieu sollicitant son appui au projet de Jardin des Plantes. Il le supplie en ces termes : « faites qu'en ses parterres il s'y remarque une Cardinale ». Il est fort probable que cette « Cardinale » réfère à une nouvelle plante (Lobélie cardinale, *Lobelia cardinalis*) rapportée de l'Amérique du Nord et illustrée depuis au moins 1623 par Pierre Vallet. La lobélie cardinale fait aussi partie

La liste de 1665 des plantes du Jardin du roi

La liste de 1665 compte 3 896 plantes différentes, dont environ 80 espèces des Amériques. Contrairement à la liste de 1636, on recense des plantes dites canadiennes. La liste de 1665 a été vraisemblablement élaborée en grande partie par Guy-Crecent Fagon, médecin du roi, même si l'auteur officiel est Denis Joncquet. La plupart des espèces de la flore de Cornuti sont incluses. Il y a de plus de nouvelles espèces canadiennes, dont l'*Aster Canadensis annuus flore papposo* correspondant à la vergerette du Canada (*Erigeron canadensis*). On mentionne aussi trois espèces d'*Helenium* dont une a aussi un nom vraisemblablement amérindien, *vosacan*. En plus de deux lysimaques (*Lysimachia*) canadiens, on inclut une espèce d'haricot canadien, *Phaseolus Canadensis*. Parmi d'autres plantes canadiennes, on observe la présence de deux verges d'or canadiennes, *Virga aurea*.

La liste de 1665 inclut plusieurs noms français à souligner. Deux anémones sont nommées gallipolite et gallipolite de Toulouse. Ce nom dérive vraisemblablement de galipote décrivant une résine de conifère. L'expression populaire «courir la galipote» est possiblement apparentée à ces termes botaniques. Une autre anémone est nommée «frappe d'abord». Cette expression est similaire à «frappe-à-bord», ce nom populaire utilisé au Québec pour décrire la mouche à chevreuil. Une espèce de fraisier se nomme «capitons», possiblement un terme dérivé de *capitus*, tête. La plante *Hedera quinquefolia Canadensis* de Cornuti est nommée la «vigne vierge» alors que la vigne *Vitis laciniata* du même auteur est la «vigne d'Autriche». Quant au topinambour, l'hélianthe tubéreux porte alors le nom «Canadas».

Source : *Hortus regius*, Paris, 1665. Disponible à la bibliothèque numérique du Jardin botanique royal de Madrid au http://bibdigital.rjb.csic.es/spa/.

du catalogue de 1623 du jardin des Robin (voir l'appendice 6).

La liste des plantes du Jardin de 1636 «depuis deux ans et demy qu'il est dressé» correspond donc aux espèces cultivées depuis au moins le début de 1634. Il s'agit d'un catalogue de 2 133 espèces ou variétés présentées alphabétiquement. Les noms latins des espèces sont souvent polynomiaux et contiennent à l'occasion une indication de la provenance géographique. Le nom du botaniste descripteur de référence est parfois mentionné. On retrouve à l'occasion des noms modernes à deux termes. C'est le cas, par exemple, du *Sorbus Americana*.

La plupart des plantes de l'Amérique sont identifiées par les variantes des mots *Americanum*, *Virginianum*, *Mexicanum*, *Peruvianum*, *Brasilianum* et *Indae occidentalis*. Les espèces nord-américaines ont évidemment l'épithète *Americanum* ou *Virginianum*. Soixante-huit espèces portent l'épithète *Americanum* (voir l'appendice 8) ou ses dérivés, alors que seulement trois sont nommées *Virginianum*. Une de ces trois plantes possède même les deux épithètes, car sa description inclut un synonyme.

Les plantes de la flore de Cornuti comparées à celles de la liste de 1636

Toutes les espèces de Cornuti, sauf *Apios Americana*, ont un nom quelque peu différent de celui de la liste de 1636. Aucune espèce du jardin royal ne possède le qualificatif «canadien». Par contre, 25 espèces de cette liste sont dites «américaines» alors que Cornuti utilise l'épithète «canadien» pour 20 espèces. Sur les 45 espèces potentiellement canadiennes de Cornuti, il semble que l'on puisse retrouver 31 équivalences de noms. Quatorze espèces mentionnées par Cornuti semblent donc absentes de la liste du jardin royal. Un tableau comparatif des noms de plantes du livre de Cornuti et de la liste de 1636 du Jardin royal est présenté à l'appendice 9.

Quelques informations sur des espèces d'Amérique du Nord au jardin royal

Dès 1636, on distingue deux espèces de fraisier d'Amérique. On y retrouve *Fragaria Americana fructu rubro hirsuto* et *Fragaria Americana magno fructu rubro*. Ces deux plantes correspondent possiblement aux deux espèces de fraisier nord-américain (*Fragaria vesca* subsp. *americana* et *Fragaria virginiana*).

La mention de *Lappa major Americana* est intéressante. On ne peut pas conclure si cette espèce en est une de l'Amérique ou s'il s'agit de la bardane majeure (*Arctium lappa*) d'origine eurasiatique.

L'auteur ou les auteurs du catalogue des plantes de 1636

La Brosse est uniquement l'auteur des propos d'introduction du catalogue probablement rédigé et mis en ordre par Vespasien Robin, le premier «sous-démonstrateur» de ce jardin. C'est l'opinion de Jacques Mathieu qu'il résume ainsi. «Compte tenu des compétences essentiellement théoriques du nouvel intendant du jardin, Guy de La Brosse, du très court délai entre sa nomination et cette publication, du mode de regroupement des plantes ainsi que l'engagement à haute rémunération de Robin comme sous-démonstrateur au jardin, on peut effectivement croire que Robin a lui-même rédigé ce catalogue imprimé sous le nom de La Brosse». Il est aussi possible qu'il y ait eu d'autres intervenants dans la rédaction de cette liste de plantes.

Sources

Howard, Rio, «Guy de La Brosse : Botanique et chimie au début de la révolution scientifique», *Revue d'histoire des sciences*, 1978, 31 (4) : 301-326.

La Brosse, Guy de, *Description du jardin royal des plantes médicinales étably par le roi Louis le juste à Paris, contenant le catalogue des plantes qui y sont de présent cultivées, ensemble le plan du jardin*, Paris, 1636. Disponible à la bibliothèque interuniversitaire de médecine (Paris) au http://web2.bium.univ-paris5.fr/.

Mathieu, Jacques, *Le premier livre de plantes du Canada. Les enfants des bois du Canada au jardin du roi à Paris en 1635*, Sainte-Foy, Les Presses de l'Université Laval, 1998.

1646, AMSTERDAM. UN HÉLIANTHE APPARENTÉ AU TOPINAMBOUR ET AU TOURNESOL PARMI TROIS PLANTES CANADIENNES

EN 1638, UN *HORTUS MEDICUS*, un jardin de plantes médicinales, est mis sur pied à Amsterdam à la suite de la très grave épidémie de peste bubonique qui a sévi dans cette ville particulièrement en 1635. En fait, cette infection affecte diverses régions hollandaises entre 1633 et 1637. En 1635, on dénombre 17 193 morts à Amsterdam dont 1 300 en une seule semaine. À cette époque, les apothicaires, les marchands, les médecins, les guérisseurs et les charlatans offrent des remèdes de toutes sortes. Un jardin est alors créé pour assurer une formation plus pratique et plus rigoureuse aux intervenants en médecine.

Nicolaes Tulp (1593-1674) est un chirurgien anatomiste qui participe à la rédaction de la première pharmacopée hollandaise servant de référence pour la pratique pharmaceutique et médicale. Son père, Pieter Dirks, était un marchand très prospère. En 1621, Nicolaes décide de changer son nom pour Tulp qui signifie tulipe. Il choisit cette fleur comme emblème personnel et une tulipe est sculptée sur la façade en pierre de sa maison. Son nouveau nom de famille reflète un engouement sans précédent pour la culture des tulipes en Hollande. Cette passion culmine par la bulle spéculative dite de la tulipomanie. Tulp pratique la médecine à Amsterdam depuis 1617. Il devient riche, célèbre et il est élu maire de la ville à quatre reprises entre 1645 et 1672. Il sera de plus élu juge et huit fois trésorier de sa ville. En 1632, son ami l'artiste Rembrandt (1606-1669) peint une leçon d'anatomie par le fameux docteur Tulp. Cela contribuera beaucoup à mieux faire connaître ce jeune peintre de 26 ans. Cette peinture attire toujours l'attention des anatomistes qui ont décelé une erreur d'anatomie majeure dans cette œuvre. Rembrandt a malencontreusement représenté les muscles exposés du bras opposé.

Lors de l'épidémie de peste bubonique en Hollande, Tulp dénonce l'inefficacité des remèdes concoctés par les apothicaires et les nombreux

Le charlatanisme médicinal, une préoccupation constante

Entre 1544 et 1560, le botaniste et médecin siennois Pietro Andrea Mattioli publie ses *Commentaires sur les six livres de Dioscoride*. Dans cet ouvrage illustré de quelque 500 gravures, Mattioli fait part de ses préoccupations envers le charlatanisme concernant les médicaments. Il écrit que «les marchands qui achètent toutes denrées des étrangers, les falsifient en diverses sortes… et non seulement eux, mais aussi les marchands qui les apportent et plus encore les herboristes… tous ceux-là sont les premiers qui brouillent les médicaments et y font de la tromperie».

Depuis fort longtemps, les autorités se préoccupent de ce problème qui semble omniprésent. Dès 1353, le roi Jean le Bon décrète «que tout apothicaire et épicier de Paris auront l'Antidotaire de Nicolas, corrigé». Un livre de référence est donc imposé pour être conforme à la nature des médicaments et à leur composition. On tente d'enrayer le fléau des altérations frauduleuses des médicaments en resserrant les normes de préparation des médicaments. Dans certains cas, on oblige même les apothicaires à concocter leurs médicaments, comme la fameuse thériaque, sur la place publique. La thériaque requérait des dizaines d'ingrédients, dont quelques-uns de nature plutôt exotique.

Source : Bilimoff, Michèle, *Les remèdes du Moyen Âge*, Rennes, Éditions Ouest-France, 2011 : 19 et 98-99.

autres vendeurs de drogues. En 1636, on recense pas moins de 66 apothicaires en plus de 70 médecins à Amsterdam. Ces nombreux pharmaciens exigent souvent des prix exorbitants pour des drogues plutôt inefficaces. Tulp et ses collègues produisent donc en 1636 une première pharmacopée hollandaise devant servir de référence à la préparation des remèdes. Ils recommandent aussi l'utilisation accrue des moyens de quarantaine et de soumettre les apothicaires à la supervision des médecins. Il est aussi un opposant au tabagisme. Il publie un livre médical qui est considéré comme un classique en son genre dans lequel il décrit pour la première fois l'anatomie de l'orang-outang.

En 1646, Johannes Snippendaal (1616-1670) accroît le nombre de plantes de 330 à 796 espèces. Il dirige ce jardin jusqu'en 1656. Les 330 plantes initiales sont majoritairement médicinales alors que plusieurs espèces ajoutées par Snippendaal sont ornementales. En 2007, les botanistes de l'actuel Jardin d'Amsterdam complètent la traduction de la liste de Snippendaal en 1646. Cette étude inclut des suggestions d'identification des espèces et la comparaison avec les noms des plantes médicinales recensées par Nicolaes Tulp en 1635.

La liste de Snippendaal de 1646 contient des plantes dont les noms réfèrent à l'Amérique, à la Virginie, au Brésil, au Pérou et à l'Inde (occidentale) sans oublier trois espèces dites du Canada et quatre autres dont le nom réfère à la flore de Cornuti de 1635.

Trois espèces portent un nom canadien

Chrysanthemum cannadense strumosum (*Helianthus strumosus*). Cet hélianthe scrofuleux est une espèce vivace apparentée au topinambour (*Helianthus tuberosus*) et au tournesol (*Helianthus annuus*). Il s'agit de l'une des premières mentions de cette plante. La répartition géographique assez vaste de cette espèce inclut tous les états américains de la côte est. Dans l'est du Canada, elle est répertoriée au Québec et au Nouveau-Brunswick. Elle semble absente de Terre-Neuve, de la Nouvelle-Écosse et de l'Île-du-Prince-Édouard.

Epimedium fruticesc. Virginian. A. vorstii s. Haedera trifol. Cannadens. Cornut (*Toxicodendron*

radicans). L'herbe à puce est présentée en incluant le nom donné par Cornuti en 1635 précédé par un nom référant à la Virginie d'Amérique. Le capitaine anglais John Smith avait déjà observé vers 1609 les effets nocifs d'une herbe à puce dans la nouvelle colonie anglaise d'Amérique du Nord. Le premier nom (*Epimedium frutescens*) de cette plante de Virginie ne fait pas allusion à sa toxicité. Il fait référence à la capacité grimpante de cette espèce qui produit des fruits. On peut alors présumer qu'il s'agit bel et bien de la variété grimpante (*Toxicodendron radicans* var. *radicans*). Il faut cependant noter que l'espèce illustrée par Cornuti n'est pas la variété grimpante. Selon Marjorie Warner, une herbe à puce fait partie de la liste de 1623 des espèces du jardin des Robin à Paris (voir l'appendice 6).

Haedera quinquefol. Virginian. A. Vorsty s. cannadens. Cornuti (*Parthenocissus quinquefolia*). Cette espèce grimpante est aussi mentionnée dans la liste de Tulp de 1635. La vigne vierge à cinq folioles est mentionnée dans la liste de 1623 du jardin des Robin à Paris.

Quatre autres espèces ont un nom référant à la flore de Cornuti

C'est le cas de la corydale toujours verte (*Corydalis sempervirens* maintenant *Capnoides sempervirens*), de l'eupatoire pourpre (*Eupatorium purpureum* maintenant *Eutrochium purpureum* var. *purpureum*), du lilas de Perse (*Syringa xpersica*) et de la primevère vulgaire (*Primula vulgaris*). Les deux premières

Le tournesol dans un florilège allemand. Basilius Besler, un apothicaire de Nuremberg, publie un magnifique ouvrage réalisé grâce au parrainage de Johan Konrad von Gemmingen, le prince-évêque d'Eichstätt. Le florilège *Hortus Eystettensis* (Le Jardin d'Eichstätt) compte 366 planches illustrant 667 plantes. Parmi celles-ci, quelques espèces sont originaires de l'Amérique. C'est le cas du tournesol (*Helianthus annuus*).

Source : Besler, Basilius, *Hortus Eystettensis*, vol. 2, 1613, p. 140. Bibliothèque numérique du Jardin botanique royal de Madrid.

Flos Solis prolifer.

espèces sont nord-américaines. L'eupatoire pourpre fait partie des espèces de la liste de 1623 du jardin des Robin. La flore canadienne de Cornuti de 1635 est donc citée par les autorités en charge du jardin d'Amsterdam dès 1646. En une seule décennie, des espèces canadiennes et nord-américaines ont déjà circulé de Paris vers Amsterdam.

Sept espèces américaines

Parmi celles-ci, soulignons la présence de quatre espèces fréquemment rencontrées dans l'est de l'Amérique du Nord : l'immortelle blanche (*Anaphalis margaritacea*), la tiarelle cordifoliée (*Tiarella cordifolia*), la rudbeckie laciniée (*Rudbeckia laciniata*) et l'asclépiade incarnate (*Asclepias incarnata*). Les deux dernières espèces faisaient aussi partie de la flore de Cornuti de 1635. Sauf pour la tiarelle cordifoliée, les trois autres espèces sont dans la liste de 1623 du jardin des Robin à Paris.

Sept espèces virginiennes

Cinq d'entre elles ont des identifications probables et se retrouvent en Amérique du Nord : l'onagre bisannuelle (*Oenothera muricata = Oenothera biennis*), l'aster de Tradescant (*Aster tradescantii = Symphyotrichum tradescantii*), le bignogne radicant (*Campsis radicans*), le sumac vinaigrier (*Rhus typhina*) et la tradescantie de Virginie (*Tradescantia virginiana*). Sauf pour l'aster de Tradescant, les quatre autres espèces font partie de la liste de 1623 des plantes du jardin des Robin à Paris. De plus, la tradescantie de Virginie est illustrée dans le florilège de Pierre Vallet paru à Paris aussi en 1623.

Trois plantes brésiliennes, deux péruviennes et une indienne

La première brésilienne correspond au topinambour (*Helianthus tuberosus*) observé en Amérique

La fleur du cardinal, lequel ?

Il est possible que l'allusion au cardinal ne réfère qu'au rouge écarlate des fleurs de cette espèce qui rappelle la couleur des vêtements des cardinaux. À l'époque, comme aujourd'hui, ces hommes revêtent en effet la pourpre cardinalice. Une autre hypothèse pourrait être que cette plante rendait hommage à un cardinal de grande envergure, comme le cardinal de Richelieu (1585-1642). Cet évêque influent fut nommé cardinal en 1622 et il entra au Conseil du roi dès 1624 où il joua un rôle de premier plan pendant dix-huit ans comme homme d'État. Une des premières mentions de la fleur du cardinal est celle de la liste de 1623 des espèces du jardin des Robin à Paris. Son nom est alors *Trachelium Americanum flore rubro, seu Cardinalis planta*. Dans une lettre de 1628 à Richelieu, Guy La Brosse, le responsable du nouveau Jardin des plantes à Paris, fait le souhait qu'on puisse y admirer « une Cardinale ». Était-ce plus qu'une fleur de style ?

Des auteurs croient plutôt que cette fleur était nommée en hommage au cardinal italien Francesco Barberini, un passionné des fleurs. En décembre 1621, Enrico Corvino (vers 1568-1640), un apothicaire né à Delft et installé à Rome, fait parvenir à Johannes Faber (1574-1629), le responsable des Jardins du Vatican, une espèce de *Trachelium* d'Amérique correspondant à la fleur du cardinal. Corvino possédait un jardin à Rome dans lequel les espèces étaient disposées selon la classification proposée par Andrea Cesalpino. Entre 1600 et 1629, Faber a su faire progresser les jardins sous l'autorité de cinq souverains pontifes. Tout comme le grand savant Galilée, Faber et Corvino font partie de l'Académie scientifique des Lynx. On reconnaît à Faber la première utilisation du mot microscope pour décrire l'instrument fabriqué par Galilée (1564-1642).

Source : Campitelli, Alberta, *Les Jardins du Vatican*, Cité du Vatican, Libreria Editrice Vaticana, Musei Vaticani, 2009 : 7 et 164.

du Nord par Champlain dès 1605 alors que l'une des deux autres est le haricot de Lima (*Phaseolus lunatus*). Le topinambour est dans la liste de 1623 des espèces du jardin des Robin. Les plantes du Pérou sont la patate (*Solanum tuberosum*) et le tabac commun (*Nicotiana tabacum*). L'espèce indienne est le maïs (*Zea mays*).

La fleur du soleil et du cardinal

La fleur du soleil, *Flos Solis* selon la terminologie de Snippendaal, correspond au tournesol (*Helianthus annuus*). Snippendaal identifie la lobélie du cardinal (*Lobelia cardinalis*) avec les noms *Flos cardinalis* et *Trachelium americanum*. En 1629, l'auteur anglais John Parkinson avait écrit que cette espèce croît près de la rivière du Canada et qu'il avait obtenu cette espèce de France. Cette lobélie avait été élégamment illustrée dès 1623 dans le florilège de Pierre Vallet avec deux autres plantes nord-américaines, le lis du Canada (*Lilium canadense*) et la tradescantie de Virginie (*Tradescantia virginiana*). La lobélie du cardinal et les deux autres espèces illustrées par Pierre Vallet font de plus partie des espèces de la liste de 1623 du jardin des Robin.

D'autres espèces nord-américaines avec divers noms

Quelques autres plantes font aussi partie de la liste de Snippendaal de 1646. C'est le cas du tabac des paysans (*Nicotiana rustica*), de l'asclépiade commune (*Asclepias syriaca*), de la ronce odorante (*Rubus odoratus*) et de l'arisème dragon (*Arisaema dracontium*) sans oublier le réputé arbre de vie, le thuya occidental (*Thuja occidentalis*). L'asclépiade commune et la ronce odorante faisaient aussi partie de la flore de Cornuri de 1635.

Les informations de Nicolaes Tulp en 1635

Quelques noms utilisés par Tulp permettent l'identification de certaines espèces européennes bien connues. C'est le cas, par exemple, du romarin. Malheureusement, certains noms utilisés par Tulp pouvant correspondre à des plantes d'Amérique du Nord ne permettent pas des identifications probables.

Sources

Goldwyn, R. M., « Nicolaes Tulp (1593-1674) », *Medical History*, 1961, 5 : 270-276.

Snippendaal, Johannes, *De Amsterdamse Hortus volgens Johannes Snippendaal*, Amsterdam, 1646. Liste des plantes disponible au www.dehortus.nl/documenten/snippendaal_catalogus_200907.pdf.

1653, COPENHAGUE. UN MÉDECIN DÉCRIANT L'USAGE DU TABAC, DU THÉ, DU CAFÉ ET DU CHOCOLAT SIGNALE UNE VIGNE CANADIENNE LAITEUSE

SIMON PAULLI (1603-1680) est né à Rostock, près de la mer Baltique en Allemagne. Son père Henri, docteur et professeur en médecine, décède alors que Simon est âgé de sept ans. Des mécènes s'occupent alors de sa formation scolaire et la reine douairière du Danemark lui permet de fréquenter les meilleures universités. Après une formation initiale à Rostock et Leyde, il étudie la médecine avec le réputé Jean Riolan (fils) (1577-1657) de la Faculté de médecine de Paris. Riolan a la réputation de défendre âprement la contribution des Anciens au savoir. Il s'oppose farouchement à certains aspects de la modernité médicale. Son disciple Paulli semble aussi favoriser la préséance des Anciens sur les Modernes. En 1630, Paulli obtient son diplôme de médecine à Wittenberg en Allemagne. Il exerce d'abord sa profession à Rostock et Lübeck en Allemagne. L'Université de Rostock l'accueille comme professeur de médecine de 1634 à 1639.

De 1639 à 1648, il est professeur d'anatomie, de chirurgie et de botanique à Copenhague. Il met sur pied un laboratoire de dissection anatomique qui attire autant les curieux que les commentaires. Il devient médecin du roi du Danemark et de la Norvège de Christian IV (1577-1648), Frédéric III (1609-1670) et Christian V (1646-1699). Après le décès de Christian IV, il doit quitter momentanément la cour pour développer sa propre clientèle médicale. Éventuellement, le roi lui confère le titre de prélat pour la ville danoise d'Aarhus. Il s'agit d'un titre honorifique héréditaire qui prévaut pendant quelque temps pour sa descendance. Il a cependant un fils qui lui cause des problèmes. Ce dernier est même emprisonné, car il se prend tout candidement pour le fils du prophète David.

En plus de sa pratique à la cour danoise, Paulli publie plusieurs ouvrages concernant la botanique médicale. En reconnaissance de sa contribution, Linné nomme le genre *Paullinia* en son honneur. En 1648, il publie à Copenhague *Flora Danica*, le premier livre illustré de botanique médicale du Danemark. Ce livre s'inspire beaucoup de la tradition des Anciens et trahit un style plutôt conservateur. Par exemple, Paulli recommande, comme plusieurs Anciens, des applications de la ciguë pour permettre aux jeunes filles de conserver la petitesse de leurs seins. Il prévient cependant de ne pas ingérer les extraits de cette plante mortelle utilisée depuis l'Antiquité. *Flora Danica* ne contient pas de référence aux plantes nord-américaines. Néanmoins, ce livre est l'un des premiers exemples d'une flore nationale illustrée qui inclut la description d'environ 400 espèces locales.

En 1653, Paulli publie un autre ouvrage, un catalogue d'environ 1 500 plantes qui poussent dans les Jardins du roi et dans celui de l'Académie royale de Copenhague.

Deux espèces canadiennes et quelques autres des Amériques

Paulli mentionne *Chrysanthemum Canadense tuberosum* et *Vitis trifolia Canadense lactescens*, c'est-à-dire, le chrysanthème tubéreux du Canada et la vigne à trois feuilles du Canada qui devient laiteuse. Le chrysanthème tubéreux est le topinambour (*Helianthus tuberosus*) alors que la vigne lactescente est l'herbe à puce (*Toxicodendron radicans*). C'est possiblement la première fois que le nom de cette espèce réfère à la caractéristique de la production d'un suc de consistance laiteuse. Ce latex est observé lorsque les tissus blessés de la plante exsudent un suc blanchâtre. L'herbe à puce, arrivée en territoire français au plus tard en 1623 et en Hollande au plus tard en 1646, est aussi présente en Scandinavie depuis au moins 1653. Il semble que cette plante intéresse rapidement les grands jardiniers européens. Cette espèce a la capacité recherchée de prendre de multiples formes ornementales. En effet, elle peut être grimpante ou buissonnante. Elle adopte aussi facilement un port arbustif. La présence d'exsudat laiteux irritant ne semble pas préoccuper outre mesure les premiers jardiniers. Curieusement, les allusions à la toxicité potentielle de cette espèce sont rares à cette époque.

En plus de ces deux espèces canadiennes, la compilation de Paulli inclut une douzaine de plantes dites «américaines» et quelques espèces «virginiennes», «péruviennes», «mexicaines» et «brésiliennes». Dans certains cas, des plantes dites «indiennes» sont en fait des espèces d'Amérique.

Une dénonciation de plantes étrangères

En 1661, Paulli est l'auteur de *Commentarius de abusu tabaci Americanorum veteri et herbae thee Asiaticorum in Europa novo, quae ipfiffima est* *Chamaeleagnus Dodonaei.* Ce livre est une dénonciation très enflammée des abus du tabac «américain» et du thé «asiatique». Le livre est publié à Strasbourg par son fils qui porte le même nom. En 1746, une traduction en anglais de ce traité paraît à Londres sous le titre *A treatise on tobacco, coffee, chocolate and tea.* Ce titre reflète mieux les dénonciations de Paulli concernant deux plantes d'Amérique, le tabac et le chocolat, et deux autres espèces étrangères, le thé et le café.

Pour Paulli, le tabac est une plante médicinale valable alors que le tabagisme est un abus intolérable et très nocif pour la santé. De façon générale, Paulli affirme qu'on ne peut pas douter que les plantes

Le tabac, l'histoire de la virologie et une controverse

Au XIXe siècle, une maladie importante affecte le tabac commun (*Nicotiana tabacum*) cultivé en Europe et même en Amérique du Sud. Vers 1870 en Colombie, on nomme cette maladie «*amulatamiento*». En Europe, les autorités font appel à des scientifiques. En 1886, Adolf Mayer (1843-1942) est le premier à identifier la maladie comme la «mosaïque du tabac» et à démontrer son caractère infectieux. En 1892, Dimitri Ivanovski (1864-1920) détermine que les extraits de feuilles du tabac atteint de la mosaïque conservent leur propriété infectieuse même après une filtration à travers de la porcelaine qui retient les bactéries. En 1898, Martinus Beijerinck (1851-1931) utilise pour la première fois le mot «virus» dans son sens moderne en décrivant le pouvoir infectieux de l'agent responsable de la mosaïque du tabac.

Ce n'est qu'en 1935 qu'est accomplie la purification du virus de la mosaïque du tabac par Wendell Stanley (1904-1971). Cet accomplissement lui mérite d'ailleurs un Prix Nobel, même s'il se trompe sur la nature biochimique des particules virales extraites. Une controverse persiste. Qui a découvert le premier virus? Est-ce Ivanoski en 1892 en Russie ou Beijerinck en 1898 en Hollande? Les opinions divergent encore à ce jour. Une conclusion fait cependant l'unanimité. Les études sur la mosaïque du tabac ont constamment jalonné l'histoire de la virologie. Selon des chercheurs, ce virus serait originaire d'Amérique du Sud, le centre de domestication du tabac commun. Il aurait été par la suite transporté en Europe dans des feuilles infectées.

Des fumeurs produisent des anticorps contre le virus de la mosaïque du tabac. Étonnamment, on décèle aussi des concentrations plus faibles de ces anticorps chez des non fumeurs. Parmi les milliers de substances chimiques reliées au tabagisme, le virus de la mosaïque du tabac laisse aussi des traces moléculaires dans l'organisme humain.

Sources: Chung, King-Thom et Deam Hunter Ferris, «Martinus Willem Beijerinck (1851-1931). Pioneer of general microbiology», *American Society for Microbiology News*, 1996, 62 (10): 539-543. Harrison, John P., «The evolution of the Colombian tobacco trade», *The Hispanic American Historical Review*, 1952, 32 (2): 163-174. Lechevalier, Hubert, «Dimitri Isofovich Ivanovski (1864-1920)», *Bacteriological Reviews*, 1972, 36 (2): 135-145. Lecoq, Hervé, «Découverte du premier virus, le virus de la mosaïque du tabac: 1892 ou 1898?», *Comptes-rendus de l'Académie des Sciences (Paris), Sciences de la vie*, 2001, 324: 929-933. Liu, Ruolan, et autres, «Humans have antibodies against a plant virus: evidence from tobacco mosaic virus», *PLoS One*, 2013, 8 (4): e60621. Disponible au www.plosone.org.

L.
Tabacum latifolium.

étrangères expédiées en Europe contribuent à engendrer des calamités. Concernant le tabac, il indique qu'il utilise cette espèce comme médicament pour lui-même au printemps et à l'automne. Il avoue aussi qu'il est un ancien fumeur. Il s'efforce cependant de dénoncer le tabagisme comme une coutume barbare et très préjudiciable. Il s'insurge particulièrement contre les marchands qui utilisent depuis longtemps des techniques d'altération en traitant le tabac avec la saumure, les citrons, le vinaigre, le vin et la plante nommée euphorbe (*Euphorbium*, maintenant nommé *Euphorbia*). Selon Paulli, ces fraudes sont nombreuses et fréquentes. Un siècle auparavant, Pierre Belon dénonçait l'utilisation frauduleuse d'une espèce de pin d'Amérique du Nord supposément médicinale. La fraude associée aux plantes guérisseuses ne semble pas s'estomper au xviie siècle. Bien au contraire, l'imagination des fraudeurs semble aller de pair avec le manque d'ouverture envers ce qui vient de l'étranger.

Certains marchands vont même jusqu'à suspendre les feuilles de tabac pour les exposer aux composés volatils de l'urine et des excréments en prétendant que cette méthode rend le tabac plus bénéfique et salutaire. Pour Paulli, priser le tabac est aussi condamnable que fumer, quoique moins dommageable pour la santé. Dans certains cas, il recommande de fumer de la marjolaine, de la bétoine, du romarin ou de l'ambre au lieu du tabac dont la fumée pénètre dans le cerveau. Paulli préfère donc les bonnes vieilles plantes européennes qui n'ont pas les défauts de ces plantes exotiques

Le tabac à feuille large dans un florilège allemand. Dans le même ouvrage que l'illustration précédente, on trouve également le tabac originaire de l'Amérique. C'est le cas du tabac commun (*Nicotiana tabacum*). Les feuilles du tabac commun sont représentées d'une façon très réaliste à partir d'un spécimen vivant.

Source : Besler, Basilius, *Hortus Eystettensis*, vol. 2, 1613, p. 469. Bibliothèque numérique du Jardin botanique royal de Madrid.

qui subissent de plus des dénaturations importantes durant les longs voyages.

Après le tabac, Paulli dénonce vivement le thé importé d'Asie et d'autres pays lointains. Contrairement au tabac qui endort, le thé prévient le sommeil. Le point le plus important pour Paulli est de déterminer l'identité botanique de ce fameux thé d'Asie avant de se prononcer sur quoi que ce soit. Pour Paulli, le thé est sans nom botanique précis.

Après une longue dissertation, Paulli conclut que le thé asiatique et chinois n'est finalement qu'une espèce européenne du genre *Chamelaeagnus*. L'argument de l'auteur se base sur des ressemblances morphologiques et sur une expérience sensorielle concluante. Il suffit de brûler en parallèle des feuilles de thé importé et celles du *Chamelaeagnus* européen sur des charbons. Les odeurs identiques des fumées trahissent la même espèce. Il faut donc utiliser la plante européenne comme un succédané du thé importé parce que les voyages trop longs dénaturent ce produit exotique. L'arbuste européen recommandé par Paulli est le myrique baumier (*Myrica gale*), alors connu sous le nom de « piment royal ». Divers auteurs se rendent compte rapidement de l'erreur d'identification de Paulli. Le thé asiatique (*Camellia sinensis*) est une espèce très éloignée botaniquement du myrique baumier.

Paulli ajoute un dernier argument en faveur du thé qui pousse en Europe. Selon ce médecin, les propriétés d'une même espèce sont différentes d'un pays à l'autre. C'est l'effet du terroir qu'il ne faut surtout pas négliger. Ainsi, la meilleure angélique d'Europe provient de l'Islande tout comme la meilleure gentiane est celle de Norvège. Comme le meilleur *Chamelaeagnus* pousse en Europe, le thé européen doit être préféré à celui des pays asiatiques. Enfin, il dénonce la popularité et la mode de ce thé asiatique qui, selon son autorité, peut être évidemment servi salé, mais surtout pas sucré.

Paulli s'insurge aussi contre la mode grandissante du café qui cause tout simplement l'émasculation ! Le nouveau breuvage nommé chocolat qui provient de l'Amérique est aussi évidemment à proscrire. Il ignore sans doute que le jeune Louis XIV a accordé en 1659 à David Chaillou de Toulouse un privilège exclusif pour la fabrication et la vente du chocolat en France. Chaillou installe sa boutique sur la rue

Le café et une cantate de Jean-Sébastien Bach

Le café continue de soulever des passions bien après l'époque de Paulli. En 1727, le musicien allemand Jean-Sébastien Bach (1685-1750) compose une cantate qui dépeint l'angoisse d'un père qui veut guérir sa fille de la passion du café qu'elle partage avec la plupart des jeunes filles de Leipzig. Par contre, Bernard Le Bovier de Fontenelle (1657-1757), un contemporain de Bach, déclarait aux détracteurs de l'usage de cette boisson « si c'est un poison, c'est un poison bien lent ». Fontenelle est décédé centenaire !

Source : Pelt, Jean-Marie, *Ces plantes que l'on mange*, Éditions du Chêne, Hachette-Livre, 2006 : 131.

de l'Arbre sec à Paris. En 1615, Anne d'Autriche, fille du roi d'Espagne, avait introduit le chocolat à la cour de France. Dans les deux derniers cas, Paulli ne recommande pas l'utilisation de succédanés européens. À cette époque, il n'est pas le seul à s'opposer vivement à l'introduction commerciale de nouvelles plantes ou breuvages exotiques. Son traité de 1665 sur les abus des plantes étrangères est dédicacé à Guy Patin et Jean-Baptiste Moreau. Patin, un ancien doyen de la Faculté de médecine de Paris entre 1650 et 1652, est ce farouche pamphlétaire qui dénonce l'utilisation de l'antimoine et d'autres remèdes exotiques. Jean-Baptiste Moreau est le fils de René Moreau (1587-1656), un autre doyen (1630-1632) conservateur et peu enclin à l'adoption de nouveaux remèdes des pays lointains.

En 1667, Paulli publie à Strasbourg, encore par l'intermédiaire de son fils éditeur, *Quadripartitum botanicum de simplicium medicamentorum facultatibus*. Dans ce livre, il présente les plantes médicinales courantes européennes selon les saisons de leur floraison. Il n'y a pas de références à des plantes dites canadiennes. Faut-il s'en étonner ? Paulli ressort comme un bon représentant des Anciens contre les Modernes qui privilégient le local sur l'étranger et le conservatisme sur les nouvelles modes.

Sources

Anonyme, « Simon Paulli », *Mémoires pour servir à l'histoire des hommes illustres dans la république des lettres avec un catalogue raisonné de leurs ouvrages*, Paris, 1729.

Anonyme, « History of the Myrica Gale, or Dutch Myrtle », *The Gentleman's Magazine and Historical Chronicle*, vol. 56, part the second, 1786, p. 639-642.

Harwich, Nikita, « Échanges croisés entre Nouveau Monde et Ancien Monde : maïs, pomme de terre, tomate et cacao », *Études rurales*, 2000, 155/156 : 239-259.

James, Dr., *A treatise on tobacco, coffee, chocolate and tea*, [Written originally by Simon Paulli and now translated by Dr. James], Londres, 1746. Disponible au www.biodiversitylibrary.org.

Meurer, Peter H., « "Orbis Terraqueus", The Map Catalogue of the Bookseller Simon Paulli (Strasbourg, 1670) », *Imago Mundi*, 1984, 36 : 64-65.

Paulli, Simon, *Flora Danica*, Copenhague, 1648.

Paulli, Simon, *Viridaria Varia Regia & Academica publica*, Copenhague, 1653.

Paulli, Simon, *Commentarius de abusu tabaci Americanorum veteri et herbae thee Asiaticorum in Europa novo, quae ipfiffima est Chamaeleagnus Dodonaei*, Strasbourg, 1665.

Paulli, Simon, *Quadripartitum botanicum de simplicium medicamentorum facultatibus*, Strasbourg, 1667.

1664, TROIS-RIVIÈRES. LE GOUVERNEUR MENTIONNE TROIS PLANTES ENVAHISSANTES, MAIS PAS LES CHARDONS QUI NÉCESSITENT UNE LÉGISLATION TROIS ANS PLUS TARD

PIERRE BOUCHER (1622-1717) arrive en Nouvelle-France avec sa famille en 1634 ou l'année suivante. Son père Gaspard, menuisier, travaille à la ferme des Jésuites dans la région de Québec. Pierre séjourne en Huronie de 1637 à 1641 en tant qu'aide aux Jésuites. Son travail efficace et ses qualités personnelles sont remarqués. De retour à Québec, le gouverneur Charles Huault de Montmagny (vers 1583-vers 1653) fait de Pierre un soldat et un agent de liaison avec les Amérindiens. En 1644, il agit comme interprète et commis à Trois-Rivières. Ses parents le rejoignent et Boucher s'y installe en 1645. Il devient «capitaine de bourg» et se défend souvent contre les attaques des Iroquois. Il réussit à sauver le fort et il est promu gouverneur des Trois-Rivières de 1653 à 1658 et de 1662 à 1667. En 1649, Pierre épouse Marie Ouebadinskoue, une Huronne qui décède la même année. En 1652, il prend pour épouse Jeanne Crevier qui lui donne quinze enfants. La famille Boucher est l'une des familles souches ayant beaucoup influencé la nouvelle colonie.

En 1661, Boucher se retrouve en mission à Paris pour rencontrer le nouveau roi Louis XIV et lui transmettre les doléances de la Nouvelle-France, cette colonie constamment harcelée par les attaques iroquoises. De plus, les marchands, uniquement préoccupés par leurs intérêts mercantiles, ne s'intéressent pas à la protection et au développement du nouveau territoire. La situation est difficile pour ne pas dire insoutenable. Il faut de l'aide et surtout un support concret. Boucher rencontre divers personnages en autorité à la cour. Il est tellement efficace dans ses demandes qu'il revient l'année suivante avec une centaine de soldats et autant de colons. Malheureusement, plusieurs périssent durant le voyage. On lui demande un rapport écrit sur le pays et ses ressources. Il publie donc à Paris en 1664 *Histoire véritable et naturelle des mœurs et productions du pays de la Nouvelle-France vulgairement dite le Canada.*

Selon Jacques Rousseau, il s'agit essentiellement d'un «prospectus de colonisation» fidèle à la réalité qui décrit sommairement le territoire et répond à diverses interrogations. Boucher est honnête dans ses propos. Il ne cache pas les «incommodités», c'est-à-dire les Iroquois, les maringouins, la longueur de l'hiver et les serpents à sonnette dans la région de Détroit. Il spécifie que l'hiver dure environ cinq mois et que la neige peut atteindre quatre pieds d'épaisseur. Mais il indique que cette saison est plus intéressante qu'en France. «La plupart des jours sont

Pierre Boucher et son petit-fils sur la façade du Parlement du Québec

Parmi les célébrités abritées dans les niches de la façade de l'ancien Palais législatif à Québec, on trouve la statue de Pierre Boucher et celle de Pierre Gaultier de Varennes, seigneur de la Vérendrye (1685-1749). Le 28 septembre 1923, on dévoile la statue du gouverneur des Trois-Rivières et seigneur de Boucherville en même temps que celle de son petit-fils, un explorateur de l'Ouest canadien qui a contribué à agrandir considérablement la Nouvelle-France.

Ce dévoilement attire des invités distingués dont le premier ministre, les membres du gouvernement sans oublier le cardinal Bégin et monseigneur Garneau, chanoine honoraire. Le ministre de l'Instruction publique et des Beaux-Arts prononce un «remarquable discours». De nombreuses couronnes de fleurs ornent à cette occasion les deux monuments.

Source : Anonyme, «Le monument de Pierre Boucher à Québec», *Nova Francia*, 1925 : 271-272.

extrêmement sereins, et il pleut fort peu pendant l'hiver ». L'auteur ajoute que la neige demeure « sur la terre » jusqu'à la mi-avril et qu'il y a environ 800 personnes dans la capitale de la colonie alors que les Anglais peuvent armer 50 000 hommes dans leur territoire plus au sud. Boucher désire mieux informer les nouveaux arrivants des conditions de vie dans le nouveau pays. En 1663, la Nouvelle-France, libérée de la Compagnie des Cent Associés, est alors mieux gérée et moins sujette aux prérogatives des marchands. De plus, les arrivants sont plus nombreux, incluant les « filles du Roi ».

En 1667, Boucher obtient la seigneurie de Boucherville qu'il développe très rapidement et efficacement. À son décès à l'âge de 95 ans, il a connu les treize premiers gouverneurs et les sept premiers intendants de la colonie.

Un inventaire botanique étendu, mais sommaire

Boucher inclut dans son livre des descriptions géographiques, animales et botaniques. Il énumère environ 115 espèces végétales qui sont des espèces indigènes ou introduites par les Européens en plus de mentionner plus d'une vingtaine d'arbres. Les descriptions sont plutôt sommaires et Boucher fait référence de temps à autre à des usages qui se rapportent surtout aux arbres. Ainsi, le tilleul d'Amérique (*Tilia americana*) nommé « bois blanc ou tillot », sert beaucoup aux Amérindiens. L'écorce des gros tilleuls sert à fabriquer une espèce de tonneau pour mettre leurs grains et autres choses. L'écorce des petits arbres sert de corde et on en produit un chanvre pour faire des cordages. Boucher observe qu'on entaille les « érables » au printemps et qu'il en sort une eau douce et agréable à boire.

Boucher répertorie beaucoup plus d'espèces que ses prédécesseurs comme Cartier, Champlain, Lescarbot, Sagard ou Paul Le Jeune. Ses mentions dépassent aussi numériquement celles de la flore de Cornuti et de l'herbier nord-américain, probablement canadien, de Joachim Burser. En 1964, Jacques Rousseau présente l'identification de la centaine des plantes énumérées par Boucher.

Cependant, à l'époque de Boucher, il existe deux énumérations d'au moins une centaine d'espèces indigènes ou introduites dans des écrits issus des colonies anglaises au sud de la Nouvelle-France. Adriaen van der Donck publie *A Description of the New Netherlands* en 1655 qui énumère plus de 180 plantes en Nouvelle-Hollande. Van der Donck a séjourné dans la vallée de la rivière Hudson près de Fort Orange situé à Albany, l'actuelle capitale de l'État de New York. Dans l'ensemble, les observations de van der Donck sont plus nombreuses et plus précises que celles rapportées par Boucher.

Une dizaine d'années après la publication de Boucher, John Josselyn mentionne environ 225 espèces en Nouvelle-Angleterre dans deux publications de 1672 et 1674. Les observations botaniques et médicinales de Josselyn sont aussi plus détaillées en général que celles de Pierre Boucher. Certains ont émis l'hypothèse que Josselyn aurait bénéficié d'une formation médicale.

Si les observations de Boucher sont moins nombreuses et plus concises, c'est qu'elles s'insèrent dans une problématique plus large, consacrant la moitié des chapitres aux mœurs amérindiennes. Elles comportent néanmoins des informations nouvelles.

Les explorateurs, les marchands, les colons et les religieux ont souvent apporté des plantes avec eux lors de leur venue dans la colonie. La distinction entre les plantes médicinales, potagères et même ornementales n'est pas toujours évidente dans les textes de l'époque. Boucher mentionne la présence de « bouroche » (Bourrache officinale, *Borago officinalis*), « buglose » (Buglosse officinale, *Anchusa officinalis*), « hysope » (Hysope officinale, *Hyssopus officinalis*) et de « pimprenelle » (Sanguisorbe mineure ou officinale, *Poterium sanguisorba* var. *polygamum* ou *Sanguisorba officinalis*). Depuis des siècles, ces plantes européennes étaient couramment utilisées à cause de leurs vertus médicinales. On arrive donc en Nouvelle-France non seulement avec les céréales et d'autres plantes utiles pour l'agriculture de base, mais aussi avec des plantes potagères et peut-être même avec quelques belles espèces ornementales.

La bourrache officinale, la buglosse officinale, l'hysope officinale et la pimprenelle, une espèce de sanguisorbe, sont des espèces mentionnées par Boucher pour la première fois en Nouvelle-France. Dès 1631, John Winthrop Jr. avait transporté la buglosse et l'hysope dans la colonie anglaise d'Amérique du Nord, vraisemblablement comme des plantes médicinales. Adriaen van der Donck mentionne la présence d'hysope en Nouvelle-Hollande en 1655.

Des espèces déjà envahissantes

Les plantes transportées d'Europe sont normalement confinées aux sites de leur utilisation. Il y a cependant des plantes introduites qui ont la capacité de coloniser d'autres sites ou d'autres milieux. Ces espèces peuvent même devenir des mauvaises herbes envahissantes.

Le texte de Boucher laisse croire, selon Jacques Rousseau, que trois espèces semblent s'échapper de leur site d'introduction. C'est le cas du pourpier (Pourpier potager, *Portulaca oleracea*), du houblon (Houblon commun, *Humulus lupulus*) et du mélilot (Mélilot blanc et Mélilot jaune, *Melilotus albus* et *Melilotus officinalis*).

Le pourpier est-il vraiment introduit d'Europe?

Boucher spécifie que «le pourpier vient naturellement dans les terres désertées sans y être semé: mais il n'est pas si beau que celui que nous cultivons». Rousseau ajoute que d'après Champlain et Sagard, la plante introduite «avait déjà gagné les jardins des Hurons et on l'ajoutait volontiers à la sagamité». Il interprète que le pourpier «s'est vraisemblablement introduit à l'insu des cultivateurs, avec les grains de semence». Rousseau aurait pu ajouter que Lescarbot a aussi observé le pourpier potager. Marie-Victorin croit cependant que Lescarbot décrivait la sabline faux-péplus (*Arenaria peploides* maintenant nommé *Honckenya peploides* subsp. *diffusa*). Charlotte Erichsen-Brown a de plus rapporté les mentions du pourpier potager par John Smith en Virginie en 1612 et celles de Champlain (1613 et 1619), Sagard (1624) et Le Mercier (1637).

Certains chercheurs ont cependant une interprétation différente. Par exemple, Byrne et McAndrews ont présenté des évidences archéologiques suggérant la présence du pourpier potager (*Portulaca oleracea*) avant l'arrivée des Européens. Le site botanique du Département d'Agriculture américain indique que le pourpier potager est une espèce introduite aux États-Unis, alors qu'elle est indigène au Canada. La base de données VASCAN considère le pourpier potager indigène au Manitoba, en Saskatchewan et en Alberta. Il est cependant considéré introduit au Québec, en Ontario et dans les provinces Maritimes.

Le pourpier observé par les premiers explorateurs provient-il d'Europe?

Charlotte Erichsen-Brown commente des analyses archéologiques de sites amérindiens et suggère que le pourpier est présent depuis très longtemps au Mexique (6 000 à 4 500 ans avant l'ère chrétienne) et en Amérique du Nord (3 000 à 2 500 ans avant l'ère chrétienne). Les Amérindiens auraient donc possiblement utilisé cette espèce depuis fort longtemps. En dépit de certaines évidences archéologiques, la plupart des botanistes nord-américains ne reconnaissent généralement pas le pourpier comme une plante indigène.

Cette botaniste présente aussi d'autres exemples de plantes qui semblent avoir suivi les Amérindiens dans leurs déplacements. L'acore roseau (*Acorus calamus*), le podophylle pelté (*Podophyllum peltatum*), les noyers (*Juglans* sp.) et les aubépines (*Crataegus* sp.) semblent avoir beaucoup subi l'influence des migrations amérindiennes. On rapporte que certains groupes amérindiens traitaient leurs filets de pêche avec des racines d'acore pour en améliorer l'efficacité. Erichsen–Brown s'interroge à partir d'une remarque de Marc Lescarbot sur les châtaigniers à savoir si les Amérindiens pouvaient cultiver ces arbres. Il faut souligner qu'il y a deux espèces d'acore au Canada. L'acore roseau est l'espèce introduite d'Europe alors qu'il existe une espèce indigène, l'acore d'Amérique (*Acorus americanus*).

Le pourpier était bien connu pour divers usages depuis l'Antiquité. Pline rapportait au premier siècle de l'ère chrétienne qu'une racine de pourpier pendue au cou guérit une affection de la luette.

Sources: Bilimoff, Michèle, *Les remèdes du Moyen Âge*, Rennes, Éditions Ouest-France, 2011: 67. Erichsen-Brown, Charlotte, *Medicinal and other uses of North American Plants*, New York, Dover Publications, 1989: vi-viii.

Le statut précis du pourpier observé au Canada au XVIIᵉ siècle demeure incertain.

Le houblon

Boucher observe que «le Houblon y vient aussi naturellement, et on en fait de très bonne bière». Rousseau interprète que le houblon, «importé d'Europe, s'est rapidement échappé des cultures». Il s'agit du houblon commun (*Humulus lupulus*). Le missionnaire jésuite Louis Nicolas, qui séjourne en Nouvelle-France entre 1664 et 1675, mentionne deux sortes de houblon, dont une espèce indigène correspondant possiblement au ptéléa trifolié (*Ptelea trifoliata*). Gédéon de Catalogne mentionne aussi le houblon en 1712 de même que François-Xavier de Charlevoix en 1744.

Le mélilot

Pour Jacques Rousseau, le mélilot de Boucher est notre trèfle d'odeur transporté d'Europe. Il peut même s'agir de deux espèces, le mélilot blanc (*Melilotus albus*) et le mélilot jaune (*Melilotus officinalis*). Le mot officinal réfère aux plantes médicinales conservées dans les officines, ces locaux des apothicaires et des médecins. Il est probable que le mélilot a été initialement introduit pour ses vertus officinales. Cette espèce est ensuite devenue une plante fourragère.

Les chardons, ces plantes envahissantes non mentionnées par Boucher

En 1667, le Conseil souverain de la Nouvelle-France est saisi de l'épineux problème des chardons. Le problème est de taille, car «l'expérience a fait connaître que la cause principale de ce qu'une grande quantité des terres de ce pays est infectée et perdue par les chardons». De plus, cette situation n'est pas nouvelle puisque «dans les commencements, l'on a négligé d'y donner ordre». Il faut donc intervenir rapidement, car «ce mal s'étendra par tous les déserts de ce pays». Empêchons ces chardons envahisseurs «de grainer»! C'est pourquoi, le 20 juin 1667, le conseil souverain adopte une ordonnance (page suivante).

En 1987, l'agronome et botaniste Richard Cayouette (1914-1993) entreprend de répondre aux deux questions suivantes. Quelle partie du pays est envahie? Quelle est l'espèce de chardon? La région concernée est celle qui est défrichée avant 1667 et qui est surtout située le long des deux rives du Saint-Laurent à partir de la côte de Beaupré, l'île d'Orléans et la côte de Lauzon jusqu'à la région de Montréal.

Après une analyse détaillée de neuf espèces de chardons, Richard Cayouette conclut que l'ordonnance

Le pourpier potager (*Portulaca oleracea*). Le Siennois Pietro Andrea Mattioli est le botaniste le plus lu de son époque. Au sujet du pourpier potager, Mattioli révèle qu'on le connaît sous trois noms en français: pourpier, porcelaine et pourchaille. Il rappelle que Dioscoride le recommande avec la farine de graines d'orge pour les douleurs à la tête et les inflammations oculaires. Selon la théorie des humeurs, le pourpier est une plante froide par excellence. Elle est donc fort utile et particulièrement recommandée pour neutraliser l'emportement des désirs amoureux (*Veneris impetus coercet*).

Source: Mattioli, Pietro Andrea, *De Plantis Epitome utilissima…*, Francfort-sur-le-Main, 1586, p. 257. Bibliothèque interuniversitaire de médecine (Paris).

La diversité du houblon et sa longue histoire

L'espèce *Humulus lupulus* comprend cinq variétés : la variété *lupulus* d'Eurasie, la variété *cordifolius* du Japon et trois variétés nord-américaines. Des deux variétés canadiennes, une seule est présente dans l'Est canadien et américain. Il s'agit de la variété *lupuloides* présente des provinces Maritimes jusqu'à la Saskatchewan en passant par l'extrémité sud du Québec et de l'Ontario.

Dans plusieurs régions canadiennes et américaines, on observe à l'état sauvage la variété eurasiatique échappée de culture. Cette variété a tendance à s'installer autour d'anciennes habitations. La plupart des cultivars utilisés dans la bière proviennent de cette variété. Le houblon sauvage du Manitoba a cependant servi à enrichir le matériel génétique du houblon européen commercial.

On attribue souvent à l'abbesse Hildegarde de Bingen (1098-1179) le mérite d'avoir popularisé l'utilisation du houblon dans le brassage de la bière. Cette femme remarquable avait fondé un couvent bénédictin dans la vallée du Rhin. Elle est l'auteure du traité *Physica*. Deux livres de cet ouvrage traitent des légumes, des fruits, des herbes, des arbres, des arbustes et des arbrisseaux. Ces livres eurent une grande influence à l'époque. Cette femme savante a conseillé les papes et les rois.

Selon Celia Fisher, le premier texte concernant un jardin de houblon en Europe est celui de l'abbaye Saint-Denis près de Paris et il date de l'an 768. Ces premiers jardins de houblon étaient utilisés pour produire de jeunes plantules consommées comme des asperges. Cinq siècles plus tard, le roi anglais Henri VIII (1491-1547) interdit l'usage du houblon dans la bière. Son fils Édouard VI (règne 1547-1553) lève cette interdiction en 1552.

La première brasserie commerciale canadienne a été mise sur pied à Québec à la fin de la décennie 1660 par l'intendant Jean Talon. Le houblon a intéressé Charles Darwin (1809-1882), le grand biologiste évolutionniste. Alité, il observe que le bout de la tige dessine par son mouvement spiralé une trajectoire circulaire en deux heures.

Sources : Fisher, Celia, *The medieval flower book*, Londres, The British Library, 2007. Small, Ernest et Paul M. Catling, *Les cultures médicinales canadiennes*, Conseil national de recherches du Canada (CNRC), Ottawa, Les Presses scientifiques du CNRC, 2000.

L'arrêt du Conseil en 1667

« Le Conseil a ordonné et ordonne à ceux qui ont des chardons sur leurs terres de les couper entièrement chaque année, en dedans de la fin de juillet, en sorte qu'il n'en reste aucune à couper même dans les chemins qui passent sur leurs terres, sous peine de trente sols d'amende par arpent des terres qui en seront gâtées, et que ceux qui n'en auraient pas la valeur d'un arpent paieront néanmoins pour un arpent ». Cette ordonnance est entérinée par les neuf personnes présentes au Conseil, incluant l'évêque, monseigneur François de Laval (1623-1708), l'intendant Jean Talon et le gouverneur de Courcelles.

Source : Édits, ordonnances royaux, déclarations et arrêts du Conseil d'État du roi concernant le Canada, vol. 2, *Arrêts et règlements du Conseil supérieur de Québec et ordonnances et jugements des Intendants du Canada*, Québec, E. R. Fréchette, 1855 : 40.

de 1667 décrit l'envahissement par le chardon des champs (*Cirsium arvense*) qui est maintenant une espèce envahissante dans toutes les régions agricoles du Canada. Cette espèce est la plus répandue et la «plus détestable» des chardons. Elle possède des racines traçantes qui aident à former une colonie dense de 10 à 12 mètres de diamètre en seulement deux saisons de végétation. Selon Richard Cayouette, «lorsque ces racines traçantes sont fractionnées et détachées du réseau initial par les instruments aratoires ou autrement, elles ont la capacité de générer de nombreux plants qui deviennent le point de départ de futures colonies». Pour ce botaniste, «il est maintenant possible d'affirmer que l'ordonnance de 1667 est la première législation adoptée contre le Chardon des champs en Amérique du nord et la première mention officielle de la présence de cette plante sur notre continent. Jusqu'à présent, la plupart des auteurs américains et canadiens citaient la loi de 1795 adoptée par l'état de Vermont comme première législation nord-américaine contre cette mauvaise herbe de même que la source de la première mention officielle de sa présence en Amérique du Nord. La législation de la Nouvelle-France est évidemment antérieure de 128 ans à celle du Vermont».

Pour Richard Cayouette, «seule la semence contaminée peut expliquer une invasion aussi vaste en aussi peu de temps». Les semences des agriculteurs étaient donc contaminées par les akènes de ce chardon initialement indigène dans le sud-est de l'Europe et dans l'est de la région méditerranéenne. Ce chardon s'était répandu au reste de l'Europe, à l'Afrique du Nord, à l'Asie Mineure et au centre de l'Asie jusqu'au Japon. Il n'allait pas épargner l'Amérique du Nord.

L'ordonnance de 1667 n'est pas la seule du Conseil souverain de la Nouvelle-France concernant les végétaux. Le 20 octobre 1670, un arrêt du Conseil frappe à la vente, le tabac d'une taxe de 5 sols la livre. À partir de 1703, le Conseil souverain devient le Conseil supérieur alors que le nombre de sièges est porté à douze. Le 27 avril 1734, l'intendant Hocquart enjoint le sieur de Chavigny de se rendre dans les pinières pour faire l'essai de la fabrication de brai, de la résine et de la térébenthine. Ce sont des produits dérivés du pin rouge. Plusieurs ordonnances du même intendant défendent la coupe des chênes réservés à la construction navale.

Le chardon sur le drapeau de la ville de Montréal représente les Écossais alors que le trèfle identifie les Irlandais, la rose, les Anglais et le lis, les Français. Le chardon fait aussi partie de l'emblème de la Société canadienne de malherbologie parce que cette plante représente une plante nuisible très fréquente et bien connue au Canada. Pour cette société scientifique, le chardon constitue probablement la première mauvaise herbe qui a requis une législation en Amérique du Nord.

Le problème du chardon en 1667 en Nouvelle-France n'est évidemment pas la première mention des mauvaises herbes en Amérique. Dès le XVIᵉ siècle, les Espagnols se plaignent des «*malas herbas*» au Mexique. Les chardons sont mentionnés par les Espagnols, tout comme les plantains (*Plantago* sp.), les orties (*Urtica* sp.) et la folle avoine (*Avena fatua*). Le trèfle blanc (*Trifolium repens*) est devenu une mauvaise herbe si bien connue et répandue que, dès 1555, les Aztèques la nomment *Castillan ocoxchitl*. Au XVIᵉ siècle, on a aussi observé au Mexique l'envahissement par le laiteron potager (*Sonchus oleraceus*) provenant d'Europe.

Le chardon est présent dans la liste des plantes de John Josselyn (1672) et dans celle de Louis Nicolas qui a séjourné en Nouvelle-France de 1664 à 1675. Le chardon des champs est devenu au Québec le plus commun de tous les chardons. Il est connu en anglais sous le nom de *Canada thistle* parce qu'il est si bien adapté aux conditions écologiques canadiennes. En 1672, Nicolas Denys mentionne

Le chardon des champs (*Cirsium arvense*). Le chardon des champs a été aussi connu sous le nom latin de *Cnicus arvensis*. Cette illustration met en évidence à gauche un jeune plant issu d'un rhizome horizontal. Les rhizomes traçants et profonds du chardon des champs expliquent en bonne partie la grande capacité du chardon le plus commun à se multiplier. Cette espèce eurasiatique s'est si bien adaptée au Canada que son nom en anglais est *Canada thistle*.

Source: Clark, George H. et James Fletcher, *Weeds of Canada*, [Planches par Norman Criddle], 1906, planche 29. Bibliothèque de recherches sur les végétaux, Agriculture et Agroalimentaire Canada, Ottawa.

Que des chardons sur un terrain du Séminaire de Québec à proximité d'une houblonnière !

Une carte de 1714 du site du Séminaire de Québec montre le Séminaire, l'Église adjacente et ses cimetières, l'Évêché et la batterie du clergé. On y indique aussi les jardins, le verger et la ménagerie près de laquelle il y a « un grand terrain vague et inculte ne produisant que des chardons ». Il est vraisemblable que ces chardons du Séminaire résultent en grande partie d'une population envahissante du chardon des champs décrié officiellement en 1667.

Près de la ménagerie sur la « rue de la Sainte-Famille », on observe de plus une « oublonnière » d'environ 20 toises (39 m) de largeur et 10 toises (19,5 m) de profondeur. Cette plantation de houblon est assurément utile pour la préparation de la bière et peut-être aussi pour des usages médicinaux. Quelques décennies auparavant, l'intendant Jean Talon cultivait sa propre houblonnière de 6 000 plants sur ses terres près de la rivière Saint-Charles. Dès le Moyen Âge, la culture du houblon est intimement liée à la fabrication de la bière par des communautés religieuses monacales. Parmi les usages médicinaux du houblon au xviiie siècle, les oreillers de houblon sont recommandés lorsque l'opium a été sans effet ! En Amérique du Nord, la première brasserie est érigée à Manhattan [New York] en 1633. Celle de Jean Talon à Québec est en fonction à la fin de la décennie 1660. En 1670, l'intendant écrit que deux vaisseaux en route vers les Antilles contiennent des marchandises de la Nouvelle-France dont du houblon et de l'orge sans oublier la bière. Talon écrit aussi qu'il fait parvenir en France « des racines dont les Sauvages se servent pour rendre le porc-épic en rouge et en violet, de la couleur qu'on fera voir à sa Majesté afin qu'elle puisse en faire des essais ». L'intendant espère intéresser les autorités coloniales à une autre ressource végétale. Dès 1718, le houblon cultivé au Massachusetts est exporté massivement dans la région new-yorkaise et même à Terre-Neuve. Talon n'est pas le seul joueur dans l'industrie brassicole nord-américaine.

Bien avant l'intendant Talon, Louis Hébert possède des terres et des bâtiments sur le terrain qui sera acheté par Monseigneur François de Laval pour la fondation du Séminaire de Québec en 1663. En 1628, la veuve de Louis Hébert est l'hôte d'un festin pour les Amérindiens suivant le baptême de l'un des leurs dont elle est la marraine. Pour préparer le repas, on utilise « la grande chaudière à brasserie de la dame Hébert » dans laquelle on fait bouillir « 56 outardes ou oies sauvages, 30 canards, 20 sarcelles, et quantité d'autres gibiers », sans oublier « 2 barils de pois, 1 baril de galettes, 15 ou 20 livres de pruneaux, 6 corbillons de blé d'Inde, et quelque autre petite commodité ». Pour retirer les viandes cuites, on se sert « des grands râteaux du jardin en guise de fourchettes ». Quant au bouillon, on le puise avec « un seau attaché au bout d'une perche ». La grosse chaudière à brasserie est normalement l'instrument de base pour la préparation de la bière. On ne sait pas si cette chaudière a déjà contenu du houblon cultivé près des bâtiments de la famille Hébert ou de ses héritiers. Il est possible que cette chaudière à brasserie ait pu aussi servir à la préparation de médicaments par l'apothicaire Hébert.

Sources : DeLyser, D. Y. et W. J. Kasper, « Hopped beer : the case for cultivation », *Economic Botany*, 1994, 48 (2) : 166-170. Moir, Michael, « Hops-a millennium review », *Journal of the American Society of Brewing Chemists*, 2000, 58 (4) : 131-146. *Plan du Séminaire de Kébec en Canada 1714*, Archives nationales d'outre-mer (ANOM, France), COL C11A 126/n° 2. Disponible au http://bd.archivescanadafrance.org/. Sagard, Gabriel, *Histoire du Canada et voyages que les Frères Mineurs Récollets ont fait pour la conversion des infidèles*, Paris, 1636 : 562-563. Talon, Jean, *Addition au présent mémoire*, 10 novembre 1670, Archives nationales d'outre-mer (ANOM, France), COL C11A 3/folio 98-111. Disponible au http://bd.archivescanadafrance.org/.

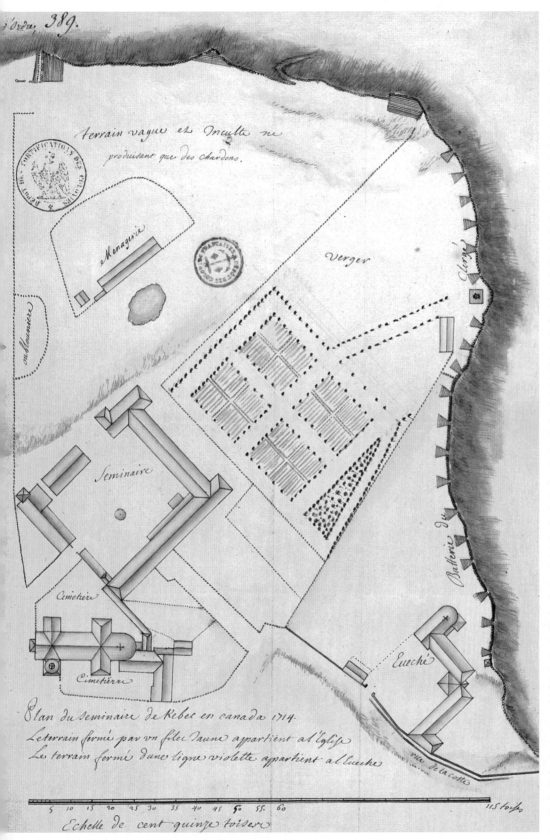

Ordre 389.

Terrain vague et inculte ne produisant que des chardons.

Ménagerie

Verger

Clergé

Seminaire

Batterie du

Cimetiere

Cimetierre

Eueché

rue de la coste

Plan du seminaire de Kebec en canada 1714.

Le terrain fermé par un filet Jaune appartient al'Eglise

Le terrain fermé d'une ligne violette appartient al'Eueché

Echelle de cent quinze toises

5 10 15 20 25 30 35 40 45 50 55 60   115 toise

Plan du Séminaire de Québec au Canada en 1714. On aperçoit à gauche le quadrilatère presque fermé des bâtiments du Séminaire de Québec, toujours localisé en partie sur ce site. L'église reliée à une aile du Séminaire (l'actuelle aile de la Congrégation) et deux cimetières latéraux sont en grande partie sur le site de la basilique-cathédrale Notre-Dame-de-Québec. À droite du quadrilatère et derrière (au nord) l'actuelle aile de la Procure, on observe le grand jardin et le verger du Séminaire qui semble se terminer près des canons de la batterie du clergé. À gauche, la ménagerie est située à proximité d'une zone humide de forme presque circulaire. Derrière la ménagerie, il y a un « terrain vague et inculte ne produisant que des chardons ». À gauche de la ménagerie, une « [h]oublonnière » est indiquée comme étant adjacente à la « Rue de la Ste Famille ».

Source : *Plan du Seminaire de Kebec en Canada 1714*, Archives nationales d'outre-mer (ANOM, France) COL C11A 126/ n° 2.

Le chardon et la repousse des cheveux

L'aspect de la chevelure et la repousse des cheveux constituent des problèmes d'intérêt pour les humains depuis l'Antiquité. Dès le premier siècle de l'ère chrétienne, Pline recommande le chardon pour stimuler la repousse capillaire. On doit utiliser le suc extrait avant la floraison du chardon. Les recommandations évoluent avec le temps. Mattheus Platearius indique en 1150 que la poudre de châtaignes brûlées, mélangée à du vin, est efficace. D'autres auteurs préfèrent des remèdes d'origine animale. Ainsi, il suffit de brûler la tête et le museau d'un renard et d'appliquer ces cendres avec de l'huile. Il y a cependant un détail à respecter quant à l'huile. Il faut y avoir fait bouillir un lézard vert. Ce n'est pas tout. Le lézard doit être sans tête.

La coloration des cheveux est aussi recherchée à l'occasion. Pline recommande la racine de garance pour obtenir une coloration rousse ou rouge. Pour une teinture blonde, on fait usage du bois de micocoulier. Au Moyen Âge, Platearius suggère deux conifères : le buis pour le jaune et le cyprès pour le noir.

Source : Bilimoff, Michèle, *Les remèdes du Moyen Âge*, Rennes, Éditions Ouest-France, 2011 : 118.

---

la présence de chardons en Acadie. Selon William Ganong, il pourrait s'agir du chardon des champs et d'autres chardons indigènes.

Bien avant la législation du Vermont en 1795 contre le chardon, les Américains avaient légiféré contre une autre plante européenne envahissante, l'épine-vinette, qui de surcroît est associée à la rouille du blé, une maladie fongique potentiellement dévastatrice. L'état du Connecticut avait promulgué une législation contre l'épine-vinette dès 1726. Le Massachusetts promulgue une loi similaire en 1755 tout comme le Rhode Island en 1772.

Sources

Byrne, Roger et J. H. Mc Andrews, « Pre-Columbian Purslane (*Portulaca oleracea* L.) in the New World », *Nature*, 1975, 253 : 726-727.

Cayouette, Richard, « Date d'introduction du chardon des champs », *La seigneurie de Lauzon. Bulletin de la Société d'histoire régionale de Lévis*, 1987, 24 : 2-13.

Erichsen-Brown, Charlotte, *Medicinal and other uses of North American Plants*, New York, Dover Publications, 1989.

Ganong, William Francis, « The identity of the Animals and Plants mentionned by the early Voyagers to Eastern Canada and Newfoundland », Mémoires et comptes rendus de la Société royale du Canada, *Proceedings and Transactions of the Royal Society of Canada*, Series III, 1909, vol. 3 : 197-242.

Josselyn, John, *New England's Rarities discovered in birds, beasts, fishes, serpents and plants of that country*, Londres, 1672.

Josselyn, John, *Account of two voyages to New-England made during the years 1638, 1663*, Londres, 1674. Disponible au www.americanjourneys.org/aj-107/.

Mabey, Richard, *Weeds. In defense of Nature's most unloved plants*, New York, Harper Collins Publishers, 2010.

Mack, R. N., « Plant naturalizations and invasions in the Eastern United States », *Annals of the Missouri Botanical Garden*, 2003, 90 : 77-90.

Mitchell, E., *Messire Pierre Boucher (écuyer) seigneur de Boucherville 1622-1717*, Montréal, Librairie Beauchemin Limitée, 1967.

Rousseau, Jacques, « Pierre Boucher, naturaliste et géographe », *Pierre Boucher, Histoire véritable et naturelle des mœurs et productions du pays de la Nouvelle-France vulgairement dite le Canada*, Société historique de Boucherville, 1964, p. 262-400.

Van der Donck, Adriaen, *A description of the New Netherlands*, 1655. Disponible au http://americanjourneys.org/aj-096/.

Le chardon du logo de la Société canadienne de malherbologie. Le chardon des champs (*Cirsium arvense*) et sa présence dans les terres cultivées et incultes sont plus que des curiosités historiques. Les chardons limitent les rendements de plantes agricoles et horticoles. Même l'agriculture dite biologique doit tenir compte de leur grande prolifération. La Société canadienne de malherbologie a choisi d'insérer dans son logo un chardon stylisé qui représente bien une mauvaise herbe vigoureuse et installée depuis fort longtemps au Canada.

Gracieuseté de la Société canadienne de malherbologie.

1664-1675, NOUVELLE-FRANCE. UN NATURALISTE OBSERVE PLUS DE 200 PLANTES INCLUANT LE PISSENLIT ET IL DÉCRIT L'USAGE DU *PIKIEU* ÉPILATOIRE

LOUIS NICOLAS (1634-VERS 1700) est un missionnaire jésuite qui séjourne en Nouvelle-France de 1664 à 1675. Il est né à Aubenas en Ardèche. Il entre chez les Jésuites en 1654 à Toulouse. Il est probable qu'il effectue un premier voyage en Amérique du Nord en 1661 sur le navire hollandais «Lion d'Amsterdam» avec le capitaine Pitre Harenssen. De retour en France en 1675, il quitte les Jésuites en 1678, mais il demeure prêtre. On perd ensuite sa trace. Louis Nicolas est l'auteur d'une grammaire algonquine rédigée entre 1672 et 1674.

En 1665, il part avec d'autres jésuites «dans les contrées des Outaouais». La mission s'avère pénible. Les Outaouais ne sont pas très accueillants et ils décident de se débarrasser des missionnaires en les abandonnant en forêt «sans bagage ni provision que les écrits». Seuls Claude Allouez (1622-1689) et Louis Nicolas décident de ne pas revenir à Québec. À l'occasion, ils subsistent en mangeant des glands et du limon qu'ils mélangent en une substance noire et gluante. Claude Allouez revient à Québec deux ans plus tard en 1667. Le père Louis Nicolas est de retour à Québec l'année suivante avec une troupe de Nez-Percés et une belle cargaison de peaux de castor «qui ont bien accommodé nos marchands». C'était, semble-t-il, selon Marie (Guyart) de l'Incarnation (1599-1672), la première visite des membres de cette nation à Québec pour la traite des fourrures. Malgré toutes ces difficultés de vie et de survie, Louis Nicolas repart vers l'ouest avec deux autres collègues jésuites. L'un d'eux est Jacques Marquette (1637-1675) qui deviendra fameux pour son exploration du Mississippi.

Le manuscrit principal de Louis Nicolas est intitulé *Histoire naturelle des Indes Occidentales*. Le *Codex canadensis*, un ensemble d'illustrations d'Amérindiens, de dix-huit plantes, d'animaux, de poissons et d'oiseaux, apparaît comme le complément illustré de cette œuvre. Un autre manuscrit *Traitté des animaux à quatre pieds terrestres et amphibies, qui se trouvent dans les Indes occidentales, ou Amérique septentrionale* est une version antérieure partielle et un peu altérée de l'*Histoire naturelle des Indes Occidentales*. La rédaction du manuscrit d'histoire naturelle est finalisée au plus tard en mai 1689 avant le décès de Pierre de Maridat (1613-1689), un conseiller du roi et «seigneur de Servières», qui possède de son vivant le manuscrit dans sa collection. Le *Codex* est finalisé plus tardivement vers 1700. Le manuscrit de *l'Histoire naturelle* se retrouve finalement à la Bibliothèque nationale à Paris alors que le *Codex* aboutit au *Gilcrease Museum* à Tulsa, Oklahoma.

Nicolas ne semble pas hautement apprécié par ses pairs. On l'estime plutôt rustre parce qu'il s'amuse, entre autres activités, à apprivoiser des animaux dont deux oursons à qui il enlève les dents et les griffes tout en les frappant à coups de bâton. Ses compagnons jésuites s'opposent à son projet de transporter ces oursons pour les exhiber à la cour à Paris. Un pamphlet anti-jésuite le décrit comme un homme colérique et plutôt vaniteux. Un sulpicien dénonce aussi le fait qu'il a battu un Amérindien. En 1896, Camille de Rochemonteix (1834-1923), un collègue jésuite, écrit qu'il était d'un «talent médiocre, d'une intelligence peu cultivée». Il est cependant un observateur intéressé à décrire la nature et les plantes du Nouveau Monde. Il cumule beaucoup d'observations sur le terrain. Il a voyagé jusque dans la région d'Odawa près du Lac Supérieur, en territoire iroquois en 1670 et dans la région de Sept-Îles, l'année suivante. On le retrouve aussi à Batiscan, à Trois-Rivières et à la résidence missionnaire de Sillery.

Dans son *Histoire Naturelle,* Nicolas fait part d'observations inédites sur les Amérindiens et leurs relations avec les plantes et les animaux. Par exemple, il indique que ceux-ci trouvent les Français ridicules de manger les herbes crues ou cuites dans un pot plutôt que de savourer les herbes des intestins du cerf, le chevreuil. Il observe aussi que le corbeau est un oracle embaumé pour les grands voyages. Cet oiseau communiquerait des vertus curatives à quelques racines. C'est pourquoi, on retrouve probablement des peaux de corbeau dans le sac de guerrier amérindien nommé *pindikossan*, tel que rapporté par Nicolas Perrot (vers 1644-1717). Les Amérindiens ne consomment pas de sel ou de condiments. Ils ne mangent que quelques racines amères. Des engins de pêche des Amérindiens ont des flotteurs faits de lames de bois de cèdre attachées avec de l'écorce de bois blanc, le tilleul. Nicolas dénonce vivement les mauvaises habitudes amérindiennes qui consistent à détruire les noyers et les châtaigniers pour récolter leurs fruits. Ses écrits révèlent une très grande diversité d'observations ethnologiques et biologiques.

Louis Nicolas est le premier naturaliste de la Nouvelle-France à mentionner plus de 200 plantes indigènes ou introduites. À l'exception d'une dizaine de plantes (angélique, voisseron, mélilot, roseaux, gadeliers, voisses, grosses fèves, rabioles, cardes de toutes façons, et bouroche, selon la terminologie de Pierre Boucher), toutes les espèces énumérées par Pierre Boucher en 1664 se retrouvent dans les écrits de Nicolas. De plus, le missionnaire naturaliste mentionne une centaine de plantes additionnelles. C'est le double de la liste du gouverneur des Trois-Rivières. Il faut reconnaître cependant que Nicolas a assurément accès à la diversité des sources d'informations annotées et codifiées des missionnaires jésuites.

De nombreuses observations inédites

Ces observations sont en fait trop nombreuses pour être toutes présentées et commentées. La plupart sont mentionnées dans l'ouvrage de François-Marc Gagnon, et autres. En voici quelques exemples. Daniel Fortin a aussi proposé des identifications pour environ 80 plantes recensées par Louis Nicolas, particulièrement les espèces potagères, condimentaires, médicinales et ornementales.

Il y a d'abord toute une gamme d'espèces européennes mentionnées pour la première fois en Nouvelle-France. Selon la terminologie de Nicolas,

Le pissenlit envahisseur boude la reproduction sexuée

Le pissenlit officinal provient de l'Eurasie. En Amérique du Nord, cette espèce introduite produit ses nombreuses graines sans utiliser la fécondation usuelle de l'ovule par le pollen. Le pissenlit est apomictique. Malgré l'absence de contribution de l'organe mâle, le pissenlit produit des graines viables qui contiennent le bagage génétique issu de l'ovule. L'apomixie est donc une forme de reproduction asexuée produisant des graines qui sont alors des clones identiques au plant mère. Le pissenlit est matrilinéaire à sa façon. Dans certaines régions eurasiatiques, le pissenlit se reproduit aussi de façon sexuée.

L'apomixie a été recensée chez environ 400 taxons végétaux, dont l'épervière orangée (*Hieracium aurantiacum*) et le millepertuis commun (*Hypericum perforatum*). Les chercheurs voudraient bien appliquer la méthode apomictique à certaines plantes cultivées afin de permettre la production de graines d'une grande homogénéité génétique. Il y a cependant des inconvénients potentiels à l'apomixie, car la plante se prive de la diversité génétique contribuée par le parent mâle. Le savant morave Gregor Johann Mendel (1822-1884) a formulé les lois de l'hérédité à l'aide de croisements entre des lignées de pois. Lorsqu'il essaie de reproduire ses résultats avec des épervières, il obtient des résultats impossibles à interpréter. Il ignorait que les épervières avaient recours à l'apomixie.

Sources: Bicknell, Ross A. et Anna M. Koltunow, « Understanding apomixis: recent advances and remaining conundrums », *The Plant Cell*, 2004, 16 (supplement 1): S-228- S-245. Pupilli, Fulvio et Gianni Barcaccia, « Cloning plants by seeds: inheritance models and candidate genes to increase fundamental knowledge for engineering apomixis in sexual crops », *Journal of Biotechnology*, 2012, 159: 291-311.

Le tussilage pas d'âne (*Tussilago farfara*). Au sujet du tussilage, le Siennois Pietro Andrea Mattioli révèle qu'on le connaît aussi en français sous les noms de «pas d'âne» et «tacconnet». *Tussilago* réfère au fait que cette plante est recommandée par les Anciens pour le traitement de la toux (*tussis* en latin). Sur cette illustration, les feuilles et les fleurs sont dessinées séparément. Cela traduit le fait que les fleurs apparaissent tôt au printemps bien avant les feuilles.

Source: Mattioli, Pietro Andrea, *De Plantis Epitome utilissima…*, Francfort-sur-le-Main, 1586, p. 590-591. Bibliothèque interuniversitaire de médecine (Paris).

c'est vraisemblablement le cas pour la «giroflée», les «muguets», les «narcisses», les «pavots», les «coquelicoqs», le «pas d'âne», l'«absynthe», la «bette rave blanche», le «charvis», la «coriandre», la «jusquiame», la «mauve», la «guimauve», le «mille pertuis», l'«échalotte», les «endives», le «fenouil», l'«anis», le «chicon», les «falanges», la «patience», la «sarriette», «lespolet», le «laiteron», le «plantin», le «tintimale coronne», la «catapuce», la «scabiouze», la «corne de cerf», le «fume terre», le «trèfle blanc et rouge», le «bouillon blanc», la «langue de chien», la «dent de lyon» et d'autres fleurs, herbes ou plantes potagères. Des suggestions d'identification de ces espèces sont présentées dans l'ouvrage de François-Marc Gagnon, et autres. La dent de lion est le pissenlit (Pissenlit officinal, *Taraxacum officinale*), si combattu de nos jours comme une mauvaise herbe des pelouses. Cette espèce a subi la déchéance d'être reconnue comme une plante nuisible plutôt qu'une espèce officinale, comme elle était reconnue depuis des siècles. Le millepertuis est vraisemblablement une espèce médicinale très utilisée à l'époque.

Nicolas mentionne aussi pour la première fois quelques espèces indigènes. C'est le cas du «*noli me tangere*» (Impatiente, *Impatiens* sp.), de l'*ounonnata*

(Sagittaire, *Sagittaria* sp.), du «bluet long en olive» (Viorne cassinoïde, *Viburnum nudum* var. *cassinoides*), du «bois puant» (Ptéléa trifolié, *Ptelea trifoliata*), du «bois de plom» (Dirca des marais, *Dirca palustris*) et du «bois dur» (Ostryer de Virginie, *Ostrya virginiana*).

En résumé, il mentionne pour la première fois une dizaine de plantes indigènes et une quarantaine de plantes d'Europe. Une vingtaine de ces plantes transportées en Nouvelle-France sont des espèces médicinales probablement cultivées dans les jardins des Jésuites et d'autres communautés religieuses. Les autres plantes importées sont des espèces alimentaires ou condimentaires. Quelques-unes sont possiblement aussi recherchées pour leur attrait floral.

Nicolas nous apprend que le pissenlit et le tussilage, aussi connu sous le nom de pas-d'âne, (Tussilage pas-d'âne, *Tussilago farfara*) sont présents en Nouvelle-France entre 1664 et 1675. Ces deux futures mauvaises herbes sont initialement utilisées pour leurs usages médicinaux. À l'occasion, la feuille du tussilage pas-d'âne identifie l'enseigne commerciale de certains apothicaires. Le tussilage pas-d'âne est l'une des premières «mauvaises herbes» à fleurir au printemps. Les fleurs d'un jaune vif apparaissent avant les feuilles.

L'ortie sauvage, un bénéfice de la terre en Nouvelle-France

En 1671, l'intendant Jean Talon écrit au ministre : « le pays produit de soi de l'ortie sans culture, j'ai commencé d'en faire moissonner dans sa saison et comme par épreuve et au sentiment de tous elle est plus forte et résiste mieux à l'eau que le chanvre, j'exciterai les habitants à la recueillir pour profiter de ce bénéfice que la terre leur offre naturellement ». Il s'agit possiblement du laportéa du Canada.

Source : Talon, Jean, *Mémoire de Talon au roi sur le Canada*, 2 novembre 1671, Archives nationales d'outre-mer (ANOM, France), COL C11A 3/folio 159-171 verso. Disponible au http://bd.archivescanadafrance.org/.

Les usages, souvent amérindiens, de végétaux indigènes

On peut dénombrer près d'une centaine d'usages de plantes indigènes dont une quarantaine sont nettement associés aux Amérindiens. D'autres utilisations sont reliées aux activités des Français, alors que l'origine de certains usages demeure incertaine. Malgré certaines limitations d'interprétation, voici les observations de Nicolas concernant une cinquantaine d'usages de végétaux. Les noms français et scientifiques modernes sont suivis des noms utilisés par Nicolas, selon sa graphie, et présentés entre parenthèses. Les espèces précédées d'un astérisque représentent une identification probable. Dans ces cas, d'autres identifications peuvent être valables. Les observations sont encore trop nombreuses pour être toutes commentées.

* Le lis du Canada (*Lilium canadense*) (martagon sauvage). « Les peuples de ces pays font bouillir les oignons, et les mangent, et les appliquent sur les tumeurs qui désenflent ».

L'asclépiade commune (*Asclepias syriaca*) (cotonnière). La racine, « quand elle commence à pousser environ la mi-mai est beaucoup meilleure que les asperges… si on la sale, on en mange en tout temps ». Le « très fin coton… est inutile, l'expérience qu'on en a fait, en faisant faire des chapeaux nous a convaincu de son inutilité… Le chanvre qu'on tire de sa tige, les naturels du pays en font de fort beaux ouvrages ».

L'armoise (*Artemisia* sp.) (absinthe de deux façons). « Ceux qui ont étudié avec moi la constitution des Américains disent qu'il n'y a rien de meilleur contre la vermine en l'appliquant sur le membre après l'avoir un peu chauffé ».

L'ail trilobé (*Allium tricoccum*) (ail sauvage, ail amériquain). On le mange « sur du pain sur lequel on le trempe et où on l'étend comme si c'était du meilleur beurre du monde ». L'ail américain « a des vertus excellentes pour abattre les enflures et toute sorte de tumeurs… il faut le faire bouillir un peu de temps ».

* La livêche d'Écosse (*Ligusticum scoticum*) (persil commun… sur les rives du grand fleuve). « Nous en faisons de longs ragoûts ».

* La cryptoténie du Canada (*Cryptotaenia canadensis*) (cerfeuil agreste). Il « est si commun qu'on peut le faucher en certains endroits. Ce simple est d'une odeur particulière, il rafraîchit la poitrine ».

Le vérâtre vert (*Veratrum viride*) (hellébore). « L'hellébore est tout différent de celui de l'Europe. Sa racine est grosse comme une rave. Les Indiens s'en servent pour abattre des tumeurs ».

* Le sceau-de-Salomon pubescent (*Polygonatum pubescens*) (*sigillum salomonis*). Il « est fort bon pour soulager la hernie, on fait infuser la racine dont on fait de la tisane qu'on fait boire à ces sortes de malades, et la même racine un peu bouillie et concassée et appliquée sur la bourse soulage beaucoup ». Le missionnaire ne semble pas intimidé par cet organe !

Lamothe Cadillac et le sirop de capillaire

Antoine Laumet dit de Lamothe Cadillac (1658-1730) est un personnage plutôt coloré de la Nouvelle-France. Après son arrivée en Acadie, il s'associe à un corsaire qui protège la région contre les navires ennemis. Il apprend à bien connaître la côte atlantique et cela contribue à lui obtenir des promotions. En 1701, il fonde la future ville de Détroit où il a donné son nom à une automobile de luxe. Son nom est aussi associé au Mont Cadillac dans la région de Bar Harbor (Maine) où il avait obtenu, en 1688, une concession de seigneurie qu'il n'a pas réussi à exploiter.

En 1694, il écrit un mémoire au ministre de la Marine dans lequel il ne se gêne pas pour critiquer plusieurs décisions d'ecclésiastiques et d'autres personnes en autorité. De plus, il déplore la perte de trois barils de sirop de capillaire expédiés en France. Lamothe Cadillac, qui a été aussi un coureur des bois et un négociant, connaît bien les marchandises de la Nouvelle-France convoitées dans la mère patrie. En Nouvelle-France, on ne se contente pas seulement d'expédier du capillaire en vrac. On en prépare aussi sous forme de sirop transporté dans des barils.

Source : De Lamothe Cadillac, Antoine Laumet dit, *Mémoire de Lamothe Cadillac*, 1694 (28 septembre), Archives nationales d'outre-mer (ANOM, France), COL C11A 13/folio178-191verso. Disponible au http://bd.archivescanadafrance.org/.

* Laportéa du Canada (*Laportea canadensis*) (orties). « Les orties sont extraordinaires… Les Virginiennes en font de fort beaux ouvrages, des cordages, et des filets pour la chasse et pour la pêche ».

* Le typha (*Typha* sp.) (grand jonc). « Nos coureurs de bois font de très beaux ouvrages de leurs grands joncs, et entre autres, les femmes les entrelacent si bien qu'elles en font de fort belles nattes teintées de diverses couleurs et ornées de beaucoup de figures. Ce jonc étant tiré hors de l'eau fournit un ragoût aux Sauvages qui, le suçant par le bout d'en bas, font couler dans leur bouche, une humeur fort sucrée, c'est ce que j'ai expérimenté bien des fois ».

La savoyane (*Coptis trifolia*) (*attissaoueian*) « est une fort petite racine, pas plus grosse qu'un gros filet à coudre, je ne peux pas exprimer la valeur de cette racine dont les Américains font 3 ou 4 sortes de couleurs rouges, elle est si importante parmi les Barbares qu'il n'y a rien qu'ils estiment tant, on n'en trouve qu'en certains endroits et comme cette racine est fort déliée il en faut beaucoup pour faire une teinture considérable ».

Le plaqueminier de Virginie (*Diospyros virginiana*) (citron). « C'est ici le plus beau et le plus rare de tous les simples que j'ai jamais remarqué dans tous mes voyages, il croît à l'orée des bois et au milieu des prairies de la Virginie… un jour m'étant égaré avec un seul Français dans les bois et dans les vastes prairies de la Virginie… mourant de faim avec ce cher camarade… nous trouvâmes des Citrons… nous en mangeâmes beaucoup et en fîmes bouillon pour quelques jours ».

L'adiante du Canada (*Adiantum pedatum*) (capillaire). « Ce simple est un des plus rares et un des plus recherchés de tout le pays… il est précieux pour cette vertu qu'il a de rafraîchir la poitrine par l'excellent sirop qu'on en fait et qui est si recherché en France où on le vend le pot, quatre ou cinq écus ».

Le tilleul d'Amérique (*Tilia americana*) (bois blanc) sert à confectionner « des sacs à la mode des Indiens qui en font de très beaux de l'écorce de bois blanc qu'elles font bouillir et en font une espèce de très beau chanvre dont on fait mille petits ustensiles aussi bien que de diverses autres sortes d'écorces d'arbres sont propres pour faire du fil et des cordages ». Les Amérindiens « font des filets les uns pour prendre

Le bois blanc de la grange de Lambert Closse

Lambert Closse (vers 1618-1662) est marchand et sergent-major de la garnison de Ville-Marie. Il est très apprécié par les premiers habitants de Montréal pour son courage lors des assauts des Iroquois. Il meurt d'ailleurs en défendant sa bourgade avec bravoure. L'inventaire des biens à son décès révèle qu'il possède une maison et une grange de 42 pieds de longueur et 18 pieds de largeur. Le comble de la grange est «garni tout autour de madriers de bois de pruche et bois blanc, d'épaisseur de 5 à 6 pouces». Ce comble est fait «tout de chêne et couvert de planches et dans lequel il y a 13 madriers de bois en pruche» de 5 à 6 pouces d'épaisseur.

En 1995, un cultivar hybride de rosier développé par le programme d'amélioration génétique d'Agriculture et Agroalimentaire Canada reçoit le nom de «Lambert Closse» en l'honneur de l'un des premiers citoyens célèbres de Montréal dont l'inventaire des biens inclut 38 «pains de pétun (tabac) pourri» d'un poids de deux livres par pain. Ce tabac était probablement utile lors du troc des fourrures avec les Amérindiens. Le rosier «Lambert Closse» a été précédé par la rose «Champlain» (1982), «Louis Jolliet» (1990) et «Frontenac» (1992) parmi plusieurs autres variétés issues de ce programme d'amélioration génétique dont les noms rappellent l'histoire du Canada.

Sources: Ogilvie, I.S. et N.P. Arnold, «Lambert Closse rose», *HortScience*, 1998, 33 (1): 160-161. Massicotte, E.-Z., «L'inventaire des biens de Lambert Closse», *Bulletin des recherches historiques*, 1919, 25: 16-31. Publié par Pierre-Georges Roy, Lévis.

une infinité de poissons et les autres pour attraper une infinité de pigeons sauvages, les guerriers en usent pour leur campement, et pour faire des tentes, des cordages, des attaches, et des sacs pour y mettre leurs munitions. Les voyageurs en font des raquettes… on fait des coffres des écorces, et des pirogues qui sont de très longs bateaux du tronc de l'arbre, on fait des bières pour ensevelir les morts, et des cénotaphes pour montrer où ils sont ensevelis. L'écorce étant sèche devient dure comme du cuir».

Le dirca des marais (*Dirca palustris*) (bois de plomb). L'écorce de cet arbuste ainsi que l'ortie, la «cotonaria», l'écorce d'orme et du noyer amer «leur sont fort propres pour toutes ces sortes de travaux, et pour plusieurs autres jusque même à faire de très beaux filets pour la pêche». Les Amérindiens «en font du fil plus fort et le plus fin du monde, dont ils font des filets de toute façon, et de toutes grandeurs, pour la chasse, et pour la pêche, ils en font des belles nasses, des cordes, des sacs, des branles, et mille autres choses». Les Amérindiens préparent le bois de plomb de la façon suivante. «il faut écorcer les branches qui sont pliantes comme des cordes, faire

bouillir dans une lessive la seconde écorce et ensuite la faire sécher, et la battre ou la frotter».

Le maïs (*Zea mays*) (blé d'Inde nommé *mentamin* par les Amérindiens). Nicolas décrit beaucoup les utilisations culinaires du maïs par les Amérindiens. De plus, il rapporte que «la paille est propre à divers usages, les Indiennes en font de fort beaux souliers peints de diverses couleurs, elles en font des sacs, et des grandes trousses où elles enferment leurs plus rares bijoux, les soldats en font des carquois et plusieurs autres raretés qui seraient estimées en Europe».

Le fraisier (*Fragaria* sp.) (fraise). La fraise est nommée *outé=i-min*, «le fruit du cœur», par les Amérindiens. Le mot *outé* signifie cœur et *min* veut dire fruit. «Ce fruit est ami du cœur tant pour ses rares qualités que pour ce qu'il le réjouit».

Le framboisier sauvage (*Rubus idaeus* subsp. *strigosus*) (framboize). *Miskoui=i=min* signifie «le fruit du sang». «De ce fruit il en sort une liqueur qui semble du sang que les Sauvages boivent avec plaisir à cause de cette odeur fort douce qui sort de ce fruit

La lessive, c'est utile pour le lavage des vêtements et bien d'autres choses

Au temps de Louis Nicolas, la lessive est tout simplement une préparation de cendres végétales dans l'eau, provenant le plus souvent de la combustion de bois dur. Cette préparation est en partie soluble et insoluble. Il arrive parfois que l'on filtre de diverses façons cette préparation de cendres pour se débarrasser des résidus insolubles. La lessive à base de résidus végétaux est alcaline plutôt qu'acide. Louis Nicolas souligne que la cendre de l'érable est exportée massivement en France et que le « franc frêne » fournit une cendre « extrêmement caustique ». Cette lessive alcaline ne sert pas qu'au lavage des vêtements et autres tissus. On peut traiter des glands amers avec la lessive de cendres de bois dur pour en diminuer l'amertume. Comme le spécifie Nicolas, l'écorce interne du bois de plomb est traité à la lessive pour améliorer la qualité malléable des fibres servant à la confection de divers objets. Nicolas rapporte de plus que la cendre aide à tuer les anguilles. On utilise du sel et des cendres pour faire mourir les anguilles en moins d'une heure. Sans ce traitement, les anguilles pêchées peuvent survivre pendant 5 ou 6 jours hors de l'eau.

Les cendres végétales ont été utilisées depuis fort longtemps au Mexique, en Amérique centrale et ailleurs pour traiter les grains de maïs avant leur consommation. Ce chauffage en présence de cendres (ou de chaux), connu sous le nom de nixtamalisation, permet de rendre disponible la vitamine B3 [niacine] et d'ainsi éviter une avitaminose liée à la maladie de la pellagre. Le chauffage alcalin ramollit aussi les grains de maïs et inhibe le développement des microorganismes. Le mot nixtamalisation provient de deux mots de la langue nahuatl : *nextli* qui signifie cendres et *tamalli* qui désigne la farine de maïs moulu. Traditionnellement au Mexique, les tortillas se préparaient en exposant les grains de maïs à une préparation alcaline de cendres ou de chaux. À l'époque de la Nouvelle-France, les cendres végétales sont aussi utilisées en mélange dans des mortiers de construction.

dont on voit de quatre espèces, du rouge, du noir, du jaune, et du blanc avec tant de profusion que les campagnes en sont toutes jonchées en divers climats ». La framboise noire est nommée *makate=min*, *makate* signifiant noir.

L'airelle (*Vaccinium* sp.) (bluet rond ou la vigne du mont Ida). « Les Sauvages en font partout des grandes provisions, ils le font sécher pour s'en servir au besoin dans des festins, il resserre le ventre ».

La viorne cassinoïde (*Viburnum nudum* var. *cassinoides*) (bluet long en olive). « Il n'est pas de trop bon goût. Le défaut de vivres le fait trouver fort bon quoique de son naturel il est fort amer, il naît d'un arbrisseau haut de quatre à cinq pieds, son bois est pliant comme de la corde sans rompre, particulièrement quand il y a quelques jours qu'il est coupé, on peut lier tout ce qu'on veut même les prisonniers de guerre qu'on attache à 4 piquets plantés bien avant dans la terre, il est propre à couvrir des bouteilles, à faire des paniers, et des tasses où la liqueur ne pénètre point quand elles sont tissées par les ouvriers qui savent se servir de ce bois qui est bien plus fort, et plus beau, que le coudrier ». La mention de bouteilles couvertes de fibres de viorne suggère que les habitants de la Nouvelle-France ont probablement utilisé cette fibre sur des objets qui leur sont propres, comme les contenants de verre.

* Le sureau blanc (*Sambucus canadensis*) (fruit noir). « Les Européens ne peuvent guère s'accoutumer au goût de ce fruit qui est puant, les Sauvages le mangent avec plaisir, aussi bien que toutes les autres choses que nous n'avons pas ».

Le sureau rouge (*Sambucus racemosa* subsp. *pubens* var. *pubens*) (fruit rouge, sureau). « Les naturels se purgent avec ce bois ». Il fournit aussi un excellent « onguent pour les blessures ».

Le cerisier déprimé (*Prunus pumila* var. *depressa*) (ergominer, cerize rampante). Pour Nicolas, la cerise rampante «est d'un goût exquis». Ce n'est peut-être donc pas surprenant que cette espèce soit illustrée dans son *Codex*.

Le genévrier commun (*Juniperus communis*) (genèvre). «Il est fort semblable au nôtre, l'huile qu'on en fait est d'une odeur forte, elle préserve de la peste, pour la faire il ne faut que piler le grain dans sa maturité, exprimer dans un gros linge le suc qui sortira de la pâte qu'on aura fait en bien pilant les grains». En Amérique du Nord, on rencontre généralement le genévrier commun déprimé (*Juniperus communis* var. *depressa*).

La viorne comestible et/ou trilobée (*Viburnum edule* et/ou *Viburnum opulus* subsp. *trilobum* var. *americanum*) (pimina). Le fruit est «d'un bon goût fort propre à faire des confitures». Dans la *Flore laurentienne*, deux espèces portent le nom amérindien *pimbina*.

Les ronces (*Rubus* sp.) (meures, ronces). «Les natifs du pays aiment fort ce fruit… les femmes en font quelque sorte de teinture qui ne dure pas longtemps».

Les canneberges (*Vaccinium oxycoccos* et *Vaccinium macrocarpon*) (attoka). «Les Anglais en font des provisions extraordinaires… ils en font de très bonnes confitures».

* Les amélanchiers (*Amelanchier* sp.) (poire). «La couleur de ce fruit est violette, le goût est doux et délicieux, c'est le meilleur fruit qui soit dans les pays de l'Inde occidentale où l'on en trouve partout». Les propos de Nicolas sont clairs, il s'agit rien de moins que du meilleur petit fruit en Nouvelle-France!

Le cerisier de Pennsylvanie (*Prunus pensylvanica*) (cerizier merisier). «Son fruit est rouge et pas plus gros qu'un pois, son noyau est presque de cette grandeur, il n'y a que les oiseaux et les petits Sauvages qui donnent dessus». Son bois est «puant».

Les rosiers (*Rosa* sp.) (rozier sauvage). «Il croit en forme d'olive et il est bon à manger» en hiver.

Le sumac vinaigrier (*Rhus typhina*) (vinaigrier et *kaouissagan* en amérindien). «Apparemment que Messieurs nos médecins reconnaissent quelque vertu particulière et dans le fruit et dans l'arbre puisqu'ils ont bien voulu lui donner une place dans ce fameux Jardin du Roy à Montpellier où j'en ai vu aussi bien qu'au Jardin du même Roy à Paris et à l'Arsenal de même nature que celui des Indes, la feuille est assez semblable à celle du frêne bâtard… nos Américaines qui s'en servent pour donner cette première teinture à cet admirable poil du porc-épic dont elles font de si beaux ouvrages teints du plus éclatant vermillon».

L'if du Canada (*Taxus canadensis*) (petit buits sauvage). Quand les Amérindiens «veulent que leurs sacrifices soient plus agréables à leurs manitous ils mêlent la feuille du petit buis avec le dieu des herbes qui est le tabac que les Européens leur vendent bien cher puisqu'il est du goût des dieux qu'ils adorent».

Le myrique baumier (*Myrica gale*) (poivrier). «Les Américains s'en servent pour fumer, et pour offrir de l'encens aux dieux des eaux *michipichi* qui est leur Neptune a les premiers encensements». Le mot *micipichi* deviendra Mississippi.

* L'érable de Pennsylvanie (*Acer pensylvanicum*) (arbrisseau de l'élan, orignac). «Son bois n'est propre qu'à faire des crayons aussi beaux que l'encre de la Chine».

* Le ptéléa trifolié (*Ptelea trifoliata*) (bois puant). Ce bois est remarquable pour trois propriétés. «Sa seconde écorce qui est fort verte, est toute médicinale, et purge doucement et sans incommodité, c'est le séné, la casse et la rhubarbe dont se servent les Américains. Le bois est d'un très grand usage pour les guerriers et les chasseurs lesquels en font leurs flèches avec tant de politesse qu'il n'y a point d'artisan qui peut les faire mieux qu'ils le font… J'en ai apporté en France qui ont été trouvées fort rares… ce bois puant fait du feu lorsqu'on le frotte contre le cèdre sec».

Les aulnes (*Alnus* sp.) (aune). «On se sert dans le pays des branches pour en faire des claies, et des nasses pour cette fameuse pêche d'anguilles». Les aulnes seraient intéressantes pour les «chapeliers et teinturiers».

* L'ostryer de Virgine (*Ostrya virginiana*) (bois dur). C'est «le plus propre à faire des essieux pour les chariots et pour les charrettes».

Les épinettes (*Picea* sp.) (épinettes de 3 façons). On s'en sert pour «faire des mâts, des vergues et des rames pour les galères… sa feuille… est admirable dans l'infusion de la bière, on s'en sert à cet usage dans la Nouvelle-Albanie dans les confins de la Virginie. On l'en trouve assez bien dans les habitations françaises où l'on a essayé cet ingrédient». Les Amérindiens font infuser pour des «breuvages qui les purgent». Des épinettes, il «coule une humeur forte et gluante comme la térébenthine, qui est fort propre à faire des onguents, des glacis et des peintures, elle est fort bonne pour les plaies, elle renforce ceux qui ont eu des tours de reins… cette humeur gluante se forme en espèce d'encens qui n'est pas si odoriférant que celui d'Arabie, mais qui laisse pas d'avoir quelque odeur de l'encens».

Le sapin baumier (*Abies balsamea*) (sapin). Les branches «servent de matelas et de lit et souvent de maison et de couverture aux Sauvages». Nicolas ose même préférer la «gomme» de sapin à «la meilleure térébenthine de Venise». Les Amérindiens «s'en servent très utilement pour les guérir de toutes sortes de blessures». Les Amérindiennes «s'en servent pour goudronner tout le dedans de leurs canots, car cette humeur liquide s'insinue aisément dans les fentes des écorces et les bouche bien».

Le pin rouge (*Pinus resinosa*) (pin bâtard rouge). «On a fait faire du goudron très excellent dont on se sert pour gommer les vaisseaux». Les Amérindiens «font leur goudron de ce même arbre» de la façon suivante. Il faut «jeter les mêmes éclats dans de l'eau bouillante au-dessus de laquelle dans peu de temps on voit former une espèce d'huile fort épaisse qu'on tire avec une cuillère de bois, et qu'on jette dans de l'eau froide où elle s'entretient liquide pour de là la jeter dans d'autres vases, et s'en servir au besoin ou pour la durcir entièrement».

Le pin blanc (*Pinus strobus*) (pin bâtard blanc). Voir la section suivante sur la fabrication du mastic épilatoire.

Le hêtre à grandes feuilles (*Fagus grandifolia*) (hêtre, fau). «Le bois est fort bon à brûler, il fait un feu clair, chaud, et sa braise dure longtemps».

Le caryer cordiforme (*Carya cordiformis*) (noyer amer). Le fruit qui n'est pas plus gros qu'une «noix muscade» permet d'extraire de l'huile. Les Amérindiennes pilent «les noix dans leurs coquillages dans un mortier de bois, ou entre deux pierres, elles mettent de l'eau dans des chaudières qu'elles font bouillir avec cette pâte de noix pilées d'où l'huile sort. Personne n'est guère bienvenue en ce temps dans les cabanes, les Sauvagesses croyaient que toute leur huile s'évaporerait si quelqu'un entrait chez elle, c'est pour cette raison qu'elles couvrent soigneusement leurs chaudières de peur que si par hasard quelqu'un entrait dans leurs cases il ne puisse voir l'huile et qu'ainsi il n'y ait rien de perdu».

Le noyer amer est aussi «remarquable pour son écorce qu'on enlève pour faire et pour couvrir des cabanes, cette écorce devient si dure que le cuir le mieux tanné ne l'est pas tant, on en fait même des bateaux qui sont propres pour aller à voiles, et à rames». Enfin, on obtient du noyer amer des «attaches dont on fait des cordes propres à attacher des bœufs et on fait du fil pour coudre des souliers». Nicolas déplore que les Amérindiens coupent les noyers à la hache afin de récolter les noix.

L'érable à sucre (*Acer saccharum*) (hérable). Les cendres du bois d'érable sont fort recherchées. «On en porte en Europe des plaines barriques. On l'y vend bien cher». Le bois d'érable pourri «exhale une odeur fort agréable». Ce même bois pourri «devient vert et luisant de telle manière qu'on peut voir lire la nuit durant quelque temps en en tenant à la main et j'ai vu les femmes des hommes de la Nation de l'oreille de pierre s'en servir pour faire des peintures vertes sur leurs peaux passées. On use encore de ce bois pourri pour faire de la mèche, le feu s'y prend aisément et s'y conserve longtemps, et avec tant d'attachement qu'il est difficile de l'éteindre. Les fumeurs en sont toujours pourvus pour allumer le feu dans leurs pipes, c'est pour cela que les Sauvages en portent des pleins petits sacs, et c'est de ce troisième bois dont ils se servent pour conserver le feu ». Nicolas indique que l'on fait de gros trous à la hache dans les vieux érables pour récolter la sève. On produit un sirop après avoir fait « bouillir à demi ». Il ne fait pas allusion au sucre d'érable.

L'érable rouge (*Acer rubrum*) (plaine). « Le bois de la plaine a toutes les qualités que j'ai remarquées dans le bois de l'érable. Sa racine jointe avec celle de cet arbre (est) fort bonne pour guérir les maux de côté pourvu qu'on les fasse infuser… toutes les deux ensemble ». Nicolas signale que cet érable a été nommé « érable femelle » par certains.

Le châtaignier d'Amérique (*Castanea dentata*) (chatainier). « Ces châtaignes sont bonnes, et si les arbres étaient entés, ils produiraient d'aussi bonnes châtaignes que les arbres de France ». Nicolas « déplore l'aveuglement de quelques-uns de ces misérables qui ayant gravé, ou fait des figures, peu honnêtes sur quelques châtaigniers ils disent que ce sont des génies et ils leur font quelques adorations à l'imitation de ces arbres qui tiennent pour des divinités ce que la nature même nous apprend à cacher ». Nicolas dénonce aussi qu'on met le feu « dans le bois » pour cueillir les châtaignes. Il a fait la même remarque pour les noyers.

La pruche du Canada (*Tsuga canadensis*) (pruche). Nicolas « n'en voit guère de plus grand dans toute l'Inde. Il a l'écorce extrêmement grosse, et fort rude, elle est d'une couleur rougeâtre, les tanneurs de la Pointe de Lévy l'enlèvent, et m'ont assuré dans leurs tanneries qu'elle est fort propre pour préparer les cuirs, et les peaux ». Nicolas ajoute que « les OUTOULIPI et tous leurs voisins font une couleur rouge de l'écorce… ils la brisent entre deux pierres pour la faire bouillir et pour en exprimer le suc qui devenant tout rouge donne cette couleur aux choses qu'on veut teindre ». Nicolas rapporte qu'il a observé la pruche « aux Tuileries, au Jardin du Roi à Montpellier, et en beaucoup d'autres endroits ».

Le frêne d'Amérique (*Fraxinus americana*) (franc frêne). « Il est très bon à brûler, il fume peu, sa cendre est extrêmement caustique, aussi est elle autant estimée que celle de l'érable ». Les Amérindiens « en montent souvent leurs raquettes ». De plus, « il coule

de cet arbre, dans la saison, une liqueur bien plus douce, et bien plus sucrée que celle de l'érable… et on en fait du Sirop qui a bien plus de corps que celui qu'on fait de cette eau qui découle de l'érable ». François-Xavier de Charlevoix mentionne en 1744 l'obtention de sirop de frêne. Pehr Kalm croit que Charlevoix a confondu l'érable négondo et le frêne. Nicolas indique pourtant clairement que le franc frêne donne la liqueur plus douce et plus sucrée que celle de l'érable. On déduit que cette récolte de sève sucrée est d'origine amérindienne.

Le frêne noir (*Fraxinus nigra*) (fraine batar). Il n'y a pas de « cette liqueur sucrée qu'on tire de l'autre ». Les Amérindiens « en font des dards de quatre à cinq brasses de long pour accrocher les grosses truites ou l'esturgeon dans les eaux, et sous les glaces ».

L'orme d'Amérique (*Ulmus americana*) (ormeau). Cet arbre « est fort recherché pour faire des canots de son écorce, on fait une certaine gomme de l'écorce de l'ormeau femelle pour boucher les fentes des bateaux, il faut concasser cette écorce entre deux pierres, et la faire tremper pour lui faire venir une humeur gluante et qui s'attache suffisamment pour boucher les voies d'eau qui faisaient couler à fond les canots. On fait de cette même écorce de fort douves, attaches et même des cordages ». Les gommes imperméabilisantes des embarcations ne proviennent donc pas toutes des conifères.

L'écorce d'orme est une source de gomme micilagineuse appréciée des Amérindiens et ses fibres servent à de multiples usages.

Le chêne blanc ou le chêne à gros fruits (*Quercus alba* ou *Quercus macrocarpa*) (chaine blanc). « La feuille du chêne blanc est fort bonne pour guérir les blessures et les Sauvages s'en font revenir les ongles après qu'on les leur a arrachés avec les dents. Louis Nicolas a lui-même observé un Amérindien « tous les jours aller au bois y cueillir des feuilles de chêne blanc, il les pilait entre deux pierres, il les mâchait et en appliquait le marc au bout de ses doigts ». Cet Amérindien « guérit parfaitement, et ses ongles revinrent aussi beaux et nets ». Nicolas réitère ensuite que la feuille de chêne blanc n'est pas

Louis Nicolas, un des premiers auteurs référant aux tanneurs de Lévis

La première tannerie de la Nouvelle-France est celle de François Bissot (Byssot) de La Rivière (vers 1612-1673) dont la construction débute en 1668 sur la côte de Lauzon. Bissot est né vers 1612 à Pont-Audemer en Normandie, un village reconnu depuis le Moyen Âge pour la qualité de ses tanneries. La première mention de la présence de Bissot en Nouvelle-France date de 1639. Bissot s'associe à Guillaume Couture (vers 1616-1701), le premier colon en 1647 de la seigneurie de Lauzon, concédée en 1636. En fait, Bissot fournit l'argent à Couture pour pouvoir s'établir sur la rive sud de Québec. Il acquiert par la suite un terrain adjacent à celui de Guillaume Couture.

En 1648, ces deux voisins deviennent légalement les deux premiers censitaires de Jean de Lauson qui réside à Paris. En 1655, Bissot fait construire à la Pointe-Lévy un moulin à farine alimenté par les eaux d'un ruisseau. Cinq ans auparavant, il avait formé une société avec cinq associés pour la chasse au loup-marin, c'est-à-dire au phoque, dans la région de Tadoussac. En 1661, il obtient la première concession d'un territoire de chasse et de pêche sur la côte nord du Saint-Laurent. Il y installe un poste à Mingan.

Au début des travaux de la tannerie en 1668, Bissot aménage un canal de bois pour conduire l'eau du ruisseau dans les cuves à tannage. L'intendant Talon et la compagnie des Indes Occidentales investissent dans la tannerie de Bissot. On tanne les peaux de vache, de veau et de marsouin (béluga) pour produire des cuirs servant à la confection de souliers, bottines, manchons et housses pour les coffres et les malles.

Au recensement de 1667, trois domestiques s'occupent des propriétés de Bissot sur la rive sud. En 1670, débutent des travaux pour ajouter un local de cordonnerie à la tannerie. Les premiers rapports révèlent qu'on produit des cuirs en nombre suffisant pour confectionner 8 000 paires de chaussures annuellement. Bissot confie la responsabilité de son entreprise à son gendre, Étienne Charest, qui en devient l'unique propriétaire en 1690, dix-sept ans après le décès de son beau-père. Charest ne se restreint pas aux activités de la tannerie et de la cordonnerie. Il fait la traite des fourrures en plus d'autres activités commerciales. À partir de 1699, le fils d'Étienne Charest, du même nom, continue de gérer les entreprises avec grand succès. Il achète même la seigneurie de Lauzon en 1714. Il accumule en fait l'une des plus grandes fortunes de la colonie.

D'autres tanneries s'installeront dans diverses régions. Ainsi, à partir de 1700, les frères Charles et Louis Juchereau de Saint-Denys opèrent des tanneries au pays du bison au confluent du Mississippi sur le site de l'actuelle ville de Cairo. Ce sont surtout les Illinois, amis des Français depuis les premières expéditions du père Marquette, qui alimentent le commerce des peaux pour les tanneries.

En 1702, Daucanton de Villebois qui a visité le Canada de 1699 à 1701 signale dans son mémoire que le «tan pour les cuirs» provient «de l'écorce de prusse [pruche]». Il ajoute qu'il y a des moulins pour le tannage à Lévis, à l'île d'Orléans et à Montréal. Il considère que l'écorce de pruche est «admirable pour cet usage». Il a de plus «engagé le nommé Martel, marchand de Québec à en faire cinquante barriques qu'il a envoyés en France». Une barrique contient généralement l'équivalent de 110 pots [environ 2,26 litres par pot]. Les 50 barriques représentent donc un volume pouvant atteindre plus de 12 000 litres de tan de pruche exporté. Le même Daucanton de Villebois était aussi optimiste pour la production de fibres de chanvre. Il prédit que le Canada pourrait produire 2 000 milliers (2 millions de livres) de chanvre par an. Un millier était la mesure du poids de 10 fois le cent livres (le cent pesant). Selon un estimé, la meilleure année de production du chanvre au Canada aurait été 1730 avec 57 131 livres de fibres.

Sources: De Roquefeuil, Régis, «Byssot (Bissot) de La Rivière, François», *Dictionnaire biographique du Canada en ligne*. Disponible au http://www.biographi.ca. Ducanton de Villebois, *Lettre ou mémoire du Canada*, 1702 (janvier). Bibliothèque et Archives Canada, MG18-G6 1/150-229. Disponible au http://bd.archivescanadafrance.org/. Girard, Jacques, «Les industries de transformation de la Nouvelle-France», *Cahiers de géographie du Québec*, 1959, 3 (6): 305-320. Litalien, Raymonde, *Les explorateurs de l'Amérique du Nord. 1492-1795*, Sainte-Foy, Les éditions du Septentrion, 1993. Samson, Roch (sous la direction de), *Histoire de Lévis-Lotbinière*, Institut québécois de recherche sur la culture, Sainte-Foy, Les Presses de l'Université Laval, 1996.

efficace si elle n'a pas été mastiquée après avoir été broyée. Les tannins du chêne sont probablement en partie responsables de la stimulation de la guérison des blessures.

Le bouleau à papier (*Betula papyrifera*) (bouleau, vray papier). En plus de la confection des canots par les Amérindiens « de la langue algonquine », Nicolas rapporte qu'ils « font des plats qu'ils nomment *OURAGAN*, ils en font des écuelles, des cuillères, des boîtes à mettre leurs hardes, et des ossements de leurs morts qu'ils charrient par amitié et par respect dans tous leurs voyages, ils en font des coffres, des seaux à puiser de l'eau, des maisons et plusieurs autres ouvrages ».

Les bouleaux (*Betula* sp., une espèce probable quant à une seconde espèce de bouleau est le bouleau à feuilles de peuplier, *Betula populifolia*) (petit bouleau). La première écorce est pleine de « bitume » qui fait qu'elle sert de « torche » pour les Amérindiens qui est utile pour brûler les prisonniers de guerre et la pêche de nuit. Les deux sortes de bouleau servent aussi pour « les cercles de leurs raquettes de diverses figures ». Quand on fait un trou au bouleau, « il en découle de l'eau fort claire qui étant bue par ceux qui ont la pierre, ils s'en trouvent bien ». Nicolas ajoute que cette sève de bouleau est aussi bénéfique pour combattre la « gravelle », les « ulcères de la bouche » et enlever « les taches du visage » pour acquérir un « teint beau ». Les Amérindiens récoltent donc la sève des arbres pour des fins médicinales.

Le thuya occidental (*Thuja occidentalis*) (cèdre blanc). L'écorce est « si pliante qu'on en fait toutes sortes de liens, et même des cordes, on en fait des maisons, et divers instruments ». Sur l'écorce du tronc de cet arbre, on peut ramasser « deux sortes d'encens ou de poix résine. L'une est liquide et fort gluante… l'autre est sèche, elle sert d'encens et l'odeur n'en n'est pas désagréable ». Nicolas explicite ensuite la technique de tatouage avec le charbon du cèdre blanc. Il vante la valeur de la poudre de fusil de charbon de cèdre blanc qui est « au double violente de la nôtre ». Nicolas spécifie que les Amérindiens se servent « de cèdre en forme de lames d'épée » pour soutenir leurs filets de pêche. On peut de plus « ramasser une liqueur

gluante qui découle de tout le corps de l'arbre qui sert pour embaumer les corps en trempant un linge dedans. Ce linge et le corps embaumé avec cette humeur deviennent incorruptibles ».

Nicolas est probablement au courant de l'usage médicinal des « momies ». Il est peut-être au courant que le roi François Ier emportait toujours avec lui son onguent guérisseur à base de momies broyées. On distingue en fait deux sortes de momies servant à préparer des remèdes. Ainsi, Geoffroy Linocier décrit en 1584 dans son *Histoire des Plantes* que les vraies « momies » sont celles « des corps embaumés d'aloès, myrrhe et safran ». Ce sont ces corps embaumés qui sont de « grand usage en médecine ». Les breuvages à base de vraies momies soulagent « grandement ceux qui sont tombés d'en haut ». Il ne faut pas utiliser les momies des « épiciers » qui n'utilisent que des « corps morts secs » et non pas les corps proprement embaumés. Nicolas décrit lui-même dans ses écrits un remède efficace contre l'épilepsie, le mal d'en haut. Il s'agit simplement d'une décoction à base du sabot séché de l'orignal. Il faut recueillir le sabot du bon côté de l'animal, car seulement celui du côté gauche est efficace. Nicolas rapporte qu'il a eu un succès médical et commercial en France avec ce remède.

Nicolas n'est pas le seul auteur de son époque à faire allusion à des propriétés de conservation des cadavres à l'aide la résine de l'arbre de vie. En 1677, Dominique Chabrey, un médecin du Duché de Wurtemberg, publie un recueil des illustrations des plantes d'intérêt. Parmi celles-ci, on retrouve l'arbre de vie ou l'arbre du Paradis (*Arbor Paradisiaca*) dont une espèce de la région du Pérou aurait ces propriétés. L'auteur ajoute cependant un point d'interrogation à la fin de cette remarque. Il indique de plus que l'arbre paradisiaque du Canada est cultivé dans cette région du sud-ouest de l'Allemagne.

Le genévrier de Virginie (*Juniperus virginiana*) (cèdre rouge). « Les Virginiens font quelques ouvrages curieux de cette sorte de cèdre ».

La préparation du mastic épilatoire

Louis Nicolas décrit pour la première fois la préparation détaillée d'un mastic qui sert à enlever les poils des Amérindiens. Des morceaux de bois de « pin

La mummie médicinale et des momies
pour fabriquer du papier et mouvoir les trains

La mummie (mumie) est un liquide noirâtre à odeur forte extrait des momies. Ce remède exotique très recherché provient initialement des momies égyptiennes. Les marchands et les apothicaires tentèrent de fournir le marché des momies en les fabriquant localement. Il suffit d'exposer des cadavres à des plantes ou à leurs extraits et de les entourer de bandelettes. Quelques semaines d'exposition au soleil complétaient la préparation. On retire alors le précieux liquide guérisseur! Au XVIᵉ siècle, le botaniste siennois Pietro Andrea Mattioli recommande l'utilisation de ce liquide dans les narines pour guérir les maux de tête. On y ajoute quand même un peu d'eau de marjolaine.

En 1856, on commence à importer aux États-Unis des momies égyptiennes pour fabriquer du papier servant surtout à l'emballage. On éprouve de plus en plus de difficultés à trouver certains matériaux de base servant à la fabrication du papier, comme les vieux tissus de lin et de coton. L'utilisation commerciale des fibres du bois était encore embryonnaire. En 1719, René-Antoine Ferchault de Réaumur avait présenté à l'Académie royale des Sciences une communication dans laquelle il s'interrogeait sur la capacité des guêpes à fabriquer leur nid avec un matériau qui ressemble étrangement à du papier. Trente ans plus tard, il est déçu de ne pas avoir pu solutionné cette énigme.

Les importations de momies sont en compétition avec les compagnies de chemin de fer égyptiennes qui utilisent cette ressource combustible pour propulser ses trains. Ces momies ne sont pas toutes humaines, car les Égyptiens momifiaient aussi les taureaux sacrés, les crocodiles, les chats et certains oiseaux. Les momies avaient l'inconvénient d'être à l'occasion porteuses du vibrion cholérique, la bactérie responsable du choléra.

Sources: Bilimoff, Michèle, *Les remèdes du Moyen Âge*, Rennes, Éditions Ouest-France, 2011: 97. Fulling, Edmund H., «Botanical aspects of the Paper-Pulp and Tanning Industries in the United States-An Economic and Historical Survey», *American Journal of Botany*, 1956, 43 (8): 621-634.

Louis Nicolas et une espèce sympathique

La plupart des noms des espèces végétales mentionnées par Nicolas suggèrent des identifications à des plantes connues. Une espèce porte le qualificatif «sympathique». Que signifie cette désignation? Elle est peut-être associée à certaines encres de l'époque dites sympathiques. Au XIXᵉ siècle, on connaît bien les encres sympathiques au Canada, ces encres qui sont invisibles sur le papier, mais révélées par la chaleur devant le feu ou à l'aide d'un fer chaud. On peut donc écrire des messages secrets tout simplement révélés par la chaleur. Plusieurs sucs végétaux, comme ceux de l'oignon, du navet et du citron peuvent servir d'encre sympathique tout comme le lait et la salive. Se peut-il que Louis Nicolas réfère à une espèce dont le suc incolore se transforme en encre sympathique? Tout cela n'est évidemment qu'hypothétique. Au siècle précédent, on utilise aussi des encres invisibles en Amérique du Nord. Lors de la Guerre d'Indépendance américaine, un réseau d'espions expédie des messages aux troupes révolutionnaires en révélant leurs informations par une réaction entre l'acide gallique et des sels de fer, comme le sulfate de fer. L'acide gallique est contenu dans divers tissus végétaux, notamment les galles formées par des insectes envahisseurs. Les Grecs et les Romains connaissaient déjà la réaction entre les extraits de galles et des sels de fer qui résulte en un complexe de couleur noire.

Source: Cuisset, O. (sous la direction de), *La Science populaire illustrée. Revue scientifique et industrielle dédiée aux personnes de toutes conditions*, Montréal, Première année, nº 5, 1887. Disponible au http://eco.canadiana.ca/.

bâtard blanc » sont bouillis dans l'eau. On recueille la « gomme liquide » qui se dépose à la surface de l'eau. En fait, Nicolas a décrit précédemment le procédé avec le pin rouge. Cette gomme est transformée en une substance « qui a plus de corps » en la jetant « dans de l'eau froide » et même « dans une autre plus froide ». Mais comme « elle serait trop gluante », on mélange « du charbon de bois pilé ou de la cendre bien fine pour donner du corps à cette sorte de résine ; et pour la rendre maniable, ils y mêlent encore de l'huile de poisson ou de la graisse des bêtes fauves ». Ce mastic solide est ramolli au besoin en le coupant en « petits morceaux avec les dents » et en le mâchant. Cette nouvelle consistance semi solide permet l'application sur « les fentes de leurs canots. Pour ce faire, ils utilisent aussi "un tison de feu qu'ils tiennent à la main". Après avoir déposé ce mastic réchauffé, ils passent "le doigt dessus mouillé avec leur salive". Enfin, on apprend qu'ils donnent diverses couleurs au mastic qu'ils nomment *pikieu* ».

Au besoin, on utilise le *pikieu* pour enlever les poils. « Ils le mâchent pour le ramollir et, l'ayant radouci par la chaleur de leur bouche, ils en font un emplâtre et l'appliquent sur les poils qu'ils veulent arracher ». Les Amérindiens « n'ont nulle patience » pour quelque poil. On les arrache « par le feu, ou avec les doigts, ou avec du mastic ». Le *pikieu* a une double fonction. Il sert à l'épilation et il assure l'étanchéité des canots d'écorce. Dans les deux cas, il s'agit simplement de réchauffer le *pikieu* solide et coloré pour en faire une gomme fluide et adhésive qui devient solide au séchage.

Ce matériau composite prend facilement diverses textures par la nature variée des charbons, des cendres, des huiles et des graisses. Sous forme solide, il est facilement transportable et il permet la réparation rapide des canots d'écorce. Les cendres de bois sont utilisées par les Amérindiens et les Français. Ainsi, les cendres de bois, en combinaison avec du sel, sont utilisées par les pêcheurs d'anguilles en Nouvelle-France pour faire mourir les anguilles pêchées. À ce sujet, Nicolas indique qu'on produit annuellement environ 20 000 à 30 000 barriques contenant 500 anguilles. On pêche donc entre 10 et 15 millions d'anguilles par année en Nouvelle-France. Les barriques d'anguilles contiennent du sel pour une conservation accrue. Les cendres ne sont donc pas utilisées uniquement comme une source de sels minéraux, comme dans le cas de la potasse ou de la perlasse. Elles servent aussi à tuer les anguilles.

Étonnamment, le mot *picieu* est devenu associé à l'outil métallique couramment utilisé pour recueillir la gomme de sapin. On peut vraisemblablement inférer que le terme algonquien *pikieu* décrivant la gomme résineuse de conifère a été aussi utilisé par extension et francisé pour décrire l'instrument de récolte d'une gomme similaire.

Quelques observations de Louis Nicolas sur les Français et les plantes

Les Français ont appris des Amérindiens que le plantain (Plantain majeur, *Plantago major*) indique le passage de l'Européen. Nicolas déclare qu'on pourrait faire un commerce considérable des noisettes (Noisetier à long bec, *Corylus cornuta*) du pays. Il écrit qu'on fait bouillir le sirop d'érable jusqu'à ce qu'il soit réduit de moitié. Malheureusement, il ne spécifie pas si cette opération est inspirée des Amérindiens.

Les tanneurs de Lévis utilisent l'écorce de la pruche (Tsuga du Canada, *Tsuga canadensis*) pour teindre en rouge les peaux animales. La teinture obtenue des aulnes (*Alnus* sp.) intéresse les chapeliers et les teinturiers. Enfin, les Français de la Nouvelle-France importent du tabac, du sucre, du coton et de l'indigo alors qu'ils exportent du blé et du saumon en France et aux Îles du Midi.

D'autres informations botaniques

De longs commentaires pourraient être consacrés aux plantes européennes potagères, médicinales, agricoles et ornementales énumérées par Louis Nicolas. Nous limitons notre survol à certaines informations concernant les plantes indigènes. Nous incluons aussi quelques observations sur des plantes horticoles utilisées par les Amérindiens. Pour ces espèces, la plupart des remarques de Nicolas sont mentionnées. Les noms français et latins modernes sont suivis du nom utilisé par Nicolas et l'astérisque indique que l'identification de l'espèce n'est que probable.

Les aubépines (*Crataegus* sp.) (aubepin). Les fruits sont gros comme des «noisettes» et les «habitants lui donnent le nom de «pommes». Ce sont des arbres «fort épineux».

L'ancolie du Canada (*Aquilegia canadensis*) (aquilegia rouge). C'est la «fleur à oiseau-mouche».

Le tournesol (*Helianthus annuus*) (elyotropes ou tournesol). Les Amérindiens extraient une «huile fort douce» servant à «assaisonner les bouillies» et à se frotter les «cheveux».

Les sagittaires (*Sagittaria* sp.) (*ounonnata*). La racine est bonne à manger. Cette plante est illustrée dans le *Codex*.

Usages multiples des cendres végétales et leur importance au Canada

Depuis l'Antiquité, les cendres végétales sont utilisées directement ou par le biais de dérivés obtenus par chauffage ou filtration. Divers termes identifient les préparations générées à partir de cendres végétales: potasse, «vedasse», «guédasse», perlasse ou lessive. Selon les régions et les besoins, les cendres sont produites avec une ou des essences de bois dur [franc] ou des végétaux séchés croissant en milieu salé, comme des algues et des espèces de rivage. En Europe, les cendres et ses dérivés servent à la fabrication de certains types de savon et de verre sans oublier l'extraction du salpêtre, un composé de la poudre d'artillerie. L'émail de certaines faïences requiert aussi l'utilisation de potasse. On traite de plus les matières textiles lors de leur teinture avec des lessives à base de cendres végétales. Des suspensions plus ou moins purifiées de cendres servent à diminuer la toxicité ou l'amertume de certains aliments. Les cendres et ses dérivés ont aussi un usage médicinal diversifié. La Russie, les pays scandinaves et l'Allemagne produisent à l'époque de la Nouvelle-France des potasses et des «vedasses» réputées.

En Amérique du Nord, le commerce des cendres locales et de ses dérivés est important à certaines époques. Aux États-Unis, le premier brevet, accordé à Samuel Hopkins (1743-1818) en juillet 1790, porte sur un procédé de manufacture de la potasse et de la perlasse. Hopkins sollicite d'ailleurs rapidement un brevet au Canada. William Sheppard est son agent légal à Québec. Cet individu est peut-être même apparenté au botaniste du même nom œuvrant plus tard à Woodfield (Sillery). En 1791, Hopkins obtient un privilège canadien de six ans qu'il doit cependant partager avec deux Canadiens.

En Nouvelle-France, l'intendant Jean Talon fait ériger une potasserie en 1670 à Québec. Le ministre Colbert accorde alors à Nicolas Follin le privilège exclusif de l'exploitation de la potasse et des «savons mous» en Nouvelle-France. Chaque arpent d'abattis génère 20 à 24 barriques de potasse vendue à 40 sols la barrique. L'industrie de la potasse périclite après le départ de Jean Talon. L'intendant avait même envoyé en France des huiles de «loup marin» et de «marsouin blanc» pour des expérimentations de fabrication de savon mou. Un siècle plus tard au Bas-Canada, le commerce des cendres et de ses dérivés connaît un essor remarquable. Cette industrie culmine au 19e siècle. On estime que 2,8 milliards de livres de bois ont été brûlées dans la seule année de 1850. Pour produire une livre de potasse, il faut environ 120 livres de bois. La région québécoise des Cantons de l'Est a été au cœur de ce commerce dont on mésestime l'impact économique et écologique.

Sources: Chapais, Thomas, *Jean Talon, intendant de la Nouvelle-France (1665-1672)*, Québec, Imprimerie de S-A. Demers, 1904: 401-405. Létourneau, Georges et Jay Sames, «Ash to Cash-The Untold Story: Nature's Burnt Offering to 19th Century Settlers», *Histoire Québec*, 2013, 18 (3): 25-30. Maxey, David W., «Samuel Hopkins, The Holder of the First U. S. Patent: A Study of Failure», *The Pennsylvania Magazine of History and Biography*, 1998, 122 (1/2): 3-22. Miller, Harry, «Potash from Wood Ashes: Frontier Technology in Canada and the United States», *Technology and Culture*, 1980, 21 (2): 187-208.

Le tournesol, un ou deux centres de domestication?

Le tournesol est originaire de l'Amérique. La plupart des chercheurs estiment de plus que cette espèce a été domestiquée dans la région est de l'Amérique du Nord. Récemment, on a suggéré que le tournesol aurait eu aussi un centre de domestication au Mexique. Cette controverse ne semble pas encore terminée. Des données récentes soutiennent plutôt le concept d'un centre unique en Amérique du Nord. Dans ce débat, certains chercheurs remettent en doute la présence et l'usage du tournesol au Mexique avant l'arrivée des Espagnols.

Source: Blackman, Benjamin K., et autres, «Sunflower domestication alleles support single domestication center in eastern Noth America», *Proceedings of the National Academy of Sciences*, 2011, 108 (34): 14360-14365.

Le topinambour (*Helianthus tuberosus*) (toupinenbourg). C'est une autre «racine bonne à manger».

L'apios d'Amérique (*Apios americana*) (*outaragouara* et *outtaragouara*). La «racine bonne à manger» ressemble «au fruit du hariquo» (haricot).

Les violettes (*Viola* sp.) (pensées blanches simples et doubles). Elles «ressemblent à la violette, mais sans odeur comme presque aussi toutes les autres fleurs naturelles au pays du Nouveau Monde».

* La lobélie gonflée (*Lobelia inflata*) (creve yeus). Nicolas affirme qu'il y a deux ou trois espèces de cardinale (Lobélie cardinale, *Lobelia cardinalis*) dont une espèce «qui naît dans les blés français» et qui cause des problèmes oculaires lors du «battage du blé». Pourrait-il s'agir aussi de la nielle des blés (Agrostemme githago, *Agrostemma githago*) signalée sur le site archéologique du Fort d'en Haut à Cap Rouge?

Les cypripèdes (*Cypripedium* sp.) (pentoufle de Notre-Dame). Pour Nicolas, le sabot de la Vierge porte le nom de pantoufle de Notre-Dame.

Les impatientes (*Impatiens capensis* et/ou *pallida*.) (*noli me tangere*). L'expression latine de Nicolas est celle bien connue décrivant les impatientes et qui signifie littéralement «ne me touche pas». Ce nom réfère à la déhiscence de la capsule provoquée par le toucher. Nicolas décrit des «houppes blanches et jaunes» de petites fleurs. Il remarque que si on touche la graine mature, cette action «décoche cette graine». L'impatiente est illustrée dans le *Codex*.

L'immortelle blanche (*Anaphalis margaritacea*) (immortelle blanche). Cette plante «croit naturellement partout». Mais l'espèce «jaune n'y vient pas».

Le tabac des paysans ou le tabac commun (*Nicotiana rustica* ou *Nicotiana tabacum*) (necotiane). Nicolas utilise aussi les termes «herbe à la rene», «pétun», «tabac commun» et «tabac franc». Le terme «necotiane» réfère à *Nicotiana*, le nom du genre désignant les espèces de tabac. Nicolas révèle que le tabac est non seulement cultivé, mais aussi importé des Antilles avec le coton, l'indigo et le sucre. En retour, on exporte du blé de Nouvelle-France. L'expression «herbe à la reine» réfère à la reine Catherine de Médicis qui a donné beaucoup de popularité au tabac en France. On peut même retrouver les termes «caterinaire» et «médicée» dans un texte français de 1572 de Jacques Gohory (1520-1576) sur le tabac. Le terme «pétun» est d'origine amérindienne. Pour les Amérindiens, le tabac est le dieu des herbes et de tous les simples (*Manitou Mingask*). Dans sa grammaire algonquine, Nicolas indique que le tabac est nommé *racema*. La pipe à fumer le tabac porte le nom *oupouagan*. L'action de fumer se traduit par *sagasoue* ou *sasagoué*.

La cicutaire maculée (*Cicuta maculata*) (cygue). Le «venin» de cette plante fort toxique et même létale «sert aux Sauvages».

* Le ptéléa trifolié (*Ptelea trifoliata*) (houblon de deux sortes). Nicolas spécifie qu'il y a deux sortes de houblon. Une espèce est le houblon commun (*Humulus lupulus*) importé et prisé par les Anglais et les Hollandais d'Amérique. Une autre espèce de houblon « pas si fort et si odoriférant » est possiblement le ptéléa trifolié dont les fruits amers, selon Marie-Victorin, ont déjà été utilisés comme succédanés du houblon européen.

La vigne vierge à cinq folioles ou commune (*Parthenocissus quinquefolia* ou *Parthenocissus inserta*) (coleuvrée ou vigne noire). Selon Nicolas, cette plante est « déjà par toute la France ». Il a bien raison. Elle est signalée à Paris dès 1623 avec d'autres espèces d'Amérique du Nord.

L'airelle rouge (*Vaccinium vitis-idaea*) (pomme de terre). Pour Nicolas, la pomme de terre est un « arbrisseau » de faible hauteur et « rampant » qui produit une « pomme jaune et rouge ». Cette airelle est encore connue de nos jours sous ce nom dans certaines régions du Bas Saint-Laurent. L'île aux Pommes, en face de Trois-Pistoles, tient son nom de cette plante rampante.

Le sorbier d'Amérique ou le sorbier plaisant (*Sorbus americana* ou *Sorbus decora*) (fruit rouge, cormier bâtard). Nicolas note qu'il peut y avoir plus de fruits que de feuilles. Le mot « bâtard » est souvent associé à la couleur rougeâtre.

Le noisetier à long bec (*Corylus cornuta*) (noizilier, coudrier). Selon le naturaliste, « on pourrait en faire un commerce considérable ».

Les 18 plantes illustrées dans le *Codex canadensis*

Huit dessins de plantes de Louis Nicolas. La plante du nom de « miner » correspond vraisemblablement au cerisier déprimé (*Prunus pumila* var. *depressa*). L'« ounonnata qui jette des racines comme des truffes » est probablement une sagittaire (*Sagittaria* sp.) alors que l'« herbe à trois couleurs » ressemble à l'érythrone d'Amérique (*Erythronium americanum*). L'espèce « *noli me tangere* » est une impatiente indigène, l'impatiente du Cap (*Impatiens capensis*) ou l'impatiente pâle (*Impatiens pallida*). L'asaret du Canada (*Asarum canadense*) est nommé « limphata ». L'« ail sauvage » est probablement l'ail des bois (Ail trilobé, *Allium tricoccum*). La plante « Cotonaria qui porte du miel du coton du chanvre une belle fleur et des asperges » décrit l'asclépiade commune (*Asclepias syriaca*) alors que l'espèce identifiée « Ehlebore blanc » ressemble au tabac du diable (Vérâtre vert, *Veratrum viride*).

Source : Nicolas, Louis, *Codex canadensis*, vers 1700. Bibliothèque et Archives Canada.

La vigne canadienne, la tripe de roche et le blé d'Inde. «*Victis indica* et *canadensis*» illustre vraisemblablement la vigne des rivages (*Vitis riparia*). La «tripe de roche ou mousse dont on fait quelque bouillon qui devient comme de la colle trop insipide» est du lichen poussant sur des roches qui, selon Claude Roy, un expert des lichens retraité de l'Université Laval, correspond à une espèce d'*Umbilicaria*. Le «*Mentamin* ou bled d'Inde» est le maïs (*Zea mays*).

Source : Nicolas, Louis, *Codex canadensis*, vers 1700. Bibliothèque et Archives Canada.

Le pimbina, les cerises, l'oranger et le citronnier. Le «fruit du *pimina*» décrit les viornes arbustives nommées pimbina (Viorne trilobée, *Viburnum opulus* subsp. *trilobum* var. *americanum* ou viorne comestible, *Viburnum edule*). Les «serises sauvages» réfèrent au cerisier de Pennsylvanie (*Prunus pensylvanica*) ou de Virginie (*Prunus virginiana*). Le «Petit oranger de la virginie» et la «Plante qui porte des Citrons» semblent correspondre au plaqueminier de Virginie (*Diospyros virginiana*). Les illustrations du petit oranger et du citronnier sont probablement deux variantes de la même plante observée par Louis Nicolas dans les colonies anglaises plus au sud.

Source : Nicolas, Louis, *Codex canadensis*, vers 1700. Bibliothèque et Archives Canada.

Deux espèces de cèdre et la fleur de la passion. Les «Branches du cèdre blanc du canada» sont celles du cèdre ou thuya occidental (*Thuja occidentalis*). La «Branche du cèdre rouge en virginie» appartient au genévrier de Virginie (*Juniperus virginiana*). «La granadille qui produit les instrumen[t]s de la passion de N.S.J.C. [Notre Seigneur Jésus Christ]» est la traduction française du mot espanol *granadilla* qui désigne les fleurs de la passion, c'est-à-dire les passiflores (*Passiflora* sp.) d'Amérique. Nicolas ne traite pas de cette plante dans son *Histoire naturelle*. De plus, les passiflores ne sont pas présentes à l'état sauvage au Canada. Nicolas a vraisemblablement ajouté ce dessin pour sa valeur symbolique religieuse. Dans cette illustration stylisée, on reconnaît des instruments ayant servi à la crucifixion de Jésus, comme trois clous et une couronne d'épines. Les feuilles des passiflores sont lobées alors que celles du dessin sont entières.

Source : Nicolas, Louis, *Codex canadensis*, vers 1700. Bibliothèque et Archives Canada.

«Miner». Nicolas utilise les mots «ergominer»* et «cerize rampante» dans la section des plantes à fruits de son *Histoire naturelle*. Le «miner» de l'illustration est probablement l'«ergominer» aussi connu sous le nom de cerise rampante. Si c'est le cas, il s'agit du cerisier déprimé (*Prunus pumila* var. *depressa*). Marie-Victorin indique que le cerisier de sable est connu en France sous les noms de «Minel du Canada» et «Ragouminier». Il ajoute que «cette espèce était déjà cultivée en France en 1755, sous le nom de Ragouminier».

«*Ounonnata* qui jette des racines comme des truffes». *Ounonnata* est un mot iroquois référant à des racines comestibles ou plus précisément à des

espèces de sagittaires, comme la sagittaire à larges feuilles (*Sagittaria latifolia*), à titre d'exemple. Le lexique de la langue iroquoise de J. A. Cuoq (1882) indique que le mot *ononnata* signifie patate ou pomme de terre. Il semble donc que ce terme ait aussi décrit d'autres organes souterrains comestibles, comme les sagittaires.

«Herbe à trois couleurs». Cette plante n'est pas mentionnée dans l'*Histoire naturelle*. L'illustration laisse croire qu'il s'agit de l'érythrone d'Amérique (*Erythronium americanum*).

«*Noli me tangere*». Il s'agit du nom latin des impatientes. Les deux seules espèces indigènes sont l'impatiente du Cap (*Impatiens capensis*) et l'impatiente pâle (*Impatiens pallida*). On ne peut pas les distinguer à l'aide de l'illustration.

* Les appellations de Nicolas sont présentées entre guillemets au début des commentaires.

Noli me tangere signifie « ne me touche pas »

Cette expression fait référence à l'ouverture facile et rapide des capsules des impatientes. Au simple toucher, les capsules réagissent en s'ouvrant spontanément pour les projeter au loin. Cette même expression a aussi décrit un ensemble de maladies de la peau qui rendent cette dernière très sensible au toucher. Il est intéressant de noter que le tabac des Amériques est très tôt reconnu comme un excellent remède contre ces maladies de peau. Le premier ouvrage français sur le tabac médicinal recommande vivement l'usage du tabac pour traiter ces pathologies cutanées.

Source : Gohory, Jacques, *Introduction sur l'herbe Petum ditte en France l'herbe de la Royne ou Médicée*, Paris, Galiot du Pré, 1572.

« *Limphata* ». C'est l'asaret du Canada, connu sous le nom de gingembre sauvage (*Asarum canadense*). Dans le texte de l'*Histoire naturelle*, Nicolas utilise le mot « lymphata » qui réfère à un nymphéa ou à un nénuphar (*Nymphaea* sp. ou *Nuphar* sp.). Il y a donc confusion quant à ce mot. Nicolas utilise le mot « gingembre » dans son *Histoire naturelle* pour décrire un gingembre sauvage qui est vraisemblablement l'asaret du Canada. Le mot gingembre n'identifie pas l'illustration de l'asaret et les deux variantes du même mot (limphata et lymphata) s'appliquent à deux plantes différentes. L'asaret du Canada est illustré dès 1635 par Cornuti. Curieusement, Nicolas semble ne pas connaître ou ignorer ce livre.

« Ail sauvage ». Probablement l'ail des bois (Ail trilobé, *Allium tricoccum*). Le nom vernaculaire « ail sauvage » est encore utilisé.

« Cotonaria qui porte du miel du coton du chanvre une belle fleur et des asperges ». La cotonaria est la cotonnière du texte de l'*Histoire naturelle* qui représente l'asclépiade commune (*Asclepias syriaca*). Le texte de la légende indique que la belle fleur porte du miel (nectar), qu'on extrait du coton et du chanvre (fibres textiles) et que les jeunes pousses sont mangées comme des asperges. Ces pousses sont possiblement aussi nommées « asperges ». Comme pour l'asaret du Canada, Nicolas ne fait pas référence à l'illustration de Cornuti de 1635.

« Ehlebore blanc ». Probablement le tabac du diable (Vérâtre vert, *Veratrum viride*). Dans son *Histoire*

naturelle, Nicolas utilise le mot « ellébore » qui est maintenant écrit « ehlebore » dans le *Codex*. La plante de l'*Histoire naturelle* est probablement aussi la même espèce.

« *Victis indica* et *canadensis* ». Cette vigne de l'Inde et du Canada est vraisemblablement la vigne des rivages (*Vitis riparia*).

« Tripe de roche ou mousse dont on fait quelque bouillon qui devient comme de la colle trop insipide ». Il s'agit de lichen poussant sur les roches. La description de la « tripe de roche » de Nicolas semble très inspirée de celle de son collègue Claude Allouez publiée dans les Relations des Jésuites de 1666-1667. Il s'agit probablement de la première illustration de lichen en Nouvelle-France. Selon Claude Roy, un expert des lichens retraité de l'Université Laval, cette tripe de roche correspond à une espèce d'*Umbilicaria*.

« *Mentamin* ou bled d'Inde ». C'est le maïs ou blé d'Inde (*Zea mays*). Dans son *Histoire naturelle*, Nicolas utilise trois synonymes, blé d'Inde, mil d'Espagne et blé de Turquie. Il s'agit d'une des premières illustrations en Nouvelle-France d'un plant complet. Souvent auparavant, on n'illustrait que les épis matures. C'est le cas, par exemple, sur le cartouche de la carte de la Nouvelle-France de Samuel de Champlain en 1612 et sur la carte de Lescarbot de 1609. Nicolas rapporte le même mot *mentamin* dans sa grammaire algonquine. Le dictionnaire montagnais-français d'Antoine Silvy

Une sagamité noire et gluante

Dans une lettre du 18 octobre 1667, Marie de l'Incarnation décrit la recette de préparation d'une « sagamité noire comme de l'encre et gluante comme de la poix ». Cette concoction est celle utilisée en dernier recours par un collègue de Louis Nicolas pour qui « tout semble bon… à celui qui a faim ». On fait d'abord bouillir des glands dans la « lessive » pour en diminuer l'amertume. Cette lessive est la suspension aqueuse, filtrée ou non, de cendres de bois dur ou à la limite d'autres végétaux. À ce mélange alcalin qui neutralise l'amertume des tanins, on ajoute du « limon ». Ce limon gluant n'est pas nécessairement de l'argile. Il peut aussi s'agir de la tripe de roche bouillie dans l'eau. Les glands amers proviennent vraisemblablement du chêne rouge (*Quercus rubra*).

Source : Marie de l'Incarnation, *Lettres de la vénérable mère Marie de l'Incarnation, première supérieure des Ursulines de la Nouvelle France, divisées en deux parties*, 1681, Paris, Louis Billaine : 621. Disponible au http://gallica.bnf.fr/.

datant de la période 1678-1684 contient le même mot pour désigner le « blé d'Inde ».

« Fruit du *pimina* ». Nicolas utilise le même mot dans son *Histoire naturelle*. C'est possiblement la première mention écrite en Amérique de ce mot amérindien, écrit possiblement erronément par la suite *pimbina*, qui décrit les viornes arbustives (Viorne trilobée, *Viburnum opulus* subsp. *trilobum* var. *americanum* ou viorne comestible, *Viburnum edule*). Jean-François Gaultier rapporte beaucoup plus tard le terme « painmina » en partie francisé. Ce mot ressemble au *pimina* de Nicolas.

« Serises sauvages ». Nicolas mentionne le « cerizier merizier » (Cerisier de Pennsylvanie, *Prunus pensylvanica*) et le « cerizier à grappes » (Cerisier de Virginie, *Prunus virginiana*) dans son *Histoire naturelle*. Dans le *Codex,* les cerises ne sont nommées que sauvages. C'est un autre exemple d'une certaine discontinuité entre le manuscrit et le *Codex* qui a été finalisé plus tardivement.

« Petit oranger de la virginie ». C'est l'« oranger amériquain » de l'*Histoire naturelle* qui semble correspondre aussi au plaqueminier de Virginie (*Diospyros virginiana*) comme pour le « citron » du même texte. Les illustrations de l'oranger et de la plante qui porte des citrons sont donc possiblement deux variantes de la même plante qu'il a observée dans les colonies anglaises plus au sud.

« Plante qui porte des Citrons ». Nicolas décrit le « citron » de l'Amérique dans son *Histoire naturelle*. C'est une plante arbustive d'au moins trois pieds de hauteur avec dix ou douze fruits de couleur verte, jaune ou rouge qui contiennent une graine ressemblant à celle du melon. L'illustration et la description suggèrent qu'il s'agit du plaqueminier de Virginie (*Diospyros virginiana*). Cette plante ne se retrouve pas dans la vallée du Saint-Laurent.

« Branches du cèdre blanc du canada ». C'est le cèdre ou thuya occidental (*Thuja occidentalis*). Le cèdre blanc est aussi connu sous le nom d'arbre de vie (*arbor vitae*).

« Branche du cèdre rouge en virginie ». C'est le genévrier de Virginie (*Juniperus virginiana*). Nicolas décrit le « cèdre rouge » dans son *Histoire naturelle*.

« La granadille qui produit les instrumen[t]s de la passion de N.S.J.C ». La « granadille » est la traduction française du mot espanol *granadilla*. Cette fleur de la passion est une espèce de passiflore (*Passiflora* sp.) qui n'est pas indigène au Canada. Nicolas ne traite pas d'ailleurs de cette plante dans son *Histoire naturelle*. Son illustration est assurément symbolique et religieuse, car on y reconnaît bien trois clous et la couronne d'épines ayant servi lors de la crucifixion du Christ.

La liste des arbres de Nicolas et un dictionnaire français-onontagué

Un manuscrit du XVIIᵉ siècle rédigé vraisemblablement par un missionnaire jésuite œuvrant chez les Iroquois contient sous le nom arbre (*garonda*) une liste de 36 noms «des arbres les plus communs en Canada». Pour la plupart, ils sont les mêmes que ceux décrits par Nicolas. Il n'y a que quelques exceptions. Nicolas utilise le terme saule plutôt qu'osier et peuplier plutôt que liar(d). De plus, Nicolas ne mentionne pas le frêne gras. Il ne décrit que le franc frêne et le frêne bâtard. Il est probable que Louis Nicolas ait consulté divers dictionnaires de ce genre disponibles aux missionnaires jésuites.

Source: Shea, Jean-Marie, *Dictionnaire français-onontagué, édité d'après un manuscrit du XVIIᵉ siècle*, Nouvelle York, Presse Cramoisy, 1856.

Une source d'inspiration pour l'illustration de la fleur de la passion par Louis Nicolas?

L'Italien Antonio Possevino (1533-1611) est un jésuite influent qui agit pendant un certain temps comme diplomate pontifical. Il publie de plus des œuvres théologiques et ecclésiastiques. En 1610, il publie *Cultura Ingeniorum* qui inclut une description et une illustration d'une fleur de la passion plus symboliques que réelles. Les informations proviennent d'Eugenio Petrelli de Venise qui a travaillé au service de Possevino entre 1601 et 1606. Cette illustration de 1610 est plutôt similaire à celle du *Codex canadensis* de Louis Nicolas. *Frutex, flos et fructus Indiae occidentalis* signifie la tige, la fleur et le fruit de l'Inde occidentale.

Source: Possevino, Antonio, *Cultura Ingeniorum… Acceffit hac poftrema editione vera narratio Fructicis, Florum & Fructuum nouiffimè in Occidentalibus Indijs nafcentium. Eugenii Petrelli Veneti. Coloniae Agrippinae*, 1610, p. 16.

La fleur de la passion, sa connaissance en Europe et sa valeur symbolique religieuse

La fleur de la passion (*Passiflora* sp.), connue initialement sous le nom espagnol de granadilla, est mentionnée pour la première fois en 1553 dans *La Cronica del Peru* de Pedro Cieza de Leon. Onze ans plus tard, Nicolas Monardes écrit que la fleur de *granadilla* a des formes rappelant la Passion du Christ. Ce médecin espagnol recommande de plus de consommer les fruits pour les maux d'estomac. En 1607, le jésuite italien Giovanni Botero compose un poème sur la « *granadiglia* » dans lequel la fleur de cette plante imite la forme des instruments utilisés lors de la crucifixion de Jésus. Une première illustration de la fleur de la passion, symbolisant trois clous et une couronne d'épines, paraît en 1609 à Bologne. Dès l'année suivante, on observe un dessin du même genre à Rome (voir l'illustration précédente). Au début du XVIIᵉ siècle, l'Italie semble bien au fait de la dimension symbolique religieuse de cette fleur d'Amérique. Les missionnaires qui ont œuvré en Amérique centrale et du Sud ont fait connaître la plante et considèrent la fleur comme un signe de la présence divine en Amérique. La *granadilla* est devenue la fleur de la passion de Jésus.

L'une des premières mentions en France est celle d'un certain N. (Nicolas) Descamps (Deschamps), herboriste de la régente, qui rapporte que cette plante a fleuri au mois d'août 1612 dans le jardin de Jean Robin, jardinier du roi, à Paris. Selon Robin, cette espèce provient d'une île (du) Canada (*Insula Canada*)! Il n'y a pas cependant de fleurs de la passion indigènes au Canada d'aujourd'hui. On retrouve quelques espèces dans certains états du sud-est des États-Unis. La majorité des espèces prolifèrent au Mexique et en Amérique centrale et du Sud. L'explication de cette provenance canadienne demeure inconnue. En France, un dessin de cette plante apparaît en 1620 et dans le florilège de Pierre Vallet trois ans plus tard.

La fleur de la passion intéresse aussi les Anglais. Durant la décennie 1610, on mentionne sa présence en Virginie sous le nom algonquien *maracocq*, écrit selon diverses graphies. En 1629, le botaniste anglais John Parkinson présente une comparaison illustrant la fleur de la passion selon les Jésuites et la vraie plante. Il n'est pas doux envers les Jésuites qui, selon lui, ont dénaturé la réalité botanique de cette plante au profit d'un symbolisme religieux dont ils se servent dans leur travail missionnaire. En 1640, la planche avant la page de titre du *Theatrum Botanicum* de John Parkinson illustre le paysage végétal des quatre continents de l'époque. L'Amérique est représentée par des cactus, le tournesol et la fleur de la passion.

Des fleurs de la passion stylisées apparaissent même sur des ornements architecturaux, comme ceux dans la chapelle du Saint Suaire à Turin. Il ne faut donc pas s'étonner que le jésuite Louis Nicolas termine ses dessins de plantes du Canada par la fleur de la passion, même si elle est absente de ce pays. Sa valeur symbolique religieuse est trop importante et universelle. Comme pour Louis Nicolas, d'autres auteurs utilisent à la fin du XVIIᵉ siècle des illustrations symboliques de la fleur de la passion, comme celle dans l'œuvre encyclopédique de Johann Zahn (voir la première illustration de l'introduction).

Sources: Côté, Louise, et autres, *L'Indien généreux: ce que le monde doit aux Amériques*, Montréal, Les Éditions du Boréal, 1992: 40. Scott, John Beldon, « Guarino Guarini's Invention of the Passion Capitals in the Chapel of the Holy Schroud, Turin », *The Journal of the Society of Architectural Historians*, 1995, 54 (4): 418-445.

Les sources d'information de Louis Nicolas sur les plantes

La plus importante source d'information de Nicolas est certainement l'ensemble des documents colligés par les collègues jésuites qui l'ont précédé en Nouvelle-France. Ces documents contiennent aussi souvent des informations sur les langues amérindiennes et l'environnement naturel.

Nicolas a aussi accès à des ressources livresques assez diversifiées. On peut en juger par la liste des trente-cinq auteurs cités à la fin du chapitre des plantes de son *Histoire Naturelle des Indes Occidentales*. Selon Nicolas, ces auteurs n'ont jamais décrit les plantes énumérées dans son ouvrage. En plus des Anciens, Nicolas cite surtout de grands botanistes, médecins ou naturalistes du XVIᵉ siècle, comme Jean Ruel (vers 1479-1537), Pietro Andrea Mattioli (1501-1577), Valerius Cordus (1515-1544), Jacques Dalechamp (1513-1588), Pierre Belon du Mans (1517-vers 1563), Julius Caesar Scaliger (1484-1558), Conrad Gessner (1516-1565), Hieronymus Tragus (1498-1554), Jean Bauhin (1541-1613), Leonhart Fuchs (1501-1566), Rembert Dodoens (1517-1585), Janus Coronarius (1500-1558), Andres de Laguna (vers 1510-1559), Ulisse Aldrovandi (1522-1605) et Guillaume Rondelet (1507-1566).

Ses sources bibliographiques semblent ignorer la littérature anglaise. Selon une interprétation du mot Johnson ou Johnston du manuscrit original, il est peut-être familier avec l'édition révisée en 1633 par Thomas Johnson (vers 1600-1644) du livre *Herball* de John Gerard. Par contre, cette interprétation ne tient pas si l'auteur cité par Nicolas est Johnston plutôt que Johnson. Nous favorisons cette dernière interprétation, car un livre de John Johnston (1603-1675), un naturaliste encyclopédiste, est recensé dans la bibliothèque des Jésuites dès 1662. Cette bibliothèque contient déjà en 1632 trois livres du réputé botaniste flamand Rembert Dodoens.

La contribution botanique de Louis Nicolas

À la suite de son séjour ininterrompu en Nouvelle-France de 1664 à 1675, on peut affirmer que Nicolas est de loin celui qui fournit le plus d'informations botaniques et surtout ethnobotaniques concernant la Nouvelle-France. On peut comparer jusqu'à un certain point sa contribution à celle de l'Anglais John Josselyn qui publie en 1672 et 1674 deux livres traitant de sciences naturelles en Nouvelle-Angleterre. Josselyn a séjourné en Nouvelle-Angleterre en 1638-1639 et de juillet 1663 au mois d'août 1671. Sommairement, Josselyn décrit environ 227 espèces végétales en Nouvelle-Angleterre. Pour cet auteur, 97 espèces sont des plantes communes avec l'Angleterre, 48 sont propres au pays (40 ont un nom et 8 sont sans nom). Les habitants de la Nouvelle-Angleterre cultivent 22 espèces agricoles et on compte 60 herbes potagères. Il faut souligner que plusieurs historiens, comme Raymond Phineas Stearns, soutiennent que l'œuvre d'histoire naturelle de Josselyn est la plus complète produite en Nouvelle-Angleterre avant 1776. Pour Raymond Stearns, Josselyn, le royaliste, est aussi un excellent « raconteur », particulièrement lorsqu'il relate certaines pratiques amérindiennes.

Nicolas mentionne 257 noms différents de plantes. Tenant compte des synonymes, Nicolas énumère au moins 225 plantes différentes, comparativement aux 227 espèces de Josselyn. Contrairement à ce dernier, Nicolas ne regroupe pas les plantes en sous-groupes d'origine ou de fonction. Les informations ethnobotaniques de Nicolas sont cependant plus nombreuses que celles de Josselyn. Elles témoignent, comme pour Josselyn, d'une vaste connaissance de terrain en ce qui a trait aux us et coutumes des Amérindiens et des Européens par rapport à la flore locale.

Une autre comparaison intéressante est celle avec la publication de 1655 d'Adriaen van der Donck sur les plantes observées en Nouvelle-Hollande. Cet auteur rapporte 43 espèces potagères, 41 espèces officinales, 34 espèces fruitières, 23 espèces d'arbres indigènes, 17 espèces de fleurs introduites, 14 espèces agricoles et 9 espèces de fleurs indigènes pour un total de 181 espèces. Environ 22 % de ces espèces sont des espèces officinales qui ont été transportées d'Europe comme pour la plupart des plantes potagères. Certaines espèces fruitières proviennent aussi d'Europe. Les observations ethnobotaniques de van der Donck sont cependant moins nombreuses et moins explicites que celles de Nicolas et Josselyn.

Globalement, l'œuvre botanique et ethnobota-nique de Nicolas est la plus importante avant la fin du XVIIᵉ siècle en ce qui concerne la Nouvelle-France. Les écrits de Nicolas représentent donc une source majeure des connaissances de sciences naturelles en Amérique du Nord. Lentement mais sûrement, ce naturaliste qui n'a jamais réussi à faire publier ses manuscrits, reprend la place importante qui lui revient.

Des références aux manuscrits de Louis Nicolas

La première mention d'un manuscrit de Nicolas est probablement celle de François-Xavier de Charle-voix dans son *Journal d'un voyage fait par ordre du roi dans l'Amérique septentrionale*. Au chapitre des « Poissons particuliers en Canada », Charlevoix écrit qu'il a lu « dans la Relation Manuscrite d'un Ancien Missionnaire, qui assûre avoir vû un Homme marin dans la Riviere de Sorel, trois lieuës au-dessous de Chambly. La Relation est écrite avec beaucoup de jugement ; mais pour mieux constater le fait, & pour montrer qu'une premiere apparence ne l'a point trompé, l'auteur auroit dû ajoûter à son Récit la Description de ce Monstre ».

L'auteur de la relation manuscrite qui est un ancien missionnaire est vraisemblablement Louis Nicolas qui illustre dans son *Codex* un « Monstre marin tué par les Français sur la rivière de Richelieu en Nouvelle-France ». Nicolas ne décrit pas, comme le souligne à juste titre Charlevoix, ce monstre marin à tête humaine dans son *Histoire naturelle*. Selon François-Marc Gagnon, cette illustration du monstre marin par Nicolas est inspirée du traité de Pierre Belon du Mans sur les poissons. Charlevoix a probablement eu accès aux manuscrits de l'ancien missionnaire jésuite. Ces manuscrits disparaissent cependant dans l'oubli après cette remarque de Charlevoix.

En 1927, le docteur Arthur Vallée (1882-1939) de l'Université Laval rapportait avoir consulté une partie de l'œuvre d'un jésuite, maintenant identifié à Louis Nicolas. Vallée utilise les propos suivants pour conclure son survol du manuscrit : « Document de premier ordre, très complet et qui par son étendue montre bien à quel point l'histoire naturelle passion-nait les premiers pionniers ».

Sources

Bishop, John E, *Comment dit-on* tchistchimanis8 *en français ? The translation of Montagnais ecological knowledge in Antoine Silvy's Dictionnaire montagnais-français (ca. 1678-1684)*, An essay submit-ted to the School of Graduate Studies in partial fulfilment of the requirements for the degree of Master of Arts, Memorial University of Newfoundland 2006.

Bowen, Willis Herbert, « The Earliest Treatise on Tobacco : Jacques Gohory's "Instruction sur l'herbe Petum" », *Isis*, 1938, 28 (2) : 349-363.

Chabrey, Dominique, *Stirpium icones et sciagraphia Cum Omnibus, quae de plantarum Natura, Natalibus, Synonymis, Usu & Virtutibus Scitu necessaria : Quibus accessit scriptorum circa eas Consensus & Dissensus*, Genève, 1677. Disponible à la bibliothèque numérique du Jardin botanique royal de Madrid au http://bibdigital.rjb.csic.es/spa/.

Cuoq, J. A., *Lexique de la langue iroquoise avec notes et appendices*, Montréal, J. Chapleau et fils, imprimeurs-éditeurs, 1882.

Daviault, Diane, *L'algonquin au XVIIᵉ siècle. Une édition critique, ana-lysée et commentée de la grammaire algonquine du Père Louis Nicolas*, Québec, Les Presses de l'Université du Québec, 1994.

Deroy-Pineau, Françoise, *Marie de l'Incarnation. Femme d'affaires, mys-tique et mère de la Nouvelle-France*, Canada, Bibliothèque québécoise, 2008.

Doyon, Pierre-Simon, *L'iconographie botanique en Amérique Française du XVIIᵉ au XIXᵉ siècle*, Université du Québec à Trois-Rivières, 2006. Disponible au https://oraprdnt.uqtr.uquebec.ca.

Fortin, Daniel, *Une histoire des jardins au Québec. 1. De la découverte d'un nouveau territoire à la Conquête*, Québec, Les Éditions GID, 2012.

Gagnon François-Marc, et autres, *The Codex Canadensis and the Writings of Louis Nicolas. The natural history of the New World. Histoire naturelle des Indes Occidentales*, Montréal et Kingston, Gilcrease Museum and McGill-Queen's University Press, 2011.

Ganong, William Francis, « The identity of the Animals and Plants mentionned by the early Voyagers to Eastern Canada and Newfound-land. Mémoires et comptes rendus de la Société royale du Canada », *Proceedings and Transactions of the Royal Society of Canada*, Series III, 1909, vol. 3 : 197-242.

Josselyn, John, *New England's Rarities discovered in birds, beasts, fishes, serpents and plants of that country*, Londres, 1672.

Josselyn, John, *Account of two voyages to New-England made during the years 1638, 1663*, Londres, 1674. Disponible au www.americanjour-neys.org/aj-107/.

Linocier, Geoffroy, *L'histoire des plantes*, Paris, 1587. Disponible à la bibliothèque numérique du Jardin botanique royal de Madrid au http://bibdigital.rjb.csic.es/spa/.

Morisset, Pierre, « Le contenu botanique de l'Histoire naturelle des Indes Occidentales de Louis Nicolas », *Bulletin de la Société d'animation du Jardin et de l'Institut botaniques*, 1982, 6 (3-4) : 38-41.

Rochemonteix, Camille de, *Les Jésuites et la Nouvelle-France au XVIIᵉ siècle*, [Tome second], Paris, Letouzey et Ané, Éditeurs, 1896.

Stearns, Raymond Phineas, *Science in the British Colonies of America*, Urbana, University of Illinois Press, 1970.

Vallée, Arthur, *Un biologiste canadien. Michel Sarrazin 1659-1735*, Québec, Imprimé par LS-A. Proulx, 1927.

Van der Donck, Adriaen, *A description of the New Netherlands*, 1655. Disponible au http://americanjourneys.org/aj-096/.

Warkentin, Germaine, « Aristotle in New France : Louis Nicolas and the Making of the *Codex canadensis* », *French Colonial History*, 2010, 11 : 71-108.

QUELQUES PREMIÈRES

UNE SÉLECTION DE FAITS SAILLANTS est toujours biaisée. À la limite, les premières observations des centaines de plantes et de leurs usages sont toutes aussi importantes les unes que les autres. On peut néanmoins tenter de commenter quelques premières, c'est-à-dire quelques étapes déterminantes ou surprenantes de l'acquisition des connaissances sur les plantes de la Nouvelle-France et leurs usages.

Vers l'an 1000. En 1757, George Westman, un étudiant de Pehr Kalm, présente sa thèse sur les voyages des Scandinaves en Amérique du Nord qui ont précédé de plusieurs siècles la découverte officielle de l'Amérique. Selon une interprétation des termes botaniques présents dans les sagas médiévales scandinaves, Westman suggère que les Vikings auraient peut-être trouvé du bois de noyer noir lors de leurs explorations. Étonnamment, deux siècles plus tard, du bois et des noix de noyer cendré font partie des artéfacts retrouvés sur le site occupé par les Vikings vers l'an 1000 à l'anse aux Meadows à Terre-Neuve.

1534 à 1542. Jacques Cartier mentionne de façon générique une cinquantaine de noms de plantes. Il décrit l'utilisation du maïs, du tabac et surtout de l'*annedda*, un conifère qui fournit un remède miraculeux pour combattre tant le scorbut que la syphilis. L'explorateur n'a certes pas réalisé les futurs impacts de la culture industrielle du maïs, du tabagisme et des recherches toujours en cours sur la vitamine C et la préservation de la santé. Le potentiel guérisseur de cette vitamine a été analysé par Linus Pauling (1901-1994), un récipiendaire de deux Prix Nobel. Il soutenait l'hypothèse que la vitamine C utilisée en doses massives manifeste des propriétés anticancéreuses et même antivirales. Le biochimiste semblait partager le grand enthousiasme de Cartier pour cette panacée. Tout comme Champlain n'a pas retrouvé le remède miraculeux de Cartier, la science moderne n'a pu dissiper les doutes quant à l'efficacité réelle des doses massives de vitamine C. L'histoire semble se répéter. La vitamine C est efficace, mais elle n'est pas miraculeuse. En utilisant les deux seuls textes des récits de Cartier référant spécifiquement à l'*annedda*, le conifère guérisseur est possiblement la pruche, le sapin, le pin rouge, l'épinette blanche, l'épinette rouge et à la limite le cèdre ou peut-être même un mélange de conifères. Le cèdre est cependant éliminé si ce terme mentionné dans un texte de l'*annedda* correspond au cèdre moderne identifiant le thuya. Il faut aussi souligner que la recette de la préparation de la décoction d'*annedda* inclut le broyage de feuilles et d'écorce «du dit bois». Cartier ne mentionne cependant que la récolte des rameaux. On ne sait pas si l'écorce réfère à l'écorce des rameaux ou à l'écorce du tronc récoltée séparément des rameaux. La nature exacte et la contribution médicinale de cette écorce demeurent inconnues.

1553. Pierre Belon dénonce l'utilisation médicinale frauduleuse et même nuisible d'un pin maritime rapporté du Canada. C'est le pin blanc qu'il désigne comme un autre arbre de vie (*altera arbor vitae*). Pour Belon, certains l'identifient incorrectement au bois de vie (*lignum vitae*), ce remède à la mode pour traiter la syphilis de plus en plus fréquente en Europe. Il s'agit de la première mention du nom latin *arbor vitae* appliqué au cèdre d'Amérique du Nord, le thuya occidental (*Thuja occidentalis*). Cette dénonciation de la part du naturaliste est suivie par d'autres cas assez fréquents, semble-t-il, de fraudes ou de mauvaises préparations associées à des produits végétaux canadiens. Ainsi, le sucre d'érable est adultéré à l'occasion et le commerce du ginseng au XVIIIᵉ siècle est entaché par une récolte trop hâtive ou la mauvaise préparation des racines séchées.

1557. André Thevet signale une récolte incroyable de sève savoureuse de l'arbre nommé *Couton* qui correspond vraisemblablement à l'eau sucrée de l'érable à sucre. Le mot érable est mentionné pour la première fois dans le récit du troisième voyage de Jacques Cartier (1541-1542). Il est étonnant que les relations de cet explorateur ne fassent pas référence à la récolte de sève sucrée des érables, alors que Thevet réfère à des informations provenant de Cartier. Est-ce vraiment un oubli?

1605. Samuel de Champlain est le premier en Amérique du Nord à décrire le topinambour, une espèce alimentaire apparentée au tournesol. Deux ans auparavant, il mentionne aussi le premier, cette fois en Nouvelle-France, la présence de l'apios d'Amérique (*Apios americana*) qui portera éventuellement le nom vernaculaire de patates en chapelet. C'est le début de la confusion quant à la provenance réelle du topinambour et cela favorise l'utilisation de diverses appellations en Europe. Marc Lescarbot est le premier en 1607 à dénoncer l'appellation topinambour qui réfère à une nation amérindienne du Brésil. Durant les décennies qui suivent, le topinambour est nommé «patates de Canada» et même «Canadas». Champlain semble surtout intéressé par les plantes comestibles et quelques espèces à potentiel commercial. Son plan d'affaires de février 1618 fait part de revenus de la vente de produits végétaux qui représentent plus du tiers des revenus totaux du nouveau pays. Les produits prometteurs sont le bois, la cendre de bois, le brai, le goudron et la résine des conifères, la racine pour teindre en rouge (Sanguinaire du Canada, *Sanguinaria canadensis*), le chanvre local et ses produits textiles dérivés. Les prévisions de Champlain s'avéreront justes pour le commerce du bois et de ses cendres. Elles n'incluent pas cependant des plantes médicinales miraculeuses comme l'*annedda* de Jacques Cartier. Par contre, Champlain manifeste un grand espoir commercial pour la sanguinaire. Il espère probablement faire compétition au colorant rouge des cochenilles dont le très lucratif monopole est sous le contrôle de la royauté espagnole. Il décrit incorrectement la plante dite cochenille dans le *Brief discours* dont il serait l'auteur. Champlain semble éprouver des difficultés avec certains aspects de la botanique. Par exemple, il ne retrouve pas l'*annedda* de Cartier qui aurait réglé bien des problèmes de survie à l'hiver dans la nouvelle colonie. Champlain croyait que l'*annedda* était une herbe connue des Algonquiens, alors que le gros conifère guérisseur avait été révélé par les Iroquoiens.

1606-1607. Marc Lescarbot recense des plantes acadiennes et il se fait un ardent défenseur de l'importance primordiale de l'agriculture pour la nouvelle colonie. Il est le premier à mentionner une espèce d'acore en Amérique du Nord. Il s'agit vraisemblablement de l'espèce indigène, l'acore d'Amérique (*Acorus americanus*) plutôt que l'acore roseau (*Acorus calamus*), cette espèce eurasiatique introduite en Amérique du Nord. Il est probablement surpris de la présence d'une telle plante en Acadie. Il semble croire qu'elle est semblable à celle retrouvée en Europe. De surcroît, il réalise peut-être que cette espèce est citée à cinq reprises dans la Bible sous le vocable *Calamus*. L'acore est la deuxième plante, après l'achillée millefeuille, pour ce qui est du plus grand nombre d'utilisations médicinales par les Amérindiens du Nord. Ce sont peut-être les Micmacs qui ont permis à Lescarbot de découvrir cette plante d'intérêt. Une carte de 1609 de la Nouvelle-France produite par Lescarbot montre pour la première fois des épis de maïs observés dans cette région.

1614. La première illustration d'une fleur canadienne dans un florilège est publiée en Allemagne. Il s'agit du lis du Canada dans le recueil de Jean-Théodore de Bry. Son père Théodore est responsable en 1590 de la publication de l'un des premiers récits des explorations anglaises en Amérique du Nord. Le lis du Canada (*Lilium canadense*) est de plus la première plante nord-américaine dont le nom latin d'identification inclut le mot Canada. Le lis canadien porte aussi le nom français «Martagon de Canada». Ce lis est illustré par la suite en 1620 dans un opuscule accompagnant un livre de biologie en format de poche produit à Paris, en 1622 et en 1633 dans le florilège de Daniel Rabel et en 1623 dans celui de Pierre Vallet. Daniel Rabel identifie la plante canadienne comme un *Liliomartagum* alors que pour Vallet il s'agit d'un *Martagum*. Dès le début de la décennie 1620, cette espèce a déjà trois appellations différentes dans la seule région parisienne.

Au plus tard en 1620. L'herbier de Joachim Burser, un médecin allemand, contient 27 plantes provenant possiblement du Canada pour la plupart, même si l'auteur estime qu'elles proviennent du Brésil. Un apothicaire de Paris lui a fourni ces échantillons. Les plantes pourraient avoir été récoltées par l'apothicaire Louis Hébert, surnommé le «ramasseur d'herbes», qui a d'abord séjourné en Acadie avant de s'établir avec sa famille à Québec en 1617. Louis Hébert aurait vraisemblablement aussi expédié à Paris des végétaux faisant partie de la première flore nord-américaine publiée par Jacques Cornuti en 1635. Louis Hébert possède une impressionnante «chaudière à brasserie» servant à fabriquer de la bière. Il a probablement aussi cultivé du houblon. Ainsi, la première microbrasserie en Nouvelle-France serait celle de Louis Hébert. Ses héritiers utilisent d'ailleurs cette grosse chaudière pour préparer en 1628 un festin mémorable décrit en détail par Gabriel Sagard qui voue un grand respect au premier pharmacien défricheur du Canada.

1623. Gaspard Bauhin publie à Bâle *Pinax theatri botanici* recensant environ 6 000 plantes, incluant quelques espèces des Amériques. Certaines de celles-ci ont été acquises du jardin parisien de Jean et Vespasien Robin par l'intermédiaire de Georgius Sporlinus, un étudiant en médecine. La même année, Vespasien Robin publie une liste des plantes du jardin initié par son père. Une espèce d'amélanchier est la seule plante dite canadienne en plus de celles identifiées comme étant américaines, virginiennes ou étrangères. Cet amélanchier canadien n'apparaît plus dans la liste de 1636 du Jardin royal à Paris. Le jardin des Robin contient vraisemblablement des plantes provenant du territoire de la Nouvelle-France. En 1629, l'auteur anglais John Parkinson écrit que la lobélie du cardinal (*Lobelia cardinalis*) croît près de la rivière du Canada [le Saint-Laurent] et qu'il a obtenu cette espèce de France. Cette lobélie est illustrée, tout comme la tradescantie de Virginie (*Tradescantia virginiana*) et le lis du Canada (*Lilium canadense*), dans l'édition parisienne de 1623 du florilège de Pierre Vallet. Dès 1621, la lobélie du cardinal semble avoir été présente à Rome. En 1623, la liste du jardin des Robin indique que le mûrier rouge (*Morus rubra*) est virginien, alors qu'il devient américain en 1636 au Jardin royal. De tels changements d'appellation compliquent l'interprétation de la provenance de certaines espèces nord-américaines.

1623-1624. Le récollet Gabriel Sagard séjourne en Nouvelle-France et se rend au pays des Hurons. Quelques-uns de ses confrères sont présents à Québec depuis 1615, précédant ainsi les Jésuites qui n'y arrivent qu'en 1625. Sagard est l'un des premiers auteurs à mentionner spécifiquement le transport en France de «fleurs rares», comme la lobélie cardinale et une espèce de lis, dont il déguste les bulbes cuits sous la cendre à la manière des Amérindiens. Ces fleurs rares embellissent les abords du couvent des Récollets sur le bord de la rivière Saint-Charles à Québec. Comme Sagard et les Récollets vouent un grand respect à Louis Hébert, il est possible que le premier pharmacien défricheur ait fourni ou identifié des plantes canadiennes à transporter en France.

1634. La liste des plantes du jardin des Tradescant à South Lambeth en Angleterre indique la présence de deux espèces dites canadiennes : *Frutex Canadensis Epemedii folio* et *Nux juglans Canadensis*. La première espèce est l'herbe à puce (*Toxicodendron radicans*) et la seconde est le noyer cendré ou le noyer noir (*Juglans cinerea ou Juglans nigra*). L'herbe à puce est répertoriée dans le même jardin dès 1632 en plus d'une tulipe dite canadienne. En 1633, un glaïeul dit canadien (*Gladiolus Canadensis*) correspond peut-être à une bermudienne (*Sisyrinchium* sp.) alors que le martagon canadien (*Martagon Canadenc(s)is*) est le lis du Canada (*Lilium canadense*) déjà illustré à quelques reprises depuis 1614 dans divers florilèges.

1635-1636. Jacques Cornuti, un médecin parisien dont le père a été doyen de la Faculté de médecine publie la première flore illustrée de l'Amérique du Nord en plus d'une flore non illustrée de la région de Paris. Il n'a jamais visité l'Amérique, mais son réseau d'informateurs inclut des jardiniers de renom, comme René Morin ainsi que Jean et Vespasien Robin, qui sont familiers depuis plusieurs années avec des plantes nord-américaines d'intérêt médicinal ou ornemental provenant vraisemblablement en grande partie, mais non exclusivement, du territoire de la Nouvelle-France. Cornuti décrit une quarantaine d'espèces nord-américaines dont 20 portent un nom canadien. Cependant, la liste de 1636 du Jardin du roi à Paris, nouvellement aménagé, ne contient pas une seule plante avec un nom référant au Canada. Plusieurs espèces décrites par Cornuti sont alors identifiées dans cette liste comme des plantes américaines ou virginiennes. Étonnamment, Cornuti n'utilise pas la nomenclature de la liste de 1623 du jardin des Robin situé aussi à Paris. Vespasien Robin, le premier «sous-démonstrateur» du Jardin du roi est pourtant l'un des principaux collaborateurs de Cornuti. Ironiquement, à Rome dès 1633, quelques espèces nord-américaines portent le nom de plantes canadiennes. Le neveu du pape s'émerveille même de la grosseur inouïe des fraises du Canada. De plus, en 1628, Guy de La Brosse, le futur premier intendant du nouveau Jardin du roi à Paris, se questionne sur la nature des topinambours, ces «patates de Canada». Cornuti est le premier à systématiser l'emploi du qualificatif canadien dans les descriptions savantes de certaines espèces nord-américaines, généralement aussi présentes dans le territoire canadien moderne.

1646. Johannes Snippendaal, le responsable du Jardin d'Amsterdam qui contient près de 800 espèces, recense trois plantes portant un nom canadien: l'hélianthe scrofuleux, l'herbe à puce et la vigne vierge à cinq folioles. Snippendaal cite la flore de Cornuti de 1635 en référence aux dernières espèces et à deux autres espèces nord-américaines: la corydale toujours-verte et l'eupatoire pourpre. Cette liste inclut aussi la présence de la fleur du cardinal [lobélie du cardinal] et de l'arbre de vie, le thuya occidental.

1664. Pierre Boucher mentionne pour la première fois plus d'une centaine de plantes en Nouvelle-France. Quelques-unes sont introduites d'Europe. Selon l'ethnobotaniste Jacques Rousseau, le texte de Boucher laisse croire que trois espèces semblent s'échapper des lieux de culture. C'est le cas du houblon, du pourpier potager et d'une espèce de mélilot. Les observations botaniques de Boucher sont succinctes et présentent relativement peu d'informations ethnobotaniques. Il faut cependant comprendre que le livre de Boucher est d'abord une description d'ensemble du territoire visant à favoriser la venue de nouveaux colons.

1664-1675. C'est la période du séjour en Nouvelle-France du missionnaire jésuite Louis Nicolas. Jugé rustre par certains de ses pairs, il rédige au plus tard en 1689 un manuscrit sur l'histoire naturelle des Indes occidentales, c'est-à-dire l'est de l'Amérique du Nord. Il complète aussi vers 1700 un recueil complémentaire d'illustrations rudimentaires d'Amérindiens, de plantes, d'animaux, de poissons et d'oiseaux connu sous le nom *Codex canadensis*. Ces deux manuscrits d'une valeur historique exceptionnelle pour la connaissance et la compréhension de l'histoire naturelle de l'Amérique du Nord à la fin du XVIIe siècle ne sont publiés de façon critique qu'en 2011. Ils contiennent l'énumération d'environ 225 espèces végétales indigènes ou introduites. Une dizaine de plantes indigènes et une quarantaine d'espèces européennes sont mentionnées pour la première fois en Nouvelle-France. Ainsi, Nicolas note la présence du pissenlit (*Taraxacum officinale*), du tussilage pas-d'âne (*Tussilago farfara*) et du millepertuis commun (*Hypericum perforatum*) en Nouvelle-France, trois espèces vraisemblablement transportées au nouveau pays pour des fins médicinales. En outre, Nicolas révèle des renseignements inédits sur les usages des végétaux par les Amérindiens. C'est le cas de la fabrication ingénieuse d'un mastic servant à l'épilation. Le nom algonquien de cette gomme de pin, *pikieu*, est vraisemblablement à l'origine du terme picieu qui décrit l'instrument pour recueillir la résine du sapin baumier. À l'occasion, Nicolas livre aussi des informations d'ordre technologique, comme pour la préparation des fibres malléables du bois de plomb à l'aide du traitement alcalin de l'écorce interne avec des cendres végétales.

La contribution de premier plan de Louis Nicolas, trop longuement ignorée, est une source privilégiée d'informations botaniques et ethnobotaniques. Le *Codex canadensis* contient l'illustration sommaire de 18 espèces végétales. Nicolas illustre deux espèces de cerisiers, dont le «miner», le cerisier déprimé (*Prunus pumila* var. *depressa*). C'est la première illustration de cette espèce en Amérique du Nord. C'est aussi le cas pour une impatiente indigène (*Impatiens* sp.) et d'autres espèces. Nicolas présente un croquis d'un plant entier de maïs (*Zea mays*) avec trois épis, deux inflorescences staminées et le système radiculaire. On observe les racines et les fleurs de l'asclépiade commune (*Asclepias syriaca*) qui porte du miel, le nectar sucré. «La plante qui porte des citrons» et «le petit oranger de Virginie» correspondent au plaqueminier de Virginie (*Diospyros virginiana*) qu'il a lui-même observé dans les colonies anglaises plus au sud. Louis Nicolas doit être considéré comme un pionnier et un compilateur fiable parmi les naturalistes ayant séjourné en Amérique du Nord.

1667. Le Conseil souverain de la Nouvelle-France décrète le 20 juin une ordonnance visant à couper les chardons envahisseurs dans les terres défrichées.

Selon toute vraisemblance, le chardon des champs (*Cirsium arvense*) est l'espèce visée. Cette ordonnance précède de 128 ans ce que la plupart des auteurs citent comme la première loi relative à cette espèce en Amérique du Nord. Deux signataires de cette ordonnance sont des personnages de grande influence en Nouvelle-France : monseigneur François de Laval, fondateur du Séminaire de Québec en 1663, et l'intendant Jean Talon, ardent promoteur du développement des ressources végétales. Étonnamment, quelques décennies suivant cette ordonnance, on retrouve au Séminaire de Québec «un grand terrain vague et inculte ne produisant que des chardons». L'ordonnance n'a donc pas été totalement efficace. Par contre, on observe tout près de ce terrain la présence d'une houblonnière qui semble avoir bien survécu à l'envahissement par les chardons. L'intendant Talon aurait été vraisemblablement fier de la houblonnière du Séminaire de Québec, lui qui cultive, au moment de la promulgation de l'ordonnance contre les chardons, quelque 6000 plants de houblon à Québec. L'intendant Talon prend de surcroît des mesures concrètes pour stimuler la culture du lin, du chanvre et du houblon ainsi que pour encadrer la récolte des résines des conifères, particulièrement le goudron extrait du pin rouge. Il favorise aussi le commerce des bois d'Amérique du Nord et leur utilisation en construction navale. Il fait ériger une potasserie à Québec dont il espère tirer de la potasse et d'autres dérivés à base de cendres végétales qui permettent alors la préparation de produits aussi divers que le savon, le verre et la lessive si utile pour le lavage et la désinfection des textiles. Tout comme Cartier, Champlain, Lescarbot et bien d'autres, Jean Talon comprend l'importance des ressources végétales pour le développement et la santé du pays naissant.

LES HISTOIRES SE POURSUIVENT

LES HISTOIRES DE PLANTES DU CANADA présentées dans ce premier tome livrent un aperçu de leur diversité, de leurs qualités ainsi que des usages et bienfaits que les hommes ont su en tirer. Elles sont toutefois loin d'épuiser le sujet. Il y a encore beaucoup à apprendre. D'autres découvertes de plantes du Canada et de leurs usages se poursuivent dans le second tome élaboré de façon similaire. À partir de la décennie 1670 et jusqu'à la fin du Régime français, d'autres personnages canadiens et européens entrent en scène dans divers domaines de la botanique en Amérique française. Après avoir rencontré les Vikings, Jacques Cartier, Samuel de Champlain, Jacques Cornuti et Louis Nicolas, on croisera les Michel Sarrazin, Joseph-François Lafitau, Pierre-François-Xavier de Charlevoix, Jean-François Gaultier et plusieurs botanistes européens du calibre des Joseph Pitton de Tournefort, Sébastien Vaillant, Duhamel du Monceau, John Evelyn et Pehr Kalm sans oublier le prince de la botanique, Charles Linné. On fera aussi connaissance avec des femmes d'influence, comme Agathe de Saint-Père, Esther Wheelwright et Marie-Andrée Duplessis, qui s'intéressent aux végétaux pour leurs usages. Ce second tome comptera près d'une trentaine d'histoires riches en informations et énigmes botaniques.

À suivre…

APPENDICES

NOMS LATINS DES ESPÈCES TRANSPORTÉES EN AMÉRIQUE PAR CHRISTOPHE COLOMB EN 1493

1. Blé (*Triticum* sp.)
2. Orge (*Hordeum vulgare*)
3. Chou potager (*Brassica oleracea*)
4. Laitue (*Lactuca sativa*)
5. Poireau (*Allium porrum*)
6. Bette (*Beta vulgaris*)
7. Oignon (*Allium cepa*)
8. Radis (*Raphanus sativus*)
9. Concombre (*Cucumis sativus*)
10. Pois chiche (*Cicer arietinum*)
11. Fève (*Vicia faba*)
12. Cédrat (*Citrus medica*)
13. Citron (*Citrus limon*)
14. Lime (*Citrus aurantiifolia*)
15. Orange sucrée (*Citrus sinensis*)
16. Olivier (*Olea europaea*)
17. Vigne (*Vitis vinifera*)
18. Melon (*Cucumis melo*)
19. Persil (*Petroselinum crispum*)
20. Gourde (*Lagenaria siceraria*)*
21. Canne à sucre (*Saccharum officinarum*)

* Cette espèce est aussi présente en Amérique avant l'arrivée des Européens (Erickson, David L., et autres, «An Asian origin for a 10,000-year-old domesticated plant in the Americas», *Proceedings of the National Academy of Sciences*, 2005, 102 (51): 18315-18320.)

Source

Dunmire, William W., *Gardens of New Spain. How Mediterranean Plants and Foods changed America*, Austin, Texas, University of Texas Press, 2004, p. 89 et 315-321.

PLANTES CULTIVÉES INTRODUITES PAR LES ESPAGNOLS AU MEXIQUE AVANT OU PENDANT LA DÉCENNIE 1530

L'année d'introduction est indiquée entre parenthèses

1. Blé (1523) (*Triticum* sp.)
2. Chou potager (1538) (*Brassica oleracea*)
3. Laitue (1526) (*Lactuca sativa*)
4. Chou-fleur (1526) (*Brassica oleracea* var. *botrytis*)
5. Carotte (1526) (*Daucus carota*)
6. Ail (décennie 1530) (*Allium sativum*)
7. Raifort (1526) (*Armoracia rusticana*)
8. Navet (1526) (*Brassica rapa*)
9. Concombre (décennie 1530) (*Cucumis sativus*)
10. Aubergine (1530) (*Solanum melongena*)
11. Pois chiche (décennie 1530) (*Cicer arietinum*)
12. Vesce (décennie 1530) (*Vicia sativa*)
13. Prunier (décennie 1530) (*Prunus domestica*)
14. Cédrat (1531) (*Citrus medica*)
15. Citron (1531) (*Citrus limon*)
16. Lime (1531) (*Citrus aurantiifolia*)
17. Orange sucrée (1518) (*Citrus sinensis*)
18. Orange amère (1531) (*Citrus aurantium*)
19. Pommier (1536) (*Malus domestica=Pyrus malus*)
20. Figuier (décennie 1530) (*Ficus carica*)
21. Olivier (décennie 1530) (*Olea europaea*)
22. Poirier (1536) (*Pyrus communis*)
23. Grenadier (décennie 1530) (*Punica granatum*)
24. Cognassier (1536) (*Cydonia oblonga*)
25. Bananier (décennie 1520) (*Musa paradisiaca*)
26. Vigne (1529) (*Vitis vinifera*)
27. Melon (1530) (*Cucumis melo*)
28. Canne à sucre (1523) (*Saccharum officinarum*)
29. Lin (1530) (*Linum usitatissimum*)
30. Chanvre (1530) (*Cannabis sativa*)
31. Pastel des teinturiers (1537) (*Isatis tinctoria*)
32. Mûrier (1523) (*Morus alba* ou *nigra*)

Source

Dunmire, William W., *Gardens of New Spain. How Mediterranean Plants and Foods changed America*, Austin, Texas, University of Texas Press, 2004, p. 126-130.

SUGGESTIONS D'IDENTIFICATION DE 80 PLANTES MENTIONNÉES DANS LA BIBLE

L'ordre des espèces et les noms latins sont ceux de Lytton John Musselman (2007). Les chiffres entre parenthèses correspondent au nombre de mentions dans les textes bibliques. Les points d'interrogation réfèrent à des identifications incertaines rapportées par Musselman.

1. Acacia? (gomme?). *Acacia* sp. Possibilité d'une gomme d'Acacia.

2. Amandier (6). *Prunus dulcis*. Pas de mention de la consommation des amandes.

3. Almug. *Buxus longifolia*? *Taxus baccata*? Possibilité d'une espèce disparue?

4. Bois d'aloès. *Aquilaria malaccensis*.

5. Pomme. La pomme biblique est possiblement l'abricot. *Prunus armeniaca*.

6. Orge (35). *Hordeum vulgare*. La céréale la plus mentionnée après le blé (46). Elle est la nourriture des pauvres et moins considérée que le blé. Le pain d'orge est rond et plat à cause de l'absence de gluten.

7. Fève. *Vicia faba* (fève) et *Cicer arietinum* (pois chiche).

8. Herbes amères. *Cichorium intybus* (chicorée) et/ou *Lactuca* sp. (laitues) et/ou *Taraxacum officinale* (pissenlit).

9. Cumin noir. *Nigella sativa*. Des graines de cumin noir se trouvent dans les tombeaux de l'époque du pharaon Toutankhamon (vers 1354-1346 avant l'ère chrétienne).

10. Ronce. *Rubus sanctus*?

11. Genêt. *Retama raetam*.

12. Calamus (5). *Acorus calamus*? *Cymbopogon citratus*? S'il s'agit de l'acore roseau, c'est la seule espèce des textes bibliques qui se retrouve aussi à l'état introduit en Amérique du Nord. Marie-Victorin suggère que cette espèce a possiblement été introduite à certains endroits dans la vallée du Saint-Laurent. Aujourd'hui, on distingue l'acore indigène en Amérique du Nord (*Acorus americanus*) de l'acore roseau eurasiatique introduit en Amérique du Nord.

13. Roseau. *Arundo donax*.

14. Câpres. *Capparis spinosa*.

15. Caroubier. *Ceratonia siliqua*. Nourriture pour les porcs. Le mot carat dérive du nom latin et décrit les graines de dimensions très uniformes qui ont servi de mesures de poids.

16. Lotus. *Typha domingensis*?

17. Cèdre du Liban. *Cedrus libani*. Conifère à aiguilles regroupées en rosettes autour d'une très courte tige. Il produit deux types de cônes qui sont dressés et non pendants. Le cône mâle tombe après la dissémination du pollen. Le cône femelle a la forme d'un œuf. Le bois parfumé a un beau grain. Il est résistant à la pourriture et facile à travailler. L'arbre très grand ne peut pas être coupé sans autorisation royale. Le roi Salomon bâtit avec ce cèdre majestueux un temple en 7 ans et sa propre maison en 13 ans. On estime qu'il reste moins de 3 % des cèdres du Liban au Liban. Par contre, on en trouve une bonne population en Syrie. On a souvent transposé le mot cèdre à diverses espèces de l'Ancien et du Nouveau Monde qui partagent certaines caractéristiques, comme la morphologie, la stature, les cônes dressés, les aiguilles regroupées en rosettes, ou le bois parfumé et facile à travailler.

18. Cannelle. *Cinnamomum* sp. La cannelle est mentionnée dans la Bible comme philtre d'amour. À l'époque, les épices ont diverses fonctions.

Elles sont médicinales ou servent de breuvages favorisant l'amour. Elles aident à embaumer les cadavres et jouent le rôle de parfums.

19. Coriandre. *Coriandrum sativum*. La « manne » a la forme de graines de coriandre. Cette fameuse « manne » ressemble aussi à de la résine. L'identité précise de la manne biblique est cependant inconnue. Il pourrait même s'agir d'un champignon.

20. Coton ? *Gossypium* sp. Mention incertaine.

21. Couronne d'épines. *Sarcopoterium spinosum*.

22. Concombre. *Cucurbita pepo* subsp. *ovifera*. En fait, il s'agit d'une espèce de melon.

23. Cumin. *Cuminum cyminum*.

24. Cyprès. *Cupressus sempervirens*. Est un gymnosperme à feuilles en écailles. Le cyprès est énuméré avec deux autres conifères, le pin et le sapin. Le sapin serait *Abies cilicica*. Comme pour le cèdre, le mot cyprès a été transposé à diverses espèces de l'Ancien et du Nouveau Monde.

25. Palmier dattier. *Phoenix dactylifera*. Elle est la plante la plus souvent mentionnée dans le Coran.

26. Aneth. *Anethum graveolens*. Les graines de cette espèce se retrouvent dans les tombeaux des rois égyptiens.

27. Ébène. Probablement une espèce inconnue de bois noir foncé.

28. Figuier. *Ficus carica*. Les feuilles de figuier couvrent les parties génitales d'Adam et Ève. Le prophète Isaïe prescrit à Ezéchias des figues en cataplasme contre des ulcères. Il guérit avec ce remède. Cette référence du *Livre des Rois* date possiblement du VIᵉ siècle avant l'ère chrétienne.

29. Lin. *Linum usitatissimum*. La plante textile la plus importante des temps bibliques. Il n'y a pas de mention de graines servant de nourriture. Il y a cependant des évidences archéologiques que ces graines étaient consommées. Les mots ligne et linéaire dérivent du nom latin de cette plante.

30. Fleurs des champs. Peut-être le coquelicot, *Papaver rhoeas* ?

31. Encens (environ 140 mentions). *Boswellia* sp.

32. Galbanum. *Ferula* sp. ?

33. Galle. *Conium maculatum* ? Il est suggéré que la galle est en fait la ciguë mortelle qui a provoqué le suicide de Socrate.

34. Ail. *Allium sativum*.

35. Gourde. *Citrullus colocynthis*. Fruit utilisé comme ornement dans le temple de Salomon.

36. Vigne. *Vitis vinifera*. On dénombre 50 références aux raisins et 200 au vin. Le premier miracle de Jésus décrit le changement de l'eau en vin.

37. Henna. *Lawsonia inermis*.

38. Hysope (12). *Origanum syriacum*. Une des espèces herbacées les plus mentionnées. On y fait allusion dans le *Lévitique* dont le contenu peut remonter jusqu'à Moïse.

39. Lierre. *Hedera helix*. Le lierre est proscrit par les Juifs et les premiers Chrétiens à cause de son association avec les dieux grecs.

40. Ladanum. *Cistus* sp. C'est une résine utilisée pendant des millénaires comme un encens. On la nomme ladanum ou labdanum. La résine est recueillie sur les poils des peaux des moutons ou avec des râteaux de lanières de cuir. Le ladanum est tout à fait différent du laudanum qui est un extrait médicinal d'opium.

41. Laurier. *Laurus nobilis*. Utile pour couronner les champions des combats et des diverses épreuves. Une des rares plantes seulement mentionnées dans l'Ancien Testament. Les feuilles contiennent une huile aromatique. Les mots lauréat et baccalauréat dérivent du nom latin de cette espèce. Le mot laurier a été transposé à diverses plantes aromatiques plus ou moins apparentées.

42. Poireau. *Allium porrum*.

43. Lentille. *Lens culinaris*. Les lentilles ont été une des productions alimentaires les plus importantes en Égypte.

44. Lis des champs. Une anémone, *Anemone coronaria*, ou le coquelicot, *Papaver rhoeas*?

45. Mandragore. *Mandragora officinarum*.

46. Menthe. *Mentha* sp.

47. Mûrier. *Morus* sp. Les mûriers sont la nourriture des vers à soie. La route de la soie aboutissait à Damas.

48. Moutarde. *Brassica nigra*, la moutarde noire, ou *Sinapis* sp. ou *Eruca sativa*? Dans la Bible, les graines de moutarde symbolisent un petit objet qui possède un grand potentiel.

49. Myrrhe. *Commiphora* sp. La résine séchée aromatique est utilisée comme encens et préparation médicinale.

50. Myrte. *Myrtus communis*. Le fruit ressemble au bleuet.

51. Nard (3). *Nardostachys jatamansi*. Plante aromatique.

52. Ortie. *Urtica pilulifera*? Le mot urticaire dérive du nom latin de cette plante.

53. Chêne. *Quercus* sp.

54. Olivier (environ 25 mentions). *Olea europaea*. Plus de 160 mentions de l'huile d'olive. Cette huile a au moins cinq usages à cette époque. Elle sert de nourriture, d'huile pour la peau et de savon. Elle préserve les objets de métal et de cuir en plus de servir de combustible pour l'éclairage.

55. Oignon. *Allium* sp. Les oignons sont aussi trouvés dans les momies égyptiennes comme préservatifs ou pour accompagner le défunt.

56. Papyrus. *Cyperus papyrus*. Les Grecs importaient le papyrus de la ville de Byblos, qui a donné son nom à la Bible.

57. Pin. *Pinus* sp. Voir aussi l'espèce 24. Référence possible à la résine de pin utile pour calfeutrer les coques des navires et sceller les amphores.

58. Pistachier. *Pistachia vera*. Même famille botanique que l'herbe à puce (*Toxicodendron radicans*) et les mangues. Quelques personnes très sensibles à l'herbe à puce seraient possiblement allergiques aux pistaches.

59. Platane? *Platanus orientalis*? Arbre incertain.

60. Grenadier (17). *Punica granatum*. La coque des fruits très riche en tannins a été utilisée pour tanner les cuirs. On consomme aussi les grenades.

61. Peuplier. *Populus alba* et *Populus euphratica*. Les deux espèces sont mentionnées.

62. Jonc/roseau. *Phragmites australis*.

63. Rose. *Rosa* sp.

64. Rose de Sharon. N'est pas une rose, mais une espèce inconnue. Peut-être un glaïeul, *Gladiolus* sp.

65. Rue. *Ruta chalepensis*.

66. Safran. *Crocus sativus*. Espèce seulement mentionnée comme une plante ornementale dans l'Ancien Testament.

67. Sycomore. *Ficus sycomorus*. Le mot sycomore a été transposé au platane occidental de l'Amérique du Nord (*Platanus occidentalis*) et initialement à un érable européen (*Acer pseudoplatanus*).

68. Tamaris. *Tamarix* sp. On plantait ces arbres pour honorer de grands hommes ou Dieu. Abraham en a d'ailleurs planté un.

69. Ivraie. *Lolium temulentum* ou *Cephalaria syriaca*? En grec, c'est la zizanie (*zizanion*).

70. Térébinthe. *Pistachia* sp.? La Bible fait aussi référence au «baume de Galaad». Galaad (aussi écrit Giléad ou Guilead et même Gilead en anglais) est une région à l'est de la vallée du Jourdain qui était recouverte d'arbres dans les temps anciens. Ce baume provenait probablement d'une espèce de pistachier, *Pistachia lentiscus*. L'expression «baume de Galaad» a été transposée au peuplier baumier d'Amérique du Nord (*Populus balsamifera*) et à sa résine. Le peuplier baumier a en effet des bourgeons résineux et très aromatiques. Ces bourgeons ont été vendus sous le nom de «baume de Gilead». La résine de pistachiers a été retrouvée dans les momies égyptiennes. Le

mot térébenthine dérive du nom de cette résine. L'expression «baume de Galaad» a aussi été transposée à la résine du sapin baumier d'Amérique du Nord (*Abies balsamea*). Pour certains auteurs, la résine de sapin est le «baume blanc», le «baume du Canada» et même le «baume de Galaad». Le mot «Galaad» décrit aussi trois personnages bibliques.

71. Chardon. *Echinops* sp.?

72. Buisson d'épines. *Ziziphus spina-christi*?

73. Bois de thyine. *Tetraclinis articulata.* Bois parfumé d'un gymnosperme. L'espèce produit une résine, nommée sandarac, qui se trouve souvent dans les momies égyptiennes.

74. Gundelia (débris de poussière végétale). *Gundelia tournefortii.*

75. Noix. *Juglans regia.*

76. Melon d'eau. *Citrullus lanatus.*

77. Blé. *Triticum* sp. On dénombre environ 300 références au pain.

78. Plante salée. *Atriplex halimus*?

79. Saule. *Populus euphratica.* Le saule biblique est probablement un peuplier.

80. Armoise. *Artemisia herba-alba.* Plante amère ou toxique à doses élevées. Le mot absinthe dérive du nom grec (*apsinthos*).

Source

Musselman, Lytton John, *Figs, Dates, Laurel and Myrrh. Plants of the Bible and the Quran*, Portland, Oregon, Timber Press, 2007.

CALCUL DE LA QUANTITÉ DE VITAMINE C EXTRAITE DE L'ANNEDDA REQUISE POUR LA GUÉRISON DE L'ÉQUIPAGE DE CARTIER

Ce calcul implique la résolution des neuf questions qui suivent.

1. Quel est le contenu en vitamine C des conifères nord-américains?

L'étude de Dash et Jenness indique que 10 espèces ont un contenu en vitamine C ou acide ascorbique variant entre 100 et 350 milligrammes par 100 grammes de poids frais d'aiguilles ou d'écailles vertes, c'est-à-dire de feuilles. Pour les fins de calcul, nous postulons que les seules quantités significatives de vitamine C sont celles qui sont solubles et qui proviennent uniquement des feuilles vertes. La contribution de l'écorce est considérée négligeable parce qu'elle n'est pas connue de façon précise. L'écorce a cependant un rôle significatif que l'on ignore encore. La quantité de vitamine C dans le « marc » est aussi ignorée. Cependant, Nusgens, et autres présentent des évidences expérimentales de l'efficacité de cette vitamine appliquée comme un topique, comme ce fut possiblement le cas avec le cataplasme du « marc » de l'*annedda*.

2. Quel est le contenu en vitamine C de ces conifères en hiver?

La concentration en vitamine C varie selon l'état physiologique, les conditions environnementales et le stress abiotique ou biotique des tissus végétaux. Chez les conifères nord-américains, la concentration maximale est, selon Anderson, et autres, atteinte entre décembre et février, dans le cas du pin blanc. Or, le traitement à l'*annedda* est préparé à la fin de l'hiver 1535-1536, à une période suivant la concentration maximale de la vitamine C chez les conifères.

3. Quel est le contenu en vitamine C extrait des rameaux par ébullition dans un contenant de cuivre?

Nous supposons que les rameaux de conifères ont été soumis à une ébullition de plusieurs minutes dans un contenant de cuivre. À cette époque, ce type de contenant métallique est fort utilisé par les explorateurs européens. À titre approximatif, nous choisissons une durée d'ébullition de 20 minutes. Des données existent pour l'effet de cette durée de traitement sur l'intégrité de la vitamine C chauffée dans un contenant en cuivre. Selon Jones et Hughes, après 20 minutes d'ébullition, on retrouve seulement 40 % de la quantité initiale d'une solution de vitamine C à cause de la sensibilité de cette molécule à l'oxydation en présence de cuivre. Comparativement à un contenant en fer, 80 % de la vitamine C demeure intacte après 20 minutes, alors qu'une ébullition dans un contenant de bois, comme ceux parfois utilisés par les Amérindiens, assurerait une conservation encore plus grande de cette vitamine. Nous négligeons de plus les effets bénéfiques potentiels de molécules protectrices antioxydantes dans l'écorce de l'*annedda* aussi soumise à l'ébullition. Ces effets sont tout à fait possibles et peut-être même importants, mais ils sont présentement inconnus et non quantifiés.

4. Quelle proportion de la vitamine C est extraite des tissus?

Toute la vitamine C contenue dans les tissus verts n'est pas nécessairement extraite dans la phase aqueuse durant l'ébullition. Une certaine quantité demeure associée aux tissus bouillis. Par exemple, une pomme de terre bouillie contient entre 5 et 15 milligrammes de vitamine C par 100 grammes de poids frais alors que le contenu initial est de 10 à 30 milligrammes. Dans ce cas, 50 % de la vitamine est extraite. Cette proportion est variable selon les sources végétales et les conditions d'extraction. Par exemple, le brocoli bouilli est reconnu pour retenir beaucoup plus de vitamine C que d'autres légumes. Nous retenons, comme hypothèse, une efficacité d'extraction de 90 % parce que, selon la description de la préparation de l'*annedda*, les feuilles auraient été écrasées avec un pilon avant d'être soumises à l'ébullition, ce qui devrait assurer un rendement d'extraction plutôt élevé.

5. Quelle quantité de vitamine C est requise pour guérir du scorbut en six jours ?

Quelle est la quantité minimale requise quotidiennement pour ne pas développer le scorbut ? Il a été estimé que l'humain doit recevoir un minimum de 8 à 10 milligrammes de vitamine C par jour. Sans ce minimum quotidien, le scorbut se développe éventuellement. Cependant, cette quantité minimale n'est pas suffisante pour assurer une guérison rapide de l'équipage de Cartier. En effet, les symptômes de l'avitaminose sont sévères. Nous choisissons, comme référence de comparaison, l'expérimentation de James Lind en 1747. Cette expérimentation est reconnue comme étant la première détermination de la guérison contrôlée du scorbut. Lind publia ses résultats dans son livre *A treatise of the scurvy* en 1753. Pendant six jours, les marins de James Lind ont reçu l'équivalent quotidien d'environ 150 milligrammes de vitamine C en consommant deux oranges et un citron. Ce fut suffisant pour guérir les marins scorbutiques en six jours. Cette durée de traitement est identique à celle du traitement avec l'*annedda*. Nous supposons donc que chaque homme de l'équipage de Cartier devait ingérer quotidiennement environ 150 milligrammes de vitamine C, exactement comme pour les marins traités par Lind. Cette quantité est évidemment très supérieure aux doses minimales quotidiennes recommandées par diverses agences de santé, comme le rapportent Levine, et autres. Pour le calcul, chaque personne reçoit donc 900 milligrammes de vitamine C pour assurer la guérison en six jours.

6. Quelle quantité de feuilles de conifères est donc requise pour chaque personne ?

Reprenons les éléments de calcul précédents pour les juxtaposer selon les hypothèses choisies.

1. Une valeur en vitamine C de 200 milligrammes par 100 grammes de poids frais de feuilles de conifères est choisie pour représenter une concentration légèrement inférieure à la moyenne des valeurs.

2. Cet estimé de concentration n'est pas haussé pour les valeurs supérieures en hiver afin de ne pas surestimer les quantités disponibles, comme au point précédent.

3. Nous avons supposé que la décoction a été préparée dans un contenant de cuivre pendant 20 minutes, ce qui diminue le rendement final de 60 %. Il reste donc 40 % du 200 milligrammes de vitamine C par 100 grammes de poids frais de feuilles, c'est-à-dire, 80 milligrammes par 100 grammes. Ces pertes ont été possiblement plus faibles à cause de l'influence de molécules protectrices dans l'extrait, sans oublier l'apport négligé de l'écorce.

4. Une efficacité d'extraction de 90 % donne un rendement de 72 milligrammes par 100 grammes de feuilles vertes en poids frais. Ces pertes d'extraction d'environ 10 % semblent réalistes.

5. Le besoin en vitamine C pour la guérison d'un individu est évalué à 900 milligrammes pour les 6 jours. À titre comparatif, cette valeur équivaut à environ deux pastilles commerciales de 500 milligrammes de vitamine C.

Quelle quantité de feuilles vertes en poids frais est donc requise pour extraire ces 900 milligrammes de vitamine C ?

Nous estimons que 72 milligrammes de vitamine C sont extraits de 100 grammes de feuilles vertes. Il faut donc (900/72) X 100 grammes de feuilles vertes, c'est-à-dire environ 12,5 X 100 grammes ou 1,25 kilogramme de feuilles.

7. Combien de rameaux de conifères produisent 1,25 kilogramme de feuilles ?

Nous avons déterminé le poids frais approximatif des aiguilles ou des écailles sur des branches moyennement feuillues d'environ 1,7 m de longueur à partir du point d'attache sur le tronc. Comme il y beaucoup de variabilité quant à la densité des feuilles d'un rameau à l'autre et d'un arbre à l'autre, les données suivantes représentent donc un ordre de grandeur approximatif.

Pour la pruche, 105 grammes de feuilles sont recueillis à partir d'une branche. Les aiguilles de cette espèce sont les plus difficiles à arracher des rameaux. Une portion des aiguilles demeure même sur le rameau. Près d'une douzaine (11,9) de rameaux sont requis pour la quantité nécessaire de feuilles. Pour le pin rouge, 110 grammes de feuilles correspondant à 11,3 rameaux.

Pour le sapin, on récolte 130 grammes d'aiguilles par rameau. Il faut donc 1 250/130 rameaux, c'est-à-dire 9,6 rameaux.

Pour le cèdre, 190 grammes de feuilles correspondent à 6,6 rameaux.

Pour l'épinette blanche et l'épinette rouge, 250 grammes de feuilles indiquent que seulement cinq rameaux sont requis.

À titre comparatif, le pin blanc se compare avec la pruche et le pin rouge en ce qui a trait au poids frais des aiguilles récoltées (environ une centaine de grammes).

Globalement, la guérison d'un homme nécessite entre 5 et 12 rameaux, selon les espèces. La relation de Cartier mentionne que les Amérindiennes ont récolté une dizaine de rameaux pour la préparation de la décoction d'*annedda*. Selon les données présentes, cette récolte suffit à guérir un ou deux hommes. Il est évidemment possible que les rameaux récoltés à cette époque aient été beaucoup plus touffus en feuillage, diminuant ainsi le nombre de rameaux requis.

8. Combien de rameaux sont requis pour guérir divers nombres de membres d'équipage ?

Le nombre précis des individus guéris n'est pas spécifié dans le texte. Cartier indique que ceux qui ont bien voulu prendre la décoction ont été guéris. On peut supposer qu'un certain nombre d'individus ont possiblement ignoré ce remède. Cependant, la guérison rapide et efficace a dû influencer favorablement la majorité des membres de l'équipage. Même si Cartier semble se décrire comme exempt de la maladie, il est possible qu'il ait aussi été atteint. L'équipage qui a survécu comprenait au plus 85 hommes (110 moins 25 hommes décédés), dont une quarantaine sévèrement touchés.

Pour guérir 10 hommes, il faut 119 rameaux de pruche, 96 rameaux de sapin, 66 de cèdre et 50 d'épinette blanche ou d'épinette rouge.

Pour 50 hommes, sont requis 595 rameaux de pruche, 480 rameaux de sapin, 330 rameaux de cèdre et 250 rameaux d'épinette blanche ou d'épinette rouge.

Pour assurer la guérison de la troupe entière (85 hommes), on doit utiliser 1 011 rameaux de pruche, 816 rameaux de sapin, 561 rameaux de cèdre et 425 rameaux d'épinette blanche ou d'épinette rouge. Ces centaines de rameaux correspondent à plusieurs arbres de taille moyenne.

9. Quel volume de décoction doit être ingéré ?

On suppose que deux volumes d'eau sont nécessaires pour une bonne extraction et une solubilisation adéquate de 1,25 kilogramme de feuilles. Il faut donc 2,5 litres d'eau. En six jours, cela correspond à environ 400 millilitres par jour. Si la décoction est prise aux deux jours, comme l'indique Cartier, il faut alors ingérer un peu plus de 800 millilitres. Cela se compare au volume d'une bouteille de vin de format contemporain.

Conclusions

Selon les calculs, un petit conifère de quelques mètres de hauteur porte suffisamment de rameaux pour la guérison d'un homme. Le patient doit ingérer environ 400 millilitres de la décoction quotidiennement pendant six jours. Pour 10 hommes, l'équivalent d'une dizaine de tels arbres est nécessaire. Pour tout l'équipage, il faut compter quelques dizaines de petits arbres ou un arbre aux dimensions impressionnantes. La relation de Cartier fait allusion à l'utilisation d'un tel arbre. Rappelons cependant qu'il s'agit possiblement d'une simple formule de style qui traduit la nécessité de préparer de nombreuses décoctions avec un nombre important de rameaux nécessaires pour traiter l'équipage en entier. La guérison des 85 hommes requiert un volume d'environ 212 litres de décoction en basant les calculs sur la présence de 2 volumes d'eau par rapport au poids des aiguilles. Quelques gros contenants de cuivre auraient pu donc suffire à la tâche.

Remarque sur la nature et l'effet de l'écorce

La description de la préparation indique que de l'écorce aurait été pilée et bouillie dans l'eau. On ne sait pas si l'écorce est tout simplement celle des rameaux ou si elle provient du tronc. Il semble que cette écorce soit de la même espèce (« du dit bois ») que pour les feuilles. L'information est cependant plutôt concise et peu détaillée. On ne connaît pas de plus la quantité relative de l'écorce utilisée par rapport aux feuilles. Les calculs précédents ne tiennent pas compte de la contribution de l'écorce tant pour le contenu en vitamine C que pour son effet protecteur sur l'inactivation de cette molécule. Ces données sont malheureusement manquantes. Il y aurait lieu de reconstituer la préparation de la décoction de l'*annedda* avec divers conifères et de quantifier l'influence des extraits d'écorce et des conditions d'ébullition sur le contenu final en vitamine C. Se pourrait-il même à la limite que deux espèces de conifères aient été utilisées, l'une pour l'écorce et l'autre pour les feuilles? Si un seul conifère est en cause, le broyage de l'écorce a peut-être été effectué entre deux pierres, comme le rapportait Louis Nicolas pour l'écorce de pruche. Broyer l'écorce de conifère dans un mortier en bois semble beaucoup moins efficace et une tâche ardue.

Sources

Anderson, J. V., et autres, « Seasonal variation in the antioxidant system of eastern white pine needles », *Plant Physiology*, 1992, 98 : 501-508.

Dash, J. A. et R. Jenness, « Ascorbate content of foliage of eucalypts and conifers utilized by some Australian and North American mammals », *Cellular and Molecular Life Sciences*, 1985, 41 (7) : 952-955.

Jones, E. et R. E. Hughes, « Copper boilers and the occurrence of scurvy : an experimental approach », *Medical History*, 1976, 20 (1) : 80-81.

Levine, M., et autres, « A new recommended dietary allowance of vitamin C for healthy young women », *Proceedings of the National Academy of Sciences (USA)*, 2001, 98 (17) : 9842-9846.

Nusgens, B. V., et autres, « Topically applied vitamin C enhances the mRNA level of collagens I and III, their processing enzymes and tissue inhibitor of matrix metalloproteinase 1 in the human dermis », *The Journal of Investigative Dermatology*, 2001, 116 (6) : 853-859.

NOMS LATINS ET NOTATIONS DE L'HERBIER DE JOACHIM BURSER CORRESPONDANT AUX ESPÈCES IDENTIFIÉES PAR OSCAR JUEL

Campanula serpilifolia Bauh. Figura est in Prodromo. Accepi Parisiis a Pharmacopaeo, ex Toupinambault allatam.

Videtur eadem cum praecedenti. Ex Toupinambault attulit Pharmacopoeus Parisiensis.

Affinis praecedenti. Ex Toupinambault siive Brasilia attulit Pharmacopoeus Parisiensis.

Solanum triphyllon Brasilianum Bauh. Ex Gallia nova Lutetiam attulit Pharmacopoeus quidam.

Ranunculus Brasilianus. An Ranunculus montanus Aconiti folio albus flore majore Bauh? Ex Toupinambault attulit Lutetiam Pharmacopoeus.

Cum praecedente convenit. Ex Brasilia per pharmacopoeum Lutetianum.

Vix differt a praecedente. Pharmacopoeus Parisiensis ex Brasilia attulit.

Pyrola Brasiliana foliis cordatis Asari. Ex Brasilia des Toupinambaux attulit pharmacopoeus Lutetianus.

Pyrola rotundifolia Brasiliana minor. Ex Brasilia per pharmacopoeum Parisiensem accepi.

Pyrola Brasiliana minor, folio magis acuminato. Cum praecedente simul accepi. Forte non differt ab ea quae subseq(uitur).

Pyrola Alsines flore Brasiliana major Bauh. Des Toupinambaux per pharmacopoeum Parisinum Parisiis ad Bauhinum transtuli.

Pyrola Alsines flore Brasiliana minor Bauh. Ex eodem cum priore loco, unde et Bauhino attuli.

Dracunculus sive Serpentaria triphylla Brasiliana Bauh. Apud Toupinambaultios legit pharmacopoeus Parisiensis, mihique co(mmun)icavit, unde postea Bauhino, examplar dedi.

Viola tricolor erecta latifolia Brasiliana. Apud Toupinambaultios legit pharmacopoeus, Lutetiamque attulit.

Caryophyllus praecedenti similis Brasiliana. Apud Toupinambaultios legit Pharmacopoeus q(ui)dam Lutetianus, mihique co(mmun)icavit.

Melampyrum Brasilianum cyanifolium. Liceat interim sic appellare hane, a pharmacopoeo mihi datam Lutetiae, quam apud Toupinambaultios legerat.

Lysimachia lutea corniculata Bauh. Lysimachia Virginiana. In Hortis Misnae, Seelandiae. Praesens exemplar attulit Pharmacopoeus Parisiensis ex Brasilia.

Gnaphalium latifolium Americanum Bauh. Basileae in horto Bauh. Attulit quoque pharmacopoeus Parisiensis ex Brasilia.

Polygonatum latifolium perfoliatum Brasilianum Bauh. Per pharmacopoeum quendam Lutetiae accepi ex Brasilia.

Polygonatum latifolium Brassilianum flore racemoso muscoso. Ex eodem cum praecedente loco.

Hederacea quaedam planta ex Brasilia. Apud Toupinambaultios legit pharmacopoeus Parisiensis.

Cum praecedente quandam similitudinem gerit. Ex eodem loco.

Caryophyllata aquatica nutante flore Bauh. In Misnia, Bohemia, Helvetia, Dania. Accepi quoque ex Brasilia.

Thalictrum majus Brassilianum Bauh. Videtur idem cum vulgari. Ex Brassilia attulit Pharmacopoeus Lutetianus.

Adiantum fructicosum Brasilianum Bauh. Ex Brasilia accepi per pharmacopoeum quendam Parisiis.

Rhus angustifolium Bauh. Pharmacopoeus Parisiensis es Brasillia attulit. Puto nil aliud esse Sorbum.

Rhus Myrtifolia a suo vicino vix differens. Apud Toupinambaultios legit Pharmacopoeus q(ui)dam Parisinus mihique co(mmun)icavit.

PLANTES AMÉRICAINES DE LA LISTE DE 1623 DU JARDIN DES ROBIN SELON MARJORIE WARNER (1956)

Le premier nom latin est celui du catalogue des Robin de 1623. Le nom français moderne précède le nom latin suggéré par Marjorie Warner. La quinzaine d'espèces suivies d'un astérisque se retrouvent dans la flore de Cornuti de 1635 qui pourrait aussi contenir d'autres espèces correspondant à celles de la liste des Robin. L'amélanchier dit canadien n'est pas inclus dans la présente liste.

1. *Aconitum racemosum bacciferum* (Actée en épi, *Actaea spicata*). Cette espèce à fruits noirs est cependant européenne, comme le rapporte James Pringle.

2. *Gnaphalium Americanum* (Immortelle blanche, *Anaphalis margaritacea*)

3. *Apios Americana foliis phaseoli floribus obsoletis* (Apios d'Amérique, *Apios tuberosa*)*

4. *Asarum Americanum majus* (Asaret du Canada, *Asarum canadense*)*

5. *Apocynum rectum* (Asclépiade incarnate, *Asclepias incarnata*)*

6. *Apocynum Syriacum* (Asclépiade commune, *Asclepias syriaca*)*

7. Aster latifolius (Aster à feuilles cordées, *Aster cordifolius*)*. Maintenant *Symphyotrichum cordifolium*.

8. *Clematis Virginiana, seu Jasminum Americanum* (Bignone radicant, *Campsis radicans*)*

9. *Valeriana peregrina flore rubro* (Eupatoire pourpre, *Eupatorium purpureum*)*. Maintenant *Eutrochium purpureum* var. *purpureum*.

10. *Valeriana peregrina flore niveo* (maintenant Eupatoire rugueuse, *Eupatorium rugosum*; synonyme, *Eupatorium urticaefolium*)*. Maintenant *Ageratina altissima* var. *altissima*.

11. *Chrysanthemum Americanum cum volatoria caule, seu Vosacam* (Hélianthe à dix rayons, *Helianthus decapetalus*). Peut aussi correspondre à une autre espèce d'hélianthe. Selon James Pringle, il s'agit plutôt de l'hélénie automnale (*Helenium autumnale*)*, qui a été décrite aussi par Cornuti en 1635.

12. *Chrysanthemum tuberosum* (Topinambour, *Helianthus tuberosus*)

13. *Martagon, seu Lilium sylvestre Americanum flore luteo punctato* (Lis du Canada, *Lilium canadense*)

14. *Martagon, seu Lilium sylvestre Americanum flore phaeniceo punctato* (Lis du Canada, *Lilium canadense* ou peut-être plutôt une autre espèce, comme le lis de Philadelphie (*Lilium philadelphicum*))

15. *Trachelium Americanum flore rubro, seu Cardinalis planta* (Lobélie cardinale, *Lobelia cardinalis*)

16. *Morus rubra Virginiana* (Mûrier rouge, *Morus rubra*)

17. *Lysimachia Americana flore luteo* (Onagre bisannuelle, *Oenothera biennis*). Peut-être aussi l'onagre parviflore (*Oenothera parviflora*).

18. *Cerasus Americana latifolia* (Cerisier tardif, *Prunus serotina*)

19. *Hedera major Americana* (Vigne vierge à cinq folioles, *Psedera quinquefolia*)*. Maintenant *Parthenocissus quinquefolia*. Pourrait aussi correspondre à la vigne vierge commune (*Parthenocissus inserta*).

20. *Vitis trifolia Americana* (Herbe à puce, *Toxicodendron radicans*)*

21. *Rhus Virginiana* (Sumac vinaigrier, *Rhus typhina*)

22. *Rosa sempervirens Americana flore carneo simplici* (Rosier brillant, *Rosa nitida*). Peut aussi être une autre espèce.

23. *Aconitum Americanum luteum* (Rudbeckie laciniée, *Rudbeckia laciniata*)*

24. *Polygonatum Americanum racemosum* (Smilacine à grappes, *Smilacina racemosa*)*. Maintenant *Maianthemum racemosum* subsp. *racemosum*.

25. *Doria minor Americana* (Verge d'or bleuâtre, *Solidago caesia*)

26. *Phalangium Americanum flore violaceo Tradescampi (sic)* (Tradescantie de Virginie, *Tradescantia virginiana*)

27. *Polygonatum Americanum perfoliatum flore luteo amplo* (Uvulaire à grandes fleurs, *Uvularia grandiflora*)*. Pourrait être aussi l'uvulaire perfoliée (*Uvularia perfoliata*)* décrite en 1635.

28. *Narcissus Virginianus lili-florus flore purpurascente* (Lis Atamasco, *Zephyranthes atamasca*). En 1636, cette espèce fait partie de la liste du Jardin royal à Paris. Ce lis a cependant des fleurs blanches. L'identification de Warner semble donc erronée.

Sources

Pringle, James S., « How Canadian is Cornut's *Canadensium Plantarum Historia*? A Phytogeographic and Historical analysis », *Canadian Horticultural History*, 1988, 1 (4) : 190-209.
Warner, Marjorie F., « Jean and Vespasien Robin, "Royal Botanists", and North American Plants, 1601-1635 », *The National Horticultural Magazine*, 1956, 35 : 214-220.

INFORMATIONS SUR LES 45 ESPÈCES DE LA FLORE DE CORNUTI PROVENANT DE L'AMÉRIQUE DU NORD

Les résumés des textes de Cornuti sont pour la plupart issus du livre de Jacques Mathieu. Les notes à la fin des remarques concernant l'origine étymologique de certains noms sont inspirées du livre de Diane Adriaenssen. Le nom français est une traduction du nom latin. Entre parenthèses, apparaissent les suggestions d'identification des espèces. Le sigle (B) réfère à des identifications de Bernard Boivin dans sa publication de 1977 sur la flore du Canada de 1708 par Michel Sarrazin et Sébastien Vaillant. Les onze espèces mentionnées dans le catalogue de 1623 du jardin des Robin sont indiquées par (1623). Le nom de l'espèce du catalogue de 1623, tel que rapporté par Marjorie Warner en 1956, est ensuite indiqué. Les 24 espèces mentionnées par Linné en 1753 comme appartenant au groupe des 198 espèces du Canada sont indiquées par un astérisque. Le sigle (L) signale que l'espèce décrite par Cornuti est citée en référence dans la première édition (1753) de *Species Plantarum* de Linné. La mention (Bauhin) signifie que Gaspard Bauhin réfère à cette espèce en 1620 ou 1623.

1. La fougère qui porte des baies. *Filix baccifera* (Cystoptère bulbifère, *Cystopteris bulbifera*)* (L)

Les fruits de cette fougère deviennent éventuellement noirs et ils sont d'un bon goût qui se rapproche de celui de la racine de *Polypodium*. En Amérique septentrionale, elle pousse parmi les pierres à partir du mois d'avril. Ses propriétés médicinales s'apparentent à celles du *Polypodium* qu'elle peut d'ailleurs remplacer.

2. Le capillaire d'Amérique. *Adiantum Americanum* (Adiante du Canada, *Adiantum pedatum*) (B)* (L) (Bauhin)

L'artiste l'a dessiné d'après un spécimen vivant dans le jardin de Vespasien Robin à Paris. Cette espèce est une nouvelle espèce de capillaire quoiqu'elle partage certaines caractéristiques avec le capillaire européen. La racine est petite et a la forme de cheveux. La saveur de cette espèce, un peu âcre, se compare à celle de notre capillaire européen bien connu. Selon Cornuti, l'origine du nom commun « capillaire » s'explique par la racine ressemblant à des cheveux. D'autres espèces de fougères ont aussi cette même caractéristique morphologique. Le nom latin *Adiantum* veut dire que cette plante reste sèche et ne se mouille pas lorsqu'on la met dans l'eau. Cornuti réfère sans le réaliser à l'effet hydrophobe de la surface foliaire qui a été étudié en détail à partir de la décennie 1970 avec la surface supérieure des feuilles de lotus. Aujourd'hui, ce phénomène est connu sous le nom de l'effet lotus et il s'explique par la présence de microscopiques monticules de cires à la surface des tissus foliaires.

3. L'origan fistuleux du Canada. *Origanum fistulosum Canadense* (Monarde fistuleuse, *Monarda fistulosa*)* (L)

Cette espèce, reçue récemment du Canada, dégage une odeur caractéristique sans même la froisser entre les doigts. Les feuilles sont très âcres au goût et elles brûlent même la langue. La racine est cependant sans goût. Notons que le mot latin *origanum* signifie la beauté de la montagne (du grec *oros*, montagne et *ganos*, beauté).

4. La grande roquette du Canada. *Eruca maxima Canadensis.*

L'identité de cette espèce est non résolue. Elle ressemble beaucoup à une crucifère. L'auteur signale à la fin de son livre une erreur d'identification du titre de la gravure portant le titre *De Valeriana* qui doit plutôt se lire *De Eruca*. *Eruca* signifie roquette. Cette plante atteint la taille d'un homme. Elle doit être cultivée dans une terre meuble et légère. C'est aussi le cas d'autres plantes canadiennes. Les feuilles ont un goût aigrelet qui devient acide. C'est une caractéristique des roquettes.

5. La valériane à feuille d'ortie à fleur blanche. *Valeriana urticaefolia flore albo* (**Eupatoire rugueuse,** *Eupatorium rugosum*) (B) (1623) *Valeriana peregrina flore niveo.** Le nouveau nom de l'eupatoire rugueuse est *Ageratina altissima var. altissima.* (L)

La racine fibreuse pénètre peu dans le sol. Elle semble très avide du soleil. Ces racines donnent une haleine agréable, mais elles finissent par piquer beaucoup la langue comme la cannelle. Cependant, les feuilles ne donnent pas cette même sensation. Le mot valériane dérive du latin *valere* signifiant être fort, en bonne santé.

6. La valériane à feuille d'ortie à fleur violette. *Valeriana urticaefolia flore violaceo* (**Eupatoire rugueuse,** *Ageratina altissima* **var.** *altissima* **avec fleurs violacées?**). James Pringle estime que cette espèce n'est probablement pas une plante d'Amérique du Nord.

On peut douter en effet que Cornuti ait décrit une forme rare de l'eupatoire rugueuse. Cette espèce, cultivée dans le jardin de Vespasien Robin, est très semblable à la précédente. Les feuilles sont cependant un peu plus découpées et les fleurs sont de couleur violette.

7. L'asaret du Canada. *Asaron Canadense* (**Asaret du Canada,** *Asarum canadense*) (1623) *Asarum Americanum majus.** (L)

Cet asaret est semblable à l'asaret vulgaire. Selon Galien, l'asaret est très efficace pour évacuer les urines et clarifier les humeurs. Cette plante est aussi bonne pour évacuer les mauvaises humeurs tant par le haut que par le bas. La racine est aussi très utile pour ajouter une saveur particulière au vin si on ajoute des racines pilées dans un tonneau de vin non fermenté pendant trois mois.

8. Le polygonatum stérile à épi. *Polygonatum spicatum sterile* (**Smilacine étoilée,** *Smilacina stellata*) (B).* Le nouveau nom de la smilacine étoilée est *Maianthemum stellatum.*

On pourrait nommer cette espèce *Virginianum* à cause de sa provenance en Amérique. Dès le mois de juillet, cette plante perd toutes ses fleurs et devient stérile. Cornuti semble donc indiquer que cette

plante provient plutôt de la côte américaine. Le mot polygonatum dérive du grec *polus*, nombreux, et *gonu*, genou. C'est une allusion à la présence de plusieurs renflements sur les racines ou les tiges, selon les espèces.

9. Le polygonatum fertile à épi. *Polygonatum spicatum fertile* (**Smilacine étoilée,** *Smilacina stellata*)*. Le nouveau nom de la smilacine étoilée est *Maianthemum stellatum.* (L)

Cette plante d'Amérique est cultivée depuis quelques années déjà dans le jardin de Vespasien Robin. Elle produit des fruits avec un motif géométrique caractéristique. Ces baies ont un très mauvais goût. Leur saveur est même répugnante.

10. Le polygonatum à grappe. *Polygonatum racemosum* (**Smilacine à grappes,** *Smilacina racemosa*) (B) (1623) *Polygonatum Americanum racemosum.** Le nouveau nom de la smilacine à grappes est *Maianthemum racemosum* subsp. *racemosum.* (L)

Les feuilles ont des nervures qui sont de couleur pourpre ou vert foncé. Les fruits ont une saveur agréable et contiennent des graines blanches arrondies qui permettent à la plante de se propager facilement sans grands soins particuliers.

11. Le grand polygonatum à fleur jaune. *Polygonatum ramosum flore luteo majus* (**Uvulaire perfoliée,** *Uvularia perfoliata*) (B)* (L) (**Bauhin**). Pour James Pringle, il s'agit plutôt de l'uvulaire à grandes fleurs (*Uvularia grandiflora*).

Les feuilles s'accrochent à la tige par le biais d'une gaine circulaire. Les fleurs de couleur jaune produisent une capsule triangulaire qui devient noire et qui contient une graine blanchâtre. Cette capsule se fendille en trois pour libérer la graine.

12. Le petit polygonatum à fleur jaune. *Polygonatum ramosum flore luteo minus* (**Uvulaire perfoliée,** *Uvularia perfoliata*) (B)*

Cette espèce est très semblable à la précédente. Elle provient de la Nouvelle-France. C'est aussi le cas des deux espèces décrites avant les polygonatum à fleur jaune.

13. L'hedysarum à trois feuilles du Canada.
Hedysarum triphyllum Canadense (Desmodie
du Canada, *Desmodium canadense*)* (L)
Toute cette plante est inodore. Elle provient de la
Nouvelle-France. Sa saveur est plutôt délicate. Un
siècle plus tard, Antoine de Jussieu révélera que cette
plante était utilisée contre les morsures de serpents
à sonnettes.

14. Le fumeterre toujours vert à siliques.
Fumaria siliquosa sempervirens (Corydale
toujours verte, *Corydalis sempervirens*) (B)*.
Le nouveau nom de la corydale toujours verte
est *Capnoides sempervirens*. (L)
Il y a deux espèces de fumeterre en Amérique septentrionale. La première est le fumeterre toujours vert
qui semble la même espèce que l'espèce européenne
très utilisée en médecine. Ses feuilles écrasées entre les
dents font généralement sécréter la salive. De plus,
son suc fait pleurer les yeux. C'est l'explication du
nom *fumaria* qui dérive de *fumus*, signifiant fumée.

15. Le fumeterre tubéreux insipide.
Fumaria Tuberosa insipida (Dicentre à capuchon
ou dicentre du Canada, *Dicentra cucullaria ou
canadensis*) (B)* (L). James Pringle estime
qu'il s'agit du dicentre du Canada.
Cette espèce de fumeterre tubéreux, provenant du
Canada, n'a à peu près aucun goût. Il en est de même
pour son odeur. La racine produit deux tubercules
ressemblant à des testicules généreusement couverts
de poils.

16. L'ancolie naine et précoce du Canada.
Aquilegia pumila praecox Canadensis
(Ancolie du Canada, *Aquilegia canadensis*)* (L)
Cette ancolie est très petite. Elle pousse très rapidement, c'est pourquoi on la nomme précoce. Étonnamment, cette plante n'est pas connue des Anciens.
Cornuti spécifie qu'il préfère le nom « *aquilegia* »,
plutôt que « *aquilina* » ou « *aquileia* ». Pour Cornuti,
cette espèce retient l'eau au début de sa croissance.
Elle doit donc porter le nom « *aquilegia* » qui
réfère à cette propriété. Cornuti réfère à nouveau à
l'interaction entre l'eau et la plante. Curieusement,
les ancolies ont des feuilles à l'effet lotus, comme
mentionné précédemment pour l'adiante.

17. L'aster jaune ailé. *Aster luteus alatus*
(Hélénie automnale, *Helenium autumnale*) (B) (L)
Cette espèce a été récemment acquise d'Amérique
septentrionale. Elle a des fleurs jaune doré autour
d'un disque central aussi jaune. Ces fleurs dégagent
une odeur de camomille lorsqu'elles sont froissées
entre les doigts. La racine fibreuse est astringente.
Le mot grec *aster* signifie étoile, parce que les fleurs
sont en forme d'étoile.

18. Le petit aster d'automne à feuille large.
Asteriscus latifolius Autumnalis
(Aster à feuilles cordées, *Aster cordifolius*) (B).
Le nouveau nom de l'aster à feuilles cordées
est *Symphyotrichum cordifolium*.
C'est une plante d'Amérique qui fleurit au début
d'automne. Cornuti ne peut pas conclure que cette
espèce possède les mêmes propriétés que l'aster
(*Aster atticus*) décrit par Dioscoride.

19. Le panaces en grappe du Canada.
Panaces Karpimon sive Racemosa Canadensis
(Aralie à grappes, *Aralia racemosa*)* (L)
Cette plante d'Amérique a une morphologie particulière et elle n'a jamais été décrite précédemment. Elle
a la capacité de pousser un peu partout et sa racine
peut facilement croître en profondeur. Cornuti
en a déterré une d'un pied de longueur. Les baies
contiennent un suc très agréable au goût. Cornuti
atteste que cette plante peut servir de plante potagère et qu'elle est propre à la nourriture humaine.
Le mot grec *panakes*, *panax* en latin, signifie qui
guérit tout. C'est alors une panacée, c'est-à-dire un
remède universel.

20. Le panaces à saveur musquée.
Herbatum Canadensium sive Panaces moschatum
(? Aralie à tige nue, *Aralia nudicaulis*).
Cette espèce, énumérée par Cornuti en appendice,
a vraisemblablement par son appellation des ressemblances avec l'espèce précédente. Elle pourrait
alors correspondre à l'aralie à tige nue, sauf que
l'auteur mentionne que la plante est couverte d'un
« tomentum », c'est-à-dire d'un feutrage blanchâtre.
Pourrait-il s'agir de l'aralie recouverte du mycélium
du mildiou poudreux ? Malheureusement, Cornuti
ne peut montrer une gravure de cette espèce. Le

graveur est parti à l'étranger. Toute la plante est recouverte d'une pubescence rugueuse et blanchâtre. Pour James Pringle, il s'agit peut-être de la berce laineuse (*Heracleum maximum*).

21. L'aconit à baies blanches et rouges.
Aconitum baccis niveis et rubris (Actée à gros pédicelles, *Actaea pachypoda* et la forme *rubrocarpa* de cette espèce) (B) (L pour *niveis*).
On peut cependant douter que Cornuti ait décrit cette forme très rare de cette espèce. Il s'agit plutôt probablement de l'actée rouge (*Actaea rubra*). En fait, il s'agit de deux espèces d'*Aconitum racemosum*. Leur racine est très noire et elle ne pénètre pas profondément dans le sol. Elle est entourée de nombreux poils capillaires. Cornuti avoue qu'il ne sait pas encore si cette plante est toxique comme son équivalent européen. Il ne sait pas aussi si la couleur blanche des baies est le signe de l'absence de toxicité. À l'époque, la couleur blanche est souvent associée à la pureté. James Pringle estime aussi qu'il s'agit de l'actée à gros pédicelles et de l'actée rouge.

22. Le grand apocyn de Syrie à port dressé.
Apocynum majus Syriacum rectum (Asclépiade commune, *Asclepias syriaca*) (B) (1623) *Apocynum Syriacum.* (L)
Cette plante est très envahissante dans les jardins. Sa racine est blanche. Les parties de la plante contiennent un suc visqueux qui ressemble au lait. Les fleurs sont enduites d'une substance qui permet de coller les mouches. Les graines possèdent un long duvet qui ressemble à de la soie.

23. Le petit apocyn du Canada à port dressé.
Apocynum minus rectum Canadense (Asclépiade incarnate, *Asclepias incarnata*) (1623) *Apocynum rectum.** (L)
Cette espèce est très différente de l'espèce précédente. La racine est plus en surface. La plante est aussi moins haute, elle atteint à peine une coudée comparativement à trois coudées pour la première espèce. Le suc laiteux est vraisemblablement toxique pour les chiens et d'autres animaux. La rareté de cette plante provenant de la Nouvelle-France n'a pas permis à Cornuti de poursuivre des études sur la toxicité.

24. La vigne du Canada à trois feuilles.
Edera trifolia Canadensis (Herbe à puce de Rydberg, *Toxicodendron radicans* var. *rydbergii*.) (1623) *Vitis trifolia Americana.** (L)
L'illustration indique qu'il s'agit de la variété non grimpante d'herbe à puce, nommée herbe à puce de Rydberg. Le feuillage de cette espèce n'est pas persistant, contrairement aux autres espèces d'*Edera*. Le long pétiole brisé dégage un suc laiteux qui noircit avec le temps. Ce suc devient même noir comme de l'encre. C'est pourquoi, on le considère très efficace pour teindre les cheveux. Mélangé à d'autres teintures, il a été récemment utilisé de façon prodigieuse à cette fin.

25. La vigne du Canada à cinq feuilles.
Edera quinquefolia Canadensis (Vigne vierge à cinq folioles, *Parthenocissus quinquefolia*) (B) (1623) *Hedera major Americana, seu Vitis Virginiana.** (L)
On distingue une espèce grimpante de vigne vierge dite à cinq folioles et une espèce traînante nommée la vigne vierge commune (*Parthenocissus inserta*). La description indique clairement qu'il s'agit de l'espèce grimpante. Cette vigne a des vrilles avec un cal visqueux. Elle est âcre et aigre au goût. Cette plante n'est utile que pour décorer les jardins. Elle est très efficace pour se développer rapidement et atteindre le sommet des murs en quatre ou cinq ans. Cette plante n'est cependant pas taillée ou tondue comme le lierre ordinaire ou la vigne arbustive.

26. Le trèfle bitumineux du Canada.
Trifolium asphaltion Canadense (Polanisie à douze étamines, *Polanisia dodecandra*) (B)
C'est une plante d'Amérique septentrionale. Les feuilles sont recouvertes d'une sorte de graisse huileuse. Elles sont inodores si elles demeurent intactes. Si on touche ces feuilles, elles dégagent alors une odeur forte et désagréable, comme le bitume. Les fleurs sont pourpres et se transforment en siliques huileuses. La racine fibreuse pique la langue.

27. La ronce odorante. *Rubus odoratus* (Ronce odorante, *Rubus odoratus*)* (L)
Les feuilles sont très fragrantes. Cornuti ne mentionne pas la provenance nord-américaine de

cette plante. Le mot *Rubus* vient du latin *ruber*, rouge. C'est une allusion aux fruits rouges. Depuis Cornuti, cette espèce porte toujours le même nom (*Rubus odoratus*). Cornuti devance Linné de près de 120 ans dans l'utilisation de la nomenclature binaire pour cette plante.

28. Le solanum à trois feuilles du Canada.
Solanum triphyllum Canadense
(Trille rouge, *Trillium erectum*) (B) (L) (Bauhin).
Cornuti indique que l'espèce à fleurs pourpres produit aussi des fleurs blanches. Il s'agit alors probablement d'une autre espèce de trille. Cette plante ressemble à la parisette (*Paris*) à quatre feuilles. Elle produit des fleurs de couleur pourpre foncée. La plante a une saveur douce. Il y a aussi des plantes qui ont les fleurs blanches. Après la floraison au début du mois de mai, la plante disparaît dès le mois de juillet. Il ne subsiste par la suite que la racine. L'espèce à fleurs blanches peut correspondre au trille blanc (*Trillium grandiflorum*) ou à des fleurs verdâtre pâle du trille rouge.

29. La grande consolide d'Amérique.
Solidago maxima Americana (Verge d'or toujours verte, *Solidago sempervirens*) (B)* (L)
Les consolides (*Solidago*) ont la propriété exceptionnelle de guérir les blessures sanglantes. Cette espèce d'Amérique a des feuilles qui montrent des milliers de petites perforations à travers lesquelles on peut voir la lumière du soleil. La plante a un goût agréable, mais elle est fort astringente. Elle a une substance visqueuse et glutineuse. Les tiges coupées se conservent longtemps et elles se dessèchent très peu. Elles peuvent même fleurir. Le mot *Solidago* vient du latin *solidare*, réparer, consolider.

30. L'acacia d'Amérique de Robin.
Acacia Americana Robini
(Robinier faux-acacia, *Robinia pseudoacacia*)
Cet arbre d'Amérique septentrionale réussit très bien dans les jardins botaniques. Durant la nuit, les feuilles se replient sur elles-mêmes. Elles ne s'ouvrent à nouveau qu'au lever du soleil. Les feuilles et le bois fournissent une décoction astringente et rafraîchissante.

31. La grande pimprenelle du Canada.
Pimpinella maxima Canadensis (Sanguisorbe du Canada, *Sanguisorba canadensis*)* (L)
Cette espèce n'est pas différente de la grande pimprenelle d'Europe quant au goût et à l'odeur.

32. Le cerfeuil à feuille large du Canada.
Cerefolium latifolium Canadense (Livêche d'Écosse, *Ligusticum scoticum* ou Cryptoténie du Canada, *Cryptotaenia canadensis*?) (B).
Pour James Pringle, il s'agirait plutôt du cerfeuil couché (*Chaerophyllum procumbens*).
L'illustration de cette espèce ne ressemble pas beaucoup à la livêche ou persil de mer. Ce cerfeuil meurt trois ans après avoir été semé. Contrairement au cerfeuil d'Europe, le cerfeuil du Canada n'exige pas un sol riche et engraissé. Il peut même pousser dans un sol épuisé. Cette espèce est comestible et elle peut accompagner d'autres légumes pour rehausser le goût.

33. L'aconit à fleur de soleil du Canada.
Aconitum Helianthemum Canadense (Rudbeckie laciniée, *Rudbeckia laciniata*) (B) (1623)
*Aconitum Americanum luteum.** (L) (Bauhin)
Cette plante a tendance à envahir les jardins si on ne la contrôle pas. La nature toxique de cette espèce justifie le choix de son nom.

34. La vigne aux feuilles laciniées.
Vitis laciniatis foliis (? Vigne des rivages, *Vitis riparia* ou autre vigne, *Vitis* sp.) (L)
Certains ont suggéré que cette espèce est la vigne des rivages retrouvée au Canada. Les évidences sont cependant douteuses. Dans la liste des plantes du Jardin du roi à Paris de 1665, cette espèce est identifiée comme la «vigne d'Autriche». De plus, Duhamel du Monceau (1755) ne l'identifie pas à une espèce canadienne. Cette «vigne à feuilles profondément découpées» est nommée «Ciotat». Selon du Monceau, la vigne canadienne a des feuilles d'érable, tel que décrit par Tournefort en 1700 (*Vitis Canadensis Aceris folio*). Cornuti n'inclut pas d'information quant à sa provenance. Linné en 1753 cite la description de Cornuti, mais il n'indique pas un pays d'origine de cette espèce. Pour James Pringle, il s'agit d'une variété de la vigne européenne (*Vitis vinifera*).

35. Le thalictrum du Canada.
Thalictrum Canadense (Pigamon pubescent, *Thalictrum pubescens*) (B)* (L).
Linné en 1753 nomme cette espèce *Thalictrum cornuti* en l'honneur de Cornuti. Pourrait-il aussi s'agir du pigamon de la frontière (*Thalictrum confine*)? La plante a un goût doux et agréable. La racine est cependant un peu âcre, grasse et gluante. Une fois pilée, cette espèce est efficace pour favoriser la cicatrisation des plaies. Cuite dans l'eau, elle aide à la transpiration.

36. L'eupatoire à feuilles d'aunée. *Eupatoria foliis Enulae* (Eupatoire pourpre, *Eupatorium purpureum*) (1623) *Valeriana peregrina flore rubro*. Le nouveau nom de l'eupatoire pourpre est *Eutrochium purpureum* var. *purpureum*. (L)
La racine est fibreuse. Cornuti ne discute pas sa provenance américaine. Le mot *eupatoire* réfère à Mithridate Eupator, roi du Pont au IIe siècle avant l'ère chrétienne, qui a étudié plusieurs antidotes contre les poisons.

37. Le bellis ramifié ombellifère.
Bellis ramosa umbellifera (Vergerette annuelle, *Erigeron annuus*) (B)* (L)
Cette plante, récemment obtenue d'Amérique, est de nature sèche, mais avec beaucoup de chaleur. Elle pique fortement la langue et provoque de bons crachements qui permettent d'évacuer la pituite. Cornuti la croit efficace pour guérir les blessures et les ulcères. Il décrit même des expérimentations à ce sujet. Le mot *Bellis* dérive du latin *bellus*, joli.

38. L'angélique brillante du Canada.
Angelica lucida Canadensis (Probablement l'angélique brillante, *Angelica lucida*)* (L).
James Pringle propose la même identification. Les feuilles sont d'un vert resplendissant. Les fleurs blanches forment une ombelle comme dans le cas de l'anis. Cette espèce brûle beaucoup la langue, induit la sécrétion de la salive et provoque la transpiration.

39. L'angélique rouge pourprée du Canada.
Angelica atropurpurea Canadensis (Angélique pourpre, *Angelica atropurpurea*) (B)* (L)
L'odeur et la saveur de cette espèce sont moindres que l'espèce précédente. Elle lui semble donc inférieure quant à ses propriétés médicinales.

40. L'apios d'Amérique. *Apios Americana* (Apios d'Amérique, *Apios americana*) (1623) *Apios Americana foliis phaseoli floribus obsoletis*. (L)
Cette espèce produit de nombreuses racines de la grosseur d'une olive qui sont reliées entre elles par des filaments. Les racines et les feuilles ont un goût agréable. Selon Cornuti, elles seraient bonnes à manger. Vespasien Robin a obtenu ces plantes à partir de gousses provenant d'Amérique. Comme pour la ronce odorante, Cornuti donne le nom binaire moderne à cette espèce. Il n'a pas cependant le crédit pour le nom officiel. C'est le cas aussi pour la ronce odorante.

41. Le sabot (ou petit soulier ou pantoufle) de Marie du Canada. *Calceolus Marianus Canadensis* (Cypripède acaule, *Cypripedium acaule*) (B).
Un autre auteur a suggéré le cypripède royal (*Cypripedium reginae*) qui est effectivement l'identification la plus probable à partir des informations du texte et de l'illustration. James Pringle estime qu'il s'agit plutôt d'un cypripède à labelle jaune (*Cypripedium calceolus* au sens large, selon son identification). Cependant, la mention par Cornuti d'un labelle jaune et arrondi a trait à la description du cypripède d'Europe. Le labelle de la fleur d'Amérique est « éclatant de blanc, panaché de lignes rouges de part et d'autre », comme celui du cypripède royal. Enfin, il est beaucoup plus facile de transplanter avec succès le cypripède royal que le cypripède acaule.

La plante a une racine comme celle de l'ellébore noir. Sa fleur a la forme d'un sabot. Elle est d'un blanc éclatant, panaché de rouge. La description de la coloration de la fleur correspond à celle du cypripède royal. Le mot latin *Calceolus* signifie petit soulier, bottine, pantoufle.

42. La grande chélidoine du Canada sans tige.

Chelidonium maximum Canadense acaulon
(Sanguinaire du Canada, *Sanguinaria canadensis*)
(B) (L). Cette dernière espèce est présentée avec
quelques autres en appendice par Cornuti.

Il s'agit d'une plante magnifique qui a des feuilles
découpées comme celles de la vigne. Ces feuilles
naissent directement de la racine sans la présence
d'une tige. Cette espèce ressemble à une espèce
d'Europe. Nous nommons cette plante *Chelidonium*
(petite hirondelle) parce qu'elle fleurit au temps des
hirondelles. Selon Adriaenssen, le mot *Chelidonium*
vient du grec *khelidon*, hirondelle. Depuis l'Antiquité, on croyait que le suc des plantes portant ce
nom était utilisé par les hirondelles pour guérir leurs
petits.

43. La guimauve rose étrangère.

Althea rosea peregrina. (L).

Selon quelques auteurs, cette espèce correspondrait
à la ketmie des marais (*Hibiscus moscheutos*), une
espèce nord-américaine, identifiée par ce nom en
1753 par Linné.* James Pringle estime cependant
que cette espèce ne provient pas d'Amérique. C'est
possiblement le cas.

Cornuti croit que cette espèce provient d'Afrique
alors qu'elle serait, pour quelques auteurs, originaire
d'Amérique. On retrouve la ketmie des marais au
Canada seulement au sud de l'Ontario. Elle est
d'ailleurs considérée «préoccupante» par le comité
sur la situation des espèces en péril au Canada. Le
mot *althea* vient du grec *althêeis* signifiant salutaire.

44. Le jasmin de lierre d'Inde. *Gelseminum ederaceum Indicum.* (1623) (L). *Clematis Virginiana seu Jasminum Americanum.*

C'est le bignone radicant (*Campsis radicans*) présent
de façon indigène seulement en Ontario au Canada.
Cette espèce est beaucoup plus fréquente aux États-
Unis, à partir du New Hampshire jusqu'en Floride.

45. La racine *Snaqrôel* de la Nouvelle-Angleterre, c'est-à-dire la racine serpentaire de la Nouvelle-Angleterre. *Radix Snaqrôel nothae Angliae.*

Le mot *Snaqrôel* est vraisemblablement une déformation de *snakeroot*, une racine dite serpentaire
utilisée pour le traitement contre les morsures
de serpent. Plusieurs espèces semblent avoir été
utilisées par les Amérindiens lors des morsures de
serpents. Certains ont identifié la serpentaire à
des espèces aussi différentes que le polygale sénéca
(*Polygala senega*), la sanicle du Maryland (*Sanicula
marilandica*) ou le botryche de Virginie (*Botrychium
virginianum*). Cette plante dite serpentaire demeure
non identifiée.

Sources

Adriaenssen, Diane, *Le latin du jardin*, Paris, La Librairie Larousse, 2011.

Mathieu, Jacques, *Le premier livre de plantes du Canada. Les enfants des bois du Canada au jardin du roi à Paris en 1635*, Sainte-Foy, Les Presses de l'Université Laval, 1998.

Pringle, James S., «How Canadian is Cornut's *Canadensium Plantarum Historia*? A Phytogeographic and Historical analysis», *Canadian Horticultural History*, 1988, 1 (4): 190-209.

Reveal, James L., «Significance of pre-1753 botanical explorations in temperate North America on Linnaeus' first edition of *Species plantarum*», *Phytologia*, 1983, 53 (1): 1-96.

Warner, Marjorie F., «Jean and Vespasien Robin, "Royal Botanists", and North American Plants, 1601-1635», *The National Horticultural Magazine*, 1956, 35: 214-220.

APPENDICE 8

LES 68 PLANTES DITES AMÉRICAINES
DE LA LISTE DE GUY DE LA BROSSE DE 1636

Les noms latins présentés en premier sont ceux de 1636. Les mentions référant à l'année 1623 sont de la liste du Jardin des Robin et celles de 1635 sont de la Flore de Cornuti.

1. *Aconitum Americanum luteum majus.* Espèce mentionnée en 1623 et 1635 correspondant possiblement à la rudbeckie laciniée (*Rudbeckia laciniata*).

2. *Aconitum Americanum racemosum fructu albo.* Synonyme de *Aconitum baccis niveis* de 1635.

3. *Aconitum Americanum racemosum fructu rubro.* Synonyme de *Aconitum baccis rubris* de 1635.

4. *Adianthum majus album Americanum.* Synonyme de *Adiantum Americanum* de 1635.

5. *Aloe Americana.* Possiblement l'agave d'Amérique (*Agave americana*). Cet agave, originaire du Mexique, a été observé initialement en Espagne, selon une publication de 1576 de Charles de l'Écluse. Plante mentionnée dès 1590 à Pise et à Avignon en 1599. À cette époque, la floraison de cette espèce constituait un événement à souligner.

6. *Angelica major Americana latifolia baccifera.* Correspond à une espèce d'angélique, l'angélique pourpre ou brillante (*Angelica atropurpurea* ou *Angelica lucida*) mentionnée en 1635.

7. *Angelica Americana.* Correspond à une espèce d'angélique, l'angélique pourpre ou brillante (*Angelica atropurpurea* ou *Angelica lucida*) mentionnée en 1635.

8. *Apios Americana foliis phaseoli floribus obsoletis.* Correspond au nom de 1623 de l'apios d'Amérique (*Apios americana*) aussi décrit par Cornuti en 1635.

9. *Apocinum Americanum folio Asclepiadis flore rubro umbellato.* Correspond au nom de 1623 et de 1635 de l'asclépiade commune (*Asclepias syriaca*).

10. *Apocinum Americanum soleo juglandis.* Correspond possiblement au nom de 1623 et de 1635 de l'asclépiade incarnate (*Asclepias incarnata*).

11. *Aquilegia Americana flore simplici rubro variegato.* Correspond au nom de 1635 de l'ancolie du Canada (*Aquilegia canadensis*).

12. *Asarum Americanum majus.* Correspond au nom de 1623 et de 1635 de l'asaret du Canada (*Asarum canadense*).

13. *Aster Americanus major latifolius.* Correspond vraisemblablement à une espèce de 1623 et au nom de 1635 de l'aster à feuilles cordées (*Symphyotrichum cordifolium*).

14. *Aster Americanus major luteus.* Correspond au nom de 1635 de l'hélénie automnale (*Helenium autumnale*).

15. *Aster Americanus angustifolius flore subalbicante.* Correspond peut-être à la vergerette du Canada (*Erigeron canadensis*).

16. *Bellis major umbellata Americana.* Correspond peut-être au nom de 1635 de la vergerette annuelle (*Erigeron annuus*) ou à la vergerette rude (*Erigeron strigosus*).

17. *Calceolus Mariae Americanus major flore albo variegato.* Correspond au nom de 1635 du cypripède royal (*Cypripedium reginae*).

18. *Calceolus Mariae Americanus minor flore luteo.* Correspond au nom d'un cypripède jaune, comme le cypripède mocassin (*Cypripedium parviflorum* var. *makasin*).

19. *Cardamine Americana tuberosa angustifolia flore albo*

20. *Chelidonium Americanum flore albo.* Correspond au nom de 1635 de Cornuti de la sanguinaire du Canada (*Sanguinaria canadensis*).

21. *Chrysenthemum majus Americanum cum volateria caule, seu VOSACAM.* Correspond au nom de 1623 de l'hélianthe à dix rayons (*Helianthus decapetalus*) ou d'une autre espèce d'hélianthe.

22. *Chrysenthemum Americanum tenuifolium*

23. *Chrysenthemum Americanum tuberosum.* Probablement le topinambour, (*Helianthus tuberosus*). En 1623, le nom est *Chrysanthemum tuberosum* pour les Robin.

24. *Clematis virginiana seu Jasminum Americanum flore phoeniceo.* Correspond au nom de 1623 du jasmin de Virginie, le bignone radicant (*Campsis radicans*), et vraisemblablement au *Gelseminum ederaceum Indicum* de 1635 de Cornuti.

25. *Corthusa Americana repens flore albo botritis*

26. *Doria Americana minor serotina.* Peut-être la verge d'or bleuâtre (*Solidago caesia*), une suggestion de Marjorie Warner pour une espèce de 1623.

27. *Esula Americana latifolia flore albo instar campanulae*

28. *Ficus Americana seu Opontia minor.* Possiblement le figuier de Barbarie (*Opuntia ficus-indica*) qui peut servir d'hôte aux cochenilles utilisées pour l'obtention d'un colorant pourpre recherché par les conquérants espagnols.

29. *Flos Americanus major aureus multiplex.* Possiblement une espèce de tagète (*Tagetes* sp.).

30. *Flos Americanus major luteus corniculatus multiplex.* Possiblement une espèce de tagète (*Tagetes* sp.).

31. *Fragaria Americana fructu rubro hirsuto.* Correspond à une espèce de fraisier indigène (*Fragaria* sp.).

32. *Fragaria Americana magno fructu rubro.* Correspond à une espèce de fraisier indigène (*Fragaria* sp.).

33. *Gelseminum Americanum majus amplo flore foeniceo*

34. *Geranium Americanum flore purpureo.* Possiblement une espèce de géranium (*Geranium* sp.). Pour Tournefort en 1694, le nom français de ce genre est bec de grue, car on prétend « que le fruit de ces sortes de plantes ressemble au bec d'une grue ».

35. *Gnaphalium Americanum.* Selon Marjorie Warner, il s'agit de l'immortelle blanche (*Anaphalis margaritacea*) qui porte le même nom latin en 1623.

36. *Halicacabum Americanum majus flore variegato.* Halicacabum vient du grec et signifie salière en référence à la forme des fruits. Peut correspondre à diverses espèces du genre *Cardiospermum*, ne provenant pas nécessairement des Amériques.

37. *Hedera Americana major pentaphilea.* Correspond au nom un peu différent de 1623 et 1635 de la vigne à cinq folioles (*Parthenocissus quinquefolia*). Il y a aussi la possibilité de la vigne vierge commune (*Parthenocissus inserta*).

38. *Hepatica trifolia Americana.* Possiblement une espèce d'hépatique (*Anemone* sp.).

39. *Lappa major Americana.* Voir la remarque sur la possibilité de correspondre à la bardane majeure (*Arctium lappa*) d'origine eurasiatique ou à d'autres espèces.

40. *Lilium minus Americanum angustifolium flore phoeniceo.* Possiblement une espèce de lis d'Amérique (*Lilium* sp.).

41. *Lysimachia Americana foliis rubris non floruit apud nos.* Possiblement une espèce d'onagre (*Oenothera* sp.).

42. *Martagum Americanum flore phoeniceo punctato.* Possiblement le lis de Canada (*Lilium canadense*) ou une autre espèce. Nom quelque peu différent en 1623.

43. *Martagum Americanum flore luteo punctato.* Possiblement le lis du Canada (*Lilium canadense*). Nom quelque peu différent en 1623.

44. *Morus rubra Americana.* Probablement le mûrier rouge (*Morus rubra*). Porte le nom *Morus rubra virginiana* en 1623 dans la liste du jardin des Robin.

45. *Nardus Americana.* Le nard américain correspondrait à la cacalie à feuille d'arroche (*Cacalia atriplicifolia*, synonyme *Arnoglossum atriplicifolium*).

46. *Nasturcium Americanum tuberosum.* Pour Tournefort en 1694, le *Nasturtium* correspond aux différentes espèces de cresson. Peut donc correspondre à diverses brassicacées (crucifères).

47. *Origanum Americanum majus flore purpureo.* Correspond à la monarde fistileuse (*Monarda fistulosa*) décrite en 1635.

48. *Origanum Americanum majus flore albicante.* Correspond aussi possiblement à la monarde fistileuse (*Monarda fistulosa*) décrite en 1635. Les fleurs de cette espèce varient du rose au pourpre. À l'occasion, elles sont de couleur crème (*albicante*).

49. *Phalangium Americanum flore albo Tradescanti.* Peut-être une forme avec des fleurs blanches de la tradescantie de Virginie (*Tradescantia virginiana*) qui est l'espèce suivante.

50. *Phalangium Americanum flore violaceo Tradescanti.* Voir l'espèce précédente. Espèce mentionnée en 1623 et illustrée dans le florilège de 1623 de Pierre Vallet.

51. *Pisum americanum peranne.* Possiblement une espèce de haricot (*Phaseolus* sp.).

52. *Polygonatum Americanum majus ramosum racemosum.* Correspond à la smilacine à grappes (*Maianthemum racemosum*) mentionnée en 1623 et 1635.

53. *Polygonatum Americanum spicatum fructu rubro magno repens.* Correspond à la smilacine étoilée (*Maianthemum stellatum*) décrite en 1635.

54. *Polygonatum Americanum perfoliatum flore luteo amplo.* Correspond à l'uvulaire perfoliée (*Uvularia perfoliata*) décrite en 1635.

55. *Polygonatum Americanum perfoliatum ramosum flore subluteo amplo.* Correspond à l'uvulaire perfoliée (*Uvularia perfoliata*) décrite en 1635.

56. *Rosa Americana semper virens flore carneo simplici.* Une espèce de rosier (*Rosa* sp.). Marjorie Warner a suggéré le rosier brillant (*Rosa nitida*) pour une espèce du jardin des Robin en 1623.

57. *Rubus Idaeus Americanus latissimis foliis amplo flore purpureo odorat fructu rubro.* Correspond au *Rubus odoratus* de 1635. C'est la ronce odorante.

58. *Sanguisorba major Americana flore albo spicato.* Correspond à la sanguisorbe du Canada (*Sanguisorba canadensis*) décrite en 1635.

59. *Sanicula Americana repens flore albo.* Peut-être l'hydrocotyle d'Amérique (*Hydrocotyle americana*).

60. *Scrophularia Americana major.* Peut-être une espèce de scrofulaire (*Scrophularia marilandica* ou une autre espèce)?

61. *Serpentaria Americana.* Le mot serpentaire correspond à plusieurs espèces différentes de plantes.

62. *Solanum Americanum arborescens racemosum.* Peut-être une espèce américaine de *Solanum*?

63. *Sorbus Americana.* Correspond au sorbier d'Amérique (*Sorbus americana*) ou au sorbier plaisant (*Sorbus decora*).

64. *Trachelium Americanum flore rubro seu Cardinalis planta.* Correspond au nom de 1623 de la lobélie cardinale (*Lobelia cardinalis*), aussi illustrée dans le florilège de 1623 de Pierre Vallet.

65. *Trifolium majus Americanum clypeatum flore purpureo spicato.* Une espèce de la famille des fabacées (légumineuses).

66. *Trifolium majus Americanum siliquosum flore cinereo bituminosum.* Correspond à la polanisie à 12 étamines (*Polanisia dodecandra*) mentionnée en 1635.

67. *Viola lutea Americana major subrecta.* Une espèce de violette à fleur jaune.

68. *Viola lutea Americana minor.* Une espèce de violette à fleur jaune.

COMPARAISON DES NOMS DE CORNUTI (1635) AVEC CEUX DU JARDIN ROYAL (1636)

Noms de Cornuti	Noms du Jardin royal
1. *Filix baccifera.*	1. Pas d'équivalence retrouvée.
2. *Adiantum Americanum*	2. *Adianthum majus album Americanum.*
3. *Origanum fistulosum Canadense*	3. *Origanum Americanum majus flore purpureo majus et Origanum Americanum majus flore albicante.* Notons que les fleurs de *Monarda fistulosa* varient du rose au pourpre (*purpureo*) sont quelquefois crème (*albicante*).
4. *Eruca maxima Canadensis* (?)	4. *Eruca peregrina* (?)
5. *Valeriana urticaefolia flore albo*	5. *Valeriana peregrina flore albo**. La liste du jardin des Robin indique *niveo* plutôt que *albo*.
6. *Valeriana urticaefolia flore violaceo*	6. *Valeriana peregrina flore rubro** (?)
7. *Asaron Canadense*	7. *Asarum Americanum majus**.
8. *Polygonatum spicatum sterile*	8. *Polygonatum Americanum spicatum fructu rubro magno repens.*
9. *Polygonatum spicatum fertile*	9. Identique à *Polygonatum Americanum.*
10. *Polygonatum racemosum*	10. *Polygonatum Americanum majus ramosum racemosum**. Le nom de la liste du jardin des Robin ne contient pas *majus ramosum.*
11. *Polygonatum ramosum flore luteo majus*	11. *Polygonatum Americanum perfoliatum flore luteo ample**.
12. *Polygonatum ramosum flore luteo minus*	12. *Polygonatum Americanum perfoliatum flore sub-luteo ample.*
13. *Hedysarum triphyllum Canadense*	13. *Hedisarum clypeatum et minus* (?)
14. *Fumaria siliquosa sempervirens*	14. Pas d'équivalence retrouvée.
15. *Fumaria Tuberosa insipida*	15. Pas d'équivalence retrouvée.
16. *Aquilegia pumila praecox Canadensis*	16. *Aquilegia Americana flore simplici rubro variegato.*
17. *Aster luteus alatus*	17. *Aster Americanus major luteus.*
18. *Asteriscus latifolius Autumnalis*	18. *Aster Americanus major latifolius** Le nom de la liste des Robin ne contient pas *Americanus major.*
19. *Panaces karpimon sive Racemosa Canadensis*	19. Pas d'équivalence retrouvée.

Noms de Cornuti	Noms du Jardin royal
20. *Herbatum Canadensium sive Panaces moschatum*	20. Pas d'équivalence retrouvée.
21. *Aconitum baccis niveis et rubris*	21. *Aconitum Americanum racemosum fructu albo* et *Aconitum Americanum racemosum fructu rubro.*
22. *Apocynum majus Syriacum rectum*	22. *Apocinum Americanum folio Asclepiadis flore rubro umbellato.*
23. *Apocynum minus rectum Canadense*	23. *Apocinum Americanum folio juglandis* (?)
24. *Edera trifolia Canadensis*	24. Pas d'équivalence retrouvée.
25. *Edera quinquefolia Canadensis*	25. *Hedera Americana major* pentaphilea.*
26. *Trifolium asphaltion Canadense*	26. *Trifolium majus Americanum siliquosum flore cinericeo bitumosum.*
27. *Rubus odoratus*	27. *Rubus Idaeus Americanus latissimus foliis amplo flore purpureo odorat. fructu rubro.*
28. *Solanum triphyllum Canadense*	28. Pas d'équivalence retrouvée.
29. *Solidago maxima Americana*	29. Pas d'équivalence retrouvée.
30. *Acacia Americana Robini*	30. Pas d'équivalence retrouvée.
31. *Pimpinella maxima Canadensis*	31. *Sanguisorba major Americana flore albo spicato.*
32. *Cerefolium latifolium Canadense*	32. Pas d'équivalence retrouvée.
33. *Aconitum Helianthemum Canadense*	33. *Aconitum Americanum luteum* majus* (?)
34. *Vitis laciniatis foliis*	34. *Vitis vinifera foliis laciniatis fructa albo precox* (?)
35. *Thalictrum Canadense*	35. Pas d'équivalence retrouvée.
36. *Bellis ramosa umbellifera*	36. *Bellis major umbellata Americana* (?)
37. *Angelica lucida Canadensis*	37. *Angelica major Americana latifolia baccifera* ou *Angelica Americana.*
38. *Angelica atropurpurea Canadensis*	38. *Angelica major Americana latifolia baccifera* ou *Angelica Americana.*
39. *Apios Americana*	39. *Apios Americana foliis phaseoli floribus obsoletis*.*
40. *Calceolus Marianus Canadensis*	40. *Calceolus Mariae Americanus major flore albo variegato* et *Calceolus Mariae Americanus minor flore luteo.*
41. *Chelidonium maximum Canadense acaulon*	41. *Chelidonium Americanum flore albo.*
42. *Radix Snaqrôel nothae Angliae*	42. Pas d'équivalence retrouvée.
43. *Althea rosea peregrina*	43. *Althea major Africana amplo flore purpureo?*
44. *Gelseminum ederaceum Indicum*	44. *Clematis Virginiana, seu Jasminum Americanum flore phoeniceo.*
45. *Radix Snaqrôel nothae Angliae*	45. Pas d'équivalence retrouvée.

INDEX

TABLE DES MATIÈRES

APPENDICES

CET OUVRAGE EST COMPOSÉ EN GARAMOND PRO CORPS 11
SELON UNE MAQUETTE RÉALISÉE PAR PIERRE-LOUIS CAUCHON
ET ACHEVÉ D'IMPRIMER EN NOVEMBRE 2014
SUR LES PRESSES DE L'IMPRIMERIE MARQUIS
À MONTMAGNY
POUR LE COMPTE DE GILLES HERMAN
ÉDITEUR À L'ENSEIGNE DU SEPTENTRION